MAINE ROMAN
SICILE ROMANE
PORTUGAL ROMAN 1

PORTUGAL
ROMAN *

Gerhard N. Graf
ancien consul d'Allemagne, docteur en droit

avec le concours de
José Mattoso
professeur à l'Universidade Nova de Lisbonne

et de
Manuel Luis Real
directeur de l'Arquivo Historico Municipal de Porto

PORTUGAL

Traduit de l'allemand par G. Schecher
Traduit du portugais par le Frère Jean-Marcel Ollivier

Photographies inédites de Zodiaque

ROMAN *

LE SUD DU PORTUGAL

MCMLXXXVI
ZODIAQUE
la nuit des temps

PRÉFACE

Si certains ouvrages de cette collection évoquent des secteurs d'art roman déjà connus et maintes fois étudiés, d'autres, à l'inverse, incitent à la découverte. Le *Portugal roman* devrait être du nombre de ces derniers car, située à l'extrémité de l'Europe, l'antique Lusitanie semble quelque peu éclipsée par sa voisine ibérique et si l'on évoque parfois les cathédrales de Coïmbre et de Braga, ce n'est guère qu'en passant et presque sans soupçonner, semble-t-il, que, derrière ces monuments, beaucoup méritent à coup sûr davantage qu'une allusion plus ou moins discrète.

Nous étions loin de le soupçonner nous-mêmes, lorsque nous publiions les huit volumes de notre *Espagne romane* et si le Portugal figurait dans les deux tomes complémentaires consacrés à l'art préroman hispanique, c'était à titre de parent pauvre auprès des richesses innombrables de l'Espagne paléochrétienne, wisigothique, asturienne et mozarabe.

Lorsque le Dr Graf nous proposa un Portugal roman — comment hésiterions-nous à l'avouer ? — nous doutions que le sujet justifiât à lui seul un volume ! Et voilà qu'il en requiert deux, bien que, comme il est de règle en cette collection, ces ouvrages n'entendent présenter qu'une anthologie, une sélection opérée parmi un ensemble autrement riche en vérité, comme on pourra s'en convaincre en parcourant ce livre.

Surtout l'art roman portugais frappe par sa personnalité : si, d'évidence, il a emprunté la plupart de ses formes et de son décor à des régions souvent distantes, il a su assimiler ces influences et les combiner de façon tout à fait personnelle. En outre, bien que disposant surtout du granit, matériau ingrat s'il en est, il a su l'utiliser avec beaucoup de finesse et de bonheur.

A mesure que nous avançons dans le survol de l'art roman que voudrait tenter cette collection, nous en mesurons mieux tout à la fois la diversité et l'unité, ce qui permet de parler d'*un* art roman tout en remarquant, à chaque étape, à quel point ce même art peut varier d'une région à l'autre. La raison de son unité est évidente : sans doute l'Occident a-t-il connu peu — sinon point — d'art aussi sacré, à tel point soucieux d'élever dans le moindre village, la plus infime bourgade, des haltes de prière et de témoigner, dans toutes les techniques dont il pouvait disposer, de la libre et volontaire dépendance de l'homme, faible et misérable créature — pourtant aimée de Dieu — à l'égard de son Maître souverain, de son Père et Créateur tout-puissant. Le Portugal manifeste, lui aussi, cette raison d'être fondamentale de l'art roman et ce livre, à sa manière, ne voudrait avoir pour ambition que de le faire sentir.

NOTE

Les planches en noir et blanc de cet ouvrage, comme du reste toutes celles des livres de cette collection et la quasi-totalité de ceux de notre édition, ont été réalisées en héliogravure.

Cette technique, seule, permet d'atteindre à une telle intensité et profondeur des noirs, à un tel rendu des ombres et des lumières, à une restitution aussi parfaite du grain de la pierre, du relief des masses.

C'est pourquoi, en dépit de son coût relativement élevé, nous lui restons fidèles, bien qu'elle soit peu à peu abandonnée par presque tous les éditeurs d'art.

Nous nous permettons de signaler le fait à nos lecteurs. L'héliogravure à feuilles, sauf miracle, semble condamnée à plus ou moins brève échéance. Il nous semble inadmissible que cela puisse se produire dans l'indifférence générale. La qualité devrait l'emporter sur toute autre considération et la disparition d'une telle technique d'impression représenterait une perte irréparable.

Nous tenons à remercier les imprimeurs qui, par amour de leur métier, résistent courageusement aux engouements de la mode et aux facilités tentantes de ce que l'on présente comme progrès.

TABLE

Introduction

Lisbonne

Coïmbre

Tomar

Ermida do Paiva

Sao Pedro de Aguias

Tarouquela

Paço de Sousa

Anciaes

Sao Martinho dos Mouros

Cedofeita

Aguas Santas

LE CADRE HISTORIQUE

Le contexte démographique et militaire

A l'époque romane le Portugal constitue d'abord un petit comté, puis un royaume, dont l'importance politique et économique se développe rapidement dans le contexte de la Péninsule ibérique. Les raisons de cet essor sont surtout, semble-t-il, d'ordre démographique : la région de l'Entre-Douro-et-Minho, déjà très peuplée au VIe siècle, possède au milieu du XIe une forte densité, malgré les bouleversements apportés par l'occupation musulmane : l'épisodique et du reste discuté dépeuplement stratégique de la vallée du Douro par Alphonse Ier d'Asturie, ainsi que les ravages des raids maures dont ceux d'Almançour sont les plus fameux (994-995 et 997). Cette population est en constante expansion dans toutes les directions, mais surtout vers l'intérieur, sur les deux rives du Douro et vers le Sud, près du littoral jusqu'à Coïmbre. En effet la plupart des églises paroissiales de l'archidiocèse de Braga mentionnées en 1258, existaient déjà à la fin du XIe siècle. A cette date la densité humaine de cette région devait atteindre une moyenne d'environ 20 habitants au km^2, chiffre considérable pour l'époque. Le diocèse de Porto pouvait même dépasser une telle moyenne. Comme l'archidiocèse de Braga était très étendu et englobait des régions presque désertiques (par exemple le Tras-os-Montes), en réalité la population s'entassait sur les terres les plus fertiles. A une époque de croissance démographique et de faibles ressources techniques, un grand nombre se voyait forcé d'émigrer. Ceux-ci se dirigeaient non seulement vers l'intérieur du pays, vers des terres à défricher, mais encore vers la frontière de l'Islam.

Depuis 1064 cette dernière se situait sur le Mondego et la Sierra de l'Estrela. A partir des années 1130-1135 eurent lieu des expéditions chrétiennes importantes mais ce fut seulement en 1147, avec la conquête de Santarem et de Lisbonne — cette dernière réalisée avec l'aide de croisés anglais, francs et flamands — que la frontière se fixa définitivement sur le Tage. Il y eut par la suite d'autres conquêtes plus au Sud, mais la seule ville qui demeura toujours entre les mains des Portugais fut Evora (1166). En effet, les tentatives militaires dans la région d'Elvas, de Cáceres et de Badajoz n'obtinrent pas de succès définitifs avant 1227. La conquête de Cáceres à cette date, par le roi de León, permit un nouveau report de la frontière jusqu'à l'Algarve (1230-1249), cette fois non pas seulement par les troupes du roi, mais surtout par celles de l'ordre militaire de Saint-Jacques, et, dans certains cas, de ceux de Calatrava et des Templiers.

L'occupation militaire connut donc une recrudescence d'activité durant trois phases successives : de 1057 à 1064, de 1135 à 1169, et de 1230 à 1249. Le repeuplement des régions conquises en vue d'assurer la stabilité de la frontière, se fit, dans l'Entre-Douro-et-Mondego, pendant la deuxième moitié du XIe siècle ; dans l'Entre-Mondego-et-Tage, après le milieu du XIIe, et dans l'Alentejo et l'Algarve, après 1250. Les deux premières phases et la troisième présentèrent des caractères différents. Tandis qu'au cours des deux premières, beaucoup de terres furent occupées par de petits et moyens propriétaires ruraux (piétons et chevaliers-vilains), durant la dernière le morcellement des domaines agricoles fut presque inexistant, sauf autour de certaines villes, telles qu'Evora et Montemor-o-Novo. Tandis qu'au Nord du Tage, surtout dans l'Estramadure, le territoire rural, assez peu peuplé auparavant, était mis en valeur au moyen d'exploitations dispersées, dans l'Alentejo l'habitat demeura concentré dans les villes et l'interland resta presque désert. Les mouvements de migrations semblent généralement s'être étendus vers des régions peu éloignées de leurs points de départ. Par ailleurs ils semblent avoir été plus importants jusqu'à la fin du XIIe siècle. Bien qu'après cette date, et surtout après 1250, nombreux durent être les excédents de population, surtout dans l'Entre-Douro-et-Minho, ceux-ci ne semblent pas avoir été attirés par les latifundia et les déserts méridionaux, peut-être en raison de l'insuccès de certains défrichements. En effet, le manque de sécurité dans une région où s'opéraient des raids almohades, fut très grand ; à cette époque eurent lieu plusieurs incursions parmi lesquelles celles d'Yusuf contre Santarem en 1184 et celles d'Yakub Almançour jusqu'à Torres Novas et Tomar en 1190 et 1191. Une d'entre elles causa même l'extermination de la communauté d'Alcobaça et menaça Coïmbre. Mais le manque de sécurité s'évanouit complètement à l'intérieur après 1217 (conquête d'Alcácer do Sal) tandis que la côte, après 1250, resta encore longtemps soumise au pillage des pirates musulmans.

Pour compléter ce bref aperçu de la situation militaire, il faut signaler encore les luttes contre les royaumes de León et Castille qui causèrent ravages et violences sur la frontière galicienne à diverses reprises : en 1121, de 1127 à 1130, de 1130 à 1140, de 1211 à 1212, de 1336 à 1339 ; sur la frontière leonaise de la Beira, en 1180, de 1196 à 1199, en 1211, et de 1336 à 1339 ; enfin, sur la frontière castillane de 1249 à 1253.

A quoi il faut encore ajouter des troubles intérieurs dont on connaît des exemples concrets dans la région de Porto vers 1208-1210, à Montemor-o-Velho en 1211 et 1213, à Barcelos, à Braga et Guimarães en 1219 et 1220, dans plusieurs endroits de l'Entre-Douro-et-Minho et peut-être ailleurs de

1226 à 1228, une période d'anarchie sociale généralisée vers 1237-1245 et la guerre civile en 1245-1248. Signalons pour finir les difficultés causées par une période de mauvaises récoltes et de pestes durant les années 1190-1210.

On peut en conclure que la situation de paix et de prospérité favorable à la construction de bâtiments coûteux et exigeant beaucoup de main-d'œuvre se situe pendant les trois périodes suivantes : 1075-1100, 1150-1190 et 1250-1300.

Le contexte politique

L'histoire politique confirme, à peu de chose près, les conclusions que nous venons d'énoncer. En effet, la fin du XIe siècle, pendant laquelle s'affirma l'autorité des rois de León et Castille : Ferdinand Ier, Alphonse VI et, après 1096, du comte Henri de Bourgogne, fut la période durant laquelle les rois parvinrent à maîtriser les visées d'indépendance menées par les anciens comtes du Portugal, visées qui furent définitivement anéanties à la bataille de Pedroso (1071). Après cette date, les pouvoirs locaux (*tenentes*) — même ceux qui étaient partisans d'une politique pro-mozarabe, comme Sisnandus de Coïmbre (1064-1092) — s'affirmèrent comme de fidèles serviteurs des rois de León puis de son représentant, le comte Henri (1096-1112).

Celui-ci entreprit cependant une politique d'indépendance et intervint de toutes ses forces dans les luttes en vue de s'emparer du pouvoir royal à partir de 1108. Sa veuve Thérèse (1112-1128) poursuivit la même politique, en se liant cependant, après 1121, au comte de Trava, galicien. Ce fut précisément l'ambition des Trava et de l'archevêque de Santiago Diego Gelmírez qui suscita la révolte des nobles portugais : ceux-ci choisirent comme chef le prince Alphonse Henri, expulsèrent la comtesse et le prince s'empara du pouvoir comtal. Après des luttes prolongées en vue d'affirmer son indépendance à l'égard du roi de León et de Castille, il finit par s'arroger le titre de roi (1139) et par prêter serment de vassalité au Saint-Siège (1143). Son indépendance ne fut cependant reconnue par le pape qu'en 1179, lorsque le souverain de León ne songea plus à la contester.

L'autorité d'Alphonse Ier, guerrier impétueux et entreprenant, s'affirma surtout sur les frontières, à partir du moment où il fit de Coïmbre son centre de rayonnement (après 1130). Il permit en même temps aux seigneurs, aux évêques et aux abbayes de la vallée du Douro et du Nord d'accroître rapidement leurs pouvoirs seigneuriaux. Par ailleurs il réunit autour de lui une partie importante de la jeune noblesse et plusieurs chevaliers étrangers. Il affermit son pouvoir au centre du pays en concédant des chartes de franchise aux régions dont il dépouillait ainsi les seigneurs.

L'échec militaire de Badajoz (1169) marque la fin des expéditions conduites par le roi. Les suivantes furent menées par son fils Sanche Ier. En dépit de leur caractère audacieux et de leur succès, le pays résista avec peine aux invasions almohades de 1184 et 1190-1191, dont nous avons déjà parlé. Aux revers militaires et aux calamités démographiques et atmosphériques de 1190-1210, vinrent s'ajouter des rivalités mal connues au sein de la noblesse.

Le nouveau roi, Alphonse II (1211-1223) entreprit une politique centralisatrice et tâtillonne avec l'appui d'un groupe de nobles et de juristes imbus de droit romain. Mais l'opposition d'une faction de la noblesse, d'une partie du clergé, jointe au fait qu'il était lépreux, ne lui permit pas de dominer la situation. Celle-ci s'aggrava pendant le règne de Sanche II (1223-1248) jusqu'à susciter l'opposition de certains nobles (1226-1228) et même l'anarchie sociale (1237-1245). Un groupe de nobles et d'évêques décida finalement de demander au pape Innocent IV la nomination d'un gouverneur pour le royaume, ce qu'il fit, après le concile de Lyon en 1245, en la personne de l'infant Alphonse, alors comte de Boulogne par son mariage.

La décision papale entraîna une guerre civile : beaucoup de nobles et l'infant Alphonse de Castille (le futur Alphonse X) appuyèrent le roi déposé, mais, malgré tout, le comte de Boulogne l'emporta. Son frère aîné mourut à Séville en 1248. Devenu roi, Alphonse III (1248-1279) entreprit aussitôt une politique de remise en état des finances et d'un développement des échanges au profit de la couronne. Il réussit de la sorte à asseoir son autorité et son pouvoir en réunissant autour de lui une noblesse de cour bien soumise, et en s'opposant victorieusement, mais sans actions militaires, à la noblesse ancienne. Malgré de graves conflits avec les évêques, il légua à son successeur un pouvoir fermement assis et bien centralisé.

Ce successeur, Denis (1279-1325), continua la politique administrative et financière de son père, en accroissant encore son effort de production et d'échanges. Il parvint à établir un modus vivendi pacifique avec le clergé et la noblesse. Soucieux aussi de vie culturelle, il protégea troubadours et écrivains et fonda l'université de Lisbonne (1290) qu'il transféra par la suite à Coïmbre (1308). La prospérité du royaume et l'appui du roi permirent la constitution de certaines grandes fortunes foncières et le renouvellement de la haute noblesse. Cet événement, en soi heureux, eut comme revers la guerre civile de 1310-1325, entre le roi et le prince Alphonse. Elle révéla des conflits profonds au sein de l'aristocratie. Ces luttes se renouvelèrent pendant le règne d'Alphonse IV (1325-1357).

On peut conclure de tout cela que les périodes durant lesquelles le pouvoir royal s'affirma sans oppositions marquées se situent pendant le dernier quart du XIe siècle, vers 1140-1185 et de 1250-1310.

Le contexte religieux

La situation religieuse nous permettra de mieux cerner les répercussions des périodes de paix ou de guerre ainsi que les limites fluctuantes du pouvoir royal.

En ce qui concerne le cadre de la vie religieuse, on pourrait dire qu'il fut dominé par les courants suivants :

1) 1055-1080 : monastères de la *regula mixta* tendant à restaurer certaines observances péninsulaires.

2) 1080-1130 : moines bénédictins qui adoptent souvent les coutumes et la liturgie clunisiennes.

3) 1131-1200 : multiplicité d'observances monastiques et canoniales — ermites, chanoines réguliers de Sainte-Croix de Coïmbre, prémontrés, cisterciens, moniales bénédictines — sans oublier ordres militaires des Templiers, de l'Hôpital, d'Evora-Calatrava, du Saint-Sépulcre et de Saint-Jacques.

4) Après 1200 : moniales cisterciennes, franciscains et dominicains, essor de l'ordre de Saint-Jacques.

En confrontant les périodes les plus fécondes de ces mouvements religieux et les phases de la reconquête, on peut situer facilement les zones géographiques où ils prédominent et fixer certaines de leurs caractéristiques. Ainsi les bénédictins qui, après 1080, occupent une bonne partie des anciens monastères de la *regula mixta*, se situent au Nord et dans la vallée du Douro, dans les montagnes du Paiva et du Vouga et près de Coïmbre ; ils dépendent de la noblesse seigneuriale et sont soumis à l'autorité de l'évêque du lieu. Les trois abbayes clunisiennes de Rates, Vimieiro et Sainte-Juste de Coïmbre, exemptes de protecteurs laïcs et de la juridiction diocésaine, semblent isolées au sein du contexte religieux portugais.

Les chanoines réguliers, fondés d'abord à Coïmbre (1113) et Lisbonne (1147), occupent ensuite d'anciens monastères du Nord qui n'avaient probablement jamais adopté la règle de saint Benoît. Ils connaîtront deux types de prieurés : ceux des villes, dynamiques et peuplés de chanoines instruits, et ceux de milieux ruraux, soumis presque toujours à la noblesse locale et très semblables aux abbayes bénédictines de la région, si ce n'est, peut-être, qu'ils connaissent plus d'activités pastorales.

Les cisterciens remplacent d'abord des communautés d'ermites de la Beira Alta, sur la rive gauche du Douro (1144-1150) ; ils fondent ensuite un monastère près de la frontière musulmane, à Alcobaça (1153), acceptent plus tard d'autres abbayes bénédictines du Nord dans des régions isolées ou implantent des maisons nouvelles dans la Beira et l'Estramadure. Leur essor atteint cependant son apogée à la fin du XIIe siècle et au début du suivant. Ils représentent alors l'ordre préféré d'Alphonse II qui se fait enterrer à Alcobaça. Cette abbaye devient le lieu de sépulture des rois portugais, après Sainte-Croix de Coïmbre.

Les ermites créèrent de petites communautés éphémères à la périphérie des régions plus peuplées et des villes, à la croisée des chemins, un peu partout, mais surtout dans la Beira. Transformées ensuite en communautés régulières de cisterciens, de prémontrés ou de moniales bénédictines, abandonnées par suite du manque de vocations ou converties en églises paroissiales, ces fondations disparaissent, en général, en tant qu'ermitages, à la fin du XIIe siècle ou au début du XIIIe. Plus tard on en trouve de nouvelles, généralement occupées par des individus isolés, dans des régions éloignées de tout centre ou à proximité de certaines villes telles que Lisbonne (à Sintra), Santarem ou Evora.

Les moniales bénédictines remplacèrent d'anciennes communautés d'hommes et de femmes dans l'Entre-Douro-et-Minho, dans la vallée du Douro et près de Coïmbre. L'époque de leur plus grand rayonnement semble si situer vers 1150-1175. Ces abbayes constituèrent souvent un refuge pour les filles que les familles nobles ne voulaient ou ne pouvaient pas marier et doter. Plus tard, au début du XIIIe siècle, avec, cette fois, la participation directe de princesses de sang royal, la même tendance se renouvela au profit des cisterciennes, qui occupèrent alors de très anciens monastères masculins comme Lorvão, des abbayes de femmes comme Arouca, ou bien fondèrent des maisons nouvelles dans l'Estramadure et même près d'Evora et à Coïmbre. La prédominance des cisterciennes se maintint jusqu'à la fin du XIIIe siècle, époque où elles se trouvèrent déjà en concurrence avec les clarisses, protégées par la reine sainte Elisabeth, femme du roi Denis.

Enfin, les ordres militaires, outre leurs châteaux situés sur la frontière, comme ceux de Pombal, Almourol, Tomar, Palmela, Sesimbra, São Tiago de Cacém, etc., possédaient aussi beaucoup de commanderies éparpillées sur tout le territoire, afin d'administrer les nombreuses donations faites par le roi, les nobles et les petits propriétaires. Les templiers détenaient beaucoup de biens dans le Nord, surtout dans le Tras-os-Montes, ainsi que de grands domaines dans la Beira Baixa ; les hospitaliers, en plus des propriétés éparpillées dans le Nord, occupaient des latifundia dans l'Alentejo intérieur ; les chevaliers de Calatrava étaient établis au Nord de l'Alentejo ; quant aux chevaliers de Saint-Jacques, ils jouissaient d'énormes territoires dans la région de Palmela et sur toute la côte de l'Alentejo.

En ce qui concerne le cadre diocésain, il faut remarquer qu'après l'abandon des sièges épiscopaux à l'époque de l'instabilité de la frontière du Douro (VIII—IXe siècles), ces derniers furent définitivement restaurés en 1070 (Braga), 1080 (Coïmbre), 1112 (Porto), 1147 (Lisbonne, Lamego et Viseu), 1166 (Evora), 1203 ? (Guarda, qui remplaçait Egitania) et 1253 (Silves). Ces dates marquent donc le début de l'organisation des structures du clergé séculier dans les diverses régions et de la constitution des domaines des évêques et des chapitres. La division des menses épiscopales et canoniales date de la fin du XIIe siècle. La fixation des limites des paroisses eut lieu probablement vers la deuxième moitié du XIIIe siècle.

Pendant quelques années, plusieurs sièges épiscopaux furent occupés par d'anciens moines clunisiens français (saint Géraud à Braga, 1096-1108 ; Maurice Bourdin à Coïmbre, 1099-1109, et Braga, 1109-1118 ; Bernard à Coïmbre, 1128-1146) ou par des clercs d'origine ou de formation française (Hugues à Porto, 1112-1136 ; Jean Peculiar à Porto, 1136-1138, et Braga, 1138-1175) ou même par des Anglais (Gilbert à Lisbonne, 1147-1164 ?). Ce fait témoigne de l'influence de la culture française au Portugal à l'époque de la restauration des diocèses. Elle assura la diffusion de la liturgie romaine, probablement implantée d'abord dans les monastères qui avaient reçu les coutumes clunisiennes (à partir de 1080-1085). On ne signale pas de résistance en faveur de la liturgie mozarabe, sauf probablement à Coïmbre jusque vers 1115-1116. La culture cléricale française fut aussi répandue par le canal des cisterciens, des prémontrés, des templiers et même des ermites et des chanoines de Sainte-Croix de Coïmbre. Ces derniers, bien que fondation de clercs portugais, adoptèrent les coutumes de Saint-Ruf d'Avignon. Il semble qu'aux relations initiales avec la France, établies par des figures de premier plan vers 1090-1160, succédèrent des liens suivis et nombreux, mais anonymes. Ceux-ci paraissent cependant s'atténuer vers le début du XIIIe siècle au bénéfice de l'Italie où beaucoup de clercs allaient étudier le droit. Quelques-uns de ceux-ci devinrent professeurs de l'université de Bologne et commentateurs réputés du droit canon et occupèrent plus tard plusieurs sièges épiscopaux au Portugal. Ces contacts s'ajoutaient à ceux qui s'étaient établis avec le Saint-Siège, très fréquents depuis le milieu du XIIe siècle (Jean Péculiar fit sept fois le voyage de Rome) et surtout pendant le XIIIe, lorsque les difficultés avec les rois obligèrent les prélats à effectuer des démarches répetées auprès du pape. Quelques-uns s'installèrent pendant des années à l'ombre de la Curie romaine.

Les querelles entre évêques et rois constituent en effet l'événement le plus saillant de l'histoire religieuse des années 1200-1285. Dans l'impossibilité où nous sommes de décrire ici leur développement, nous nous contenterons de dresser une liste des périodes et des régions les plus atteintes, en laissant de côté les faits mineurs : Porto et Coïmbre, 1208-1211 ; Lisbonne, 1217 ; Braga et d'autres évêchés 1220-1223 ; Guarda, 1237 ; Porto et Braga, 1238 ; plusieurs évêchés, surtout au Nord, 1238-1245 ; Porto, 1258 ; presque tous les évêchés, 1267-1279. Enfin, ces querelles se terminèrent par un accord entre les évêques et le roi Denis (1282) ratifié par un concordat (1289). Une fois bien précisées les limites des juridictions civile et ecclésiastique, les divergences entre ces deux autorités s'atténuèrent grandement.

La délimitation des droits fut, en effet, une préoccupation constante du clergé pendant le XIIIe siècle. Elle apparaît dans les questions posées au sujet des limites des diocèses, de l'intronisation des curés, des églises soumises à des patronages laïcs ou ecclésiastiques, de la juridiction sur les institutions exemptes (par exemple les clunisiens, les cisterciens, les ordres militaires, Sainte-Croix de Coïmbre), les privilèges des mendiants, etc. Tout cela occupa beaucoup de juristes et notaires qui acquirent ainsi un grand pouvoir au sein des administrations ecclésiastiques et même auprès des centres du pouvoir politique.

Cette influence fut aussi accrue par les fréquentes interventions du Saint-Siège dans la vie ecclésiastique et politique portugaise, après le pontificat d'Innocent III. Jusqu'alors la Curie se limitait à trancher les questions posées, souvent à propos de la restauration des diocèses et des métropoles au cours de la Reconquête, ou encore au sujet de la diffusion de la liturgie romaine ou de la croisade. Elle intervenait par l'entremise des légats ou sur la demande personnelle des intéressés ou de leurs délégués, envoyés à la Curie. Après le début du XIIIe siècle cependant, cette action s'effectua en général par des mendiants, chargés d'affaires, des juges apostoliques nommés parmi des prélats ou des chanoines du lieu ou de royaumes voisins, des agents venant recueillir des aumônes pour la guerre sainte, etc. Les fonctionnaires royaux voyaient d'un mauvais œil ces interventions fréquentes d'ordre administratif.

Le monde des clercs et des religieux est donc très vivant et diversifié. Dans l'ensemble, on pourrait dire que la fin du XIe siècle et presque tout le XIIe constituent une période d'intense vitalité, où l'expansion des ordres monastiques et canoniaux les plus divers se succèdent à une cadence rapide avec peu de rivalités ou de conflits graves, à une époque d'expansion vers le Sud ou bien, après 1185, de défense commune contre les Almohades. Les années 1200-1280, par contre, sont dominées par des querelles constantes et à tous les niveaux, qu'on essaie de résoudre par voie administrative ou juridique, ce qui donne une autorité accrue aux clercs experts en droit canon. La vitalité religieuse se concentre alors dans les villes, sous l'influence des ordres mendiants dont l'importance croît pendant le XIIIe siècle et s'exerce auprès des rois, de quelques nobles et des bourgeois.

Le contexte économique et social

Ce dynamisme trouve du reste un écho dans l'évolution économique et sociale. En effet, comme les autres pays d'Europe, le Portugal s'inscrit dans un courant d'expansion économique au XIe et XIIe siècles. Le XIIIe siècle connaît déjà des difficultés dues, semble-t-il, aux écarts entre l'accroissement de la population et celui des ressources alimentaires.

On a déjà mentionné la densité humaine et son expansion vers le Sud pendant la Reconquête. Il faut maintenant résumer sommairement les conditions économiques de cette époque. Initialement les régions les plus peuplées sont aussi les terres les plus fertiles. Les défrichements du XIe au XIIIe siècle atteignent cependant beaucoup d'endroits arides, au rendement assez faible, dans le Tras-os-Montes, la Beira Alta, la Beira Baixa et l'Alto Alentejo. Leur existence est souvent précaire. Tandis que le Nord et le littoral produisent suffisamment de céréales, de vin et des produits de première nécessité — ce qui assure presque une autarcie — l'intérieur du pays connaît plutôt une économie de production. Certaines terres ne sont bonnes que pour des céréales ou pour des pâturages. Elles ne peuvent donc subsister que par le commerce. Les plus favorisées se trouvent à proximité de fleuves, ce qui permet le transport des marchandises lourdes et même le commerce avec le León et la Castille.

L'afflux de la population excédentaire dans les villes incita aussi à l'économie d'échanges. Les cités attirèrent les produits agricoles des alentours. C'est le fait de Lisbonne, de Santarem et de Coïmbre dont la croissance est assez rapide après 1147, de Porto, de Braga et de Guimarães au Nord, d'Evora, d'Alcácer do Sal, de Beja et des villes de l'Algarve au Sud. Du côté de la frontière leonaise et castillane on trouve surtout des villes à fonction militaire, telles Guarda et Elvas. Enfin, les anciennes villes épiscopales, qui jouent un rôle militaire au XIe siècle, deviennent des centres d'échange sur les routes entre la côte et l'intérieur.

Les voies les plus fréquentées sont cependant celles qui suivent la direction Sud-Nord : déjà empruntées avant le XIe siècle par les marchands d'artisanat et de produits de luxe des villes musulmanes ainsi que des produits agricoles méditerranéens, elles continuent d'avoir cette fonction après la conquête de Lisbonne, qui permet toujours le commerce avec l'Islam. A cette époque, cependant, la voie maritime Lisbonne-Porto devient libre, ce qui permet le commerce international jusqu'alors entravé par la piraterie musulmane. Cette dernière menace encore la côte centrale jusqu'au début du XIIIe, mais cesse presque complètement après la conquête de l'Algarve. Le réseau commercial avec le Nord de l'Europe, surtout avec l'Angleterre, se constitue donc lentement dès la fin du XIIe siècle, mais ne permet pas de transactions vraiment importantes avant 1250.

On voit donc qu'à une région où l'autarcie était possible, comme dans l'Entre-Douro-et-Minho et sur les deux rives du Douro inférieur, s'en opposaient d'autres qui s'engagèrent vite dans un système économique plus moderne, même si elles étaient peu fertiles. Les structures seigneuriales maintinrent ces différences. Tandis que le Nord resta la région du régime seigneurial par excellence — les propriétaires nobles et ecclésiastiques continuant d'y posséder des droits régaliens habituels au régime féodal — dans la Beira, au Centre et au Sud, les communautés rurales s'organisèrent en communes (*concelhos*) dotées de plus ou moins d'autonomie judiciaire, fiscale, militaire et administrative. Le besoin d'attirer des paysans vers le Sud, en vue d'assurer la défense contre les Musulmans par l'occupation du sol, amena quelques seigneurs laïcs et ecclésiastiques, les ordres militaires et surtout les rois (en particulier Sanche Ier et Alphonse III) à accorder de nombreuses chartes de franchise (*forais*) qui exemptaient les *concelhos* des obligations à l'égard des seigneurs et concédaient aux chevaliers vilains et parfois même aux piétons (*peões*) le contrôle des assemblées d'hommes libres et l'élection des magistrats. Dans ce cas, le roi et les seigneurs qui accordaient les *forais* exerçaient souvent un contrôle par l'entremise d'un chef militaire, l'*alcaide*. Cependant, la concession de grands domaines fonciers à des nobles, à des ordres monastiques (comme Alcobaça et Sainte-Croix de Coïmbre) et aux ordres militaires dans la Beira, l'Estramadure et l'Alentejo, — où l'organisation municipale était la règle — permit la constitution de grands pouvoirs seigneuriaux de plus en plus importants, même en ces régions. Ils respectèrent en général l'autonomie des communautés rurales en exerçant sur elles leur contrôle non seulement par un *alcaide* nommé, mais aussi par la désignation des autres magistrats. Dans les domaines d'Alcobaça les moines exercèrent un pouvoir seigneurial plus pesant encore et se livrèrent à des exactions semblables à celles du Nord.

La population mozarabe qui habitait au Centre et au Sud du pays constitua, après la Reconquête, une masse sans titre de propriété ou bien des artisans en milieu urbain. Il semble que cette masse ait été assimilée assez rapidement. Les vestiges de sa culture créée sous l'influence arabe — du moins les plus typiques - ne résistèrent pas à l'arrivée des propriétaires du Nord, sauf dans le domaine des techniques agricoles et surtout artisanales, comme le montre la linguistique. Des études approfondies en ce domaine font hélas défaut. Les Mozarabes et les esclaves maures formaient aussi une main d'œuvre qui fut souvent employée à construire églises et châteaux.

Au Nord, au contraire, la population se rattache aux traditions culturelles gothiques et hispano-romaines. Les tenanciers travaillant sous le régime seigneurial ne constituent pas la masse des salariés agricoles. Ils exploitent des unités agraires de dimensions familiales, soumises, sans doute, à de lourdes impositions, mais que les seigneurs permettent de cultiver à leur gré. En effet, les seigneurs s'occupent très rarement de l'administration directe. Celle-ci n'existe guère que dans les domaines des cisterciens, même au Nord du pays, et, semble-t-il aussi, dans certains latifundia de quelques nobles et d'ordres militaires du Centre et du Sud, à partir de la deuxième moitié du XIIIe siècle.

Quant aux autres classes sociales, il faut signaler que les grosses fortunes et les hauts postes politiques étaient tout au plus aux mains d'une douzaine de familles. Au XIIe siècle, elles possèdent leurs maisons en milieu rural, surtout dans l'Entre-Douro-et-Minho et dans la vallée du Douro, même lorsqu'elles exercent des charges à la cour royale. Autour d'elles on trouve une quantité considérable de chevaliers de fortune modeste dont les fils cadets font la croisade dans l'armée du roi et dans les ordres militaires. Pendant la première moitié du XIIIe siècle et surtout pendant la période anarchique de 1237-1245, les chevaliers jouent un rôle décisif et ambigu, en se mettant au service des deux factions en présence, ou simplement en abusant de leur force contre les églises, les clercs et les paysans. Leurs difficultés économiques et leurs ambitions les incitent à se constituer des lignages, en réservant à un seul descendant le patrimoine familial, coutume que la haute noblesse ne semble pas pratiquer, du moins de façon systématique, avant la fin du XIIe siècle. Ils sont fréquemment les bienfaiteurs d'églises et de petits monastères, comme le sont aussi les membres de la haute noblesse. On voit apparaître parfois en leur sein des chevaliers plus entreprenants, qui, à la faveur de la protection royale et d'une gestion plus habile de leurs biens, deviennent les familles les plus puissantes de la cour au point de constituer la haute noblesse d'après 1250.

La relation avec les protecteurs fut, pour les monastères, toujours déterminante dans leur vie religieuse et culturelle. Tandis qu'au XIe et au XIIe siècles, ceux-ci les dotent généreusement, assurant ainsi leur prospérité matérielle, ils deviennent souvent pour eux une charge à partir du début du XIIIe siècle, surtout dans le cas des familles de chevaliers. A la fin du XIIIe siècle, cependant, les nouveaux membres de la haute noblesse utilisent les ressources culturelles des moines pour raviver leurs traditions familiales, devenant généralement héritiers de l'ancienne haute noblesse. Cette nouvelle protection se traduit parfois par la construction de tombeaux, de narthex ou de cloîtres, voire même de nouvelles églises romanes dans la deuxième moitié du XIIIe siècle.

En résumé, les périodes pendant lesquelles les conditions économiques furent les plus favorables à la construction de bâtiments, se situent à la fin du XIe siècle, entre 1150 et 1184 et après 1250. Les troubles dus à des raisons militaires, politiques ou sociales pendant les années du début du XIIe et du XIIIe siècles, affectèrent les ressources financières et la paix, toutes choses qu'exigent les constructions. Les régions les plus habitées et les plus fertiles se situent dans l'Entre-Douro-et-Minho et sur le littoral. Mais tandis que celles du Nord sont suffisamment éloignées de la frontière pour ne pas craindre les ravages des Maures, celles du Sud et de la côte, à l'inverse, sont menacées par ces derniers jusqu'en 1250. Par contre les troubles sociaux, la guerre civile et même l'anarchie affectent davantage le Nord que le Sud, surtout pendant la première moitié du XIIIe siècle. Enfin, la structure et la culture de la noblesse ne permettent pas à cette dernière de jouer un rôle réel dans les constructions romanes du XIIe siècle, qui semblent principalement dues au clergé, tandis qu'après 1250 la noblesse, surtout la haute noblesse, semble s'intéresser directement à l'érection de bâtiments, voyant en cela un moyen d'accroître son prestige et d'affirmer son pouvoir.

JOSÉ MATTOSO

L'ART ROMAN AU PORTUGAL

L'art roman portugais est encore peu connu hors de ses frontières. En général on le tient pour le prolongement normal — et de peu d'importance — de l'art roman galicien. De fait, comme cela est naturel, les influences de cette province s'y sont fait sentir surtout au voisinage du Minho qui constitue la frontière Nord du pays, d'autant que cette région appartenait alors au diocèse de Tuy, situé en Espagne. Mais on y trouve aussi et surtout un art roman fort différent de celui du reste de la Galice, très intéressant en lui-même et qui a connu une évolution personnelle, surtout lorsque se fut constitué un état portugais. Bien entendu d'autres influences se sont manifestées en son cas, notamment celles des grands centres du chemin de pèlerinage à Saint-Jacques-de-Compostelle et d'autres encore — sans que nous entendions soulever ici le problème de l'origine des courants artistiques qui ont pu se manifester entre la France et l'Espagne à l'époque romane. A côté de contacts évidents avec l'art contemporain de l'Europe qui se manifestent essentiellement dans les cathédrales portugaises de ce temps, on trouve dans les églises lusitaniennes une certaine opposition à de telles influences et cela non seulement dans l'architecture mais aussi dans l'ornementation. Toutefois d'autres courants ont touché le pays et notamment ceux des grandes congrégations religieuses et parmi ces dernières surtout celles des bénédictins et des cisterciens. On attribue aux moines noirs l'apport de tout un répertoire propre — riche en animaux et figures symboliques — qui a fait nommé ce courant au Portugal — et seulement chez lui — « art roman bénédictin ».

La plupart des constructions parvenues jusqu'à nous datent des XIIe et XIIIe siècles, c'est-à-dire de la dernière période de l'art roman qui s'est prolongée en ce pays plus longtemps qu'ailleurs. Dans leur majeure partie les églises sont en granit de qualité plus ou moins fine, ce qui explique le caractère facilement rustique des sculptures, comme c'est aussi le cas pour les églises fameuses du Jylland en Danemark présentées dans l'*Art scandinave* en cette même collection. Toutefois ici un esprit presque baroque se fait jour qui est proprement national. Une seule église est bâtie en briques (Castro de Avelães) selon le type espagnol de Sahagún, influencé par l'art mozarabe. Ce fait rappelle l'importance de la géographie en ce qui concerne l'emploi des matériaux de construction. On a coutume de dire que l'art roman portugais est un art de granit. Mais la réalité est autre. Il a existé aussi un art roman du calcaire comme un art roman du schiste ou en torchis, semblable aux constructions rurales des régions où l'on fait appel, aujourd'hui encore, à ces moyens, faute de meilleurs matériaux.

Toutefois l'art roman ne s'est pas cantonné dans le Nord-Ouest du pays. Son expansion vers l'intérieur et vers le Sud est certaine, même si elle ne nous reste perceptible que dans des vestiges isolés ou dans des ensembles aussi importants que ceux de Coïmbre. Plusieurs de ces églises, construites en matériaux fragiles, n'ont pas résisté à l'épreuve du temps. La plupart de ces monuments sont modestes : petites dimensions, faible élévation s'y associent toutefois à des proportions heureuses. Les murs sont simples, le voûtement consiste dans une charpente apparente ancrée sur une corniche supportée par des corbeaux. Le plan est constitué soit par deux rectangles mis bout à bout, soit par une abside semi-circulaire — précédée ou non par une travée droite — pour le chœur et une nef rectangulaire simple avec ou sans voûte en berceau, de même que l'abside présente ou non une voûte en cul-de-four. Si la structure architecturale est élémentaire, voire embryonnaire, à l'inverse le décor est très riche, parfois même exubérant, jouant avec prédilection sur les contrastes d'ombres et de lumières. Si l'on retrouve dans ces ornementations des thèmes habituels à l'art roman, on y découvre aussi des éléments très personnels.

Ce qu'on appelle communément « le premier art roman » du XIe siècle n'a laissé que fort peu de vestiges au Portugal, ce qui n'a rien d'étonnant puisque la péninsule ibérique, entre le IXe et le XIe siècle — surtout dans sa partie la plus occidentale —, restait, sauf exception, très isolée du contexte européen et de toute l'évolution artistique qu'avait connue le territoire de l'empire carolingien jusque dans ses marches de Catalogne dont les innovations artistiques devaient gagner peu à peu le reste de l'Espagne, tout comme du reste des influences venues directement des abbayes d'Italie.

Certes il existe au Portugal des monuments marqués par les courants wisigothique et asturien d'Espagne (cf. dans cette collection l'*Art préroman hispanique I*). Cependant toutes les énergies de la péninsule ibérique étaient alors absorbées par les combats de la reconquête, menés contre les occupants musulmans. Dans les périodes de calme, les chrétiens ne pouvaient manquer d'être subjugués par la civilisation islamique, plus raffinée que la leur, ainsi que par les apports artistiques qui leur parvenaient surtout par l'entremise des mozarabes, c'est-à-dire de ces groupes de leurs compatriotes qui avaient réussi à survivre et à se développer dans les territoires occupés et qui accouraient dans les régions libérées de la tutelle musulmane. Ainsi s'explique l'influence profonde que l'art arabe a exercée surtout dans l'Ouest de la Péninsule où la reconquête progressa plus vite que dans les autres royaumes ibériques. Les exemples les plus manifestes de ce courant mozarabe parvenus jusqu'à nous sont San Miguel de Escalada (près de León) en Espagne et, au Portugal, São Pedro de Lourosa (daté de 932 mais transformé à plusieurs reprises avant d'être restauré en 1949). L'architecture de ce dernier édifice témoigne de la survivance des plans wisigothique et asturien. Beaucoup d'autres églises construites dans ce même style ont disparu ou ont été altérées par la suite. Il ne reste donc que des vestiges isolés et le témoignage des influences exercées par cet art wisigothique et asturien qui se font jour dans les œuvres exécutées par la suite, surtout — mais pas seulement — durant l'époque dite du « roman comtal » c'est-à-dire celui réalisé sous le comte Henri, père du premier roi du Portugal. Cette époque, qui couvre la deuxième moitié et surtout la fin du XIe siècle, reste encore obscure.

Avec le développement des pèlerinages à Saint-Jacques-de-Compostelle, à partir du siècle suivant, et l'organisation de la protection des chemins qui menaient en ce lieu où la grande cathédrale était en construction en 1075, la péninsule ibérique s'ouvre au reste de l'Europe, ce dont témoignent non seulement les migrations continues de fidèles d'Est en Ouest (les Français spécialement) mais aussi les échanges artistiques qui eurent lieu entre les deux civilisations. Jusqu'au XIIe siècle, en Espagne, les formes mozarabo-asturiennes dominent mais bientôt la situation se modifie, comme le montre notamment la collégiale San Isidoro de León. L'église, consacrée le 21 décembre 1063, élevée sur les ruines d'un édifice précédent, détruit par Almançour, y reprend le type des constructions asturiennes à trois nefs rectangulaires étroites, sans transept et peu décorées, en pierre toutefois et avec une voûte en berceau, contrairement à sa devancière. Par contre, le Panthéon des rois, élevé devant elle, et commencé en 1060, se réclame de l'art roman du XIe siècle et diffère beaucoup de l'église. La collégiale actuelle commencée par conséquent durant le dernier quart du XIe siècle, comme les cathédrales de Jaca (consécration du chœur et du transept en 1063) et de Compostelle (commencement des travaux vers 1075), les églises de San Martín de Frómista (commencée vers 1059) et de Santo Domingo de Silos (consacrée en 1088) ainsi que d'autres monuments espagnols, confirme l'influence énorme que le pèlerinage à la tombe de saint Jacques put donner à l'art de ce temps.

Un événement capital pour le développement de l'art roman portugais fut l'investiture du prince Henri de Bourgogne comme comte de « Portucalia » en 1095. Il avait en effet combattu pour la reconquête, était le gendre du roi de León, Alphonse VI, et devait être le père du futur roi du Portugal. Parent du fameux abbé de Cluny, saint Hugues, il favorisa la venue au Portugal des moines français de cette congrégation bénédictine et, par eux, l'introduction de certaines formes de l'art roman français et italien. Ce comte Henri appela également des ecclésiastiques français aux sièges épiscopaux portugais, encouragea la construction de cathédrales bâties selon des modèles importés avec, toutefois, une réelle indépendance à l'égard de ces derniers. Ses successeurs maintinrent cette politique et il en résulta le rayonnement de certains foyers nationaux d'art roman.

Un des premiers monuments commencés durant le dernier quart du XIe siècle est la cathédrale de Braga, plusieurs fois reconstruite, restaurée et remaniée à tel point qu'il est impossible de reconstituer l'histoire exacte de sa construction. Braga, siège métropolitain, un moment envisagée comme résidence du comte, fut vite détrônée par Coïmbre, en raison des rapides succès de la reconquête. Cependant elle constitue un centre important dans la rénovation de l'organisation ecclésiastique et comportait plus de 575 sanctuaires à la fin du XIe siècle. En raison de sa situation géographique, de son importance sur le plan religieux et de son ancienneté, elle a exercé une grande influence sur les constructions romanes entre Minho et Douro comme on peut le constater aujourd'hui encore.

La cathédrale laisse voir encore les traits caractéristiques d'une construction wisigothique comme la charpente apparente reposant sur des murs diaphragmes qui supportent aussi bien le toit de la nef centrale que ceux des collatéraux à chaque travée (pl. 150), système repris plus tard par les églises à trois nefs de l'art roman bénédictin. Toutefois on trouve aussi des réminiscences préromanes dans le plan des chapelles légèrement incurvées en forme de fer-à-cheval, les arcs surhaussés qui y donnent accès, les modillons à copeaux et le décor végétal de certains de ses chapiteaux. A Braga comme en d'autres cas du reste, on doit constater des interruptions parfois très longues intervenues lors de la construction et dont les causes ont été un besoin d'argent, le manque d'une main-d'œuvre spécialisée ou des circonstances plus ou moins fâcheuses telles que l'écroulement des voûtes. A Braga — comme du reste à Arnoso — on a dû modifier un plan originel trop ambitieux.

Un édifice qui joua un rôle essentiel dans l'évolution de l'art roman, São Pedro de Rates, fut mis en œuvre à la fin du XIe siècle avec l'appui du comte Henri et de sa femme qui en firent don au prieuré français de la Charité-sur-Loire. Elle avait, dès cette époque, trois nefs et des absides semicirculaires, un transept non saillant, des piliers rectangulaires à colonnes engagées à la croisée du transept et présentait un appareil peu homogène. On y trouve encore des vestiges de formes archaïques comme une légère forme en fer-à-cheval dans le plan des absidioles et dans l'élévation des arcs longitudinaux parvenus jusqu'à nous (pl. 109), de même que des murs diaphragmes. La sculpture de cette première phase de construction que l'on peut voir dans les absides et dans la partie Nord de l'église est encore très primitive et rude. Elle ressemble à celle de la chapelle dite de saint Géraud à Braga et à celle du cloître São João de Almedina à Coïmbre : les chapiteaux sont souvent petits (sauf en ce dernier lieu), ornés de feuilles presque lisses ou à nervures gravées en profondeur comme sur les chapiteaux asturiens (pl. 23) ; ils présentent des volutes minces aux angles et on y voit les premières ébauches d'animaux (par exemple des oiseaux) ou des ornements géométriques très simples. Mais Rates a connu également des interruptions de travaux.

A la fin du deuxième quart du XIIe siècle un progrès remarquable se fait sentir. L'exécution architecturale devient plus rigoureuse et les dimensions plus ambitieuses. La sculpture est également touchée par ce mouvement. Les chapiteaux gagnent en complexité et les motifs végétaux se diversifient. Les tiges commencent à se transformer en entrelacs ou en rubans ornés parfois de perles. Le répertoire animalier s'enrichit d'animaux féroces : un des thèmes préférés — il le sera longtemps — est celui des lions et des oiseaux de proie groupés par paires et qui, dressés, déchirent des êtres vivants, parfois des hommes de petite taille, suspendus entre eux pieds en l'air et tête en bas (p. 112). Vers le milieu du XIIe siècle il y a dû y avoir un échange de motifs décoratifs entre les ateliers de Rates et de Braga. A cette époque on voit apparaître des figurations humaines avec une certaine fréquence. Toutefois celles-ci restent un élément secondaire par rapport à la sculpture animalière et végétale.

Une autre église, São Salvador de Travanca, s'inscrit aussi dans cette évolution. Les sculptures de son chevet (pl. 138) doivent être en effet de quelques années antérieures à la deuxième phase de construction de Rates. On note toutefois des exceptions dans ce courant : il s'agit des œuvres placées directement sous l'influence de la Galice dont un exemple frappant et relativement précoce nous est fourni par l'église de Rio Mau. Dans l'abside de cette collégiale augustinienne, située aux environs de Rates, on trouve des sculptures d'un réalisme expressif. Des chapiteaux de grande taille illustrés de scènes qui frappent par leur vigueur, en dépit de leur interprétation difficile (pl. 123-124), sont entourés d'autres, dus au même artiste et décorés de motifs végétaux exubérants (pl. 126) et de lions pris dans des rinceaux (pl. 127) qui s'inspirent peut-être de modèles compostellans dont l'influence fut grande à cette époque.

Dans la région de Coïmbre se font jour également de notables progrès durant cette même période. Après les chapiteaux du cloître de São João de Almedina, dont le décor simple rappelle les premiers essais de Braga et de Rates, nous trouvons, dans les sculptures de São Pedro (au musée Machado de Castro), des sculptures plus ambitieuses comportant des lions dévorants aux corps dressés, des oiseaux picorants, des masques léonins vomissant du feuillage et des lions atlantes fort proches des œuvres du second atelier de Rates.

Durant le troisième quart du XIIe siècle, on assiste à la diffusion de ce qu'on a appelé l'« art roman bénédictin ». L'expression n'est pas tout à fait adéquate parce qu'il ne s'agit pas d'un art propre à l'ordre bénédictin (à l'inverse de l'art cistercien tel que l'a défini et ordonné saint Bernard). On trouve en effet au Portugal des églises bénédictines qui ne présentent pas les caractères de cet art et, à l'inverse, on trouve ceux-ci dans d'autres qui n'ont jamais appartenu à cet ordre. Toutefois les communautés bénédictines portugaises ont souvent introduit dans leurs constructions les mêmes types architecturaux et un répertoire de thèmes sculpturaux allant des thèmes végétaux aux motifs zoomorphes comme à Rates, Braga et en d'autres lieux, ainsi que des chimères, des sirènes, des centaures dans une iconographie très imagée et populaire dont le rôle est de traduire la lutte entre le bien et le mal.

Habituellement ces églises comportent trois nefs à transepts non saillants mais marqués cependant soit par l'élévation soit par la plus grande largeur des croisillons par rapport aux travées de la nef, un chœur à abside et à absidioles semi-circulaires, des supports puissants capables de soutenir une voûte qui fait cependant défaut. Des piliers rectangulaires ou cruciformes comportent des demi-colonnes adossées. La charpente apparente prend parfois appui sur les arcs doubleaux qui, tout comme les arcs gouttereaux et les doubleaux des collatéraux, peuvent être légèrement brisés. Ces arcs ne se trouvent pas directement en contact avec la charpente : ils supportent un mur sur lequel prend appui cette dernière. Les arcs diaphragmes, caractéristiques de l'art roman portugais, sont un héritage wisigothique. Parmi ces églises on peut nommer Travanca(pl. 132-140), Paço de Sousa (pl. 65-79), Pombeiro et, au Nord du pays, Ganfei (pl. 172-173), tous monuments achevés et repris par la suite. Quelques-uns ont été transformés entièrement comme San Tirso ou ont disparu comme Pendorada. L'importance de l'apport des bénédictins se révèle aussi dans le rayonnement qu'ils ont exercé et que l'on décèle par exemple dans les collégiales de Coïmbre et de Barcelos. C'est à cette époque, l'une des plus prospères sur le plan économique, que la construction des églises romanes atteint son apogée. Le nombre des églises nouvelles s'est notablement accru, tandis qu'on poursuivait ou achevait celles qui étaient encore en chantier. Souvent aussi on en profita pour reprendre et remplacer les parties les plus anciennes des édifices provenant d'âges antérieurs.

Cette époque fut surtout celle de la construction des cathédrales. A l'exception de celle de Braga dont le chantier a couvert tout le XIIe siècle (et sans doute un édifice qui précéda la « Sé Velha » vers 1100), toutes les autres ont été édifiées à partir de la deuxième moitié de ce siècle. Celles de Coïmbre et de Lisbonne connurent le maximum d'activité de leurs chantiers durant le troisième quart de ce siècle, alors que les cathédrales de Porto et d'Evora commençaient à peine à sortir de terre. La Sé Velha de Coïmbre est vraisemblablement l'œuvre d'architectes français, habitués à l'art roman de leur pays. Elle est peut-être la plus harmonieuse et, en dépit de la diversité des influences dont elle témoigne, frappe par son unité. On y retrouve certains traits de la cathédrale de Lisbonne dans laquelle — du moins à en juger par les restes qui sont parvenus jusqu'à nous — on perçoit un art plus avancé et marqué par des apports normands. Evora, également, s'est inspiré de la Sé de Lisbonne ainsi que d'autres églises de la région, plus engagées dans un style de transition. La cathédrale de Porto, la seule à comporter un déambulatoire, semble dépendre davantage du style limousin, tout en présentant des similitudes ornementales avec la Sé Velha, mais elle n'a pour ainsi dire exercé aucun rayonnement dans son diocèse.

A cette même époque les congrégations religieuses ont construit des églises importantes. Ainsi les chanoines augustiniens ont élevé leur église fameuse de Santa Cruz à Coïmbre (très altérée de nos jours) où le premier roi du Portugal, lui-même oblat de cet ordre, fut inhumé. L'église ne présente qu'une seule nef avec des chapelles latérales et une grande tour devant sa façade. Cette tour axiale a été l'un des traits caractéristiques de l'ordre. On la trouvait ainsi à São Martinho de Crasto, Banho, Vilela, São Vicente de Foro (ces trois dernières disparues) toutes collégiales augustiniennes. La curieuse tour-narthex de São Martinho dos Mouros (pl. 86) ainsi que d'autres narthex sans étage (Ferreira, Cercedelo, Vilarinho) appartenaient aussi à cet ordre ou à des collégiales. A Ferreira l'atrium est un bon exemple d'une cour à ciel ouvert (pl. 119) tandis que Vilarinho présente un avant-corps en forme de chapelle. On trouve aussi un narthex à la Sé de Lisbonne et un porche intérieur à celle de Braga.

Il existe encore des tours d'église isolées qui rappellent l'atmosphère troublée de ces époques, ainsi à Manhente, Travanca, Freixo de Beixo, Abade de Neiva.

Les cisterciens se sont établis en Portugal peu avant le milieu du siècle. Leur première fondation fut São João de Tarouca, dont l'église s'inspire visiblement de Fontenay. L'abbaye la plus importante, celle d'Alcobaça, fut mise en chantier après la visite de saint Bernard au Portugal vers 1178 et achevée en 1252 grâce à l'appui des premiers rois. C'est aujourd'hui un monument national (cf. dans cette collection l'*Art cistercien 2*). L'ordre a érigé également quelques-unes des plus grandes — mais aussi des plus sobres — églises du pays, disparues aujourd'hui, mais dont les ruines nous donnent une idée de la puissance en même temps que de l'extrême rigueur. Quelques-unes des petites églises cisterciennes comme Pitões et Santa Maria d'Aguiar sont particulièrement intéressantes en ce qu'elles n'obéissent pas aux prescriptions architecturales de l'ordre. A Pitões une bonne partie du monastère est encore visible (pl. couleurs t. 2) et laisse supposer combien dure et austère pouvait être l'existence des religieux qui s'étaient établis en ce lieu.

Le fameux ordre des templiers, qui subsista au Portugal après la suppression officielle de l'ordre par le pape, sous le titre de l'ordre du Christ, nous a laissé un monument essentiel à Tomar (pl. 41 à 46). Il est le seul et ultime exemple subsistant au monde des trois commanderies majeures de ce type : Paris, Londres et Tomar. Sa conception et sa structure sont fort intéressantes.

Vers la fin du XIIe siècle la vitalité du roman « bénédictin » comme du reste les chantiers plus importants des cathédrales connaissent un temps d'arrêt dû aux difficultés économiques et sociales qui vont se traduire par une évolution du goût. Le portail Ouest de Travanca et le chevet de Tabuado manifestent les prémices de cette évolution qui caractérise aussi d'autres œuvres de cette région. C'est une époque moins ardente. Durant la première moitié du XIIIe siècle on s'attache surtout à terminer les constructions lancées au cours du siècle précédent. Un nouvel esprit apparaît dans un style de transition cherchant des formes nouvelles. A côté de cela, certains achèvements de chantiers en cours comme les nefs des petites églises de São Claudio de Nogueira et São Romão de Arões témoignent du manque d'inspiration dont pouvaient souffrir les artistes durant la première moitié du XIIIe siècle.

Toutefois la réaction ne manqua pas de se produire. Dans la vallée frontalière du Minho dans laquelle, s'inspirant des sculptures de la cathédrale de Compostelle, on avait déjà construit des églises au décor exubérant, regorgeant d'animaux et d'hommes grotesques — voire même baroques —, on continua d'édifier des monuments d'une certaine importance comme Paderne (pl. 192), Valença, Monção et Rubiães, ce dernier se situant un peu plus au Sud du fleuve. Plus tard ce style de transition s'affirma avec plus de force comme le montre l'église de Nossa Senhora de Orada (pl. 174-178).

Dans une autre région nettement délimitée, celle des bassins du Sousa et du Ferreira, prend corps un nouveau mouvement artistique qui se présente comme une synthèse et un résumé des courants antérieurs. Nous voulons parler de ce style qu'en raison de son originalité et de sa correspondance avec le pays, Manuel Monteiro a nommé le « roman national » (littéralement « nationalisé »). En effet, les artistes de ce courant ont su regrouper avec une réelle virtuosité les apports du patrimoine lusitanien : art préroman (taille en biseau, forme tronconique des corbeilles des chapiteaux, prédilection pour les motifs végétaux et géométriques), ornements influencés par Coïmbre et Porto, motifs figuratifs issus de Galice. Ce nouveau mouvement se répandit à l'instant même où apparaissait au Portugal l'art gothique des ordres mendiants. Il se prolongea jusqu'au troisième quart du XIIIe siècle en réalisant à cette époque — de nouveau grâce aux bénédictins — le plus grand et le plus bel édifice de ce courant à Paço de Sousa.

En 1279, sous le règne du roi Denis, on assiste à une ultime manifestation de l'art roman mais qui s'allie à des éléments déjà gothiques. A Fonte Arcada et dans les nefs de la collégiale de Barcelos, des thèmes du répertoire bénédictin apparaissent encore mais en pleine décadence. Dans la riche iconographie du cloître de Celas une recherche de thèmes nouveaux coexiste avec des formes partiellement archaïsantes, celles d'un art de cour, qui est un art de transition. L'église bénédictine de Cete, consacrée deux ans avant la mort du roi, est un chant du cygne de l'art roman portugais, sobre encore mais dépourvu de charme.

L'église de Leça de Balio associe les tendances nouvelles à certaines réminiscences romanes. Mais là, comme à Celas, on pressent déjà le mouvement qui va mener au triomphe définitif de l'art gothique à partir du roi Alphonse IV (milieu du XIVe siècle).

Il reste des châteaux forts du XIIe siècle : Guimarães, première résidence du comte Henri (pl. 141), Almourol, érigé en 1171 sur les restes d'une fortification romaine dans une île située au milieu du Tage par le grand-maître des Templiers, Povoa de Lanhoso, dans lequel on trouve une inscription datant de l'épiscopat de D. Pedro, ordinaire de Braga.

C'est toutefois pendant le règne du roi Denis que l'intérêt se porte surtout sur l'architecture militaire qui connaît alors des progrès décisifs.

L'unique construction romane profane digne d'être mentionnée et parvenue jusqu'à nous, est la *domus municipalis* de Bragance (pl. 183), salle-portique bâtie sur le plan d'un pentagone irrégulier, munie de fenêtres sur tous ses côtés, où se réunissait le conseil municipal de cette ville.

Au Sud du Portugal l'évolution fut un peu différente : on ne peut pas dire que l'art roman soit seulement un art du Nord en dépit de la présence de quelques vestiges du premier art national à Santa Catarina de Monsaraz ou au portail Sud d'Alcácer do Sal, on ne trouve cependant pas, en cette région, une tradition romane marquée. Par contre on ressent sur cette terre, reconquise sur l'Islam en dernier lieu, une volonté délibérée de construire des églises répondant aux besoins et au goût des nouveaux habitants parmi lesquels figuraient de nombreux étrangers. Le chantier de Lisbonne et, dans son prolongement, « l'école » de l'Estramadure a pu constituer un carrefour où ont apparu, très tôt, les nouvelles tendances de l'art gothique. Comme souvent dans les époques de transition se mêlent et se confondent des formes hétérogènes entre elles, ainsi à São João de Alporão où apparaissent à l'évidence les formes normandes de l'atelier de Lisbonne qui introduit une flore gothicisante et une des premières voûtes nervées du Portugal dans un ensemble d'esprit encore roman. Un autre exemple de ce style de transition est donné par le portail d'Alcácer do Sal.

L'art funéraire roman n'a laissé que peu de témoignages au Portugal. Au XIIe siècle, si l'on excepte quelques sarcophages et pierres tombales lisses ou munies d'une simple croix et des insignes du défunt, nous pourrons seulement mentionner les vestiges des deux cénotaphes d'un tombeau — maintenant réunis — à Paço de Sousa (pl. 75 à 79). A l'inverse, nombreux sont les monuments funéraires du XIIIe siècle parmi lesquels nous nommerons ceux d'Alcobaça, Grijó et les écoles de gisants de Coïmbre et d'Evora.

Il faut encore faire remarquer qu'on ne trouve pas de cryptes au Portugal (l'unique église à crypte, qui se trouvait à Coïmbre, a été détruite au siècle passé), non plus que de peintures murales. Les fresques que nous pouvons voir dans certaines églises romanes portugaises datent de l'époque gothique ou sont même plus tardives encore. De même il n'existe presque plus de vestiges de sculptures romanes sur bois, lacune étonnante si l'on songe aux restes relativement nombreux de statuaire dont bénéficie la Galice voisine et qui comporte, outre plusieurs Christs en croix, une importante collection de Vierges romanes au musée d'Astorga.

Les arts mineurs sont également très faiblement représentés. Toutefois on peut encore admirer certaines pièces romanes aussi belles qu'intéressantes à Coïmbre (pl. 30 et pl. couleurs p. 180) et à Braga (pl. 153 à 155).

GERHARD N. GRAF

LA SCULPTURE FIGURATIVE DANS L'ART ROMAN DU PORTUGAL

L'impression qu'on retire d'une première analyse de l'art roman portugais est sans aucun doute celle de sa grande simplicité. Né en territoire reconquis depuis peu et aux frontières instables, il se développa dans un milieu où les structures politiques, sociales et religieuses étaient encore embryonnaires. Éloigné des grandes routes de pèlerinage, son architecture se caractérise surtout par des plans simples et des projets peu évolués. Bien qu'ils aient eu le souci de favoriser le culte des reliques et que nous ayons connaissance de plusieurs pèlerinages régionaux et de leurs sanctuaires, la vérité est que nos artistes n'ont pas ressenti la nécessité de construire de grands édifices, ni d'utiliser des formes architecturales compliquées. L'art des cathédrales est une exception, et, malgré cela, seule celle de Porto présente un déambulatoire à chapelles rayonnantes. A l'exception de l'un ou l'autre monastère aux proportions plus importantes, on a même constaté quelquefois la simplification de programmes initiaux trop ambitieux. Le manque de moyens fut sans doute un facteur décisif. Néanmoins il n'arrive pas à expliquer à lui seul la pauvreté des conceptions. Il y a dû y avoir aussi d'importantes raisons d'ordre social et culturel que nous découvrons, par exemple, en passant en revue la sculpture figurative.

En vérité on remarque d'emblée une absence absolue de grands programmes iconographiques. Ceux-ci présupposent une clientèle relativement érudite et des maîtres d'œuvre avertis. S'il est certain qu'il y eut des personnalités, surtout ecclésiastiques, qui parvinrent à s'affirmer par leur dynamisme et leur culture, la majorité des gens, clercs compris, menait une vie simple, tout à fait éloignée des grands courants et de la thématique savante enseignée dans les principaux centres de cette époque. La religion semblait davantage inspirée par la crainte ou la piété que par le contact, direct ou indirect, avec les textes bibliques ou hagiographiques. En général la croyance religieuse ne devait pas s'étendre au-delà de la connaissance d'un nombre très réduit de thèmes ou de dogmes. Tout le reste se limitait à une existence humaine élémentaire, hantée par les conséquences de la mort et par la justice divine.

Ce pays, autrefois fertile en hérésies, et abandonné depuis longtemps à lui-même, connut un renouveau de chrétienté à travers sa lutte contre les armées conquérantes de Mahomet. Il est très naturel que le désarroi, le vide, et le climat de croisade contre « les ennemis de la religion », aient intensifié ce conflit intérieur de l'homme contre les forces du mal. Les thèmes de l'homme prisonnier du péché, du châtiment, de la difficulté du salut, de la lutte entre le bien et le mal, paraissent être une constante de notre iconographie romane. Comme cela est normal après ce qui vient d'être dit, cette iconographie n'a rien à voir avec le texte de Prudence sur la lutte idéale entre les Vertus et les Vices. Le conflit de cette psychomachie s'exprime plutôt dans une forme populaire qui, utilisant sa propre ornementation végétale et géométrique, met en scène d'impressionnantes luttes d'animaux dans laquelle apparaissent parfois de petites figures humaines.

Comme cette traduction de l'idée exemplaire du châtiment du péché dans un bestiaire est liée à un vif esprit de synthèse et à un remarquable pouvoir d'abstraction, il devient la plupart du temps difficile de déterminer avec exactitude le sens des sculptures ainsi que le moment où cesse le symbolisme et où commence la pure ornementation. Il arrive même qu'il soit très délicat de pouvoir avancer des conclusions sur la signification de quelques-unes des scènes parvenues jusqu'à nous. Cette difficulté ne provient pas tant de la qualité de la représentation, qui s'impose d'une manière presque indiscutable, que du caractère succinct des thèmes allégoriques figurés et de l'absence quasi totale de légendes explicatives. La pauvreté des inscriptions est une autre preuve aussi bien de la culture limitée des artistes que de l'incapacité de la plupart des gens de percevoir un message de ce type. Les portails de Rates (pl. 99 à 104) et de São Pedro de Águias (pl. 53) de même que les modillons de Vouzela constituent une exception.

Par contre il est curieux de constater que c'est justement dans les régions culturellement les plus évoluées que l'art figuratif a fini par être condamné à un rôle subalterne devant l'engouement pour l'ornement. Nous voulons parler des ensembles régionaux de l'Entre-Ave-et-Tâmega, de Coïmbre et de Lisbonne. Leur manque d'intérêt pour la figuration, et surtout leur mépris complet pour la représentation humaine, s'expliquent par des raisons profondes d'ordre social et culturel.

En vérité les fleuves Douro, Mondego et Tage constituèrent successivement une frontière naturelle avec le monde arabe, et, pendant des siècles, la vaste zone-tampon qu'ils délimitèrent fut la scène de contacts permanents avec l'Islam. Contrairement à ce que l'on pensait, les études de Gérard Pradalie révélèrent que ce fut seulement à partir de 1120 et surtout pendant la seconde moitié du XIIe siècle que s'intensifia la colonisation des Mozarabes qui avaient fui les persécutions des Almoravides en Andalousie. C'est ainsi que, dans les régions citées où la sculpture figurative semblait déjà avoir eu peu d'importance dans l'art roman primitif, étant donné la lourdeur de la tradition wisigothique, rapidement se renforça un art à prédominance végétale.

Évoluant dans les écoles méridionales vers un naturalisme factice découlant de la fréquentation habituelle du monde arabe, l'art de Coïmbre fera son apparition au cœur du Douro maritime avec les mêmes dessins et les mêmes schémas, tout en récupérant de la technique wisigothique, la stylisation végétale, la taille en biseau, et même la forme de la corbeille. Du point de vue figuratif aussi de notables différences de conception peuvent s'observer. Tandis que, dans le centre du pays, la sculpture animalière est une imitation presque fidèle de l'art hispano-mauresque, avec une expression héraldique gracieuse, elle commence à s'animer aux approches du Douro sous l'influence de l'art roman du Nord du pays. Le bestiaire de Coïmbre, arrivé aux chantiers de la ville de Porto avec une relative pureté, connut par la suite une courte éclipse après une tentative isolée d'expansion à l'intérieur de la province, à Gândara. Dans cette région où avaient dominé les ateliers de Roriz et de Paço de Sousa, l'art figuratif de Coïmbre se dégrada en résistant à un autre courant animalier déjà en place.

De fait, se constitua dans le Nord du pays, contrariant l'influence de la Galice, l'un des arts figuratifs les plus originaux et les plus dynamiques du Portugal. Les thèmes principaux semblent avoir été importés de l'extérieur par les bénédictins mais ils furent à tel point valorisés et assimilés au langage décoratif local qu'ils peuvent à juste titre être considérés comme une production nationale. Né dans un espace relativement bien localisé, ce courant pénétra de force toutes les écoles régionales. Mais la meilleure preuve de sa vitalité et de son expansion nous est donnée par une flèche de pénétration le long du Douro. En réalité l'analyse de la distribution géographique de ce courant met en évidence sa plus facile pénétration vers le Sud et vers l'intérieur, tandis que le fleuve Lima semble avoir constitué un obstacle presque infranchissable. Les raisons de cet obstacle sont à chercher dans les vicissitudes historiques qui ont accompagné la formation de la nation et qui ont mis sous la tutelle du siège épiscopal de Tuy tout le territoire Entre-Minho-et-Lima.

Bien que politiquement liée à la couronne portugaise, l'enclave frontalière présente de profondes affinités culturelles et religieuses avec la Galice. Il est donc compréhensible que, pour les constructions, les commanditaires des églises aient cherché à s'inspirer des formules proposées par le centre religieux auquel ils appartenaient sur les plans administratif et spirituel. Les échanges de gens et de modèles étaient encore favorisés par une tradition culturelle commune qui remonte, pour le moins, aux temps protohistoriques. Artistes et clercs franchissaient certainement la frontière du Minho malgré les querelles de souveraineté entre les deux royaumes. Ainsi seulement peut-on comprendre, par exemple, que la presque totalité des chapiteaux de Ganfei soient la réplique parfaite de tant d'autres de la cathédrale de Tuy. Cet impact de l'art galicien parmi nous est plus complexe qu'on ne le suppose habituellement, mais, à partir d'une certaine époque, il recula devant le nationalisme portugais jusqu'à se confiner dans une zone étroite au Sud du Minho.

Tout ceci constitue le cadre général dans lequel va se développer la sculpture romane pendant sa période de maturité. Comme nous l'avons vu, il est parfaitement possible de délimiter certains groupes régionaux. Toutefois, en considérant les monuments individuellement, nous constatons tout de suite que leur disposition n'est pas uniforme. Il existe des facteurs humains et chronologiques qui rendent très contingente toute classification par écoles. Les premiers sont à l'origine de diverses influences de région à région tandis que les seconds expliquent la découverte, de nos jours, de véritables greffes culturelles. Il est fréquent de trouver, dans des régions qui ont été d'une grande richesse artistique, des monuments construits ou achevés des décennies ou un siècle plus tard, et qui n'ont plus rien à voir avec le courant plastique autrefois florissant. D'un autre côté l'engouement de construire qui exista approximativement entre 1150 et 1250 fit disparaître la plupart des monuments de notre premier art roman. Il en reste quelques vestiges mais, en général, assez abîmés et dépareillés, ce qui en rend l'investigation très difficile. Un tel état de chose amena même à considérer pendant très longtemps comme datant de la première moitié du XIIe siècle des monuments qui, en réalité, appartenaient déjà à ses dernières décennies ou même au XIIIe siècle. Ceci n'empêche cependant pas que, moyennant un travail patient, on ne puisse définir quelques-uns des aspects essentiels des premières manifestations de notre art roman, et, petit à petit, déterminer ainsi le périmètre dans lequel elles se développèrent.

Les premières tentatives de la sculpture figurative au Portugal

L'étude de quelques vestiges de constructions plus anciennes, comme le cloître de São João de Almedina (pl. 23 et 24), la chapelle Saint-Géraud de la cathédrale de Braga (pl. 149), la partie la plus ancienne du chevet d'Ermelo, la moitié Est de la nef d'Arnoso, ou le portail Nord de Rates (pl. 101), montre la part minimum qu'a occupée la sculpture figurative dans les premiers temps de l'art roman. La plupart des chapiteaux présentent une ornementation végétale aux feuilles inspirées de l'acanthe. Les tailloirs sont généralement sans sculpture sauf quelques frises ou socles décorés de motifs géométriques. Leur étroite parenté avec des modèles préromans est surprenante, ce qui nous amène à considérer cette étape comme de pure tradition locale. L'invention de nos premiers artistes atteint son point culminant dans l'œuvre de *Maître Gundisalvus*, à Manhente (1117) (pl. 189), et peut encore se voir dans toute sa perfection à Balugães qu'on peut dater des environs de 1168 grâce aux vestiges de l'inscription de la dédicace remployés dans le clocher.

La figuration humaine est presque inexistante, apparaissant seulement dans des endroits secondaires comme les petites têtes dans les angles des bases d'Arnoso. Là où elle semble avoir déjà acquis quelque importance vers le premier quart du XIIe siècle, ce fut dans l'église de São João de Almedina dont il nous reste plusieurs éléments. Pendant les travaux effectués au musée Machado de Castro sont apparus des fragments décorés que l'on peut attribuer à deux époques distinctes. Certains doivent appartenir à l'édifice commencé aux environs de 1130 et dont la construction continua pendant toute la seconde moitié du XIIe siècle. D'autres sont sans doute antérieurs. Avec certains de ces derniers on a pu reconstituer le buste d'un saint, pièce de nature à retenir toute notre attention non seulement à cause de sa relative ancienneté, mais aussi en raison du caractère personnel de son style. Il s'agit d'un haut-relief encastré dans la façade (pl. 27). Il manifeste un grand manque d'habileté dans la conception de la sculpture comme dans la définition générale des formes. Les traits du visage sont simiesques avec des arcades sourcilières très développées, un nez aplati, et des lèvres épaisses. Les yeux écarquillés, les oreilles ouvertes en forme de virgule, et la barbe fournie accentuent encore la laideur du visage. La tête a été sculptée à part puis fixée sur le tronc. Ici le manque de naturel du drapé, plus esquissé que sculpté, rend difficile sa description. Il semble cependant que le personnage porte des ornements sacerdotaux qui pourraient être une chasuble sur une aube. Cette dernière est à peine suggérée par un ciselé régulier qui contraste avec le déploiement graphique des plis de la chasuble. Le saint tient un livre dans la main gauche, et porte l'autre, ouverte, contre sa poitrine dans une attitude de bénédiction ou de contrition. Bien qu'il soit difficile d'identifier le personnage qu'a voulu représenter l'artiste, il ne serait pas déplacé de penser qu'il s'agit de saint Jean l'Évangéliste auquel l'église était dédiée. Les ornements sacerdotaux sont, en règle générale, l'attribut exclusif des prédicateurs : or saint Jean fut un héraut de la Bonne Nouvelle. Par ailleurs, cet apôtre semble avoir été le seul représenté pendant le Moyen Age en vêtement sacerdotaux, comme, par exemple, au portail Sud de la cathédrale de Chartres. Le type de l'évangéliste portant la barbe est de tradition orientale et fut introduit en Occident par les mosaïques de Ravenne et les miniatures carolingiennes. Au XVIe siècle il apparaît encore ainsi peint par le Maître de Serdoal.

A São João de Almedina il existe un fragment d'une autre sculpture qui, en raison du traitement de la région de l'œil, peut être attribué au même artiste. La comparaison avec des drapés plus évolués sur d'autres personnages découverts au même endroit nous incite à penser que nous sommes en présence de deux époques distinctes. Des traces de calcination dans les premiers fragments laissent entendre que l'église a été reconstruite après un incendie. Par ailleurs un chapiteau de Montemor-o-Velho, conservé aujourd'hui au monastère de Santa Maria dos Anjos, peut en toute certitude être attribué au même artiste. Il s'agit d'un chapiteau adossé qui présente sur chacune des faces un personnage aux longs cheveux lisses et à l'allure hiératique. Celui de la face principale a la particularité de porter un diadème. Le dessin des arcades sourcilières, du nez, des oreilles et de la bouche est exactement semblable à celui que nous venons d'étudier. En outre, le col en relief, les plis en filets et la main posée sur la poitrine confirment la paternité du Maître de São João de Almedina. Ce chapiteau a été trouvé dans la bourgade où on sait qu'il y eut des constructions du temps de D. Sesnando, une restauration en 1103, et la consécration de diverses églises entre 1128 et 1140. Il est tout-à-fait naturel que le Maître de Coïmbre ait joué un rôle important dans la région, une fois achevée son œuvre à l'église de Almedina.

Dans le Nord du pays, malgré la plus grande densité des églises romanes, il n'existe rien de comparable à ces sculptures, si ce n'est un buste découvert à Cete et qui devait avoir appartenu à la façade de l'église primitive. Il représente aussi un saint avec un livre en main ; aujourd'hui décapité il laisse voir encore de longues mèches de cheveux qui lui tombent sur les épaules ; les bras sont un peu difformes mais la facture de l'ensemble est plus parfaite que celle du personnage de Coïmbre.

La difficulté que nous avons encore à identifier les œuvres de la fin du XIe siècle ou du début du XIIe ne nous permet pas d'aller plus loin dans la recherche d'éléments figuratifs. Un des premiers témoignages de notre art figuratif devra être cherché dans les modillons de l'édifice primitif d'Águas Santas, probablement antérieur à 1100. Là se révèle à quel point pouvait être simple et grossière la formation de nos artistes. Les animaux, les têtes, ou l'homme cachant son sexe ont été à peine ébauchés et parviennent mal à se dégager du bloc de pierre. Leur aspect élémentaire et leur manque d'expression rendent difficile de leur imaginer quelque dessein didactique. Un chapiteau de Paderne sur lequel le Docteur G. N. Graf a attiré notre attention semble constituer un autre exemple peu commun. Il se trouve à l'angle Nord-Est de la croisée du transept et laisse entendre qu'il est un élément de remploi de l'église précédente consacrée en 1130 par l'évêque de Tuy, D. Paio (ou, quoiqu'avec beaucoup moins de probabilité, d'un autre édifice encore plus ancien). De fait, outre que les dimensions du tailloir sont moindres que celles de l'imposte, ce chapiteau s'y démarque du reste des sculptures de l'édifice tant par le thème que par le relief et la facture. La face principale de ce chapiteau représente un saint personnage qui, tenant une crosse de la main droite, tire un petit homme de la gueule d'un monstre (pl. 193). Le caractère démoniaque de ce dernier est suggéré par les serpents qui le mordent ou luttent entre eux et attaquent également un jeune enfant sans défense. Sur l'une des faces du chapiteau apparaît un héraut sonnant de la trompette, comme pour appeler les fidèles à méditer le sens profond de cette scène dont le tableau principal se rattache manifestement au thème du salut. Nous sommes probablement devant une représentation très libre de la descente du Christ aux Limbes. Une version populaire de cette même scène se trouve également sur une des métopes qui surmontent le portail d'Artaiz (1). A Paderne l'imagination de l'artiste a été plus grande encore. Selon Louis Réau, le schéma habituel représente Jésus foulant aux pieds les portes de l'Enfer, écrasant Satan, et plantant la croix de la Résurrection dans la gueule de Léviathan. Victorieux des forces infernales, Jésus prend Adam par le bras et, à travers lui, sauve les Patriarches et les Justes de l'Ancienne Loi. Cette double mise en scène et de la Victoire sur Satan et de la Libération d'Adam en arrivera, avec le temps, à connaître de nombreuses variantes, étant donné l'incapacité notoire des artistes à distinguer les Limbes des Enfers. Pour Réau la multiplication des diables s'explique par la présence de diableries dans les Mystères ou par l'influence du thème du Jugement Dernier. Par ailleurs, on peut ajouter que la représentation du Christ muni d'une crosse, est également associée à l'idée du Juge de l'Apocalypse comme on peut le voir sur l'antependium de Sigena (Huesca). C'est aussi le cas à Paderne où l'attitude hiératique du Christ fait abonder encore plus dans le sens d'une telle interprétation. L'âme d'Adam, représentée par une silhouette minuscule, est retirée, non de gueules énormes, mais de celle d'un monstre au corps entier replié dans un coin du chapiteau (pl. 194). La vision démoniaque des serpents complète le drame ici transcrit dans la pierre. L'importance énorme que revêt ce chapiteau en raison de son symbolisme lui a valu d'être épargné et maintenu à une place d'honneur dans la reconstruction effectuée au cours de la seconde moitié du XIIIe siècle. Il s'agissait, ni plus ni moins, que de représenter le Sauveur auquel l'église était dédiée. La sculpture accuse un caractère très primitif et constitue un élément essentiel pour la connaissance de ce qu'a été à ses débuts l'art sur les bords du Minho. Du point de vue du style elle se rapproche des sculptures de San Bartolomé de Tuy, dont la chronologie est difficile à déterminer mais qui, en raison de leur ressemblance avec celles de Mondoñedo, ont été estimées remonter au XIe siècle. Le parallèle avec un chapiteau de l'absidiole Sud, en demi-relief, où l'on remarque la même horreur du vide et l'excellent parti tiré de l'enchevêtrement des serpents, est particulièrement suggestif.

Passant aux chapiteaux animaliers nous allons en trouver un des plus anciens exemples au portail Nord de São Pedro de Rates. Le dessin en est si fruste qu'on a du mal à voir les deux oiseaux qui y sont représentés. Cependant, en l'observant avec plus d'attention, on constate qu'il s'agit d'une composition qui fera fortune dans les décennies postérieures : un couple d'animaux picorant un fruit dans un angle du chapiteau. Le fruit pend d'une feuille triangulaire sur les bords de laquelle s'appuient maladroitement les bipèdes. La sculpture présente peu de relief et les contours sont très imparfaits. Les têtes se fondent dans la masse du chapiteau sans qu'aucun détail ne permette de les individualiser, tandis que les ailes sont à peine suggérées par de grossières rayures. C'est une sculpture assez archaïque dans laquelle le thème des oiseaux affrontés arrive à s'identifier facilement grâce à la logique décorative du chapiteau, mais il lui manque encore la souplesse et l'expression qui seront atteintes par les sculptures de la pleine maturité. Les deux autres portails, sculptés plus tard, présentent déjà une interprétation différente et peuvent être considérés comme une étape importante dans la reprise du même thème. A l'intérieur, les différentes étapes de la construction de l'édifice sont également manifestes ; on doit remarquer comme l'une des premières tentatives de l'art figuratif au Portugal, le chapiteau aux animaux justiciers, au départ du premier arc de séparation, à gauche en entrant.

Tandis qu'on faisait usage d'un art animalier si riche, caractéristique de l'art roman national, on pressent, jusqu'au début de la seconde moitié du XIIe siècle, une influence encore mal connue de la Galice qui a dû toucher une vaste étendue du territoire portugais. Cette pénétration pourrait être liée à la recherche d'union du pays à la Galice tentée par l'entourage de la cour de D. Teresa, et qui a dû se prolonger avec une certaine vigueur pendant quelques années, après la conquête de Lisbonne, fait décisif pour la consolidation de la monarchie et de l'appui international à la cause portugaise. Dans l'église de Paço de Sousa on peut voir un très important chapiteau que l'on a découvert pendant les restaurations et qui provient d'un atelier antérieur (fig. 1). C'est une sculpture d'angle provenant d'une colonne à deux étages, comme celles qui existent dans le chœur de Travanca ou à Longosvales. Elle représente deux lions affrontés, bien solides sur leurs quatre pattes, la tête tournée en arrière, les cous pris dans un carcan, et la queue enveloppant l'arrière-train. Les gueules sont identiques, par exemple, à celles des lions de Ganfei, avec des fronts osseux, des yeux grands ouverts, et de larges mâchoires. Au-dessus on remarque trois puissantes feuilles se projetant vers l'avant avec une vigueur qu'on ne retrouve que sur les bords du Minho. Le chapiteau se termine encore par une couronne de petites feuilles qui devait cacher le départ de la deuxième colonne. Tout ceci n'a rien à voir avec la sculpture du XIIIe siècle de Paço de Sousa. Par conséquent il s'agit d'un chapiteau appartenant à l'une des reconstructions antérieures.

Fig. 1

Le problème de sa datation est rendu un peu difficile car les seules références écrites que nous ayons sur les travaux effectués dans l'église datent du XIe siècle. On connaît de longue date une charte de 1088 (*Diplomata et chartae, 713*) où l'on peut lire que l'église fut consacrée « *per manus Summi Pontificis Petri, Ecclesiae Bracarensis Episcopi* ». Un tel renseignement se révèle confirmé dans un autre document de 1087 (*Livro dos Testamentos, 39*), par lequel Mónio Fromarigues, « *quod sponte Deo novi opere inplevi* », lègue au monastère « *unum elmmun laboratum pro super illum altare sancto* ». En 1090 Eveandus Odoriz offre aussi, dans son testament, une somme pour la nouvelle construction (*idem, 88*). Il est rare que nous possédions, pour une époque aussi reculée, des éléments aussi précis, mais la vérité est qu'il est difficile de concilier le style du chapiteau avec ces dates. La puissance des volumes et la sûreté du ciseau le rapprochent peut-être du milieu du XIIe siècle. Peut-on donner quelque crédit à Duarte Galvão quand il affirme que « D. Egas Moniz s'est fait inhumer au monastère de Paço de Sousa, *qu'il a lui-même construit* » ? Frai Leão de São Tomás essaie de le confirmer en disant que « certains se souviennent de constructions qui lui sont attribuées, qui lui servirent d'appartements, qui ont eu le nom de Palais, d'un grand dortoir pour les religieux, d'une tour fortifiée et imposante que j'ai encore connue comme hôtellerie » (2). Si ces propos sont quelque peu fondés, le chapiteau serait presque contemporain de l'abside de Rio Mau. Quoi qu'il en soit, il nous conduit pour le moins à conclure qu'à un moment donné on assista à une récession de l'emprise galicienne. Le nationalisme portugais, qui va se manifester sous diverses formes dans notre art roman, conduisit à la création, Entre-Ave-et-Tâmega, d'une école spécifique avec sa plastique propre dont les racines profondes remontent à l'époque wisigothique. Néanmoins la période antérieure de pénétration galicienne a laissé des traces, car nous voyons le même motif répété, par exemple, à Freixo de Baixo, ou, plus subtile, et avec les têtes face à face, à Tabuado. Les deux modèles ont leur archétype à Saint-Jacques-de-Compostelle et, chez nous, ils s'étendent de la latitude d'Arnoso et de Veade jusqu'au Douro. Le sujet, cependant, est complexe, dans la mesure où les lions de Compostelle ont aussi fait leur apparition à Coïmbre, et il est certain qu'il y eut un échange de formes entre cette école et quelques ateliers romans du Douro maritime.

On trouvera probablement de nouveaux vestiges de ce progrès rapide de l'art du Nord-Ouest, mais l'admirable exemple de São Cristovão de Rio Mau suffit à nous faire reconnaître le passage en cette époque d'un artiste fortement imprégné d'une sensibilité virile et connaisseur des thèmes qui ont fait fortune au Nord du Lima. Le chœur, dont la construction fut commencée en 1151, est du meilleur style qui se puisse voir au Portugal. La proximité des chapiteaux, la vigueur de la sculpture, le poids de la voûte, donnent au visiteur une impression de force rarement dépassée (pl. 125). La qualité de l'exécution laisse deviner un sculpteur de talent ayant de surcroît une conception originale de son art. Sur ce dernier point on ne trouve rien de semblable dans les monuments du bassin du Minho. A Rio Mau la solide architecture du chapiteau est renforcée par la rotondité des surfaces et la douceur des formes. Le tendre épiderme de ces sculptures contraste avec la facture prétenduement minutieuse des reliefs du Haut-Minho. La comparaison entre les trois personnages du célèbre chapiteau de l'arc triomphal (pl. 123 et 124) et le groupe semblable situé sur l'un des chapiteaux extérieurs de l'abside de Sanfins de Friestas est éclairante. Ici les personnages sont plus indistincts et leurs corps fluets disparaissent sous des vêtements amples et

Fig. 2

lâches (fig. 2). Au contraire, à Rio Mau, le dessin est net, les formes sont amples, et la perfection des plis rehausse le port majestueux et ferme des trois protagonistes. Il existe encore, du point de vue typologique, de nombreux points de contact entre cette église et les modèles du Minho et de la Galice, à commencer par les chapiteaux à décor végétal. Les thèmes sont également très proches, et, comme nous le verrons plus loin, le chapiteau sculpté à l'entrée du chœur fait partie d'une série historiée dont nous ne pouvons préciser la zone d'expansion, mais qui apparaît de façon significative dans la région que nous sommes en train d'étudier. Le même modèle nous est suggéré par la superbe paire de lions qui occupent les deux faces latérales de la corbeille d'un autre chapiteau et qui convergent vers le centre, emprisonnés qu'ils sont par des lianes (pl. 127). Ce sont des animaux puissants, et débordants de vie, quoiqu'animés d'un naturalisme imaginaire. Leurs petites oreilles, leurs sourcils froncés, le pourtour enflé de leurs yeux, leurs larges narines, leurs gueules terrifiantes, leurs muscles, leurs tendons, leurs griffes, etc..., tout est détaillé avec minutie, sans pour autant s'inspirer d'un modèle précis. En ce sens c'est une œuvre expressionniste, dont l'univers imaginaire cherche à développer chez le spectateur une crainte morbide devant la monstruosité du péché et les peines de la damnation. A l'intérieur de l'abside se trouvent deux joueurs de violon et un homme tenant un livre ouvert devant sa poitrine. Ils semblent entonner une chanson populaire dont le dénouement serait l'admonition morale incarnée dans le bestiaire voisin. Cette histoire se déroulant sur plusieurs chapiteaux, il est légitime de penser que tout l'intérieur de l'édifice témoigne d'une cohérence symbolique. Facilement compréhensible au Moyen Age, cette histoire est, de nos jours, d'une interprétation quelque peu problématique. Nous reviendrons plus tard sur le sujet mais il reste à souligner que ce groupe de chapiteaux nous donne deux rares représentations de barques conformes au type en usage au XIIe siècle (pl. 128). Ce sont des embarcations à deux proues, en forme de croissant, d'inspiration probablement germanique. Aujourd'hui encore on peut voir des embarcations de ce genre au Nord du Douro, qui vont jusqu'à utiliser une technique de construction de la coque très proche de celle des modèles nordiques, à l'aide de planches superposées.

A l'extérieur de l'abside, les modillons confirment ce qu'on a déjà dit à propos des chapiteaux. Ainsi du côté Nord apparaissent une tête de bovidé, un homme assis, un acrobate et un oiseau de proie au col retourné, représentations communes à l'école de sculpture romane des bords du Minho. A la corniche Sud il convient de souligner l'homme assis aux jambes croisées, dont le modèle est également galicien et constitue une image masculine de la luxure. Dans l'église galicienne de San Pedro de Ansemil apparaît même la figure de Priape, la jambe croisée, non pour retirer une épine de son pied, comme il le simule, mais pour mettre en évidence sa virilité. Revenant à Rio Mau, à côté du modillon déjà cité nous en voyons deux autres représentant une tête de loup et un carnassier au corps entier, la tête tournée à 180°, sculptures que nous retrouverons côte à côte aussi bien à São Romão de Arões qu'au Nord du fleuve Lima.

Multiples sont donc les contacts avec la sculpture pratiquée dans le diocèse de Tuy, aux XIIe et XIIIe siècles, et dont l'abside de Rio Mau reste l'unique témoin de nos jours, montrant l'expansion méridionale de ce courant artistique. Son antériorité par rapport à la majorité des monuments des bords du Minho est incontestable, mais il reste à déterminer jusqu'à quel point son indépendance plastique et sa localisation géographique permettent de le considérer comme un point de passage transitoire et marginal, ou, au contraire, comme une étape essentielle dans la genèse d'un nouveau style.

Principaux groupes stylistiques

L'art roman du Haut Minho. Sachant que la construction de l'église de Rio Mau commença en 1151, on doit maintenant se demander quel rôle lui incombe par rapport à l'école qui se fit jour à cette époque Entre-Minho-et-Lima. Nous ne pouvons faire abstraction, comme il a déjà été dit, de l'art roman de la province de Pontevedra. Cependant, là comme au Portugal, beaucoup de monuments sont encore à étudier et, en général, il nous manque en leur cas des repères chronologiques importants ainsi que le cadre précis des évolutions typologique et stylistique qui s'y sont exercées (3). Il semble cependant que cette sculpture aux masses volumineuses dont l'atelier le plus important a travaillé à la cathédrale de Tuy se soit seulement développée durant la seconde moitié du XIIe siècle. En ce qui concerne les chapiteaux à décor végétal on pressent à partir d'éléments de la croisée du transept et des nefs de Saint-Jacques-de-Compostelle une filiation plus éloignée dans le temps. Et si pour une église comme celle d'Angoares, il y a eu certains historiens pour la dater du milieu du XIIe siècle, il semble indiscutable que la période la plus importante de la construction de la cathédrale de Tuy soit postérieure à 1174. Il est impensable de chercher à Rio Mau l'origine d'une école qui, de fait, utilise quelques formes compostellanes et qui, par ailleurs, apparaît comme un groupement artistique situé dans une région déjà excentrique par rapport au territoire portugais. Cependant on doit accepter son antériorité par rapport aux principaux monuments de la vallée du Minho. Construite quelques décades plus tôt, elle donne l'impression d'une œuvre de précurseur, dans laquelle ne font défaut ni l'énergie ni l'originalité créatrice. Il est malaisé, aujourd'hui, de tenter d'établir quelle fut la réelle importance de l'atelier de Rio Mau dans le contexte du Minho mais la qualité de sa sculpture révèle sans ambiguïté un artiste précoce qui parcourut le diocèse de Braga à la recherche de commandes.

Le premier monument du nouveau courant naturaliste construit sur la rive portugaise du Minho doit avoir été l'église de Ganfei, près de Tuy. La similitude des thèmes est si évidente qu'elle nous laisse supposer qu'une

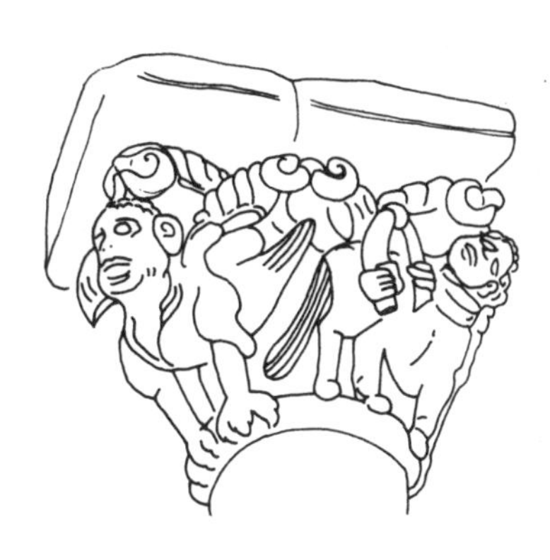

Fig. 3

partie des artistes qui travaillaient à la cathédrale de Tuy pendant la seconde campagne de sa construction (1174-1187), est venue ici. En effet, outre les habituelles feuilles charnues nous allons trouver, dans chacune des deux églises, les files de lions aux faces simiesques ou le superbe couple d'oiseaux buvant à la même jatte (pl. 173). Un intéressant chapiteau représentant le Sauveur, auquel l'édifice est dédié, a été placé en évidence (pl. 172).

A peu de distance de celui-ci, à *Sanfins de Friestas*, existait un autre monastère bénédictin dont l'église, commençée à la fin du XIIe siècle, aurait déjà été achevée en 1221. Ici encore nous allons découvrir de parfaites répliques de chapiteaux de Tuy, comme la tête de bœuf flanquée de deux singes, du côté droit de l'arc triomphal. Cette église, moins ambitieuse que la précédente, montre une légère évolution du point de vue décoratif. Tandis qu'à Ganfei nous trouvons un plus grand pourcentage de chapiteaux à thèmes végétaux et de modillons lisses, à Friestas s'accentue le goût pour le figuratif avec une particulière prédilection pour la représentation humaine. On peut dire la même chose à propos de *Longosvales*, dont il ne nous reste, malheureusement, que le chœur. Ses sculptures sont des plus impressionnantes en raison de l'énergie débordante qui en émane. C'est le cas de la harpie qui, prenant vigoureusement son vol, cherche à fuir le sagittaire en train de retourner contre elle son arme mortelle (fig. 3).

L'impétueuse expansion de l'école se poursuit avec la fondation de *Rubiães*, dont la construction, malgré son apparente unité, fut reprise plusieurs fois. Consacrée en 1257 elle révèle un enrichissement du programme en même temps qu'elle annonce sa propre décadence. Pour la première fois nous voyons un portail avec un tympan représentant le Sauveur et des statues-colonnes supportant les archivoltes. Toutefois la qualité de la sculpture témoigne d'une décadence. Nous ne pouvons pas dissocier ces œuvres de celles, du même genre, de *Bravães*, chacune des deux églises faisant certainement partie d'un même courant d'expansion rurale de modèles créés par Maître Matthieu. Le portail de Bravães a peu de chose à voir avec la sculpture du chevet et témoigne de l'affrontement de deux tendances, chacune étant polarisée autour de diocèses concurrents. L'église, dans son ensemble, constitue un corps hybride qui, du chœur au portail, révèle l'effacement progressif du répertoire de Braga. Cependant, le portail, sculpté sans doute par un artiste du Minho, présente de curieuses concessions à la typologie de l'autre courant. Les lions simiesques et les oiseaux aux ailes croisées sculptés selon les modèles des bords du Minho, se déploient longitudinalement sur les archivoltes (pl. 156), à l'image des animaux de l'arc triomphal (pl. 162), qui sont ici du plus pur dessin créé par l'art bénédictin d'origine portugaise. A la même latitude, l'église de *São Cláudio de Nogueira* présente les même signes d'amalgame. Reconstruite à partir de 1145, elle fut consacrée en 1201 par D. Pedro, évêque de Tuy. L'affontement entre les deux tendances a donc eu lieu sur les bords du Lima à la fin du XIIe siècle. Une fois encore le courant galicien tenta de s'implanter plus au Sud, à *São Salvador de Souto,* mais ce fut une tentative sporadique. Les modillons de cette église montrent, poussée à l'extrême, la tendance du Minho à représenter hommes et femmes dans des attitudes libertines (pl. 144). En contrepartie, les arcatures qu'ils soutiennent appartiennent déjà à un autre groupe de monuments qui rayonna à partir du bassin du Sousa.

Il semble que l'on trouve ici l'école figurative qu'on peut considérer comme la plus audacieuse du Portugal. Il s'agit d'un art naturaliste qui témoigne d'un sens exagéré des volumes et recherche les surfaces bien pleines. Quelques chapiteaux révèlent de véritables explosions d'énergie mais c'est surtout dans les corniches que s'est exprimée le mieux la capacité créatrice de ses artistes. La sculpture des modillons constitua une étape essentielle dans la recherche de la ronde-bosse. Le relief se libère, en quête de la troisième dimension, tandis que la sculpture recherche une certaine profusion de détails. Nous ne devons pas perdre de vue que nous sommes devant un art éminemment rural et que, s'il n'a pas atteint le niveau de perfection des grandes cathédrales, il séduit cependant par sa sincérité et sa liberté.

Les thèmes sont simples, montrant, plus qu'en toute autre école, une certaine préférence pour la figure humaine. En règle générale les personnages sont assis et se caractérisent par le port d'une tunique à larges manches. Quelquefois cette tunique apparaît ornée dans le bas d'une frange et serrée à la ceinture par un cordon dont les deux extrémités pendent depuis le nœud. L'usage de petites bottes pointues est fréquent. Les physionomies sont un peu rudes, les visages osseux, les mâchoires larges et les cheveux longs. On constate un certain goût pour la représentation des vices, quoique d'autres personnages apparaissent simplement assis, les mains ou un livre sur les genoux. Un modèle fréquent est celui de l'acrobate qui en profite quelquefois pour exhiber son sexe. Il semble encore exister une série de sculptures liées à des personnages de l'Ancien Testament, mais nous en traiterons plus loin.

Quant aux sculptures animalières, sont particulièrement attrayantes les têtes de bœufs, de béliers, de porcs, de loups, de lions, etc... que l'on trouve sur les consoles et les corbeaux des portails. Cependant, la rigueur du naturalisme de quelques-unes des gueules ainsi représentées s'accorde mal avec la délicatesse de stylisation des cous ou des pattes de devant traduites en forme de volutes. Il s'agit, à notre point de vue, d'une des plus heureuses réussites décoratives de cet art des bords du Minho. Sont également typiques les couples ou groupes de lions aux gueules simiesque, entravés d'un collier. Ces animaux ont quelquefois les pattes étirées et la tête retournée, comme pour faire harmonieusement allusion à la symbolique des oiseaux aux ailes croisées et aux cous tordus.

Nous avons déjà parlé ici des statues-colonnes et des tympans représentant le Sauveur, chacun étant, pour sa part, probablement d'inspiration galicienne. Il convient maintenant de remarquer un autre motif, nettement lié à la tradition romane du Nord-Ouest, celui des quadrupèdes supportant les croix des pignons. On en connaît plusieurs exemples au Portugal, dont un groupe significatif se trouve près de la frontière à Orada, Paderne et Cardal. Si le premier peut être un lion, les autres représentent clairement l'Agnus Dei. Un autre exemplaire, à Santa Maria dos Anjos (Valença), n'est guère plus qu'une piètre ébauche. Un peu plus au Sud, déjà sur les bords du Lima, on peut découvrir le même motif à l'église de Moreira.

Contrastant avec cette tendance prononcée pour la ronde-bosse, on constate aussi dans les monuments du Minho une *étrange adoption du dessin gravé*. De telles représentations linéaires sont, la plupart du temps, purement géométriques, comme, par exemple, dans les arcs de Mua et Melgaço (pl. 188), ou dans les tympans de Friestas (pl. 170) et Rubiães. D'autres dessins gravés ont cependant une intention figurative, soit pour suggérer le pelage des lions, comme à Bravães (pl. 160) et Nogueira, soit pour styliser le corps ondulé d'ophidiens comme à Friestas et à la Commanderie de Távora, soit encore pour ébaucher les deux monstres affrontés du tympan de Nogueira (pl. 168). La technique du gravé linéaire fut utilisée chez nous par les cisterciens et il n'est pas absurde de penser qu'elle exerça quelque influence.

En réalité il existe sur les bords du Minho *un autre courant plastique*, complètement différent, consistant en un refus délibéré de l'art naturaliste introduit par les bénédictins. Il est curieux de constater que de tels édifices furent en partie bâtis ou restaurés par les moines de Fiães. L'église de Nossa Senhora de Orada, et l'église-mère de Melgaço en sont des exemples. De la même manière, Paderne, bien qu'appartenant aux chanoines réguliers de Saint-Augustin, présente plusieurs solutions typiques de l'architecture et de la sculpture cisterciennes. Ainsi qu'il en a été pour l'art naturaliste, ces églises manifestent une grande unité de style avec ce que l'on construisait alors au Nord du Minho. Du point de vue décoratif, en plus des tores et des scoties, des sphères et des pointes de diamant, apparaît toute une flore stylisée, au dessin minutieux et au relief uniforme. Quelquefois certains de ces chapiteaux sont nettement taillés comme des blasons, à l'instar de ce qui arrive dans les rares exemplaires de sculptures animalières auxquels ils ont donné lieu. Nous pensons en particulier au tympan d'Orada (pl. 177) (dont le lion et la harpie qui encadrent l'arbre de vie se retrouvent dans l'une des archivoltes du portail Ouest), au lion de l'une des métopes de la même église, aux oiseaux de *Chaviães* et aux dragons de *Monção*. Quant à l'animal du tympan de Melgaço (pl. 188), il semble, en dépit de ce qu'on en a dit, être un lion dont la crinière est à peine gravée. La composition de ce tympan fait preuve d'un certain sens de l'équilibre mais, tant par l'air féroce de la bête que par la taille en cuvette, il s'éloigne du courant artistique que nous étudions. Il a dû être sculpté à une époque encore dominée par l'art naturaliste, c'est-à-dire quelques décennies avant le portail Ouest qui évolua vers une ornementation figée, dépourvue de tout élan.

Style créé par les bénédictins. Si, à la vérité, nous parvenons à découvrir dans les sculptures naturalistes du Haut Minho un art rural plein de vigueur et de talent, c'est dans le diocèse de Braga que, par leur rythme et leur vivacité, nous en trouvons les réalisations les plus émouvantes. Il s'agit d'une « école » aux frontières mal définies, quoique les meilleurs exemples s'en trouvent *Entre-le-Cavado-et-l'Ave*. Cette école se caractérise par une prédilection particulière pour la sculpture animalière, avec des scènes de grande vitalité en dépit du schéma rigide de la plupart des compositions. Ce courant semble être entré assez tôt dans le pays par l'intermédiaire des bénédictins. Malheureusement nous sommes beaucoup moins documentés à son sujet en sorte qu'il est difficile de narrer l'histoire de ses premières manifestations. Une chose est certaine : cette école correspond à un art importé qui, par vagues successives, a pris racine dans le territoire portugais, enrichissant le fonds artistique du pays, jusque là attaché aux formes géométriques et végétales de tradition wisigothique. Dans des régions aussi éloignées que le Languedoc, la Provence, la Saintonge et le Yorkshire on trouve les modèles possibles de son bestiaire qui s'est progressivement enrichi d'apports divers, ce qu'on ne peut expliquer que par l'action d'un puissant ordre monastique. Ceci n'empêche pas que cette école puisse être considérée comme celle d'un art profondément original aussi bien par son substrat ornemental d'origine préromane que par la synthèse figurative et les effets esthétiques créés par elle.

La pénétration de cet art dans le Portugal peut se constater en divers édifices en cours de construction pendant la première moitié du XIIe siècle, comme c'est le cas de *Rates*, qui subit une modification de son programme alors que le chevet était déjà terminé et qu'on édifiait le collatéral Nord. L'église resta longtemps inachevée comme le montrent certains éléments apparemment tardifs qui lui furent ajoutés, ainsi les animaux atlantes. A *São Salvador de Arnoso* une interruption des travaux est également patente, de même que le changement qui s'ensuivit dans le programme architectural et décoratif. Le plus grand chœur primitif fut commencé aux environs de 1123 comme permet de le suposser un épigraphe commémoratif conservé à l'intérieur. Sa sculpture, de conception plus évoluée que celle de Rates, révèle, cependant, la même propension à la décoration végétale d'origine préromane. Plus tard le projet fut réduit et l'abside finit par être remplacée par une autre, plus petite, qu'on lui adjoignit au Levant, transformant celle-là en nef. Ce changement eut lieu vers 1156 comme en témoigne la date gravée sur le portail Sud. Le portail Ouest avec son arc décoré d'animaux et son tympan à fleurons, est déjà une œuvre de maturité de l'école, comparable à ceux de la cathédrale de Braga et de Vilar de Frades. La sculpture de l'absidiole, avec ses personnages grotesques et sa flore dégénérescente, appartient certainement à la dernière période.

A partir de ces éléments nous pourrons peut-être tenir le passage du premier au deuxième quart du XIIe siècle pour une période - charnière durant laquelle commença à se répandre, au Sud de Lima, un nouvel art animalier apporté par les bénédictins. C'est au monastère de *Travanca* que, sans aucun doute, nous trouvons l'un des premiers ateliers ; en ce lieu précisément, ce courant semble s'installer dès le début de la construction. Une analyse attentive du monument révèle une discontinuité entre l'élévation du chevet et l'achèvement des nefs. Les travaux furent interrompus alors qu'on construisait les murs latéraux et les premiers piliers ; ils ne furent repris que de nombreuses années plus tard. A la différence de Rates et d'Arnoso, cette église fut l'œuvre d'un groupe d'artistes déjà habitués à un nouveau répertoire décoratif. Dans leurs absides on peut voir des lions plus anciens acharnés à dévorer leur proie (pl. 138) qui firent fortune par la suite dans l'art roman portugais. Sur un autre chapiteau un serpent ondule : la rigidité de son mouvement permet de le classer parmi les ancêtres des reptiles entremêlés qui, par la suite, se verront fréquemment entre le Lima et le Douro. Les sirènes aussi, sans souplesse et aux traits grossiers (pl. 134), sont très différentes de celles des nefs et des portails. De tels archaïsmes se retrouvent encore à l'intérieur sur d'autres chapiteaux à figuration humaine. Mais on trouve plusieurs autres indices de la grande ancienneté de cette partie de l'édifice, depuis la typologie des frises, bases, écoinçons discoïdaux et croix de consécration, jusqu'aux chapiteaux à décor végétal qui, comme l'a bien vu le Docteur Graf, sont en tout semblables à ceux de Manhente, datés de 1117. Dans la sculpture des nefs et des portails on a copié quelques-uns des motifs antérieurs mais d'autres, nouveaux, surgissent, tels les oiseaux aux cous entrelacés, les harpies, les atlantes, etc... Les lions, à leur tour, tantôt s'animent et manifestent plus profondément leur signification christologique (la lutte avec le serpent au portail Nord, ou le châtiment de la sirène dans le collatéral Sud), tantôt sont réduits à une posture héraldique (les quadrupèdes dressés, opposés et vomissant une feuille, au portail Ouest). Quant au portail de la tour, nous sommes d'accord avec C.A. Ferreira de Almeida, pour le considérer comme plus tardif et appartenant déjà à une époque de plastique décadente. D'où l'équivoque qui en est résultée.

L'église de *São Romão de Arões* est, comme les deux précédentes, une construction ayant eu à supporter et à souffrir diverses vicissitudes ; à cause de cela elle est un autre bon exemple de juxtaposition de courants artistiques et culturels. Sa partie la plus ancienne est constituée par le piédroit de la travée occidentale de la nef, et par les chapiteaux de l'arc triomphal. Ayant peut-être commencé à tomber en ruine, le chœur fut complétement restauré dans la travée suivante et dans sa couverture, les travaux se prolongeant jusqu'aux porches latéraux. Le portail Sud, daté de 1237, correspond déjà à une toute dernière étape durant laquelle, pour l'ultime fois, la décoration de « type bénédictin » est encore utilisée à deux reprises dans le chœur. Les chapiteaux les plus anciens ont une facture élégante et une apparence robuste. Les scènes apparaissent entourées d'une guirlande de petites feuilles, comme cela deviendra courant dans les sculptures de ce groupe. Les lions ont leurs pattes arrières fermement prises dans un petit collier de grosses cordes, à la différence des chapiteaux de l'époque intermédiaire. En ceux-ci on constate, en contrepartie, un remarquable foisonnement de détails, tandis que la thématique, aussi bien végétale qu'animalière, peut déjà se comparer à celle de la période la plus florissante de la cathédrale de Braga, des églises de São Martinho dos Mouros, São Pedro de Águias, etc..., c'est-à-dire du troisième au dernier quart du XIIe siècle. La date de la construction de la nef nous éclaire donc sur l'époque à laquelle fut définitivement abandonné le courant d'inspiration animalière. Remarquons que l'Agnus Dei, aujourd'hui visible au tympan du portail Ouest, y fut placé récemment, mais il a appartenu à l'église du XIIe siècle. Au temps de l'Abbé D. Gomes (1237), les tympans étaient complètement lisses, en parfaite harmonie avec l'architecture austère de la nef (4).

Ce fut probablement à partir de la fin du troisième quart du XIIe siècle qu'un tel courant figuratif atteignit sa plénitude. Comme nous l'avons déjà dit, le domaine où il excelle est la sculpture animalière. Les thèmes ne sont pas très variés, et les schémas ornementaux se répètent de façon presque toujours identique. Cependant, l'organisation interne des scènes est si riche, qu'elle donne à cette sculpture une expression vigoureuse et un mouvement suggestif. Dans ses grandes lignes elle allie formes cadencées et répétitives ; celles-ci en particulier, permettent de nombreux détails originaux et des scènes de grand dynamisme. La lutte et la voracité des animaux semblent les thèmes dominants marqués par un symbolisme visant à la dichotomie entre le bien et le mal, entre le salut et le châtiment. Les lions et les oiseaux de proie sont les animaux qui apparaissent en plus grand nombre. Ensuite viennent les oiseaux picorant une touffe d'herbes ou buvant à un calice, les dragons contorsionnés en train de dévorer leurs proies, les serpents aux têtes hideuses, les masques de félins vomissant des feuillages, les sirènes tenant en main un poisson ou saisissant leurs queues, etc... La figure humaine est également présente, en particulier dans certains chapiteaux historiés, à la signification quelque peu controversée, et que quelques auteurs ont voulu mettre en rapport avec les chansons de geste. C'est dans ce groupe que nous allons trouver le plus grand nombre de tympans décorés. L'Agnus Dei et la Croix enrubannée en sont les thèmes préférés bien que nous puissions également y découvrir le Christ dans une mandorle, un prélat et ses acolytes, des animaux affrontés, etc...

Ce programme s'est amplifié au cours de la seconde moitié du XIIe siècle au fur et à mesure qu'il intégrait des modèles étrangers rapportés par les bénédictins portugais de leur séjour dans d'importantes abbayes de l'ordre où ils avaient pu les voir. C'est ainsi qu'apparaissent, par exemple, *les voussures à figures* dans les portails et les petites fenêtres, à l'instar de ce qui se pratiquait dans le Poitou et la Saintonge. Pour renforcer la thèse d'une influence probable de ces régions citons ce qui reste des façades de Vila Boa do Bispo et São João de Almedina (églises non bénédictines) où le porche principal était encadré par deux arcatures aveugles. Remarquons néanmoins que dans ces régions du centre de la France prédomine la disposition radiale des personnages tandis que dans notre pays ils sont systématiquement placés dans le sens longitudinal. Nous allons encore trouver des traces de ces arcs décorés d'animaux carnivores ou assoiffés à Águias (pl. 54), Anciães (pl. 81), Braga (pl. 146 et 147), Bravães (pl. 156), Coucieiro, Granjinha (pl. 186), Pombeiro, Rates (pl. 110), Travanca, Veade (pierres éparses), et Vilar de Frades (pl. 196 à 198).

Parfois les personnages occupent à peine l'une des faces de la moulure et sont disposés en files convergentes vers le sommet de l'arc, ainsi à Arnoso, Braga (pl. 146 et 147), Coucieiro (pierres détachées et réutilisées) et à Vilar de Frades (pl. 196 à 198). De telles représentations, comme sur les chapiteaux, visent à une signification morale qui va de la dénonciation des instincts les plus bas à la représentation allégorique du châtiment et du salut. Il est fréquent de voir à la clef des arcs un couple d'animaux se désaltérant dans un calice : il constitue une sorte de point de convergence d'un mouvement symbolique ascensionnel au milieu de scènes faisant allusion à la tentation, aux vices, au repentir, ou à une espérance religieuse. Manuel Monteiro a voulu voir dans le portail de la cathédrale de Braga la représentation de scènes du Roman de Renard (5). Que cette hypothèse soit vraie ou non, il est certain que l'introduction de la sirène et des oiseaux buvant à un calice, a le même but : symboliser la Rédemption.

Exceptionnellement, à São Pedro de Rates, apparaissent des anges et des saints disposés le long des archivoltes (pl. 106). Comme je l'ai déjà démontré par ailleurs, les arcs décorés situés à l'intérieur de l'église (pl. 109) étaient destinés au portail principal, mais furent remontés en ce lieu, de manière anarchique, à la fin de l'époque romane. Pour confirmer cette hypothèse il n'y a pas seulement les fragments de l'une des figures de l'atlante tétramorphe qui manque au portail et se trouve au départ des arcs internes, mais aussi la représentation des douze apôtres prévue pour l'une des archivoltes et répartie sur sept claveaux ornés au porche et cinq à l'intérieur. C'est seulement à Pendorada que nous trouvons les vestiges d'une figuration des douze apôtres dans le style de Rates. De fait il existe plusieurs claveaux encastrés dans la façade, ornés de saints tenant un bâton, comme dans cette dernière église. La figure humaine apparaît encore à Tibães (Musée Pie XII, Nº 27) et à Vilar de Frades sur des archivoltes historiées d'interprétation difficile. A Bravães (pl. 156), Atei de Basto et Sernancelhe on trouve des arcs avec des anges et des saints, mais ils s'éloignent, du point de vue du style, du groupe que nous sommes en train d'étudier.

Un des types d'arcatures qui apparaissent au Portugal est celui dit « des têtes de loup ». Nous en trouvons des exemples ou des vestiges à Águias (pl. 52), Arões, Cárquere, Coucieiro (pierre détachée), Frandinhães, Fontarcada (Musée Pie XII, Nº 11), Nine, Tarouquela (pl. 63), Trancoso (Santa Luzia) et Travanca (pl. couleurs T. 2). Quelquefois le museau se termine nettement en forme de bec, comme à Nogueira (São Claudio) (pl. 167), Rates (pierre détachée), Várzea (Musée Pie XII, Nº 578), Coucieiro (Musée Pie XII, Nº 100) et Paço de Sousa (claveau trouvé très récemment au cours de travaux dans des bâtiments annexes, et qui doit avoir appartenu à l'édifice antérieur). Il est très probable que cette pièce représente la sculpture la plus ancienne ornée de « tête de loup ». Dans d'autres arcs, comme à Anciães (pl. 85), Braga, et Coïmbre (claveaux de l'église São Pedro, conservés au Musée Machado de Castro), les têtes sont nettement celles de félins et, à la renverse, vomissent des feuillages. Moins fréquentes — on les trouve en descendant vers le Sud du pays — sont les têtes humaines de Tarouquela (de type mixte sur un claveau encastré à l'intérieur de la tour), de Trancoso (pierre trouvée au cours des restaurations de Nossa Senhora da Fresta), Leiria (portail de São Pedro), et Lisbonne (claveau détaché ? découvert dans la cathédrale). Zarnecki, qui a étudié attentivement ce type d'arcs, soutient que le motif vient du Sud de l'Italie et est arrivé relativement tôt en France. Plus tard ce motif s'étendit à l'Espagne, à l'Angleterre et à l'Irlande, où il se maintint jusqu'à la fin du XIIe siècle ou au début du XIIIe. Dans les îles britanniques, en contact avec les éléments de tradition scandinave, il aurait pris la forme particulière de « beak head », c'est-à-dire d'une tête hybride, semblable à celle d'un félin dans sa partie supérieure et munie d'un bec dans sa partie inférieure. De telles têtes apparurent pour la première fois à Reading, aux environs de 1130, et tendirent à devenir un thème dominant dans la sculpture de l'Oxfordshire et du Yorkshire.

Ainsi, comme nous l'avons déjà dit plus haut, il existe chez nous quelques exemples d'influence insulaire. Le sujet mérite d'être approfondi, d'autant plus que, dans les Asturies également, Magin Berenguer a révélé l'existence d'un groupe restreint de monuments comportant des têtes d'oiseaux de morphologie identique à celles d'Angleterre. Parmi ceux-ci on peut nommer Lugás, Ciaño, Amandí et Aramil, dont la chronologie semble s'étendre du milieu au troisième quart du XIIe siècle (6).

Ce phénomène de migration des motifs est un peu complexe et rend délicate la détermination des modèles précis dont ils sont issus. Les influences sont rarement directes, et, quand elles existent, elles s'adaptent aux circonstances locales, se modifiant ou s'intégrant dans de nouveaux ensembles. Ce qui est déroutant dans le courant que nous étudions, c'est de voir comment les solutions nouvelles — certainement introduites dans le pays à des moments différents — ont pu provenir d'archétypes aussi éloignés les uns des autres. C'est encore le cas des *animaux-atlantes* que l'on voit sous les colonnes ou servant de support aux archivoltes. Ils constituent un motif d'ascendance orientale qui s'introduisit dans l'art roman par l'intermédiaire de l'Italie. L'expansion de ce motif au-delà des Alpes semble être postérieure à l'atelier de Niccolò (aux environs de 1130). Le motif connut une large diffusion en Provence, mais atteignit aussi d'autres régions, non seulement en France, mais même en Dalmatie, en Suisse, dans le Sud de l'Allemagne et en Espagne. La plupart des exemples connus datent de la seconde moitié du XIIe siècle ou du début du XIIIe. Au Portugal le motif est largement représenté. Rien qu'à São Pedro de Rates on trouve les vestiges de treize lions atlantes (pl. 99 à 111) ! Outre le nombre élevé des sculptures de ce thème qui caractérisent cette église, parmi celles-ci figurent encore les symboles des évangélistes placés sous les archivoltes de deux de ses portails (pl. 99 et 106). De tels atlantes-tétramorphes, aujourd'hui très fragmentaires, sont des plus rares dans l'art roman. Les seuls éléments de comparaison que nous connaissions se trouvent en Italie, par exemple dans la cathédrale de Vérone et dans l'église de Monte Sant'Angelo. Sous les colonnes du portail Sud de Rates on peut encore voir deux lions dévorants (pl. 99) ; un troisième se trouve au musée paroissial. A cet endroit on conserve aussi un dragon-atlante, motif qu'on retrouve à la base d'une colonne adossée à l'intérieur de la façade Ouest. Cette tendance à décorer les portails avec des atlantes trouve son expression la plus baroque à São Pedro de Águias. A la façade principale, sous les archivoltes du porche, on peut voir six puissants félins dans une composition de caractère à la saveur nettement populaire (pl. 53). Il semble s'agir d'une famille de lions où ne manque même pas leur progéniture ; l'un des lionceaux, comme pour s'amuser, mord l'avant-train du mâle. Les sculptures sont un peu rudes mais on note chez l'artiste un souci de les animer, notamment en variant la position de leurs têtes. Ce même artiste à sculpté également deux lions sur le portail Nord (pl. 52). A Anciães, au contraire, les lions sont tournés vers l'intérieur du monument, sous l'archivolte, et ont la particularité de tenir entre leurs pattes les gonds de la porte (fig. 4). Sculptures plus sobres, les lions de Tarouquela, tournés vers l'extérieur, tiennent dans leurs gueules des proies qui pendent de leurs mâchoires (pl. 60). D'autres vestiges sont visibles à Cabeceiras de Basto (lion tenant un serpent dans sa gueule, au musée Pie XII, N° 202), à Veade (tête conservé dans la sacristie), à Arões (fragment abandonné à l'extérieur), à Ariães (deux lions de classification incertaine) (7) et à Coïmbre (restes de l'église disparue de São Pedro). Ces derniers, aujourd'hui au Musée Machado de Castro, sont constitués par quatre paires de lions dont les uns supportaient les pilastres du chœur tantis que les autres se trouvaient probablement sous deux des quatre colonnes accolées de la façade principale. Rappelons ici que la rampe d'escalier du Portail de la Gloire, à Saint-Jacques de Compostelles, est constituée d'une suite de colonnes identiques supportées par des lions. Comme sur l'une des bases de Coïmbre ces fauves tiennent entre eux un être humain (pl. 26). Il est encore curieux de mentionner qu'en dehors de Rates, c'est seulement à Coïmbre que l'on trouve des lions supportant des colonnes. Tous les autres sont situés au pied des portails comme pour recevoir le poids des archivoltes.

L'apparition de ces motifs, et d'autres, dans des régions si différentes du pays, nous donne à réfléchir sur *la signification culturelle de ce groupement artistique*. Nous ne sommes pas en présence de ce que l'on a coutume d'appeler une école régionale, mais bien d'un courant plastique d'expansion variée. Il pourrait être né à Travanca, mais non au portail de la tour (pl. couleurs T. 2) dont l'ancienneté doit être contestée. Ses archivoltes en arcs brisés utilisent le même granit que celui de quelques-uns des chapiteaux les plus récents de l'intérieur de l'église. D'ailleurs la chronologie tardive de ces sculptures est confirmée par les caractères de l'épigraphe contiguë qui nous

Fig. 4

donne le nom de Domengo Galindiz, l'architecte ou quelque autre personnage lié à la construction de la tour. Une telle épigraphe sous une croix de consécration ne peut être antérieure à la seconde moitié du XIIᵉ siècle sinon même au XIIIᵉ. Comme nous l'avons déjà dit c'est plutôt au chevet que nous trouvons les sculptures les plus primitives. Ici les lions ont un aspect archaïsant et sont encore un peu raides (pl. 138). Quant aux autres figures elles confirment cet archaïsme. A l'exception d'un cas, dans l'absidiole Sud, le fond des sculptures n'y est pas encore orné des petites feuilles qui vont caractériser les chapiteaux, archivoltes et tympans de la période de l'apogée.

Dans les premiers piliers des nefs et sous les impostes, de nette tradition mozarabe, se trouvent aussi des chapiteaux très primitifs dont l'un est à figuration humaine (pl. 137).

Pour confirmer le rôle novateur tenu par les artistes de Travanca, il nous faut signaler que ce fut à partir de ce lieu que la sculpture animalière d'origine bénédictine atteignit le diocèse de Braga, où, par la suite, elle trouva un terrain propice à son développement. N'arrivant pas à franchir les rives du Lima, elle finit par rejaillir en direction du Douro selon un itinéraire précis sur lequel Vila Boa do Bispo, Pendorada, et Fandinhães constituèrent d'importantes étapes. Remontant alors le long de la rive Sud, en monuments d'implantation inégale, elle reprend curieusement vie au fur et à mesure qu'elle s'éloigne de son point de départ. A São Pedro de Águias elle se retourne alors vers la région de Tras-os-Montes, où l'église des Anciães reste un rare mais parfait témoignage de la vitalité de ce courant. Des indices montrent que celui-ci est arrivé à se consolider dans cette vaste province, non seulement à partir du Haut-Douro, mais aussi de la région de Basto. Malheureusement la mauvaise qualité de la pierre utilisée a fait que la plupart des monuments ont disparu. Le portail de Granjinha, aux environs de Chaves (pl. 184 à 186), nous renseigne sur la diffusion géographique du programme décoratif de Braga-Douro. Proche de la Galice, cette petite église rurale constitue un monument hybride dans lequel, comme à Bravães, se conjuguent un sentiment plastique baroque et un répertoire animalier. Dans la région de la Beira Alta les vestiges deviennent encore plus rares, ceux de Santa Maria de Trancoso étant à peine dignes d'être mentionnés. Coïmbre à son tour possède de riches éléments provenant de la seconde construction de São João de Almedina, de l'église de Santa Justa, et surtout de celle de São Pedro, démolie lors des chantiers de la cité universitaire. Sculptés dans du calcaire, les chapiteaux, pilastres, impostes et bases, témoignent d'une telle fidélité à l'égard du modèle apparu à São Pedro de Rates, qu'ils nous font penser à une dépendance directe à son égard. Et on peut dire la même chose de São Pedro de Águias.

Sous le patronage de la Charité-sur-Loire, l'atelier de Rates aurait-il été par hasard le grand promoteur du courant animalier ? Ce fut à l'ordre bénédictin, sans aucun doute, que revint le mérite de sa diffusion. La plupart des églises où fleurit ce type de décoration appartenaient de fait aux bénédictins. Cela a été mis en évidence, il y a déjà pas mal d'années, par José Mattoso qui a lancé l'idée d'une « école bénédictine portugaise » (8). Tout en tenant compte des limites inhérentes à toute classification de ce genre, reconnaissons que le morcellement régional de ce courant et le rôle prépondérant joué par les monastères de l'ordre bénédictin peuvent justifier cette appellation. Mais le prestige de cette école bénédictine portugaise n'a pas manqué de pénétrer des ateliers extérieurs à l'ordre, comme celui de la cathédrale de Braga, ou ceux des églises de Rio Mau (2e phase), Arões, São Martinho dos Mouros, etc... En certaines régions où se faisaient sentir fortement des tendances décoratives divergentes, cette école nous a laissé des monuments hybrides, comme à Ferreira, Pombeiro et Fontarcada, dans l'orbite de Porto et de Braga, ou à São Tomé de Souré, placés sous l'influence de Coïmbre. Les lions, les serpents, les masques de félins et les feuillages s'y stylisent, perdant alors toute leur vigueur d'antan. Le monastère de Pombeiro, reconstruit à partir de la fin du XIIe siècle, est peut-être le monument qui annonce le mieux l'évolution plastique dont nous venons de parler. Le chevet s'y réfère déjà à un modèle entièrement nouveau tandis que le portail, avec les carnivores de son arc et sa flore imaginaire, manifeste une sensibilité que nous pouvons qualifier de rococo. La dureté du modelé et la nervosité des formes sont typiques d'une étape de transition, laquelle, ici, n'est rien d'autre que la conséquence logique de la perfection plastique atteinte dans certains portails comme ceux de Braga et Unhão, et qui saura être perméable aux conceptions esthétiques proposées par l'art méridional. A Fontarcada, surtout à l'extérieur du chevet, la fusion des deux tendances est complète.

Une évolution dans un autre sens est celle qu'on peut voir, par exemple, dans la collégiale de Barcelos, dans une zone éloignée de tout contact avec l'art venu du Sud. Au lieu de la stylisation minutieuse des motifs, elle s'oriente vers leur simplification à travers des formes dilibérément populaires. Une étape décisive dans ce sens nous semble avoir été accomplie par le monastère de Banho, des Augustiniens, dont les restes se trouvent épars sur le site-même, à Palmeira, au musée de Barcelos, et au musée Pie XII. Les chapiteaux et les claveaux subsistants révèlent déjà des formes plus amples en voie de disparition. Les masques commencent à remplir presque toute la surface du chapiteau tandis que les lions et les oiseaux de proie modifient la position de leurs pattes qui se raidissent vers l'avant. On voit cela aussi dans les chapiteaux situés à l'entrée de la salle capitulaire de la collégiale de Guimarães, dont la relative modernité a été défendue par C.A. Ferreira de

Almeida (9). Au portail de Abade de Neiva, ce caractère populaire se constate jusque dans les figurations humaines, telles celles du forgeron, du bouffon et de la danseuse poursuivie par un serpent. Mais c'est dans l'église même de Barcelos, qu'en cette période de transition, on voit le mieux se développer certaines scènes répondant bien au goût de nos populations rurales, et qui évoquent la lutte tellurique entre les forces du bien et celles du mal. Évoluant vers des formes simples et réalistes, le sculpteur suggère la monstruosité des vices pour, ensuite, attirer l'attention sur les peines du châtiment puis sur la possibilité du salut. C'est une église riche en symbolisme, depuis la série des animaux au sexe bien mis en évidence jusqu'à l'homme courbé en train de courir, depuis les carnivores et les serpents affamés jusqu'à l'Agnus Dei victorieux et rédempteur. Les tendances au grotesque et à la figuration héraldique se mêlent à une évidente sensibilité expressionniste qui réduit les chapiteaux à l'évocation de l'essentiel. En cela elle commence à s'écarter du programme bénédictin initial, mais, en vérité, sans aller au-delà d'une évolution interne et très localisée. L'attachement aux modèles traditionnels continue à se manifester, entre-autres dans deux chapiteaux du portail, sur la droite. Sur l'un d'eux les oiseaux, aux cous enlacés et aux têtes tendues vers le bas pour y picorer, pourraient bien avoir été inspirés par l'église voisine de São Bento de Várzea (Cf. Musée Pie XII, N° inv° 430). Sur un autre chapiteau on reconnaît le couple classique de lions aux pattes dressées et à l'unique tête dévorant leur proie. Ces thèmes se répètent encore au portail Ouest de Rio Mau (pl. 122), dont le style décadent pourrait faire oublier ses prétentions symbolique et iconographique.

La sculpture de Coïmbre. Tandis que dans le Nord on insistait sur des thèmes aussi effrayants auxquels les gens étaient très sensibles, à Coïmbre, dans la seconde moitié du XIIe siècle, florissait un art bien différent, plus décoratif que symbolique. Comme j'ai essayé de le montrer dans un travail précédent, cet art n'est pas le résultat d'une rupture absolue avec les formes du premier art roman de la cité, mais n'a fait que renaître et se transformer sous l'action directe d'artistes mozarabes qui avaient fui les persécutions sans merci menées contre eux par les Almohades.

Le premier grand atelier de cette nouvelle phase de l'art roman de Coïmbre vint se fixer au monastère de *Santa Cruz*, dont la pierre de fondation fut bénie le 28 juin 1131. Grâce aux recherches de Nogueira Gonçalves nous arrivons à connaître presque complètement l'organisation architecturale et les dimensions de l'église (10), mais, malheureusement, peu de vestiges de sa sculpture sont parvenus jusqu'à nous. Nous pensons en découvrir certaines particularités dans les chapiteaux des nefs transversales, rares vestiges qui ont échappé aux avatars subis par l'édifice. Ces chapiteaux sont, sans aucun doute, plus anciens que le couple de basilics apparu dans les structures du narthex, et aussi que les quelques pièces détachées conservées au Musée Machado de Castro. Ces dernières, tant par leur dessin que par leur traitement plastique, ressemblent aux chapiteaux et impostes des autres monuments tardifs de la cité. Bien que la primauté des chapiteaux des nefs soit reconnue, nous ne considérons pas comme prouvée l'antériorité des sculptures dépareillées de Santa Cruz, plus proches des conceptions stylistiques qui ont prévalu dans la Sé Velha et dans presque toutes les églises construites à Coïmbre durant la seconde moitié du XIIe siècle.

Quoi qu'il en soit, il est impossible de nier à la *Sé Velha* le rôle de chef d'école, de même qu'on ne peut ignorer le rôle unique joué par l'évêque D. Miguel Salomão (1162-1176), qui durant son épiscopat, stimula et vit presque achevés les travaux de construction de la cathédrale. Ici se sont formés les artistes qui, quelques années plus tard, devaient travailler à *São Salvador, São Christovão, São Bartolomeu et São Tiago*. A l'exception, peut-être, du portail de São Salvador, où les chapiteaux dénotent une certaine parenté avec ceux des nefs transversales de Santa Cruz, toute la sculpture du groupe de Coïmbre présente une facture douce et un dessin inventif mais serein. A ce moment les artistes de la Sé Velha s'éloignèrent des modèles arabes où ils avaient pourtant été puiser en partie leur inspiration. En vérité, l'exubérance hispano-mauresque fut comme atténuée par une certaine pesanteur encore exercée par le schéma simpliste du chapiteau comtal. D'un côté comme de l'autre, l'art roman de Coïmbre ne pouvait manquer d'être à dominante florale. Étant une sculpture à vocation ornementale, elle manifeste un dédain total pour la figure humaine et pour le bestiaire du Christ. C'est seulement à partir du dernier quart du XIIe siècle, et avec l'utilisation de nouveaux types de supports - comme le tympan, la pièce d'aménagement intérieur, et le sarcophage figuratif — qu'apparaîtront quelques reliefs au contenu symbolique indéniable. Nous pensons, par exemple, à l'Agnus Dei entouré du tétramorphe de l'église, maintenant disparue, de São Cristovão, et à un autre qui se trouve au Musée Machado de Castro (pl. 29), et qui devait faire partie d'une pièce de mobilier liturgique. A part trois figures grotesques dénuées d'intérêt aux modillons de Santa Cruz, São Salvador et São Tiago, et aussi le couple d'atlantes du triforium de la Sé Velha, nous ne rencontrons de représentation humaine que sur le sarcophage du prince D. Henri, fils du roi D. Sanche Ier. La tombe, placée contre l'un des murs du cloître du monastère de Santa Cruz, montre, sur sa face latérale, la moitié du corps d'un ange aux ailes déployées, entouré d'une frise en demi-cercle de palmettes. Le peu qu'on connaisse appartient déjà à la phase d'expansion de l'école, comme le Christ en Majesté du tympan de Sepins (pl. 40), et le chapiteau de l'église des Templiers, à Tomar, représentant Daniel dans la fosse aux lions (pl. 42).

Une place relativement importante est toutefois occupée par le bestiaire décoratif dont les caractéristiques se rapprochent beaucoup de l'art oriental. Les bêtes fauves sont pacifiques et les êtres hybrides ne manifestent aucun aspect monstrueux. Les animaux, oiseaux ou quadrupèdes, se présentent dans une attitude figée, la tête généralement dressée, le poitrail bombé et les muscles tendus. Leur affrontement reste pacifique. La plupart des animaux sont immobiles et lorsqu'un animal se tourne pour en mordre un autre, l'effet est plus décoratif qu'effrayant. Cela est particulièrement visible dans les chapiteaux de dragons, l'une des créations des plus originales de l'art roman de Coïmbre. Ces dragons sont, en général, très élancés et, incurvés, se retournent sur leur proie, engendrant ainsi, tout particulièrement au portail de la cathédrale, un mouvement circulaire ininterrompu du plus bel effet. Ces monstres attaquent parfois lions, oiseaux, serpents et harpies. Exceptionnellement nous les voyons dévorer un fruit. D'autres types de dragons dont la tête de serpent est remplacée par celle d'un quadrupède, se présentent immobiles et en position de symétrie parfaite : soit dans le rapprochement de leurs têtes, soit dans l'enlacement harmonieux de leurs queues. Un des chapiteaux les plus intéressants se trouve dans la galerie extérieure du chevet. Les dragons y ont une queue de serpent, un corps d'oiseau et une tête de chèvre. Ils s'appuient sur une tige qui, dans le haut, leur entoure le cou à la façon d'un collier ; elle se termine en une feuille double typique dont lobes et nervures suggèrent les deux ailes de l'animal. Si les sculpteurs se livrent souvent à de semblables fantaisies, on doit toutefois leur reconnaitre un grand esprit d'observation. A la vérité ils nous ont laissé quelques-uns des chapiteaux les plus réalistes de tout l'art roman portugais. C'est une erreur de penser que le Moyen Age n'a pas éprouvé de curiosité à l'égard de la nature et qu'il a été incapable de la reproduire. Que dire d'une scène aussi attachante que celle de ces deux oiseaux qui, au collatéral Sud, boivent à un vase au col haut et étroit ? Tandis que l'un plonge son bec dans l'orifice, l'autre attend et avale le liquide en relevant la tête dans un geste des plus naturels. Dans les moindres détails ces artistes font preuve d'une exceptionnelle capacité de transcrire la réalité, que ce soit dans la manière de traiter les gueules ou les tendons chez les quadrupèdes, le duvet chez les oiseaux, ou les écailles chez les reptiles. La perfection de leurs sculptures est telle, que même les êtres fantastiques peuvent être considérés comme la synthèse de telles observations.

Une scène très fréquente dans le bestiaire de Coïmbre est celle du couple d'animaux picorant un fruit. Habituellement ce dernier consiste en une pomme de pin ou une grappe de raisin bien fournie sortant d'un calice végétal (pl. 19). Nous voyons ainsi comment les dragons maléfiques se sont laissés attirer par leur nourriture. De la même manière les basilics, les griffons, et bien entendu les colombes et les paons, cherchent ce fruit pour s'en repaître. D'autres fois les animaux se trouvent simplement affrontés, que ce soit des lions ou des coqs (volatile rare dans notre bestiaire), que ce soit des centaures (pl. 13), des harpies ou des dragons. Dans deux cas au moins, les lions apparaissent bizarrement enlacés de cordes. Quant au serpent il figure aussi seul ou emmêlé à la végétation.

Dans les tribunes de la Sé Velha nous trouvons deux chapiteaux ornés de carnivores dévorant de petits personnages qu'ils tiennent serrés entre leurs pattes. Il s'agit d'un motif du Nord du pays — très fidèlement reproduit dans le calcaire à l'église voisine de São Pedro — qui semble avoir été exécuté ici par un apprenti attiré par l'art nouveau. Sa tentative d'imiter les modèles de l'atelier se manifeste dans la position horizontale du corps des lions, la symétrie des queues et le formalisme des branchages qui ornent l'un des chapiteaux. Cependant son peu de capacité se révèle dans la manière de sculpter les têtes comme dans celle de traiter le pelage et les feuillages. Le petit masque placé dans l'axe de la composition végétale ajoute encore au caractère populaire du chapiteau. Le manque de souplesse et d'assurance de ces sculptures laisserait supposer en leur auteur un artiste de Coïmbre déraciné de son milieu d'origine. Cela ne veut pas dire que dans la Sé Velha toute suggestion venue de l'extérieur ait été sous-estimée. En réalité chaque fois que cela a lieu (sauf dans l'exemple cité), l'intégration dans le nouveau style est parfaite. C'est le cas des petites têtes de carnivores d'où sortent d'abondants feuillages. Ici, contrairement à l'art roman de type bénédictin, les têtes diminuent de volume et passent au second plan, étouffées qu'elles sont par une ornementation tyrannique.

Il convient maintenant de se demander quelle a pu être la principale *source d'inspiration* de la sculpture figurative des bords du Mondego. Il semble hors de doute que plusieurs artistes arabes ont travaillé à Coïmbre. Leur présence est attestée non seulement par les documents et l'épigraphie, mais se traduit encore par la structure et la décoration des chapiteaux, des frises, des pilastres, etc... Les chapiteaux de forme cylindrique dans leur moitié inférieure et déjà presque parallélépipédiques dans leur moitié supérieure (pl. 14), répondent à un type hispano-mauresque. Malgré l'originalité plastique de la flore de Coïmbre, certains schémas décoratifs et quelques détails ornementaux ne peuvent s'expliquer que par une vision directe des monuments de l'art califal. Par contre on ne peut pas dire la même chose en ce qui concerne le bestiaire. Il est vrai que nous nous trouvons au moment de l'apogée de l'art animalier de l'Islam mais, même alors, celui-ci continuait à être relégué au second plan dans la sculpture monumentale. La stylisation excessive, la fantaisie des surfaces, la petitesse des personnages nous éloignent certes du modèle de Coïmbre. Il est peut-être préférable de chercher dans les arts mineurs la source d'inspiration des artistes de Coïmbre. Dans les testaments apparaissent d'innombrables mentions de pièces d'orfèvrerie et de tissus ornementaux, ainsi qu'il est fait allusion à la présence d'artisans étrangers comme celle de ce Maître Ptolémée qui se chargea de modifier le devant d'autel de la cathédrale (11). Parmi les pièces qui nous sont parvenues, la crosse provenant du monastère de Santa Cruz mérite une attention spéciale. En forme de T elle a une hampe divisée en losanges décorés d'oiseaux et de feuillages semblables à ceux des sculptures sur pierre. La stricte symétrie des animaux, si caractéristique de l'Orient, peut très bien avoir été inspirée de tissus importés, comme, par exemple, ceux qui furent trouvés dans le tombeau de l'évêque D. Estevão Martins. Ses vêtements étaient en soie et décorés, entre autres motifs, de figures du bestiaire. On est encore arrivé à identifier deux poissons et un lion associés à un autre animal (12). Mais là où nous conservons le meilleur témoignage d'un art animalier parallèle, c'est, sans doute, dans les miniatures des *scriptoriums* de Santa Cruz et de Lorvão. L'analogie, par exemple, entre les dragons de la Sé Velha et ceux qui ornent les initiales du *Codex 32 de Santa Cruz de Coïmbre* (conservé à la Bibliothèque Municipale de Porto) est surprenante. De tels monstres, avec leur corps filiforme de serpent et leur petit thorax d'oiseau, sont très rares dans ce modèle précis, ce qui montre bien l'importance exercée par les écoles d'enlumineurs. Également dans les deux *Livres des Oiseaux* (respectivement à la bibliothèque de Porto et aux Archives de la Torre de Tombo), il existe des représentations semblables à celles de sculptures romanes. Nous pouvons le prouver, non seulement dans les monuments de la cité, mais aussi dans ceux des environs, comme au tympan de Sepins (pl.40). La position du Christ, le schéma général de ses vêtements, la tête de l'ange, et, surtout, le minutieux traitement du corps de l'aigle, trouvent dans les manuscrits de bons exemples dont on peut les rapprocher. Dans la sculpture de ce rapace nous pouvons noter, comme signe indéniable de parenté avec les décorations des manuscrits, la petite calotte en forme d'œil qui apparaît dans la partie antérieure de l'aile.

Il est clair que ces constatations ne peuvent nous donner qu'une partie de la réalité. Il n'est pas possible, aujourd'hui, d'apporter à la question une explication globale. Et si cela était possible, il faudrait en trouver l'explication autour du grand atelier qui travailla dans la Sé Velha durant le troisième quart du XIIe siècle. En vérité la cathédrale se démarque des autres monuments par la magnificence et la richesse de sa décoration. Nous y trouvons presque tous les modèles et schémas. La faune de São Salvador, de São Cristovão et de São Tiago n'apporte rien de nouveau si l'on excepte le tympan de cette seconde église, parvenu jusqu'à nous grâce au dessin de Mariz Junior (13).

Des églises restantes de la ville de Coïmbre construites dans le même style, nous ne savons rien quant à leur sculpture figurative. Mais, par ce qu'il en reste, nous pouvons en conclure qu'en toutes ces églises s'est maintenu le même esprit sobre et calme de la décoration de la Sé Velha. L'ornementation de Coïmbre se réduit presque aux chapiteaux ainsi, dans les portails, qu'aux socles, colonnes et pilastres. Tout le reste est animé par le sobre jeu des éléments architectoniques mis en œuvre.

A la fin du siècle, plus précisément dans l'église de São Tiago, cet équilibre commence à se dégrader. La partie décorative se prolonge par les impostes et les archivoltes, et la qualité de la sculpture témoigne d'inégalités. Les travaux de construction de cet édifice furent interrompus pendant un certain temps et ses artistes ou bien moururent, ou bien cherchèrent du travail dans un autre chantier. On trouve des preuves manifestes d'une modification du programme architectural dans la façade Ouest (pl. 31) correspondant au moment même où nous décelons l'arrivée de nouveaux artisans formés en marge de l'école. Ils ont utilisé un type de calcaire différent dans les chapiteaux et les colonnes qui détonne par rapport à celui des sculptures relevant de l'atelier primitif. Également, du point de vue décoratif, quoique inspirés de la thématique traditionnelle, ils se montrent grossiers et inhabiles. La comparaison entre deux des chapiteaux du côté gauche du portail est éclairante. L'un d'eux, avec ses deux étages d'oiseaux affrontés, peut être considéré comme l'un des points culminants de la sculpture de Coïmbre. La délicatesse du dessin, la sérénité des figures, la beauté formelle des attitudes et la savante utilisation du trépan, permettent de le considérer comme un chef-d'œuvre de valeur identique à celle des meilleures sculptures de la Sé Velha. Malgré cela, et à côté de ce chapiteau, nous en voyons un autre, fruste, représentant deux oiseaux picorant un quadrupède à tête humaine (pl. 32). Cette corrélation d'un monstre et d'un volatile disposés sur deux étages est commune à beaucoup d'autres chapiteaux de l'école. Cependant l'introduction du grotesque, le corps lourd des animaux, et la rudesse du modelé révèlent la main d'un artiste moins habile. L'idée qu'il s'agit d'une sculpture reprise aux environs de la date de consécration de l'église (1206), est renforcée par le fait que l'artiste a utilisé un calcaire provenant d'une autre carrière, et qu'il s'est servi d'une nouvelle technique pour attaquer le bloc de pierre. De fait il souligne exagérément le tailloir et l'astragale et fait apparaître la surface cylindrique elle-même de la corbeille à laquelle, à leur tour, s'adossent les figures sans se confondre avec elle. L'insertion dans la colonne est également différente, elle s'opère par l'intermédiaire d'une espèce de collerette (pendant la période classique, les chapiteaux se limitaient généralement à une rainure dans la partie inférieure, destinée à centrer le fût).

La fin du XIIe siècle est une période difficile pour le chantier de Coïmbre. Dans la cathédrale elle-même on peut détecter une interruption de travail qui est liée au moment où l'on commençait la construction de la tour-lanterne et du cloître. La tour-lanterne est la pièce que, sans le moindre doute, l'archéologie a le mieux permis d'identifier comme l'œuvre de Maître Robert, de Lisbonne. De cette cité, comme je l'ai déjà démontré en un autre endroit, il apporta une solution de type normand qui parvint à être adaptée non sans difficulté. La conception était osée et, dans la crainte que la base de la tour ne supporte le poids de la flèche, la galerie fut murée et transformée en arcature aveugle (pl. 11). Le projet fut accepté seulement au début du XIIIe siècle, mais on le maintint par la suite dans ses lignes générales. Comme nouveauté décorative il convient de citer les quatre têtes humaines sur lesquelles prend appui la croisée d'ogives. Ces masques grotesques, à la fonction de consoles, furent très en vogue, par exemple en Normandie, et furent copiés aussi à la cathédrale de Lisbonne, sous une voûte de la tour Nord de la façade, ainsi que dans l'église de São João de Alporão à Santarém, monument romano-gothique présentant différents points de contact avec le courant anglo-saxon qui se fit jour dans la capitale à partir de l'épiscopat de Gilbert de Hastings.

La dispersion de l'atelier de Coïmbre. Nous sommes convaincus que l'école de Coïmbre dépassa largement les murs de la cité mais presque tous les vestiges de son expansion ont disparu dans la région environnante. Nous avons déjà cité le tympan de *Sepins*, daté avec certitude de la fin du XIIe siècle ; il convient maintenant de parler d'un autre tympan, mal connu, sauvegardé de l'ancienne *église de São João Baptista de Tomar*. Encastré dans un mur de la tour, à côté d'un lion en ronde-bosse, il est également médiéval. Ce tympan, dont la partie inférieure présentait la forme d'un pentagone, montre deux lions affrontés gardant l'Arbre de Vie. Les personnages sont raides, comme le voulaient les normes de l'école, mais l'animal situé sur la droite esquisse un léger mouvent de tête. A Tomar travaillait un autre atelier important dans l'*église des Templiers*, au château, dont les chapiteaux peuvent être tenus au rang des plus parfaits de ceux qui, dans le Sud, s'inspirèrent du modèle de Coïmbre. A la vérité nous trouvons là les habituelles feuilles doubles, les lions, les basilics, les harpies, les dragons, etc...

L'échange artistique entre Lisbonne et Coïmbre, dont nous parle le *Livre Noir*, est aussi sensible dans la sculpture des deux cathédrales. Ce sujet devrait être davantage approfondi mais d'ores et déjà nous pouvons avancer que, alors qu'on voit apparaître dans les parties hautes de la Sé Velha de Coïmbre un type de flore que l'on peut attribuer à l'atelier de Lisbonne, on trouve également des traces évidentes de l'influence de Coïmbre dans la *cathédrale de Lisbonne*. Dans le domaine figuratif, les couples de lions adossés à des tiges avec des feuilles pendant sur leurs dos, continuent à être reproduits, ainsi que les dragons attaquant leur proie, les petits masques de félins vomissant du feuillage, etc... D'autres dessins sont entièrement nouveaux, comme celui du chapiteau du triforium sur lequel un oiseau se jette sur une grappe de raisin réalistement représentée et la picore avec énergie. C'est une scène réaliste, donc très éloignée du formalisme et de la passivité qui, habituellement, caractérisent les sculptures de Coïmbre. Ce nouvel élan inspirera la sculpture végétale elle-même, plus recherchée et plus abondante. Dans les portails on devine, néanmoins, la main d'un autre artiste à la sensibilité plus raffinée. Les personnages sont filiformes et se détachent sur un fond lisse. Le relief est très bien rendu grâce à l'usage du trépan qui permet des formes simples et délicates. Au portail Ouest sont représentés une reine dans des feuillages, deux hommes en train de lutter, montés sur des lions (pl. 2), l'archange saint Michel terrassant le dragon, et trois autres personnages que quelques auteurs identifient aux martyrs de Lisbonne, Verissimo, Maxima et Julia. Le masque habituel d'où jaillissent des rinceaux n'est plus ici qu'une tête minuscule du cou de laquelle pendent deux tiges sinueuses. Au portail Nord nous voyons se répéter les oiseaux picorant une grappe de raisin, mais la sculpture s'y révèle plus formaliste que celle du chapiteau du triforium dont je viens de parler. La présence, dans ces deux portails, d'une décoration d'apparence aussi délicate ne laisse pas d'être vraiment surprenante. Tout au moins, en ce qui concerne les figures humaines, elles rappellent, dans une certaine mesure, les personnages filiformes qui décorent l'Apocalypse de Lorvão. Les éléments de comparaison, cependant, sont encore trop peu abondants pour que nous puissions accepter sans réserve une telle source d'inspiration.

Se rappelant les solutions arbitraires apportées lors des restaurations de Fuschini, les spécialistes de notre art roman ont toujours éprouvé une certaine méfiance à l'égard des sculptures de la cathédrale de Lisbonne. Au mieux ils se sont réfugiés dans l'indifférence. Cependant la question est trop importante pour rester ignorée. Il est certain que la restauration de ce monument a été très perturbée, mais nous avons réuni assez de preuves pour croire en la valeur de celle que réalisa par la suite l'architecte João Couto. De nombreux chapiteaux furent reconstitués à partir de fragments retrouvés et, de plus, il reste suffisamment d'originaux complets, tant à leurs emplacements originels qu'à l'intérieur de l'église et du cloître où certains sont conservés. Grâce à tous ces vestiges nous sommes en mesure de discerner au moins deux écoles d'artisans et, curieusement, chacune d'elles a des relations personnelles avec Coïmbre. Dans le Sud les témoignages de constructions romanes sont rares mais suffisants pour nous permettre de conclure que l'action de ces artistes ne s'est pas limitée à la construction de la cathédrale. Nous pouvons aussi retrouver leurs traces à *Sintra* (deux chapiteaux au Musée du Carmo et les ruines de l'église du château), *Torres Vedras* (portails de Santa Maria do Castelo), *Leiria* (église de São Pedro), *Alfange* (dans le faubourg de Santarém) et *Pombal* (chapiteau du château). Du point de vue figuratif il faut surtout retenir les portails de Santa Maria de Torres Vedras et de São Pedro de Sintra. Dans la première de ces églises — où les impostes du type de celles de Leiria chassent toute incertitude quand au courant d'inspiration — existent des chapiteaux avec des oiseaux picorants, du genre de ceux que nous avons trouvés à la cathédrale de Lisbonne. Le caractère généralement tardif de ces sculptures est, d'un côté, rendu évident par les animaux fantastiques du portail Sud de l'église du « château des Maures » à Sintra. La structure des corbeilles montre de nouveau une nette empreinte de Lisbonne, ce qui, par ailleurs, semble confirmé dans les chapiteaux floraux de l'arc triomphal.

On peut dire de l'église de São Pedro de Leiria, à mi-chemin entre Coïmbre et Lisbonne, qu'elle subit l'influence des deux foyers. S'il est certain que les chapiteaux des absides s'inspirent de dessins de Coïmbre, la technique ici utilisée est déjà celle de Lisbonne. Pour confirmer cette observation il suffit de comparer dans le détail le chapiteau encore visible au portail avec ceux de droite de l'entrée Nord de la cathédrale de Lisbonne, et aussi avec ceux, déjà cités, du Musée du Carmo et provenant de Sintra. Ici la similitude est totale. Contrairement à ce qui a été affirmé jusqu'à ce jour, il nous semble que les artistes qui ont travaillé à Leiria étaient partis de Lisbonne et non de Coïmbre. Ainsi nous le font encore supposer les petits personnages qui, dans les archivoltes, lèvent les bras en l'air, comme pour essayer de s'évader vers l'extérieur. Ces petites têtes violentes sont très fréquentes dans les portails anglo-saxons et il n'y a rien d'étonnant à ce qu'elles aient été apportées par quelque artiste nordique, membre de la colonie qui débarqua à Lisbonne. Dans la cathédrale on peut voir une pierre ornée, précisément, d'une de ces petites figures.

D'après ce que nous venons de constater, la pénétration vers le Sud du courant artistique qui s'était développé autour de la Sé Velha de Coïmbre se heurta à la concurrence d'un autre atelier non moins rempli de prestige et d'une riche personnalité. Ce n'est pas sans raison que les constructeurs de la cathédrale se virent obligés de recourir à l'aide technique d'un maître de Lisbonne qui, jusqu'en 1176, se déplaça quatre fois à Coïmbre « *ut melioraret in opere et in portali ecclesiae* ».

Aussitôt après la mort du grand mécène que fut l'évêque D. Miguel Salomão, nous trouvons à Coïmbre un nouveau geste significatif d'encouragement aux réalisations artistiques, de la part de l'alvazir Estevão Martins qui finança la construction du portail de l'église de São Salvador. Cela se passait en 1179, époque également durant laquelle le roi Afonso Henriques, promettait par testament cinq cents morabitinos pour la continuation des travaux de construction de la cathédrale. Ainsi s'explique que, pendant quelque temps, se soient prolongés les contrats de construction et que Maître Robert soit venu encore au moins deux autres fois à Coïmbre, en 1179 et 1181 (Cf. Torre de Tombo, Santa Cruz, M. 10, nº 12 et 31) (14). Cependant, à partir d'un certain moment, il semble que les conditions se modifièrent et que quelques travaux furent interrompus. La vie dut devenir difficile pour les artistes qui travaillaient dans la cité. En tenant compte du fait qu'alors on poursuivait des travaux de grande envergure dans toutes les cathédrales du pays, il est probable qu'une partie de ces artistes aient accepté la proposition d'aller travailler en d'autres lieux, notamment à *Porto*. En vérité l'art de Coïmbre semble avoir eu davantage de fortune dans son expansion vers le Nord où sa sculpture s'adapta au granit avec une certaine pureté de lignes.

Alléchante est l'hypothèse de Manuel Monteiro, selon laquelle Maître Soeiro — l'un des responsables de la construction de la Sé Velha — serait venu dans cette cité du Nord sur l'invitation de l'évêque D. Fernando Martins (15). Dans son testament, rédigé en 1185, ce prélat fait plusieurs donations en faveur d'un certain Soeiro Anes, ou « Magister Suerius » *(Registre censier du chapitre cathédral de Porto*, pages 385-389). Que cette hypothèse soit vraie ou fausse, ce qui est certain, c'est que nous allons trouver dans la cathédrale de Porto divers chapiteaux inspirés des modèles de Coïmbre, et, s'il existait quelques restes décoratifs du portail, nous pourrions sans doute en conclure que ce dernier était une réplique de ceux de la Sé Velha ou de São Tiago. Malheureusement aucun vestige d'art figuratif ne nous en est parvenu.

Pour étudier cet art nous aurons donc recours à un autre édifice des environs de la cité médiévale, dédié à saint Martin. Cette église, faisant aujourd'hui partie de la commune de Cedofeita, présente des reproductions presque parfaites de chapiteaux comportant des oiseaux picorant un calice végétal, des lions affrontés, ou des dragons montés sur des quadrupèdes, des harpies, des oiseaux ou des feuillages. La plupart des chapiteaux montrent les tiges végétales caractéristiques situées en arrière-plan des animaux et laissant tomber leurs feuillages dans les angles du chapiteau. Au portail Ouest et dans quelques chapiteaux des parties hautes de la nef — certainement les derniers à avoir été sculptés — c'est un artiste faisant déjà preuve d'une connaissance indirecte du programme décoratif de Coïmbre, qui a œuvré. Non seulement il témoigne d'une technique imparfaite, mais encore il se permet quelques fantaisies n'ayant rien à voir avec les modèles qu'on lui avait appris. Par exemple on peut voir les dragons affrontés dont la queue se termine en feuille et surtout les petits hommes attaqués à la tête par deux oiseaux et qui tendent leurs bras, transformés à leur tour en rinceaux, sur le corps des bipèdes. Ces corps stylisés ne sont qu'une transposition libre du motif des petits troncs axiaux qui se déploient en hauteur et constituent le décor encadrant les animaux. Nous en voyons la copie, par exemple, et d'une grande perfection, dans les deux autres portails. De tous les chapiteaux, un seul, à la porte Nord, s'écarte des thèmes de la Sé Velha. C'est le second du côté droit : il représente, en travers de la corbeille, une femme mordue par un animal dont on ne voit que la tête (pl. 91).

Dans ce même portail il existe une pièce que l'on rencontre peu fréquemment à Coïmbre, à savoir, le tympan décoré. Manuel Monteiro, l'auteur qui a formulé le mieux le problème des contacts entre les deux écoles, a ouvert justement une parenthèse au sujet de l'Agnus Dei sculpté sur ce portail (pl. 92), lui attribuant une autre origine (16). Or, une analyse attentive révèle que lui aussi a son modèle exact à Coïmbre. La rudesse du granit et l'usure du temps ont amené certains chercheurs à interpréter de façon erronée le thème ici représenté ; ils en sont arrivés à prétendre, soit que sur l'agneau se trouvent deux colombes buvant à un même calice, soit qu'il peut s'agir du sang mystique tombant d'une coupe placée sur le dos de l'animal. Cependant, si nous observons le dessin avec attention, nous en arrivons inévitablement à la conclusion qu'il est, ni plus ni moins, le même que celui du relief de l'Agnus Dei conservé au Musée Machado de Castro (pl. 29). Dans les deux sculptures l'animal a été esquissé d'après un dessin commun comme le prouvent l'élan général du corps, la forme de la tête, l'arrière-train, les vestiges du pelage, la queue, etc... Le relief de Coïmbre, aux formes délicates, fouillées au trépan, est toutefois de qualité très supérieure. Pour cette raison il lui manque déjà la croix qui s'est cassée. Comme à Cedofeita, elle sortait symboliquement d'un calice végétal d'où pendent deux grappes. Ce calice résulte de la terminaison florale des diverses spires de feuillage qui s'enroulent autour de l'Agneau. Le même motif a été utilisé par Maître Matthieu dans le giron de saint Jean-Baptiste au Portail de la Gloire. Le lien avec Saint-Jacques de Compostelle a déjà été suggéré en son temps par Manuel Monteiro, dans son explication du cercle polylobé qui enveloppe extérieurement l'Agnus Dei de Cedofeita. Si cela est vrai, nous devons admettre alors qu'une partie du bestiaire de Coïmbre s'est développée à partir de dessins issus de ce foyer galicien. Les lions affrontés, par exemple, semblent également suivre de près certains modèles de Saint-Jacques de Compostelle, et ceci ne doit pas nous étonner si nous tenons compte du fait que les archevêques de Compostelle possédaient plusieurs propriétés à Coïmbre. Dans les faubourgs se trouvait parmi elles, précisément, la collégiale de São Tiago, qui, dans deux portails, présente des colonnes ouvragées inspirées indiscutablement de Saint-Jacques de Compostelle.

Quelques-uns de ces motifs seraient passés au Nord du pays par étapes successives et se seraient différemment adaptés selon la sensibilité et le goût des artistes ou de leurs maîtres. Quant à la sculpture animalière, on peut dire qu'elle s'est limitée presque exclusivement à la ville de Porto. A l'intérieur de la province, elle ne fait que se répéter, de façon rigoureuse, à *Cabeça Santa* dont les chapiteaux sont la copie exacte de ceux de Cedofeita. A la limite septentrionale du diocèse, plus précisément au portail Sud de *Rio Mau*, et à l'arc triomphal de *Santiago de Antas*, nous pouvons encore suivre les traces d'autres artistes connaissant l'art de Coïmbre. Là nous rencontrons de nouveau les oiseaux et les lions abrités par des feuilles tombant d'une tige centrale. Si nous faisons exception des importantes découvertes faites récemment à *Landim* (Vila Nova de Famalicão) et au couvent da *Costa* (Guimarães), ces sculptures sont le fruit de commandes épisodiques et révèlent un peu ce que fut le marché du travail des tailleurs de pierres émigrés. Dans la plupart de nos églises, la construction fut lente et discontinue, progressant au gré des disponibilités financières du moment et des contrats fortuits conclus avec des artistes de passage, venus des régions les plus diverses.

En dehors de ces exemples, nous devons simplement signaler un autre chapiteau digne d'intérêt, provenant de l'église de *Pedroso*, dans les environs de Porto, mais déjà au Sud du Douro. Il fut découvert voici peu d'années dans la Quinta do Mosteiro (17), et se trouve en bon état de conservation, quoique témoignant d'une sculpture très pauvre. On y retrouve les plantes déjà citées, montant de l'arrière-plan du chapiteau vers les angles et donnant naissance à des feuilles pendantes, de profil asymétrique. Sur toute la superficie de la corbeille s'étendent deux étranges griffons dont la partie antérieure est formée d'un long cou et d'une toute petite tête d'oiseau. Le reste du corps est sans mouvement, sa monotonie étant simplement rompue par une aile naissante et la queue qui, telle une arabesque, monte vers la croupe. Face à face, et les cous entrelacés, ces êtres fantastiques ont un air inoffensif, et témoignent d'une intention purement décorative. Aussi bien par le cadre floral que par l'aspect serein des deux monstres, ce chapiteau constitue un témoignage de plus de la transmission des modèles de Coïmbre à la région du granit. Et ceci est d'autant plus vrai que les seuls griffons connus jusqu'à ce jour se trouvent précisément à la Sé Velha. Ceux de Pedroso se rapprochent plus du couple de la tour-lanterne que des griffons du premier arc situé entre la nef centrale et le collatéral Sud. Ces derniers ont une tête d'aspect presque métallique et un large cou recouvert d'écailles, tandis que ceux de la lanterne ont une tête d'oiseau ; leurs cous sont séparés, mais ils s'entrelacent dans le cou des oiseaux d'un chapiteau voisin, comme aussi de ceux d'un autre provenant de l'église, aujourd'hui disparue, de São Cristovão.

Il existe dans les environs de Porto, une autre église, à *Águas Santas*, qui, vers 1218, fut agrandie du côté Sud par la construction d'un second corps de bâtiment. Le nouveau chœur révèle une nette influence de la cathédrale de Porto et, indirectement, de l'ornementation mudéjare forgée aux frontières de la reconquête. Le bestiaire a ici une importance relative, bien qu'on remarque une qualité supérieure des personnages des fenêtres par rapport à ceux des modillons (dont il est certain que quelques-uns proviennent de l'édifice antérieur et ont été réutilisés). Ce qui est remarquable dans cette première phase d'agrandissement, c'est l'apparition , à l'arc triomphal, d'un chapiteau animalier, avec les fameux lions simiesques d'inspiration galiciennes (pl. 95). La position fort peu naturelle des corps, comme s'ils étaient suspendus par leur train arrière, leurs têtes croisées et entravées d'un collier, leurs pattes aux griffes acérées, leur puissants tendons et leurs traits simiesques, font penser à des exemples des bords du Minho. Cependant le relief y est moins important, les surfaces sont aplanies et le dessin est plus net. Nous sommes certainement ici devant la copie tardive de motifs de l'art animalier galicien parvenus au diocèse de Porto, au plus tard au milieu du XIIe siècle. A proprement parler, ce chapiteau, comme d'autres du chœur, ne nous semble pas l'œuvre d'un artiste du Minho, étant donné l'importance redonnée à la corbeille et une nouvelle tendance à la stylisation des formes, qui le situent dans un état d'évolution intermédiaire vers la sculpture du Douro maritime durant le XIIIe siècle. D'ailleurs, c'est déjà entièrement à l'intérieur de ce nouveau courant que la sculpture se continua, comme le prouvent quelques chapiteaux de la nef et la corniche extérieure.

Genèse et développement d'un style original au cœur du Douro maritime. Certains ont aussi tenté d'expliquer l'apparition de ce dernier groupe artistique par l'action des sculpteurs appelés de Coïmbre par les chanoines de Saint-Augustin (18). Cependant, une telle explication nous semble trop simpliste. L'art du XIIe siècle *entre l'Ave et le Tâmega*, a été créé sur place, sans doute à partir d'éléments méridionaux, qui peu à peu, grâce à l'assimilation de techniques locales d'origine préromane, ont évolué au-delà d'un nombre réduit de thèmes figuratifs du Nord-Ouest. D'où la surprenante originalité de monuments comme le monastère de Paço de Sousa ou la nef de Roriz, du plus pur art national. Néanmoins, nous ne pouvons — à l'instar de Manuel Monteiro — partir d'exemples aussi achevés pour comprendre le processus qui les engendra. L'église de Ferreira et les chevets de Roriz et de Pombeiro constituent, à notre sens, des étapes essentielles, et qui, contrairement à ce qu'on en dit, appartiennent encore à la fin du XIIe siècle.

En premier lieu on doit souligner le rôle joué par l'église de *São Pedro de Ferreira* où convergent les influences d'au moins trois foyers différents. Cette construction, commandée par les templiers, fut confiée à un architecte de la région de Zamora. On lui doit, non seulement le portail (une réplique du portail de l'Évêque), mais aussi les niches du chœur (pl. 118) (semblables à celles des absides léonaises d'Arbas et d'Amandí), l'ébrasement des fenêtres, les colonnes extérieures interrompues par une frise, et les arcatures de la corniche. Ces dernières deviendront une caractéristique fondamentale de l'école, mais n'ont aucun lien direct avec les célèbres arcatures lombardes, toujours citées, à ce sujet, par les auteurs portugais. Elles sont la copie fidèle d'un certain type de corniches de Zamora, Toro ou Benavente. Leur concordance avec le portail aux alvéoles (pl. 116), indubitablement inspiré de Zamora, nous fait pencher pour l'antériorité de l'église de Ferreira par rapport aux autres. Étant donné l'époque de la construction de la cathédrale de Zamora (1151-1174), nous pouvons admettre que l'église de Ferreira fut construite durant les deux dernières décennies du XIIe siècle. Ceci semble être confirmé par la collaboration d'un autre artiste venu de la Sé Velha de Coïmbre, auquel revient d'évidence la paternité des chapiteaux extérieurs de l'abside et des arcatures aveugles de la travée droite du chœur. Celles-ci, avec leurs pilastres d'angles ciselés, leurs petites colonnes à section en forme de trèfle, les nervures saillantes de leurs arcs, et le dessin de leurs chapiteaux, ne peuvent avoir été inspirées que par celles du chœur de la cathédrale de Coïmbre qui fut consacrée vers 1175. L'attribution, en 1182, par l'Abbé de Ferreira, des bénéfices de l'église de Válega à un certain Soeiro Anes, serait-elle pure coïncidence, ou bien, ni plus ni moins, récompense pour services rendus à ce monastère par le même Maître Soeiro Anes que nous avons déjà relevé comme collaborateur possible lors de la construction de la cathédrale de Porto ? (Cf. *Registre censier du chapitre cathédral de Porto*, pages 249 et 386-387).

Il semble qu'on ne puisse rien attribuer à l'artiste de Zamora ou à celui de Coïmbre de la sobre sculpture figurative existant dans l'église. Celle-ci est due à un autre sculpteur, formé dans la région de Braga, et qui travailla sur le chantier à la même époque. Nous pouvons lui attribuer, non seulement quelques-uns des motifs ornementaux, mais aussi le chapiteau du dragon situé dans les parties hautes du chœur, et peut-être même le chapiteau des jongleurs (pl. 117) qui lui fait face. Au portail on peut voir des oiseaux aux cous entrelacés et têtes penchées ainsi que des lions dressés vomissant une feuille (pl. 116). Les sculptures ont ici évolué vers un certain formalisme qui deviendra habituel dans la région. Outre le peu d'attachement à la représentation réaliste des animaux, on note encore l'accentuation du modelé fruste et du dessin à lignes dures annonçant déjà la taille en biseau qui sera employée dans les principaux monuments de l'école.

Cette rencontre de styles divers s'explique aisément par l'intervention des templiers. Il y a dû avoir, de fait, des contacts nombreux aussi bien avec les religieux de l'église du Saint-Sépulcre de Zamora qu'avec ceux de la maison mère de Tomar. Il est fort probable qu'un architecte du Sud de la province de León, soit venu ici et qu'il ait eu sous ses ordres des sculpteurs venus de Coïmbre. Dans le pays on trouve encore quelques traces du passage d'artistes de cette région, mais, pour le moment, il est plus intéressant de centrer notre attention sur le chevet de *Roriz* malgré son état de délabrement. Ce n'est pas par hasard qu'apparaît ici une abside polygonale et que les fenêtres sont entourées d'un tore interrompu. La sculpture est purement végétale et, en raison de la proximité de la région de Braga, elle utilise les schémas simples du premier art roman. Cependant certains étranglements curvilignes à la base des feuilles rappellent un peu la solution adoptée à la cathédrale de Zamora, certainement sous l'influence de monuments cisterciens. La construction de São Pedro de Roriz, comme on peut s'en rendre compte par les pierres de base, fut arrêtée alors que l'abside était déjà achevée. De plus nous nous apercevons qu'un éboulement dut alors se produire, qui obligea, en 1258, à édifier une construction annexe pour épauler l'abside du côté Nord. On fit la même chose du côté Sud avec la salle capitulaire. La construction de la nef est donc postérieure, et, en partie, indépendante du projet de l'abside. On y trouve déjà un nouveau sens du relief exprimé grâce à la taille en biseau alors tout à fait mise au point. La date de cette dernière étape doit se situer dans la seconde moitié du XIIIe siècle, la constatation d'une interruption dans la construction étant un fait très important pour notre compréhension de l'évolution de la sculpture romane du Douro maritime.

Ce nouveau courant à dû commencer à s'ébaucher à la fin du XIIe siècle sous des formes plastiques intermédiaires utilisant presque exclusivement des motifs végétaux. En ce domaine les flores de Coïmbre et de Braga se firent concurrence, avec plus ou moins de succès pour chacune d'elles suivant les monuments. Ceci nous semble confirmé une fois de plus par l'église de *Pombeiro* dont la fondation dut avoir lieu également à la fin du XIIe siècle, à l'époque de l'Abbé D. Gonçalo. D'après son épitaphe, datée de 1199, il en est le fondateur. D'autre part, l'ornementation du chevet s'inscrit dans la suite directe de la flore de l'art roman primitif, à l'exception d'un chapiteau à rinceaux de l'absidiole Sud, sculpté dans le style de Coïmbre. La taille de la pierre y est de plus en plus sèche et une intolérance absolue à l'égard de la sculpture figurative y persiste. C'est une caractéristique commune à presque toutes les premières expériences, comme à l'église *São Vicente de Sousa*, consacrée en 1214. Son portail revêt pour nous une importance particulière parce qu'il révèle comment les formes de Coïmbre ont dû atteindre le cœur du Douro maritime par l'entremise de la cathédrale de Porto. Les fragments découverts ici, comme ceux des impostes à palmettes, des claveaux ciselés et des éléments d'arcs, nous incitent à penser que ce fut le portail de la cathédrale

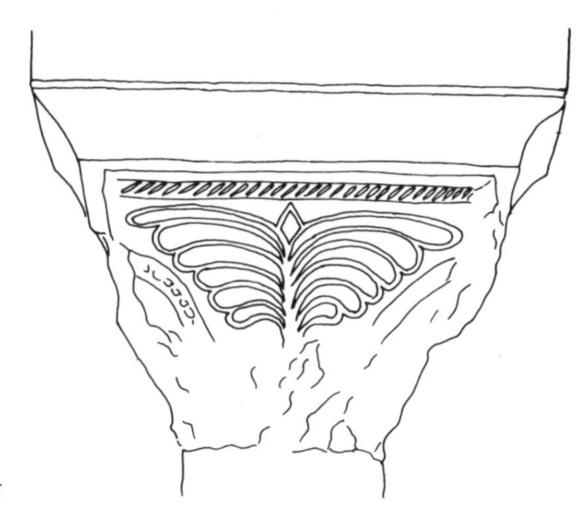

Fig. 5

de Porto qui servit de modèle aux voussures ainsi qu'à quelques-uns des chapiteaux de l'entrée principale de cette église. Nous pouvons également constater que, durant la seconde décennie du XIIIe siècle, la technique en biseau était déjà pratiquement mise au point.

Son expression la plus parfaite, cependant, ne sera atteinte qu'à *Paço de Sousa*. Là nous retrouvons, en parfaite symbiose, et comme renouvelées par leur complète stylisation, les formes de Coïmbre et de Braga. En même temps, un troisième élément va s'introduire, dont, par bonheur, nous sont parvenus des vestiges en deux chapiteaux préromans de Cedofeita (pl. 5). A un moment donné nous eûmes des doutes sur leur classification, mais aujourd'hui nous sommes convaincus qu'ils ne peuvent avoir appartenu qu'à une construction antérieure. Sculptés dans une pierre calcaire, ils sont d'une structure totalement différente. Prenant l'aspect d'une pyramide renversée, ils ressemblent davantage, par leur tailloir rigide et leurs angles latéraux disparaissant sous une feuille, à certains chapiteaux mozarabes et, même, wisigothiques. Par ailleurs, la nécessité qu'il y eut de réduire le dernier tronçon des colonnes pour l'adapter au diamètre de base des chapiteaux montre clairement qu'ils sont bien des éléments de remploi. Ces chapiteaux ont été imités dans un seul exemplaire de la nef, et, par la suite, dans l'église de Cabeça Santa, proche de Paço de Sousa. Dans ce dernier monastère, au moment-même où les corbeilles adoptent systématiquement la forme tronconique ou pyramidale, ce dessin se trouve déjà au programme du répertoire décoratif de l'école. Mais de toutes les églises étudiées jusqu'ici il s'avère que c'est dans ce monastère bénédictin que nous trouvons la taille en biseau la plus élaborée. La rigueur des contours atteinte à Roriz et à Pombeiro facilita l'adoption du relief chanfreiné sur toute la surface de la corbeille, à l'image de ce que les artistes romans avaient pu certainement trouver dans la région, en certains monuments d'un passé récent. Selon C.A. Ferreira de Almeida, ce type de traitement de la pierre a pu avoir été créé par analogie avec la sculpture sur bois (19). C'est une hypothèse que nous ne voulons pas laisser de côté, surtout à cause de son origine ancienne. Cependant il nous semble plus plausible que ce traitement de la pierre soit en rapport direct avec la sculpture du calcaire pratiquée quelques siècles plus tôt dans le Nord-Ouest et dont il existe des vestiges non seulement à Cedofeita, mais aussi à São Frutuoso, São Torquato, et Arosa.

En apparente contradiction avec cette résurgence de modèles ornementaux wisigothiques ou mozarabes (20), c'est justement à Paço de Sousa que commence à se raviver le goût pour la sculpture figurative. Dans la plupart des cas elle se cantonne dans des emplacements secondaires comme les corniches et les bases des colonnes. Quelquefois les figures passent même inaperçues, comme le pélican et le masque de rosace, l'homme surgissant en haut de la façade Ouest (pl. 67) ou l'ange de la croix de l'un des pignons (pl. 66). Et malgré le grand nombre de chapiteaux existants, deux seulement sont figuratifs : un au portail principal, représentant un petit homme debout au milieu de feuillages (pl. 68), et l'autre à l'intérieur, représentant deux oiseaux de proie en train d'attaquer un renard. Ce dernier est vraiment intéressant, car il représente un thème que nous pouvons considérer comme « bénédictin », quoique sa mise en scène rappelle la position alternée des oiseaux en train de boire que nous avons vue à la Sé Velha de Coïmbre. Le relief est très médiocre, respectant intégralement la surface de la corbeille. En raison de son insignifiance, le dessin est presque exclusivement obtenu par le modelé. Il est curieux de constater que, même dans ce chapiteau animalier, le décor du tailloir ait été conservé tout comme à Cedofeita.

Le monastère de Paço de Sousa se signale aussi, au sein de l'école, par son tympan décoré (pl. 68). Sa partie centrale a été endommagée, mais elle devait comporter une croix à l'intérieur du cercle, entourée des symboles du soleil et de la lune. Le même motif a été copié ensuite au portail Sud de Fontarcada. La plupart des tympans de la région sont lisses mais nous pensons que certains devaient être peints comme cela paraît presque certain pour les chapiteaux de l'intérieur.

Cependant ce qui ressort le plus dans ce nouvel art figuratif ce sont des têtes que l'on voit aux consoles des tympans (pl. 68) et, plus rarement, sous certains arcs (pl. 71). La figure humaine est traitée avec difficulté, mais les têtes d'animaux sont d'une rare beauté, elles ont des traits précis et légèrement stylisés. Quant aux bustes humains ils semblent vouloir exprimer le poids du châtiment qu'ils doivent supporter, un poids qui n'épargne même pas les clercs comme ce moine tonsuré de l'une des absidioles de Paço de Sousa. Quant aux animaux ils se limitent presque exclusivement au bœuf et au lion, comme dans le Haut Minho.

Il est probable qu'une bonne partie des thèmes soit inspirée, de fait, par la sculpture d'influence galicienne, qui, comme nous l'avons vu, a dû parvenir jusqu'à cette région vers le milieu du XIIe siècle. Cela vaut, par exemple, pour la figurine d'angle de l'un des chapiteaux du portail, semblable à d'autres de Bravães, Longosvales, etc... et aussi pour les animaux affrontés que nous allons découvrir sur d'autres chapiteaux du Douro maritime. Nous les voyons, par exemple, au portail de *Roriz* où, au lieu d'être reliés entre eux par deux colliers, ils se rejoignent en une seule tête. La fantaisie décorative des artistes de la fin du roman se manifeste, outre cela, par le formalisme des corps, et la transformation des queues en tiges végétales. Le souvenir des modèles antérieurs est, cependant, évident dans la gueule de ces bêtes à une seule tête. La forme du crâne, les oreilles pointues, les yeux saillants, et aux contours accentués, sont la copie exacte, dans l'un des chapiteaux de l'abside de Rio Mau, des petites têtes qui terminent les fleurons entourant les cous de deux lions enlacés. En d'autres chapiteaux du chœur de Rio Mau apparaissent des animaux que nous pouvons interpréter comme des loups et qui

Fig. 6

présentent le même type de tête, allongée et aux orbites hypertrophiées.

Le portail de Roriz, de même que les parties hautes de la nef, furent construits par des artistes qui avaient travaillé à Paço de Sousa. De fait, comme l'a bien vu Manuel Monteiro, la façade est une réplique presque parfaite du corps central de la façade de ce monastère bénédictin (21). Dans la partie latérale de la corniche on retrouve les éléments d'arcatures déjà cités, quoiqu'à Roriz on les ait enrichis d'ornements stylisés sur le chanfrein inférieur des modillons.

En entrant dans l'édifice nous découvrons tout de suite deux très belles consoles sous la tribune dont le rôle est de mettre en garde les fidèles contre les dangers de la luxure. Soutenant le poids de l'arc, on voit une femme montrant ses seins nus (fig. 6) et, en face, un homme dévorant des yeux ce spectacle lubrique. Nous pensons qu'il s'agit d'œuvres légèrement plus tardives que celles du portail, étant donné le profil complexe des impostes et le style même des sculptures. Par leur réalisme et leur présence physique, ces sculptures valent sinon même dépassent les meilleures réalisations similaires sur les bords du Minho.

Les artistes de Paço de Sousa ont encore laissé des traces de leur passage à *Tabuado* et *Vila Boa de Quires*. Dans la première église, les lions affrontés sont bicéphales et réunis par un collier, tandis que les têtes de bœufs, sous le tympan de l'entrée, sont comparables à celles de Roriz et de Paço de Sousa. On peut encore attribuer à ces artistes la rosace et le portail Sud, autant dire les derniers travaux de construction de l'édifice. Les modillons des corniches et l'entrée du chœur révèlent un premier atelier, proche, quant au style, des portails Nord et Ouest de Travanca. On y retrouve les oiseaux aux cous entrelaçés et les lions monocéphales dressés. En deux autres chapiteaux on voit un homme accourant et un troisième oiseau de face. Dans l'église de Vila Boa de Quires, la sculpture qui attire le plus l'attention est, dans le chœur, l'intéressant chapiteau des sirènes (fig. 7). Il s'agit d'un thème importé du courant qui s'était épanoui à Tavanca ou à Rates et dont le sculpteur sùt tirer un parti original en représentant le corps changeant de ces êtres de légende. L'élégance des lignes et le primat de l'ornement s'intègrent parfaitement à l'esprit de l'école. L'enlacement des queues, la délicatesse du geste, la finesse du visage et des mains des sirènes, et, enfin, les petits arbustes stylisés, donnent à cette composition un cachet très personnel. Comme dans les autres sculptures, celle-ci révèle un relief à peine ébauché et un modelé subtile respectant en tout le fond apparent de la corbeille. Dans cette église on doit encore citer, comme particulièrement digne d'intérêt, le portail Sud dont le tympan est soutenu par un couple asymétrique d'animaux (un bovidé et un carnivore) et deux chapiteaux figuratifs. Dans l'un de ces derniers on voit deux lions affrontés levant une de leurs pattes de devant pour maîtriser leur proie. Cependant le vide symbolique est notoire car la « victime » n'est guère plus qu'une petite boule munie de deux yeux. La composition vaut davantage par son formalisme héraldique que par la signification du thème. Du côté opposé, marquant l'angle de l'autre chapiteau, on distingue un poisson entouré par un rinceau. Ce cadre végétal comporte peut-être la même fonction décorative et symbolique que l'Agnus Dei à rinceaux. Quant à la petite fenêtre de la façade et aux consoles des corniches, réalisées à la fin de la construction de l'édifice, elles nous semblent plus libres à l'égard des normes décoratives de l'école. Parmi les personnages de la petite fenêtre il faut signaler celui de la danseuse les mains posées sur la ceinture qui nous fait penser, entre autres, à celle d'Abade de Neiva.

Quelques-unes des sculptures du portail Sud de Quires ont été plus ou moins fidèlement reproduites à *Boelhe* et *Águas Santas*. Au sujet de cette dernière église nous avons dit plus haut qu'elle fut continuées par des artistes recrutés à l'intérieur de la province. La corniche aux arcs trilobés de même que quelques chapiteaux intérieurs le prouvent. Sur l'un d'eux, par exemple, on retrouve les poissons enlacés de rubans. Sur un autre, représentant deux êtres humains dont on ne voit que la moitié du corps et qui sont traqués par des serpents (pl. 96), nous pensons, d'une certaine manière, aux silhouettes menues des sirènes de Vila Boa de Quires (fig. 7). Le relief et la disposition des personnages en sont très semblables quoiqu'il s'agisse, ici, d'une œuvre de moindre qualité et développant un thème très différent. Le couple et les serpents apparaissent au milieu d'une végétation stylisée qui fait probablement allusion au péché originel, comme sur un autre chapiteau qui se trouve au Musée de la Société Martins Sarmento, à Guimarães.

Dans la périphérie également, l'église de *Landim* a dû être un monument important mais qui a été très remanié. Il paraît certain que la zone d'influence de la cathédrale de Porto, connut une évolution de style semblable à celle de la nef principale d'Águas Santas. La pureté avec laquelle ont été transmises ici les formes de Coïmbre lui confère cependant une avance chronologique qui préfigure l'art des bords du Sousa. Parmi les pierres récupérées de la construction primitive, on trouve aussi les vestiges d'un cloître aux chapiteaux jumelés. L'un d'eux, aujourd'hui fragmenté, possède deux carnivores très stylisés, selon le formalisme plastique de l'école qui s'exerçait à l'intérieur de la province.

De lignes très simplifiées, la sculpture figurative se maintient toujours au second plan, par opposition au pourcentage élevé de chapiteaux à décor végétal. Cet état de fait ne se modifiera qu'avec l'extension de l'école dans le temps et l'espace. Un signe de cette évolution commence à se dessiner à *Airães*, de construction relativement tardive : dans le chœur et bien en vue, on peut voir deux anges agenouillés tenant un cierge à la main. Nous ne savons pas quelle a pu être la sculpture de *São Torquato*, mais à *São Salvador do Souto*, la figure humaine constitue déjà le principal motif décoratif inspiré de l'art réaliste du Minho. Par ailleurs, cet éloignement vers le Nord aboutit, en certains cas, à la complète fusion de cette sculpture avec le courant dit « bénédictin ». Nous le voyons au porche de *Pombeiro* et, curieusement, à *Fontacarda* où, sous la corniche de l'abside, si trouvent stylisées quelques-unes des compositions animalières les plus caractéristiques venues de monu-

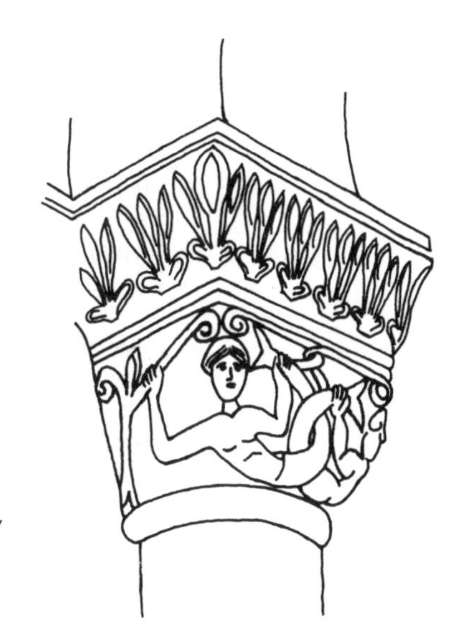

Fig. 7

ments, comme, par exemple, l'église voisine de São Romão de Arães. A l'intérieur du chœur toutefois, les carnivores affrontés sont en position horizontale, et quelques-uns lèvent une de leurs pattes de devant sur leur proie, comme nous l'avons déjà signalé à Vila Boa de Quires. Les silhouettes sont un peu difformes et le modelé devient prétentieusement minutieux, peut-être par suite de l'incapacité des artistes à entrer dans l'esprit et les formes du bestiaire méridional. Au centre, sur l'une des colonnes qui supportent les arcatures aveugles, on peut voir un chapiteau représentant plusieurs prélats tenant leur crosse en main. Le drapé de leurs vêtements rappelle celui des sculptures du cloître de Celas, confirmant, de ce fait, le caractère tardif de la construction. Sous l'arc triomphal, les chapiteaux se caractérisent à nouveau par le grotesque et la difformité, témoignant ainsi de la moindre qualité des artistes qui ont travaillé dans le chœur. Dans l'une de ces sculptures on peut voir deux couples de lions retenus par le cou et la tête courbée, selon les canons du Minho. Malgré son effort à ne négliger aucun détail, le sculpteur n'a pas su reproduire la force et le naturel qui caractérisent habituellement les scènes de ce genre. L'insensibilité et l'incapacité créatrice de ces artistes ressortent encore davantage dans les chapiteaux du portail. Les figures humaines sont si grossières que nous avons du mal à saisir leur signification. L'une d'elles se trouve debout, dans un angle du chapiteau, comme à Paço de Sousa. Le tympan décoré manifeste également l'évolution subie par l'école. L'Agnus Dei se transforme en un bouc puissant qui, à l'instar des sculptures de l'intérieur, prend une attitude peu naturelle. Cependant la composition fait montre d'originalité en raison de la végétation qui se déploie autour de l'animal, tandis que le sculpteur maintient encore une taille en biseau.

A l'intérieur de la province, chaque fois plus isolée des principaux centres de diffusion, l'église de *Gatão*, perméable à la solution de la corniche à arcatures, resta fidèle à la décoration de l'art roman primitif. D'ailleurs, cette survivance de formes de plus en plus archaïques à mesure qu'on pénètre à l'intérieur, est bien compréhensible. Le relatif isolement culturel a toujours pour corollaire la persistance de modèles traditionnels. Ainsi seulement comprend-t-on que dans des églises comme *Freixo de Baixo* ou *Soalhães* on continue à sculpter des chapiteaux animaliers qui rappellent le temps où le territoire portugais et la Galice étaient en dépendance culturelle. Dans la première église nous trouvons les lions simiesques caractéristiques soit liés par le cou, soit aux têtes convergentes, mais à des niveaux différents. On les trouvait, comme nous venons de le constater, dans le monastère primitif de Paço de Sousa, et ils ont été reproduits par la suite au Nord du Lima.

Le portail de Soalhães, à son tour, nous montre deux aigles aux ailes ouvertes, semblables à ceux que nous avons déjà vus dans le chœur le Longosvales. Les correspondances sont si fréquentes qu'il vaut la peine de poursuivre l'étude de l'art du diocèse de Tuy afin de mieux percevoir les relations culturelles que l'on peut établir à cette époque entre la sculpture de cette région et le courant que nous avons découvert dans le territoire compris entre l'Ave-et-le Tâmega dès la moitié ou, même, le second quart du XIIe siècle. Traversant le Douro selon une voie facile de pénétration vers l'intérieur du pays, nous pourrons visiter une série d'églises qui révèlent la multiplicité des contacts établis à travers cet axe de liaison. Ce dernier traversait une région sur laquelle les monastères de Pendorada et de Paço de Sousa exerçaient une certaine suprématie ; aussi n'est-il pas étonnant qu'ils aient exercé quelque influence du point de vue artistique. Ce dernier monastère, par exemple, détenait le pouvoir juridique sur l'église de Barrô, fait qui aide à comprendre la raison pour laquelle, précisément en ce lieu à l'intérieur de l'abside, on peut découvrir l'une des illustrations les plus anciennes de l'art de la taille en biseau qui s'est développé à partir du bassin du Sousa. A l'arc triomphal nous découvrons deux chapiteaux figuratifs qui, une fois de plus, confirment la difficulté pour les artistes de la périphérie de sculpter des scènes comportant des hommes ou des animaux. Il est probable que ces deux chapiteaux étaient destinés à représenter des scènes de chasse. Du côté Nord apparaît un sanglier prisonnier de deux animaux par une patte et par une oreille, tandis qu'en face, on voit les préparatifs pour la chasse. Au centre de ce chapiteau se trouve un homme debout, jouant de la corne et s'emparant d'une lance de la main droite. A sa gauche apparaît un carnivore semblable à ceux du chapiteau opposé. A sa droite par contre, on peut voir un personnage qui semble tenir un bouclier dans sa main droite et une massue dans la gauche. Cette arme, à notre connaissance, ne se retrouve que sur un autre chapiteau publié par Armando de Matos ; sa provenance nous semble fausse mais il appartient sûrement au courant stylistique que nous sommes en train d'étudier (22). Sur la face principale on voit un guerrier brandissant la même masse, comme pour se défendre ou pour attaquer deux animaux.

L'Art figuratif à l'intérieur du pays. Tout le long du Douro on trouve des sculptures de types divers depuis les frises stylisées de São Miguel de Eja et Escamarão jusqu'au luxuriant bestiaire d'origine bénédictine. A Tarouquela et Cárquere, par exemple, il semble que nous soyons plus proches de l'art roman de Vila Boa do Bispo et de Travanca, tandis que l'abside de São Martinho dos Mouros ou les églises de São Pedro de Águias et Anciães, nous suggèrent l'art dynamique de Rates, Arões et São Pedro de Coïmbre.

Les portails de Resende, Mouros et Almacave peuvent déjà être considérés comme une simplification ou une adaptation régionale de la sculpture figurative de Travanca et de Tarouquela. A mi-chemin, l'église de São Cristovão de Nogueira garde une certaine indépendance, soulignée par des modillons naturalistes, qu'on ne peut guère comparer qu'à quelques exemples tardifs de Vouzela (Beira Baixa), ou Outeiro Seco (Trás-os-Montes). En dehors des foyers régionaux indiqués, les monuments romans deviennent rares et sont, pour la plupart, tardifs et sans originalité. L'art figuratif tend généralement à une simplification (Mileu, Trancoso) ou à sa propre dissolution (Armamar, Algosinho, Mangualde). Quelques tentatives d'enrichissement du programme iconographique, comme à Adeganha ou Vinhais, n'ont pas réussi, par suite du peu de capacité technique de leurs réalisateurs.

Font exception, d'une certaine manière, les églises de *Ermida do Paiva* et de *Sernancelhe*, en Beira Alta. Dans le premier cas ceci s'explique en partie par le fait qu'il s'agit d'une fondation de clercs étrangers, de l'ordre des prémontrés. Dans son abside polygonale apparaissent quelques modèles figuratifs rares au Portugal, comme, par exemple, une paire de lutteurs et des monstres monocéphales. Outre ceux-ci, on voit des musiciens jouant du violon, des clercs un livre à la main, et des lions dévorants, bien assurés sur leurs quatre pattes. Aux portails on peut voir les fameux aigles aux ailes ouvertes, et certains bustes émergeant de feuillage, comme à Travanca ou à la Sé Velha. A son tour, l'église de Sernancelhe, qui fut une commanderie de l'ordre de Malte, présente un curieux portail flanqué de deux édicules comportant chacun trois statues d'apôtres placés sous un baldaquin. Dans l'archivolte centrale se trouvent dix anges en haut relief, disposés longitudinalement, également sous une coquille ou un baldaquin. On commença à construire l'église en 1202, mais les travaux durent se prolonger durant pas mal de temps. L'ensemble iconographique de la façade est certainement une réalisation tardive et qui, au Portugal, répond à la naissance de l'art gothique.

La transition vers le gothique

Si nous voulions chercher une caractéristique commune à la sculpture romane figurative du Portugal, nous devrions, comme nous l'avons dit au début, la définir comme un art essentiellement animalier et synthétique. La sobriété de l'architecture, le poids de la tradition ornementale préromane et la faible culture biblique et hagiographique de nos artistes ont été déterminants dans l'absence presqu'absolue de sculpture monumentale et de programmes iconographiques élaborés. L'intérêt pour les portails monumentaux et les sculptures historiées commence seulement à se faire jour durant la période de transition vers le gothique dont les *sculptures de la cathédrale d'Évora* et le *cloître de Celas* constituent les exemples principaux. Nous savons qu'un cloître richement historié a dû exister au couvent de São Vincente de Fora, à Lisbonne, il y était relaté la vie et la translation du corps de ce saint, mais on ignore sa chronologie et son style. Quant au cloître de Celas, il existe des doutes quant à son origine et, par conséquent, quant à sa datation. Une information du milieu du XVIIe siècle nous dit que le roi D. João III fit don au monastère de Celas, en 1553, des « colonnes, vases, et chapiteaux qui étaient dans le cloître du Collège Royal ». En conséquence la majorité des auteurs a soutenu l'opinion selon laquelle les sculpteurs auraient appartenu à l'*Estudo Geral* de D. Denis, et que celle-ci fut démolie précisément au XVIe siècle pour construire le collège universitaire de São -

Paulo (connu plus tard sous le nom de Collège Royal). Pour renforcer cette thèse on a aussi interprété la scène que présente l'un des chapiteaux comme celle de la décollation de saint Denis, du roi fondateur de l'Estudo Geral. Pierre David, et, à sa suite, Torquato Sousa Soares, ne sont pas d'accord avec cette thèse. Selon les auteurs cités, la face principale de ce chapiteau, représentant le martyre de saint Pierre, s'associe mal à l'évocation de la mort de saint Denis. Il doit plus vraisemblablement s'agir de saint Paul qui, les pieds nus, apparaît revêtu de la tunique et du manteau tels qu'en portent généralement les apôtres. Si c'était saint Denis, il aurait dû être représenté en habits sacerdotaux puisqu'il était évêque. En outre, ces deux chercheurs invoquent un autre chapiteau où sont représentés saint Benoît et saint Bernard en coule monastique et tenant leurs crosses. Sur les faces secondaires apparaissent un moine et une moniale symbolisant les communautés religieuses d'observance cistercienne. T. Sousa Soares, en se basant sur le fait qu'au milieu du XVIe siècle le Collège Royal se trouvait encore en dehors des murs de la cité médiévale, rue de Sofia — d'ailleurs aussi en pleine phase de construction — ajoute qu'« on ne peut, en aucune manière, conclure, à partir de la rubrique du manuscrit du XVIIe siècle, que le don du pieux roi se réfère aux chapiteaux historiés. Au contraire, les anciennes constructions monastiques des cellules ayant été agrandies par l'abbesse D. Maria de Távora, il est infiniment plus probable que, dans le cloître, la partie augmentée ait bien été l'arcade du XVIe siècle dont les colonnes, d'ordre toscan, pouvaient très bien avoir été taillées pour le Collège Royal » (23). Le don de telles colonnes aurait été déterminé par l'abandon de l'édifice du collège des Arts, en raison de sa transplantation à Alta.

Ces critiques faites à la thèse traditionnelle de la translation des chapiteaux de l'édifice primitif de l'Université sont à tempérer sérieusement, d'autant plus qu'en 1889, au cours des démolitions du bâtiment du Collège de São Paulo on trouva, réutilisés dans les fondations, plusieurs chapiteaux et bases qui, indiscutablement, avaient appartenu à l'Estudo Geral de D. Denis. Sept de ces chapiteaux se trouvent au Musée Machado de Castro. Ce sont des pièces de grande envergure, plus larges que hautes, et qui étaient posées sur de lourdes colonnes prismatiques. Leur décoration florale est très simple et répond bien au style de l'époque. Sans être du tout impossible, la prétendue translation est, pour le moins, difficile à démontrer. Mais comment concilier à Celas l'austérité de l'observance bernardine avec la richesse iconographique de ces deux ailes du cloître ? A ce propos nous rappelons qu'Antonio de Vasconcelos en vint à défendre, avant la découverte de la nouvelle du legs de D. João III, que les chapiteaux provenaient du cloître du vieux couvent de Santa Clara célébré comme merveille de l'art par les auteurs qui l'avaient connu.

C'est un problème qui, à notre avis, n'est pas encore résolu, et il nous reste à attendre que de nouvelles données puissent l'éclairer, notamment, s'il existe encore, l'original des lettres de la Chancellerie Royale de 1553, ainsi que les résultats des fouilles que la Direction des Monuments du Centre projette d'effectuer près des ruines du monastère de Santa Clara. Cependant, étant donné qu'il se trouve au Musée Machado de Castro, des chapiteaux jumelés provenant de Santa Clara-a-Velha, et d'un gothique déjà parfaitement caractérisé, nous n'avons pas beaucoup d'espoir quant à la confirmation de cette dernière hypothèse. Cela étant, nous devrions accepter qu'ils proviennent de Celas, et que le cloître ait été reconstruit seulement au XVIe siècle avec des matériaux du XIVe siècle récupérés de la rue de Sofia. De forme quelconque, les sculptures ne peuvent dater que de la fin du XIIIe siècle ou du début du siècle suivant si nous prenons en considération les époques de construction des trois lieux évoqués jusqu'ici. La série des chapiteaux donne un récit complet de la vie de Jésus-Christ et aurait dû se continuer par l'illustration des Actes et du témoignage des principaux saints de l'Église. Nous avons déjà vu comment, sur un chapiteau, les martyres de saint Pierre et peut-être de saint Paul ont été représentés. Sur un autre on découvre l'histoire de saint Jean-Baptiste, tandis que sur un troisième nous voyons un cavalier, lance en main, attaquer un fantassin. Celui-ci nous semble être un Maure tandis que le bouclier à coquille du cavalier suggère qu'il pourrait s'agir de saint Jacques. Mais tous les chapiteaux ne sont pas historiés. Certains monstres attaquant leurs proies, des hommes émergeant des profondeurs de la corbeille, et des rinceaux vomis par des gueules de félins, proviennent en ligne directe de la sculpture animalière de São Pedro de Coïmbre. Celle-ci, avec le temps, se cristallisa en représentations conventionnelles, dépourvue du moindre élan. Nous l'avons déjà remarqué, par exemple, à São Tomé de Soure, une église des environs, chronologiquement intermédiaire. Malgré plusieurs indices iconographiques confirmant une date relativement tardive des sculptures de Celas, elles s'inspirent, en réalité, d'un style très proche de l'art roman. L'emplacement exact des personnages, la rigidité des attitudes, certaines positions maladroites, et les plis tuyautés selon des lignes verticales ou en croix de saint André, font tenir ce cloître précieux pour une œuvre de transition. La difficulté de traiter des scènes historiées étant compréhensible, il n'y a pratiquement pas de tradition figurative dans les monuments religieux de Coïmbre. Nous ne croyons par conséquent pas que Celas ait été l'œuvre d'un artiste venu de loin, car celui-ci aurait certainement eu la possibilité d'effectuer une œuvre de style plus avancé. De plus, le plissé tuyauté était déjà en genèse dans le diocèse de Coïmbre depuis le XIIe siècle comme on peut le voir au tympan de Sepins (pl. 40), sur les vêtements de l'ange. Les bas-reliefs funéraires et les ex-votos, dont quelques plaques sont parvenues jusqu'à nous, ont dû jouer un rôle prépondérant. Citons, par exemple, le bas-relief du XIIIe siècle provenant de l'église Santa - Comba de Coïmbre et qui se trouve au Musée Machado de Castro. Sous deux arcades on voit un calvaire, la Vierge avec l'Enfant, et l'offrande de la chasuble à saint Ildefonse. Les arcades trilobées et le drapé rigide des vêtements répond parfaitement au style des sculptures de Celas. Ces artistes formaient des disciples qui se perfectionnaient ensuite dans la sculpture funéraire comme le prouvent le coffret provenant du monastère de Lorvão et prévu pour abriter les reliques des saints martyrs du Maroc ; il est conservé lui aussi aujourd'hui au Musée déjà cité, ainsi qu'un sarcophage anonyme transféré de l'ancien couvent de Saint-Dominique à l'église São João de Alporão à Santarém.

Tandis que cela se passait au centre du pays, dans la cité d'Evora, en terres reconquises, apparaissaient les premières ébauches de la sculpture monumentale romano-gothique. Le groupe des apôtres du portail ainsi que les évangélistes de chacun des angles du cloître, révèlent déjà ce nouveau style, sortant par conséquent du cadre de cette étude. Dans le Nord, les artistes restèrent encore attachés aux formes romanes de la sculpture qui coexistèrent pendant longtemps avec celles de l'art gothique. La cathédrale de Viana do Castelo, dont l'ensemble des apôtres est, comme l'a démontré Flavio Gonçalves, une réplique de celui de Noya (24), constitue un exemple typique de cette cohabitation des deux sortes de sculptures. Ces portails, réalisés déjà en plein XVe siècle, semblent faire partie d'un groupe plus vaste qui rayonna vers le Nord-Ouest de la péninsule à la façon d'un écho obstiné de la popularité obtenue par l'œuvre de maître Matthieu, à Saint-Jacques de Compostelle. L'église-mère de Viana se signale encore par sa façade pesante et le profil de ses tours aux modillons archaïsants. En réalité le traditionalisme de l'art roman était si enraciné chez les habitants du Nord du pays, qu'au XVIe siècle encore nous trouvons une œuvre de grande pureté dans la chapelle dont la construction avait été commandée pour l'église Santa Maria dos Anjos de Valença par Vasco Pais et son épouse. Les animaux et les masques des consoles ne seraient-ils pas les ultimes expressions de notre art roman figuratif ? Leur extrême simplicité et la grosseur des personnages par rapport au support nous font penser à une sorte de retour aux origines ou au temps des premiers essais de sculpture romane comme, par exemple, dans l'absidiole Nord d'Águas Santas...

MANUEL LUIS REAL

NOTES

(1) *Navarre romane*, Zodiaque, La Pierre-qui-Vire, 1967, pl. 81.
(2) *Benedictina Lusitana*, vol. 2, Coïmbre, 1651, p. 262.
(3) Il serait injuste toutefois de ne pas citer l'effort déployé par Hipolito de Sá Bravo pour la divulgation de l'art roman rural proche de la frontière lusitano-galicienne, surtout dans *Elmonacato en Galicia*, 2 vol. La Coruña. Éd. Librigal, 1972, et *Rutas del románico en la provincia de Pontevedra*, Pontevedra, Caja Rural Provincial, 1978. Après la rédaction de notre essai a été publiée une œuvre de synthèse, assez bien construite, d'Isidoro G. Bango Torviso (*Arquitectura románica en Pontevedra*, La Coruña, Fondation Pedro Barrié de la Maze, 1979).
(4) Voir *Boletim da D.G.E.M.N.*, n° 59, fig. 15.
(5) *A Escultura românica em Portugal. Os temas historiados da porta principal da Sé de Braga.* Porto, 1938.
(6) George Zarnecki, *Later english romanesque Sculpture*. London, Alec Tiranti, 1953, p. 5 ss. ; et Magín Berenguer Alonso, *Arte románico de Asturias*, vol 1. Oviedo, Inst. Est. Astur., 1966, p. 44 sq.
(7) *Ilustração Transmontana*. Porto, 2, 1909, p. 168. Selon une autre hypothèse, il proviendrait d'un tombeau.
(8) *O românico beneditino em Portugal.* « Ora et Labora », Singeverga, 1, 1954.
(9) *Primeiras impressões sobre a arquitectura românica portuguesa.* Porto, 1972, p. 15.
(10) Spécialement dans *A Frontaria românica da igreja de St^a^. Cruz de Coimbra.* Coïmbre, 1940 ; et *O narthex românico da igreja de St^a^ Cruz de Coimbra.* Porto, 1942.
(11) Pierre David, *A Sé Velha de Coimbra*. Porto, Portucalense Editora, 1943, p. 71 sq.
(12) Antonio de Vasconcelos, *Sé-Velha de Coimbra — I. Os túmulos da capella-mor.* « O Instituto », Coïmbre, 42, 1895, p. 6-24, et 68-81.
(13) Publié par Augusto Filipe Simões, in *Relíquias da Architectura romano byzantina em Portugal e particularmente na cidade de Coimbra.* Lisbonne, Typografia Portugueza, 1870.
(14) Renseignement aimablement fourni par Gérard Pradalié, à qui nous exprimons notre gratitude.
(15) *Igrejas medievais do Porto.* Porto, Marques Abreu, 1954, p. 45 note 3.
(16) *Op. cit.*, p. 46.
(17) Nous sommes très reconnaissants à Monsieur José Soares da Costa pour les facilités qu'il nous a données pour son étude.
(18) Manuel Monteiro, *Paço de Sousa, O românico nacionalizado.* « Belas Artes », Lisbonne, 12, 1943, p. 5-21.
(19) *Op. cit.*, p. 34.
(20) Le caractère wisigothique ou mozarabe de certains éléments préromans a été une question controversée au Portugal, en raison du manque de données chronologiques explicites. Nous avons l'espoir qu'un inventaire systématique, une analyse stylistique approfondie et des fouilles archéologiques judicieuses permettront d'éclairer un débat aussi essentiel.
(21) *Op. cit.*, 1943, p. 14.
(22) Cf. *Arqueologia Artistica 1*, « Douro Litoral », Porto, 3ª Série, n° 4, 1949, p. 78.
(23) *Origem do antigo claustro de Celas.* « XVIe-Congrès International d'Histoire de l'Art », vol. 2, Lisbonne-Porto, 1949, p. 183-187.
(24) *O pórtico da matriz de Viana do Castelo.* Porto, 1961.

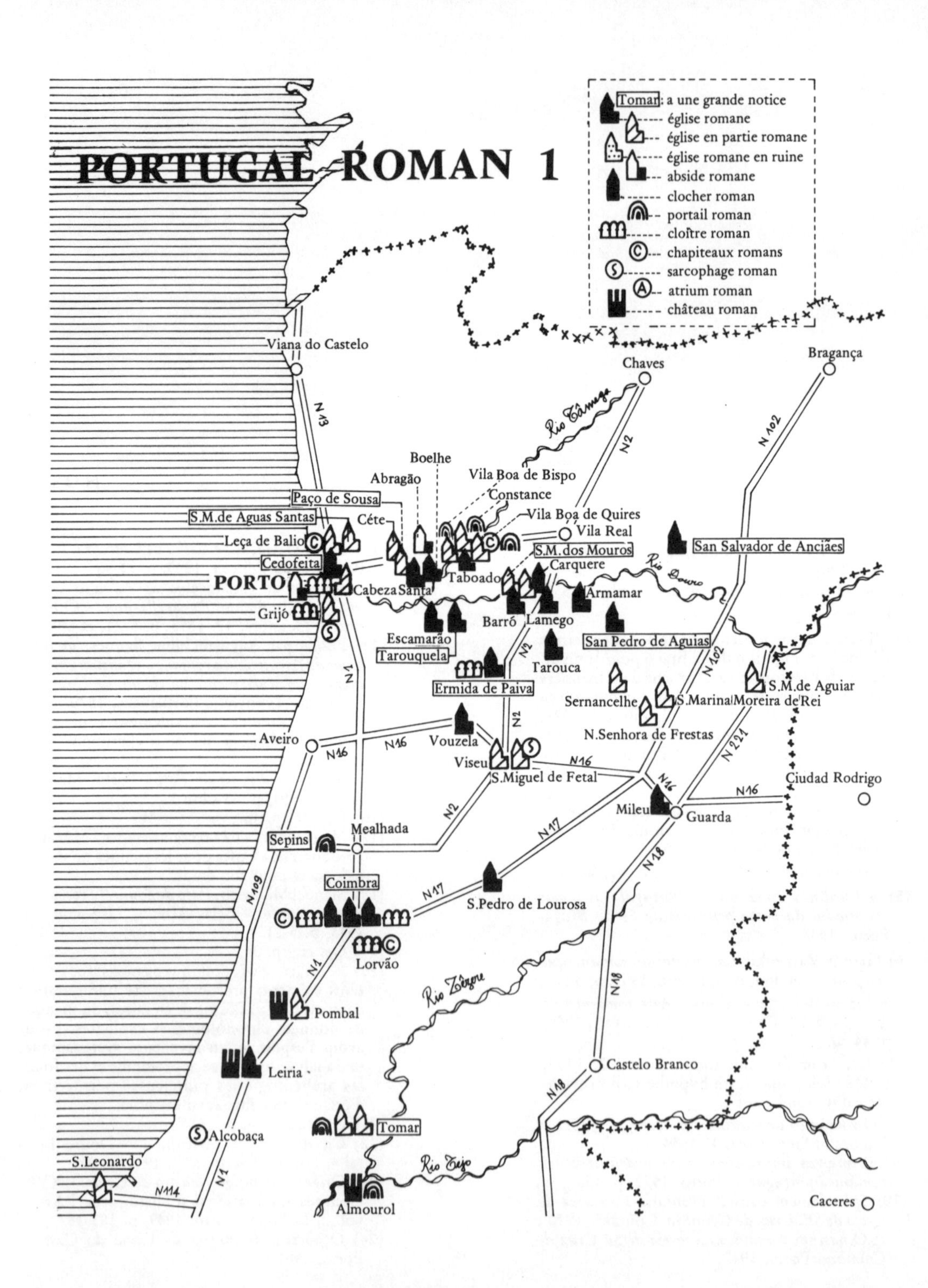
PORTUGAL ROMAN 1
Tomar: a une grande notice
église romane
église en partie romane
église romane en ruine
abside romane
clocher roman
portail roman
cloître roman
chapiteaux romans
sarcophage roman
atrium roman
château roman
Viana do Castelo
Chaves
Bragança
N13
Rio Tâmega
N2
N102
Boelhe
Abragão
Vila Boa de Bispo
Constance
Paço de Sousa
S.M.de Aguas Santas
Céte
Vila Boa de Quires
Vila Real
Leça de Balio
Cedofeita
S.M.dos Mouros
San Salvador de Anciães
PORTO
Cabeza Santa
Taboado
Carquere
Rio Douro
Armamar
Grijó
Barró
Lamego
Escamarão
San Pedro de Aguias
Tarouquela
Tarouca
N1
Ermida de Paiva
S.M.de Aguiar
Sernancelhe
S.Marina
Moreira de Rei
N.Senhora de Frestas
Aveiro
N16
Vouzela
Viseu
S.Miguel de Fetal
N221
Ciudad Rodrigo
Mileu
Guarda
Sepins
Mealhada
N17
N18
N109
Coimbra
S.Pedro de Lourosa
Lorvão
Rio Zêzere
Pombal
Leiria
Castelo Branco
Tomar
Alcobaça
S.Leonardo
Rio Tejo
N114
Almourol
Caceres

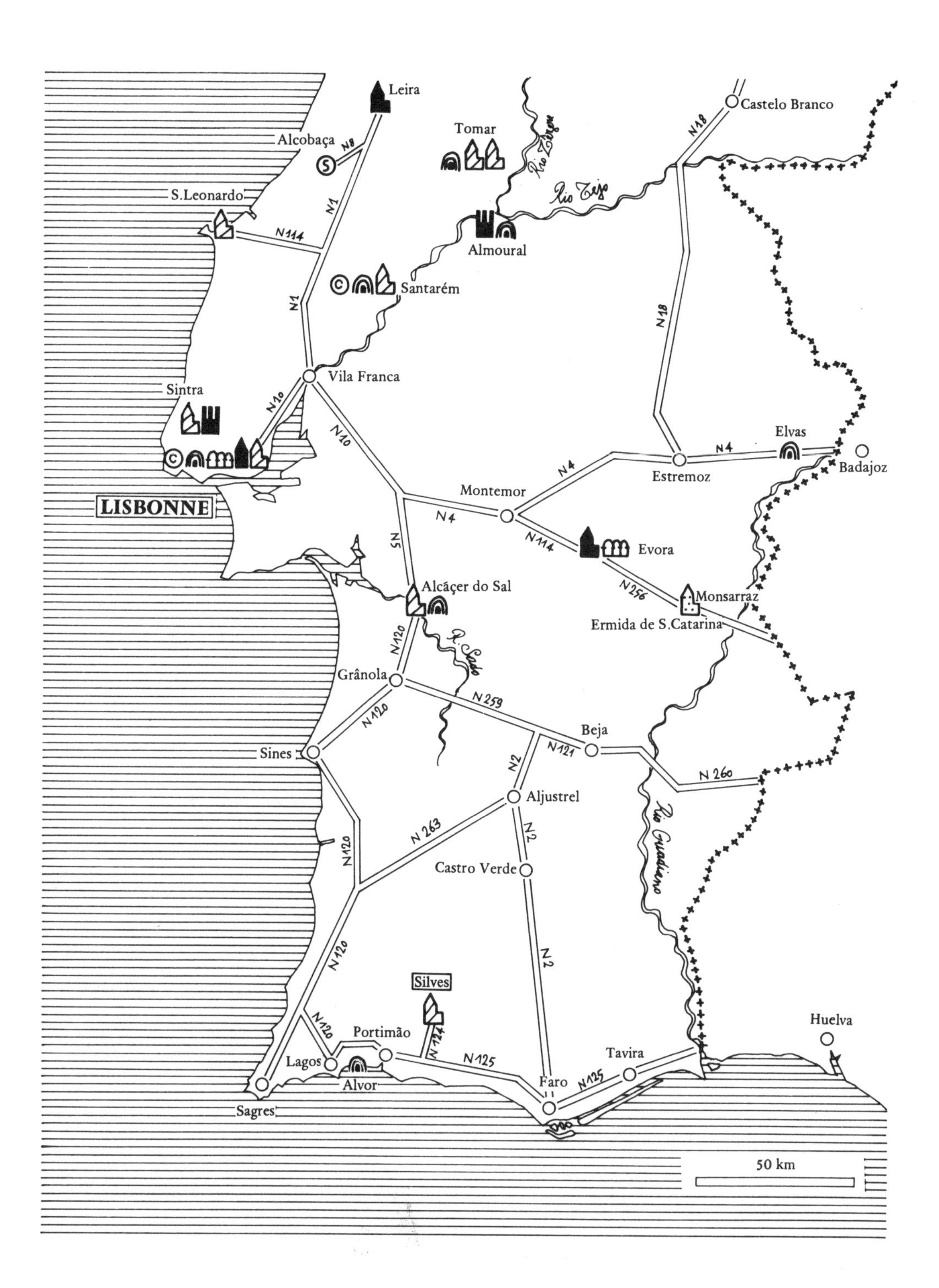

Leira
Alcobaça
N8
Tomar
Castelo Branco
N18
Rio Zêzere
S.Leonardo
N1
Rio Tejo
N114
Almoural
Santarém
N1
N18
Vila Franca
Sintra
N10
N10
Elvas
N4
Badajoz
Estremoz
LISBONNE
Montemor
N4
N4
N114
Evora
N5
N256
Alcâçer do Sal
Monsarraz
Ermida de S.Catarina
N120
R. Sado
Grânola
N259
N120
Beja
N121
Sines
N2
N 260
Aljustrel
N 263
N2
Rio Guadiana
N120
Castro Verde
N120
N2
Silves
Huelva
N120
Portimão
N124
N125
Tavira
Lagos
Faro
N125
Alvor
Sagres
50 km

NOTES SUR

43 ÉGLISES ROMANES DU SUD DU PORTUGAL

1 *ABRAGÃO. SÃO PEDRO SE TROUVE SUR LA N. 320 AU-DELÀ DE PENAFIEL.*
Beaucoup d'églises romanes du Portugal ont été remaniées au cours des temps en vue d'agrandir leur sanctuaire tandis qu'ici, à l'inverse, on a dû reconstruire la nef écroulée en 1688, comme l'indique une inscription du portail Ouest, tandis qu'on a conservé la petite abside rectangulaire et l'arc triomphal. L'abbé de cette époque, D. Ambroise Vaz Golias, dont on voit encore le sarcophage dans le cimetière, nous rapporte ce fait.

L'église a été construite vers 1200, à l'instigation de la reine Mafalda, fille du roi Sanche Ier du Portugal (petite-fille de la première reine portugaise du même nom). Mais il semble qu'elle ait remplacé un édifice antérieur, comme le prouve un acte de donation daté de l'ère 1145 (soit 1107 de la nôtre) qui fait mention de cette église. Un peu plus tard il dut y avoir un nouveau remaniement, au moins partiel, qu'on peut dater du 2e quart du XIIIe siècle, à en juger par quelques sculptures.

Comme l'a déjà constaté Almeida (III, 2, p. 174 sv) il faut signaler la perfection de l'appareil, de même que le dessin légèrement brisé de la voûte en pierre de l'abside rectangulaire. Celle-ci est divisée en deux travées irrégulières par un arc doubleau assez grossier. Comme appui, on trouve à l'extérieur, aux endroits voulus, des contreforts en escaliers qui rappellent ceux que l'on peut voir dans la partie la plus ancienne de l'église de Rates. Les modillons ont été refaits, à l'exception du 2e (à partir de l'Est) du côté Sud. Bien que rongé par le temps, il laisse deviner une figure humaine. La travée Ouest de l'abside, plus étroite, laisse supposer qu'à l'origine on avait prévu davantage de voûtes ; de toute façon, cette partie témoigne de beaucoup d'hésitation dans le voûtement.

Une frise, comparable à celle des églises voisines de Paço de Sousa et de Tarouquela, contourne l'abside (et a dû orner également la nef). Il semble qu'à une date ultérieure on ait dû agrandir les fenêtres de l'abside et surélever le toit.

La petite rosace située au-dessus de l'arc triomphal est très intéressante : elle est ornée de cercles, de roues de flammes, de rosaces à six feuilles munies de branchages et de volutes, des deux côtés ; de plus, l'intérieur du cercle lui-même est occupé par cinq dalles arrondies et une sixième percée au centre.

Les tailloirs des chapiteaux de l'arc triomphal sont ornés de cercles intersécants, comme à Travanca.

Le chapiteau du côté de l'évangile présente une frise faite de petites feuilles cruciformes, juste sous le tailloir. Sur la corbeille, deux gros oiseaux au cou tordu piquent de leur bec une tête de chat tandis que leurs griffes s'agrippent à l'astragale finement ouvragée.

Le chapiteau du côté de l'épître comporte un motif de deux lignes ondulées, juste sous le tailloir et, au-dessous, des atlantes qui semblent supporter la poussée de l'arc.

Dans son ensemble, l'abside est donc une sorte de condensé d'un bon nombre d'éléments de « l'art roman national », mais elle comporte également de multiples réminiscences de ce que l'on a appelé le courant bénédictin ; elle est donc un développement des phases principales de l'art roman au Portugal.

Les chapiteaux de l'arc-doubleau, par contre, marquent une étape plus développée de l'ornementation végétale.

2 ADEGANHA. ADEGANHA, VIEILLE AGGLOMÉRATION POURVUE D'UN *« castelo dos mouros », est situé sur un haut plateau à quelques kilomètres de Torre de Moncorvo sur la route de Bragance. Contrairement à celles situées dans la Beira Alta ou le Tras-Os-Montes et datant de la période de transition, son église présente un riche programme de sculptures, de facture toutefois assez primitive. Au décor habituel des modillons, qui adopte ici des aspects plus grotesques (taureaux et pélicans, cochon et renards, mais aussi hommes à têtes, museaux et oreilles d'animaux) s'ajoutent en effet, comme à Facundo, Vinhais et Senancelhe, des bas-reliefs incorporés aux façades, dont la facture est cependant quelque peu élémentaire. On y voit des groupes d'hommes et des scènes diverses, comme, par exemple, sur la façade occidentale, celle d'une naissance (Real), événement que les sculpteurs romans ont également représenté, sous les formes les plus diverses, sur les églises d'autres régions du pays et en particulier sur les modillons. On découvre également, à l'abri d'un édicule, un petit homme soulevant un livre, puis un autre qui, accroupi, tient dans ses bras des objets indéfinissables. Sur la façade septentrionale apparaissent, en compagnie d'un quadrupède, deux figures humaines, dont la signification demeure mystérieuse. Mais ce sont surtout les portails d'Adeganha qui offrent les plus riches sculptures, parmi lesquelles, il est vrai, on trouve des motifs très simples, le plus souvent géométriques en conformité avec la tradition ancienne. Ces portails présentent des arcs en plein cintre et des archivoltes fortement brisées s'appuyant sur les murs latéraux, à l'exception du portail occidental qui, de tracé brisé, reposait sur des colonnes : les fûts gisent aujourd'hui à terre à côté du portail, mais les abaques-impostes et les chapiteaux sont encore en place. Plusieurs transformations eurent lieu à des époques plus tardives, ainsi l'adjonction d'un double beffroi et celle d'une croix potencée. L'an 1112, gravé sur le couvercle d'un sarcophage, pourrait aider à dater l'édifice primitif. A l'intérieur se trouve un beau baptistère sans décor, semblable à celui de l'église de Selores, qui n'est pas loin. Entre les modillons de la corniche on distingue des restes de métopes qui rappellent celles de Nossa Senhora de Orada.*

3 *AGUIAR. SANTA MARIA EST SITUÉE AU NORD-EST DE GUARDA SUR LA ROUTE* N. 221, à trois kilomètres environ de Figueira da Castelo Rodrigo. La date de la fondation du monastère est incertaine. Après la bataille de Badajoz en 1169, cette région, passée sous la domination du roi de León, aurait possédé selon Cocheril, un monastère de moines bénédictins. Le roi Alphonse VII de León aurait remplacé ces derniers par des cisterciens, dont il avait déjà établi un certain nombre à Moreruela, à l'intérieur de son territoire, en 1131. Alphonse VII mourut en 1157 et Ferdinand II lui succéda. Un document atteste qu'en 1165, le nouveau roi fit, en faveur du monastère Santa Maria de Aguiar, une donation complétée par d'autres en 1176. On peut donc penser que cet établissement monastique fut fondé et construit au cours de ces décennies. L'acte de donation mentionne un certain abbé Hugues, qui, à en croire la consonance de son nom, pourrait être venu de France. L'édifice actuel s'accorde pour l'essentiel à une telle datation. Le monastère était lié à celui de Moreruela par filiation, mais passa ensuite sous la tutelle de Tarouca, lorsque, par le traité de León du 12 août 1297, le roi portugais Denis incorpora au Portugal la région située autour de la rivière Riba Coa. Les liens qui unissaient ces deux monastères subsistèrent jusqu'à leur dissolution, en 1834.

L'histoire des monastères cisterciens du Portugal démontre que Santa Maria de Aguiar comptait parmi les établissements monastiques les plus petits et les plus modestes de cet Ordre. Une vie intellectuelle intense semble cependant avoir animé sa communauté, comme le prouve sa participation aux frais d'une école de latin dirigée par le monastère d'Alcobaça et fréquentée par ses moines. A l'intérieur de ses murs vécut aussi et mourut Frai Bernard do Brito, le chroniqueur le plus célèbre des cisterciens portugais. Ce qui rend aujourd'hui encore ce monastère remarquable est le fait que ses bâtiments se trouvent dans un état de conservation relativement bon. Comme à Pitões, beaucoup de détails sont encore parfaitement discernables, en dépit de nombreuses détériorations.

En faisant le tour de cet ensemble, on constate certaines irrégularités du plan des constructions qui permettent de conclure que de nombreuses transformations ont dû intervenir au cours des âges. C'est ainsi que le transept de l'église fut raccourci du côté Sud, probablement au moment de l'aménagement d'une haute fenêtre double de style gothique dont la largeur est inhabituelle. Les arcs brisés de cette fenêtre de même que ceux du portail Sud qui s'ouvre au-dessous d'elle, se composent de plusieurs boudins. La présence de nombreux contreforts très simples donne à entendre que l'intérieur de l'église est couvert de voûtes. Une tour ronde, élevée entre ces contreforts et la fenêtre, vient épauler les murs. La salle capitulaire, relativement bien conservée, a gardé son unité originelle et est qualifiée par Cocheril de « bijou gothique du XIIIe siècle ». Le portail principal présente, lui aussi, une composition en arc brisé groupant trois boudins extérieurs et trois boudins intérieurs, dont deux sont sculptés. Les chapiteaux portent des volutes et les motifs végétaux habituels, au demeurant peu passionnants. Une décoration semblable se déploie sur les deux fenêtres qui s'ouvrent de chaque côté de l'entrée et sont dépourvues de colonnes.

L'église, à trois nefs, est munie d'un transept et d'une abside carrée. Le vaisseau ne comporte que deux travées et donne de ce fait l'impression d'être inachevé. Comme souvent on semble avoir renoncé à l'exécution d'un plan initial beaucoup plus ambitieux. Comme à Tarouca, l'appareil est d'excellente qualité de taille et présente de nombreuses marques de tâcheron. Celles-ci permettent d'identifier l'atelier qui construisit l'église et pourraient sans doute, dans le cadre d'une étude parallèle sur Moreruela, nous renseigner sur l'identité des ouvriers employés. L'église a été conçue apparemment sur le plan de la seconde construction de Clairvaux : deux puissants piliers à retraits supportent les voûtes de part et d'autre de la nef centrale. Celle de cette dernière elle-même fut transformée à une époque ultérieure ; le berceau actuel, décoré de stuc et de peintures, remplaça probablement un berceau brisé semblable à celui du transept, dont les doubleaux se situent au niveau de la corniche. Les bas-côtés sont couverts de lourdes voûtes à croisée d'ogives également munies de doubleaux. A en juger par les grandes dimensions des voussoirs il pourrait s'agir de l'une des premières constructions de ce type réalisées au Portugal. Le profil des ogives est triangulaire, les angles sont biseautés. Ces voûtes s'appuient d'un côté sur des chapiteaux prismatiques, de l'autre sur des piliers. Le bas-côté Nord est presque complètement obstrué par un escalier qui monte en pente douce et fut installé là en même temps que l'une des tribunes. Cette dernière repose sur un arc en anse de panier particulièrement hardi. L'utilisation normale des bas-côtés a été ainsi rendue impossible, ce qui a conduit à supprimer le portail Nord qui donnait initialement accès au cloître. Dans la partie Nord du transept on voit encore la rose d'origine de la façade du croisillon septentrional. A cette façade fut adjointe par la suite la salle capitulaire.

Après la dissolution des monastères, en 1834, les bâtiments monastiques furent livrés aux démolisseurs, et même le cloître fut détruit. D'après Cocheril, on pouvait encore le voir entre 1915 et 1920 et il devait ressembler à celui de Pitões. Il possédait en effet lui aussi de petites arcades constituées par des arcs en plein cintre reposant sur d'élégantes colonnes. Un beau puits, qui se dressait au centre de la cour, a également disparu.

4 ALCÁCER DO SAL. A ALCÁCER DO SAL, SITUÉ AU SUD DE SETUBAL AU BORD

de la route côtière N. 120, on trouve un exemple, fort rare dans les régions méridionales du pays, d'une église à noyau roman, témoin de la persistance étonnante de ce style. La ville avait été siège épiscopal dès l'époque wisigothique, mais avait joué ensuite un rôle stratégique important sous la domination arabe, en tant que capitale de la province Al-Cassr, jusqu'en 1158. Reconquise par les chrétiens, en 1191 elle tomba de nouveau aux mains des Maures, mais fut reprise en 1217 sous le règne d'Alphonse II (1211-1223) par l'ordre militaire des chevaliers de Santiago, en possession desquels elle demeura longtemps.

L'église Sainte-Marie do Castello a été construite sur une élévation à côté du castel érigé par les Arabes. Probablement achevée vers la fin du XIIIe *siècle, elle comporte trois nefs de cinq travées, un chœur rectangulaire et est couverte d'une charpente apparente. Les arcs sont en plein cintre et prennent appui sur des colonnes par l'intermédiaire de chapiteaux, qui datent de la période de transition tardive et rappellent ceux de Mileu. Outre un grand nombre de surfaces lisses et nues, de grandes feuilles stylisées à fortes nervures et d'entrelacs, on découvre aussi des chapiteaux figuratifs, décorés notamment de sirènes, considérablement modifiées, il est vrai, par rapport aux modèles initiaux. Les abaques sont nus ; les arcs pourvus d'arêtes vives, à l'exception du premier dont les angles sont biseautés. A leur départ et à leur aboutissement les deux rangées des arcades de la nef reposent sur des consoles fixées aux murs. Les bases des colonnes furent, selon Correia, remplacées au début du* XVIe *siècle. Des modifications furent également apportées au chœur qui fut prolongé de manière substantielle. Parmi les trois portails, au cours du* XVIIIe *siècle celui de la façade occidentale fut muni d'ornements baroques, alors que le portail latéral Nord donne encore un exemple impressionnant nant du goût de la haute période romane : ses quatre vastes archivoltes, inscrites dans un avant-corps, font alterner un profil concave, semblable à celui d'une scotie, avec des moulures en biseau. Avec leurs motifs végétaux et leurs entrelacs les chapiteaux rappellent ceux de la province portugaise la plus septentrionale. Les archivoltes prennent appui sur des sommiers à rouleaux, placés un peu plus haut que les impostes. Tous ces détails sont intéressants car ils nous familiarisent avec un des stades de l'évolution de l'art roman. Sous une forme plus modeste le plan de ce portail ressemblait aussi à l'origine à celui du portail occidental. La frise, encadrant cet ensemble, est décorée d'étoiles en forme de croix, telles que l'on les rencontre aussi à Boelhe.*

Méritent également d'être vus à Alcácer do Sal, l'église do Senhor dos Martires, le sanctuaire des chevaliers de São Tiago, et le portail Renaissance de la chapelle do Santissimo Sacramento.

ALCOBAÇA. CETTE ABBAYE CISTERCIENNE EST SITUÉE AU SUD DE LEIRIA 5

et du monastère de Batalha, sur la route N. 8. Elle a été décrite longuement dans *l'Art cistercien* 2, dans cette même collection, car elle constitue l'une des églises cisterciennes les plus importantes hors de France. Il y manque seulement la description des sarcophages qui ont exercé une influence considérable sur la sculpture funéraire du Portugal. L'article suivant de M.-L. Real pourra aider les lecteurs à leur compréhension :

Si nous nous tournons maintenant vers la région calcaire nous y trouvons deux centres principaux : Coïmbre et Alcobaça. On doit reconnaître une importance particulière au panthéon royal d'Alcobaça non seulement parce qu'il contient les plus belles pièces de tout l'art funéraire portugais mais encore parce que, à notre avis, c'est là qu'apparaît un type de sarcophage à arcatures qui devait connaître une grande fortune à l'époque gothique. Naturellement nous limiterons ici notre étude aux sarcophages figuratifs les plus anciens. Parmi ceux-ci se distingue particulièrement la tombe monumentale d'une reine que l'on a identifiée avec D. Beatriz, veuve d'Alphonse III. Nous devons noter cependant que le sarcophage ne porte pas d'épigraphe et que c'est seulement en 1675 que fut gravée l'inscription qu'il porte encore aujourd'hui. En 1569 quand le cercueil fut ouvert pour la seconde fois, on croyait déjà qu'il contenait les restes de cette reine. Cependant cela n'empêcha pas qu'à cette époque même se soient manifestés certains doutes quant à la raison d'être d'une telle créance. Frai Jerome Román, parlant de ce tombeau en 1589, disait : « Il n'y a cependant aucune inscription qui dise qu'il s'agit de cette reine et je le fais avec réserve parce que je ne le trouve ni chez les auteurs ni dans des documents ». En vérité nous croyons qu'il s'agit là d'une tradition qui s'est forgée à l'époque moderne, car on a perdu la mémoire de son origine exacte. A cela aurait pu contribuer le grand changement effectué sur l'ordre de D. Jorge de Melo au début du XVIe siècle, changement dont nous savons qu'il fut un peu difficile. Comme aucun des dix cercueils transférés — pour le moins — n'avait d'épitaphe, il est tout à fait normal que peu de temps après se soit établie une confusion au sujet de certains d'entre eux.

A notre sens, il est quasi certain qu'il s'agit plutôt du monument funéraire de D. Urraca morte en 1220. A l'exception de D. Mathilde (répudiée par Alphonse III et sans fils de ce mariage) il s'agit de l'unique reine de cette période qui soit morte avant son mari, en son cas, le roi Alphonse II. Et justement sur le bas-relief placé sur la face latérale au pied du tombeau, apparaissent le roi et sa famille pleurant la mort prématurée de la souveraine. Le monarque est au centre, entouré à sa droite de ses trois fils : Sanche (11 ans), Alfonse (10 ans) et Fernand (3 ans) et, à sa gauche, de sa fille unique, Leonore (9 ans). Derrière celle-ci, du même côté, nous pensons que figure la gouvernante de l'enfant le plus jeune, dont le geste plus modeste pourrait signifier son éloignement sanguin des autres personnages. La correspondance entre les enfants du couple et ceux du groupe représentés sur la petite face du sarcophage — et cela y compris quant à l'âge et au sexe — est déjà en soi une preuve suffisamment forte. Par ailleurs, il est compréhensible qu'Alphonse II ait manifesté le désir d'être représenté pleurant son épouse perdue. On sait le grand amour qui unit ce couple dont le mariage avait été contrarié par des instances influentes du royaume, tel l'évêque de Porto D. Martinho Rodrigues. La reine mourut alors qu'elle avait à peine 33 ans, ce qui ne peut s'expliquer que par maladie ou accident. Or, dans la description de l'ouverture du tombeau qu'a donnée Frai Antonio Fala, il est précisément rapporté que le corps était intact et que « la tête étroite avait quelques cheveux qui semblaient avoir été beaux, on voyait qu'ils avaient été coupés alors qu'elle était malade, parce qu'ils étaient plus longs d'un côté que de l'autre et étaient mal coupés ; elle avait un mouchoir neuf sur ses cheveux. » Ces faits semblent confirmés par le couvercle du tombeau orné du gisant d'une jeune reine à la tête coiffée d'un bonnet. D. Beatriz, à l'inverse, mourut à un âge déjà avancé et après 25 ans de veuvage. Ses nombreux enfants et de plus la vie triste qu'elle mena après la mort de son mari empêchent de l'identifier, à quelque point de vue que ce soit, avec l'iconographie du sarcophage. A cela s'ajoute que, même après sa translation à la croisée du transept, c'est le tombeau lisse — jusqu'à maintenant attribué à D. Urraca, et qui serait en fait celui de la veuve de D. Alphonse III — qui a été placé en face de celui de ce dernier roi.

Outre le problème de son identification, ce sarcophage nous intéresse aussi au point de vue typologique, iconographique et stylistique. La forme du sarcophage et la facture des figures l'emportent en général sur l'art funéraire du XIVe siècle, ce qui fait accepter comme logique le recul de 84 ans dans le temps que nous proposons maintenant. L'attribution de cette pièce à l'an 1220 permet de faire, en même temps, deux remarques importantes. En premier lieu, étant donné la forme du couvercle, avec des faces latérales pentagonales et des pignons « flottants » nous trouvons ici, pour la première fois, un type qui sera repris par les sarcophages de Pombeiro. En second lieu, ce serait le tombeau le plus ancien connu présentant des arcatures. En effet, sur chaque face longitudinale on a sculpté une série d'arcatures encadrant les figures du Christ et des Apôtres. Celles-ci marquent un très net progrès dans les drapés ; de plus, l'artiste a cherché à rompre l'impression de monotonie en variant les gestes et en individualisant les visages. La tombe est très mutilée du côté droit : on ne voit plus que les pieds du Christ qui, à l'inverse de ceux des Apôtres, sont croisés. Les Apôtres, quant à eux, sont représentés tenant un livre ou un phylactère, à l'exception de saint Pierre près duquel on aperçoit un fragment de clés. L'intérêt iconographique de ce tombeau vient de la face latérale du côté de la tête où figure le Christ en gloire entouré du tétramorphe. La mandorle présente la particularité d'être quadrilobée, ce qui n'est aucunement en contradiction avec la chronologie que nous défendons pour ce tombeau. La mandorle commence à apparaître, avec cette forme, sur les bas-reliefs de la fin du XIIe siècle, ainsi à Mimizan (Landes), Estella ou Tudela (tous deux en Navarre). Mais, s'il est vrai que cette œuvre revêt pour nous une valeur appréciable sur le plan stylistique, elle a aussi, en tant que document-témoin, une importance que nous devons souligner. En effet, sans parler de l'image funéraire de la reine, on doit signaler l'extraordinaire portrait de la famille royale portugaise qu'il présente, au début du XIIIe siècle, en rappelant ce que nous avons dit plus haut, à savoir qu'y sont figurés le roi D. Alphonse II, le prince héritier D. Sanche, son frère D. Alphonse qui viendra à lui disputer le trône, l'enfant aventurier D. Fernand, alors enfant à l'âge tendre et la princesse D. Leonore, future reine de Danemark.
ne manquait pas de capacité dans le maniement du ciseau. Nous serions donc tentés de le considérer peut-être comme un artiste venu de l'étranger et qui connaissait sans doute l'art français de la Haute-Loire et du Massif Central. Dans cette région proche de la Bourgogne, les figures humaines sont spécialement allongées. En outre, la manière dont le manteau repose sur le côté gauche, se terminant en pointe entre les pieds, rappelle le dessin des vêtements du Christ sur les tympans de Charlieu ou de Saint-Julien de

La facture des vêtements et des attributs révèle un artiste peu sensible, mais nous n'arrivons pas à savoir s'il faut voir en cela l'effet de sa formation culturelle ou celui de sa faiblesse technique. Le plissé des habits, avec son imbrication de lignes courbes et parallèles, peut être le résultat d'une influence arabe qui était vive dans l'atelier d'Alcobaça. Toutefois la monumentalité de la sculpture, la silhouette élancée des figures et la petitesse des têtes par rapport au reste du corps nous éloigne de toute la sculpture réalisée à cette époque sur notre territoire national. En outre, l'évidente capacité de l'auteur de ces figures à varier l'expression des physionomies semble indiquer finalement qu'il

Jonzy. On doit noter cependant que le mouvement des vêtements est beaucoup plus tourmenté en ces sculptures que dans les nôtres. Là où la ressemblance du plissé apparaît la plus frappante, c'est avec certaines statues de bois telle celle de Notre-Dame de Saint-Gervazy. Cette Vierge, au corps svelte, « avec le drapé symétrique des plis en écailles concentriques et le bas de la robe en godets plats » présente des points de ressemblance très étroits avec les sculptures d'Alcobaça. Par ailleurs son visage étroit, aux lèvres fines et précises, au nez délicat et aux sourcils anguleux, ressemble également beaucoup à celui de la reine du gisant. Pure coïncidence due à une commune inspiration byzantine ? ou nous trouvons-nous en réalité devant un artiste de capacité moyenne, venu du centre de la France sur la requête des cisterciens ?

Quoi qu'il en soit, le certain est que sa présence à Alcobaça fut déterminante pour l'art funéraire portugais à venir. Dans ce même panthéon se trouve un autre sarcophage destiné à un prince mort jeune encore et dont l'auteur s'inspire du modèle précédent. Ce petit tombeau est, déjà, indiscutablement l'œuvre d'un atelier mudejar qui s'installa à l'abbaye d'Alcobaça. Les arabesques du couvercle, la décoration des chapiteaux qui supportent la tombe et l'aspect trapu des figures, tout cela confère un accent méridional à l'ensemble. Malgré l'absence du gisant, le sarcophage s'inspire visiblement de celui de D. Urraca. Les faces latérales sont décorées des douze apôtres placés dans les arcatures. Cette solution se répète d'ailleurs sur les deux figures de la petite face, représentées comme des orants, un livre en main. L'une d'elles porte une barbe tandis que l'autre semble être une femme, portant une cape sur ses épaules. La ressemblance que l'on relève avec l'autre tombeau vient peut-être de ce que ces personnes appartenaient sans doute à des familles proches du défunt, voire étaient ses propres parents. La face latérale n'est pas visible actuellement mais il semble qu'elle présente également le Christ dans une mandorle. L'artiste, qui donne toujours à ses figures une coiffure du même modèle, a su cependant animer et individualiser les physionomies. Du sarcophage précédent provient l'utilisation variée des livres et phylactères des apôtres, la disposition des clés de saint Pierre et les plis concentriques des épaules et des pieds. Sa personnalité et sa formation culturelle différente apparaîssent toutefois dans une nouvelle conception des espaces, dans la facture des figures, dans le style décoratif du couvercle et dans l'utilisation des motifs héraldiques.

6 ALMOUROL. SUR UNE PETITE ÎLE ROCHEUSE SITUÉE AU MILIEU DU *Tage s'élève le castel d'Almourol, l'une des fortifications les plus pittoresques du* XIIe *siècle. Une inscription placée au-dessus de la porte d'entrée précise que ce castel fut construit sur l'ordre du grand maître des Templiers Gualdim Pais en 1171. La forteresse servait à défendre la vallée du Tage et s'élève sur des ruines romaines qui, étant donné la valeur stratégique du lieu, proviennent vraisemblablement elles aussi d'un ancien établissement militaire. L'inscription d'une pierre tombale romaine incorporée à l'appareil du castel semble confirmer cette hypothèse. Almourol est situé au Sud de Tomar, l'ancienne maison-mère des Templiers, tout près de la commune de Tancos de laquelle on accède au castel. Celui-ci, ceint de hautes murailles, comporte neuf tours rondes de défense et est dominé par un donjon. Ce monument, restauré sur l'initiative du président Salazar, est comparable à Vila de Feira près d'Aveiro et a été utilisé lors des réceptions de chefs d'État.*

7 *ALVOR. ON PARVIENT À CETTE LOCALITÉ, SITUÉE SUR LA ROUTE N. 125,* en empruntant à Portimão une route secondaire. D'après Goddard King (*Little Romanesque Churches in Portugal*, p. 274), cette agglomération, qui fut reconquise relativement tôt par les troupes chrétiennes, possède un portail roman de style mudéjar. En effet ce portail, en plein cintre, comporte des archivoltes présentant une richesse extraordinaire de sculptures étranges. Toutefois ce débordement fait disparaître toutes les surfaces et leurs contours, sous une multitude confuse de détails ornementaux. Cette œuvre est bien éloignée de l'esthétique romane, mais illustre l'accueil réservé par l'art portugais aux influences du style mudéjar, qui correspondait vraisemblablement à des tendances autochtones latentes. Comme l'a constaté Reinaldo Dos Santos, ce portail ne date ni de l'époque romane, ni de l'époque gothique du Portugal, mais du temps manuélin, ce qui prouve à quel point cet art à l'imagination débridée et originale pouvait répondre au goût portugais.

8 ARMAMAR. ON PARVIENT À ARMAMAR DEPUIS REGUA EN TRAVERSANT LE *Douro et en suivant la route N. 313. Le professeur Correia, l'éminent spécialiste de l'histoire de l'architecture portugaise (*Monumentos e Esculturas, *p. 42) a qualifié cette église paroissiale São Miguel de « largement inconnue ». D'après Almeida (1, p. 31), elle témoigne de l'influence de la cathédrale de Porto, mais présente aussi des caractéristiques de l'architecture cistercienne, sans avoir été édifiée par cet ordre. Elle est sans doute l'œuvre d'un atelier d'importance secondaire familiarisé avec ce type de construction. L'édifice est couvert d'un toit en bois et comporte trois nefs. Celles-ci ne sont pas délimitées par des arcs de séparation, mais par des colonnes isolées. La particularité de l'église réside dans la présence d'une abside unique, de part et d'autre de laquelle on relève l'ébauche d'un départ de voûte. Elle serait due, selon Almeida, à des influences cisterciennes, confirmées par de nombreuses marques de tâcherons que l'on retrouve également sur l'appareil du château-fort de Lamego et sur celui de l'église de Salzedas, deux constructions situées dans le voisinage. Les fenêtres de l'abside furent transformées en niches au cours du* XVIIe *siècle. Selon Correira, elles abritaient de bonnes sculptures exécutées par l'école de Coïmbre au* XVIe *siècle, mais elles ont été apparemment supprimées ou transformées lors de la restauration de l'église en 1956. Le portail principal date du milieu du* XIIIe *siècle et présente des archivoltes presque semi-circulaires* *reposant sur des corbeaux. Leur ornementation se limite à des motifs en forme de boules, de fûts et de rouleaux de même qu'à quelques figures géométriques. Deux animaux indéfinissables et grossièrement travaillés décorent l'un des chapiteaux de l'abside. Ces données confirment la constatation de Real selon laquelle, de part et d'autre du Douro, des motifs typiquement romans ne se présentent qu'à titre exceptionnel et sous une forme simplifiée ou très édulcorée. Correira estime que cette église remonte à la fin du* XIIe *siècle. Les fréquentes modifications intervenues à des époques plus tardives rendent bien difficile cependant une datation précise de l'édifice.*

Le tympan Sud présente encore des traces de peinture postérieures au Moyen Age. Le premier document faisant état de la cité date de 1189 ; l'église est mentionnée pour la première fois en 1211. La dernière restauration remonte à 1956 (cf. le Boletim *56).*

9 *ATEI DE BASTO EST SITUÉ AU SUD DE MONDIM DE BASTO, AU CROISEMENT* des routes N. 304 et N. 312. Almeida, qui a examiné cette église (3, 2, p. 192), la considère comme un bon exemple de roman rural, c'est-à-dire une œuvre due à l'inspiration d'artistes locaux inexpérimentés. La majorité des modillons sont nus. Les deux portails sont simples et présentent un décor de figures géométriques, comportant des dents d'engrenage, des cercles et des méandres. Les arcs sont sculptés d'anges et de saints, assez fluets et d'une exécution maladroite. Almeida estime ces données insuffisantes pour une datation, mais est convaincu qu'il s'agit d'une construction plutôt tardive.

10 ATOUGUIA DE BALEIA. SÃO LEONARDO PEUT ÊTRE ATTEINT, DEPUIS *Lisbonne, par la route N. 81 que l'on suit jusqu'à Rio Maior où l'on prend la route N. 114 jusqu'à Peniche. C'est avec raison que Monteiro a qualifié cette église d'« exemple curieux de dissolution stylistique ». En effet, la nef centrale de ce sanctuaire monastique aboutit à une abside polygonale, au caractère déjà gothique ; les collatéraux par contre, privés d'absidioles, s'achèvent sur un mur nu. On ignore les raisons qui ont incité l'architecte à opter pour une structure aussi étrange. On rapporte que la localité fut repeuplée, après la Reconquête, par un groupe de colons français.*

11 *BARRÔ. L'ÉGLISE SANTA MARIA EST SITUÉE AU BORD DE LA ROUTE DE* liaison N. 222 entre Lamego et Resende, à 18 km de Lamego. Un panneau routier indique le village qui s'élève un peu en contrebas. D'après ses caractéristiques l'église pourrait avoir été bâtie entre la fin du XIIe et le milieu du XIIIe siècle. En raison de sa situation géographique elle a accueilli des influences diverses issues du bassin de la Sousa, de Coïmbre, de Braga, de Lamego, situé dans son voisinage, mais aussi de l'ancien royaume de León. Après avoir été placé sous le patronage de Paço de Sousa, Barrô devint, au XIVe siècle, une commanderie de l'Ordre des Chevaliers de Malte.

La façade occidentale avec ses deux grandes ouvertures, celle du portail et celle de la rose, présente une structure inhabituelle qui rappelle l'élévation Ouest de la Sé Velha : quatre vastes archivoltes doubles, légèrement brisées, couvrent le portail, et des archivoltes plus petites, retombant elles aussi sur des colonnes, entourent la rose qui, placée à une hauteur bien proportionnée, se veut modeste et est, avec ses huit ouvertures, tout à fait semblable à celle de Rates. Conformément à ces données, la façade est entièrement parcourue par trois frises horizontales qui prolongent les impostes des abaques des colonnes. Il s'y manifeste un besoin de décoration ornementale remarquable : les chapiteaux du portail sont ornés de grandes fleurs dont les calices atteignent quelquefois le rebord supérieur de la corbeille ; des motifs floraux plus petits occupent les parties inférieures des chapiteaux et débordent même sur les impostes qui prolongent les abaques, expansion ornementale que l'on ne rencontre que dans peu d'églises romanes du Portugal.

Le tympan du portail occidental est décoré d'une croix creusée dans la pierre, dont la forme ne suit cependant ni le modèle de la cathédrale de Braga ni celui des églises qui s'en inspirèrent, comme Arnoso, Unhão, São Pedro de Aguilar et d'autres. Il s'agit plutôt d'une croix à branches égales et rectilignes très proche de la croix ancrée ; elle rappelle, comme l'a remarqué Correia, les croix surmontant l'arc triomphal de Bravães, Ferreira ou Orada dont l'origine semble se situer en Galice. Les entrelacs qui décorent la croix de Braga sont remplacés ici par des ornements géométriques issus d'un motif de Ferreira. La rose par contre, avec ses huit petits oculi et son encadrement d'arcades sur colonnes semblables à celui d'une baie, fait penser, selon l'opinion de Correira, au modèle de Pombeiro et à la fenêtre située dans la partie haute de la façade septentrionale de la cathédrale de Toro. Le portail Nord est encadré par une frise de damiers, type de décoration apparemment très apprécié dans la région, car on le trouve aussi dans les églises voisines de São Martinho dos Mouros et d'Almacave (Lamego). Les modillons qui figurent des oiseaux, des bœufs, un lutin accroupi, des rouleaux — certains d'entre eux écrasent des êtres humains — et un homme avec un sanglier, ne diffèrent pas des prototypes de l'architecture romane. Le tympan du portail Nord est nu et soutenu, comme c'est fréquemment le cas en Espagne (par exemple à San Isidoro de León et Compostelle), mais aussi dans le Nord du Portugal, par des animaux dont la gueule ouverte impliquait sans doute une fonction apotropaïque. A l'intérieur, l'arc triomphal, à double rouleau, comporte un sommier faiblement travaillé en fer-à-cheval et est entouré d'une frise décorée d'entrelacs élégants, semblables à ceux de São Vicente de Sousa. Ses chapiteaux sont intéressants car ils révèlent des influences tardives de Braga et une inspiration plus contemporaine issue de Paço de Sousa. Une voûte en berceau brisé couvre l'abside et s'appuie sur trois doubleaux aux arêtes vives, dont deux reposent sur des consoles, selon la tradition cistercienne. Les chapiteaux des deux premiers arcs sont intéressants pour deux raisons : d'une part, la technique de leur coupe en biseau révèle l'influence de Paço de Sousa ; d'autre part, les sujets qu'ils traitent sont, comme l'a fait remarquer Real, des scènes de chasse. Ainsi le chapiteau du côté de l'épître permet-il de reconnaître un homme à l'habit court sonnant du cor et portant un javelot dans sa main droite. A côté de lui apparaît un quadrupède et sur la face latérale du chapiteau un autre chasseur tenant d'une main un bouclier et soulevant de l'autre un objet ressemblant à une massue. Le motif ressemble en gros à des types plus anciens de la cathédrale de Braga. Les deux autres chapiteaux sont décorés de motifs végétaux. Selon Goddard King, certains chapiteaux jugés obscènes auraient été transformés lors de la restauration de l'édifice. Les sculptures d'origine pourraient avoir eu, de ce fait, des thèmes différents.

12 BOELHE. SÃO GENS EST SITUÉ À PROXIMITÉ DE LA ROUTE N. 320 *entre Cova et Penafiel, au niveau de Duas Igrejas, d'où un chemin de 4 km mène au but. Cette église est l'une des plus petites et néanmoins des plus intéressantes de l'art roman portugais. Son titulaire est un saint régional qui venait d'être canonisé, originaire du Comtat venaissin — pays proche de la Savoie, patrie de l'épouse du premier roi portugais Mafalda, qui, bien que morte en 1157 après un règne de onze ans seulement, se dépensa beaucoup en faveur de la propagation de la foi et fonda de nombreuses œuvres hospitalières comme à Marco de Canavezes et fit rebâtir l'église de Mileu près de Guarda. On ne peut affirmer toutefois que la restauration de São Gens lui soit due.*

En ce qui concerne la datation de l'église, les spécialistes hésitent entre le milieu du XIIe *siècle et le milieu du* XIIIe *siècle. L'office de restauration qui a travaillé ici en 1950 (*Boletim *62, décembre 1950) propose les dernières décennies du* XIIe *siècle, tout en soulignant « certaines ressemblances architecturales » avec l'église de Mileu restaurée sous le règne de la reine Mafalda. Monteiro (Manuel Monteiro :* Paço de Sousa — O Românico nacionalizado, *Boletim da Academia de Belas Artes, XII, 1943, Lisbonne) compte São Gens parmi les églises de ce que l'on appelle « l'art roman national » et la date du milieu du* XIIIe *siècle, sans remarquer qu'un certain nombre de critères qu'il expose lui-même ne se rapportent pas à un moment précis, mais se retrouvent au long d'un processus qui s'est opéré durant une certaine durée. Almeida (3, 2, p. 123, 126 et pl.* XXXIII *n° 6) partage l'avis de Monteiro.*

Le portail Ouest se rapproche le plus du groupe mentionné par Monteiro : alternance de piliers cylindriques et polygonaux, archivoltes faites de bourrelets alignés, séparés par des creux, tailloirs d'un style tout à fait particulier ornés de fleurs ou d'ornements géométriques, avec une structure supérieure rappelant une imposte, tympan lisse (qui, toutefois, ne repose pas sur des corbeaux mais dont le linteau s'appuie directement sur les piliers intérieurs du portail), chapiteaux taillés en biseau. Cependant la frise qui entoure le portail ne se compose pas de cercles entrelacés comme dans le cas des églises auxquelles se réfère Monteiro, mais d'un motif de croix horizontales que nous trouvons au portail Sud, c'est-à-dire dans la partie la plus ancienne de l'église de Rates, de même que de billettes qui constituent un des éléments décoratifs les plus anciens du Portugal.

De plus, du côté Sud, la frise se termine par un motif très irrégulier de feuilles d'acanthe qui vont jusqu'à envahir (et cela est une particularité de cette église) une partie des tailloirs des chapiteaux. Ils rappellent les moulures que l'on trouve sur les arcades extérieures des fenêtres des absidioles de l'église de Travanca et qui peuvent être considérées comme une des parties les plus anciennes de cette dernière.

Si l'on remarque encore que les piliers polygonaux ne présentent aucun décor sur leurs côtés, que les bases sont dépourvues de griffes ou de petites têtes animales, que les socles des piliers sont hauts et les chapiteaux, trapus, de forme presque cubique, on est tenté de penser qu'il s'agit là des vestiges d'un ancien portail d'influence préromane, voire mozarabe qui aurait pu appartenir à un édifice antérieur de São Gens, édifice que l'on aurait renové, tout comme Mileu, à l'époque de la reine Mafalda. Cette hypothèse est renforcée par un document selon lequel, en l'an 1137 (c'est-à-dire en 1099), le cloître de Boelhe aurait fait l'objet d'une donation de la part de Dona Golena Germondiz.

Par la suite — après des conflits (cf. Boletim *p. 9) — l'église aurait pu être restaurée de façon importante mais à la fin du* XIIe *siècle, époque durant laquelle les formes de « l'art roman national » n'avaient pas encore atteint leur entier développement.*

L'absence de rosace sur la façade Ouest souligne cette impression ; à sa place se situe une fenêtre simple, en plein cintre, munie d'archivoltes et entourée d'une frise ornée d'un motif très simple qui s'étend jusqu'à l'appui de la fenêtre.

Almeida, bien qu'il soit d'un avis divergent quant à la datation, arrive à de mêmes conclusions, mais par le biais d'un retour supposé — et certes probable — à des formes préromanes vers la fin du XIIIe *siècle ; tandis que nous pensons, pour notre part, qu'il s'agit des restes d'un portail d'une église préromane qui aurait été restaurée à la même époque que Mileu, et qui, par la suite, aurait été repris dans l'esprit de l'art roman « national ». L'objection principale contre une reconstruction complète au milieu du* XIIIe *siècle s'appuie sur l'absence d'arcades sous la frise du toit ; en leur lieu se trouvent des modillons qui étaient utilisés à une époque antérieure. On y peut voir une série de motifs connus (hommes se caressant la barbe ou le menton, portant des tonneaux ou autres objets importants sur leur ventre, ou encore animaux tels que bœufs ou oiseaux aux ailes à demi-déployées). Du côté Sud, les corbeaux de l'avant-toit sont soutenus par des atlantes aux attitudes diverses : l'un tient sa tête dans ses mains, l'autre appuie celle-ci sur ses genoux et un troisième — le plus original — porte sur son ventre un objet carré qu'il tient en équilibre, les bras ballants.*

Les représentations humaines sont en général plus petites et moins trapues qu'à l'époque de « l'art roman bénédictin » : tout laisse entrevoir la fin de l'engouement pour de tels ornements, comme on le ressent d'ailleurs déjà à Fonte Arcada.

Par contre, les frises du toit sont soulignées avec vigueur : du côté Nord une ligne formée d'étoiles court le long de la nef, tandis que, du côté Sud, lui répond une file de billettes.

Faut-il voir en cela une signification symbolique, comme le pense le Boletim *(Nord : chemin vers Dieu, Sud : monde des païens) ? On ne saurait trancher.*

Le portail Nord séduit le visiteur par la simplicité de sa structure, élégante toutefois et bien proportionnée : elle présente des piédroits, un linteau lisse et un tympan ; le seul ornement qu'on y trouve sont les les rainures des appuis qui figurent également sur les tailloirs du portail Ouest.

Il existait des relations ecclésiastiques étroites entre les églises de São Gens et de Vila Boa de Quires. Aussi n'est-on pas surpris de trouver des ressemblances entre les chapiteaux du portail Sud de Quires et ceux du portal Ouest de São Gens, à tel point qu'on peut les considérer — avec Real — comme l'œuvre d'un même artiste, même s'ils présentent entre eux quelques petites variantes. Il s'agit d'un chapiteau où deux lions, debout, cernent, des deux côtés, le buste d'un homme. Il faut également mentionner, dans l'angle d'un des chapiteaux, un poisson, symbole du Christ, qui, au Portugal — à en croire Real — est souvent entouré de rinceaux et d'entrelacs. Sur le fût du pilier de São Gens on trouve, juste sous le chapiteau, une sculpture de tête humaine dont on dit, comme souvent en pareil cas, qu'elle pourrait être un autoportrait de l'artiste.

D'une manière générale on peut constater que plus le nombre d'églises romanes s'est accru — ainsi que, par le fait même, celui des architectes et des sculpteurs — plus il y a eu d'échange artistique entre les différents édifices. En ce qui concerne São Gens on peut relever de multiples points communs tant avec les églises de « l'art roman national » — dont elle constitue une étape — qu'avec d'autres églises telles que Ferreira, Unhão, Airães, São Vicente de Sousa, Paço de Sousa, Roriz, Tabuado, Abragão, Fonte Arcada, qui peuvent être évoquées à son sujet.

A une époque tardive, le désir d'une plus grande luminosité interne a dû inciter à ébraser largement les fenêtres en multipliant les archivoltes élégantes, ornées de bords cannelés, tandis qu'à l'extérieur, ces fenêtres conservent la forme étroite de meurtrières. L'oculus en forme de rosace ouvert dans le mur de l'arc triomphal et dont la bordure est ornée de billettes disposées sur deux rangées, devrait dater également d'une époque ultérieure.

A l'extérieur, il faut encore mentionner le clocheton original situé à l'angle Sud-Ouest de la nef, tandis qu'un autre clocher, ajouté ultérieurement du côté Nord, a été supprimé lors de la restauration récente. Enfin, il convient de signaler la croix du pignon, caractérisée par la forme quasi rectiligne de ses bras, ainsi qu'un bénitier polygonal.

13 *CABEÇA SANTA. SÃO SALVADOR. ON PARVIENT À CETTE ÉGLISE EN* empruntant la route N. 106 qui conduit de Penafiel à Entre-Os-Rios et que l'on rejoint facilement après la visite de l'église de Paço de Sousa. Juste après avoir traversé le village de Oldrões on tourne à gauche et on suit un chemin qui se dirige vers les montagnes.

C'est par son décor surtout que cet édifice constitue une imitation parfois méticuleuse de l'église de Cedofeita à Porto. La fondatrice de ce sanctuaire fut l'Infante Mafalda, fille du roi Sanche Ier, qui fut, durant peu de temps, l'épouse du roi Henri Ier de Castille. Elle dut se séparer de son mari à la suite d'une décision papale motivée par le degré de parenté trop proche existant entre les époux. Dès lors elle consacra sa vie à des œuvres pies et à l'édification d'églises. C'est vraisemblablement au cours du deuxième quart du XIVe siècle qu'elle fit construire cette église sur l'emplacement d'une ancienne nécropole où l'on avait découvert, paraît-il, bon nombre de crânes humains. Le maître d'œuvre du chantier semble avoir été ou celui de Cedofeita (Almeida, p. 205) ou l'un de ses collaborateurs, directement initié à l'art de Coïmbre.

Au cours des travaux une simplification assez importante du projet initial semble être intervenue. Le fait de n'avoir pas réalisé la voûte entraîna ainsi une modification substantielle de la structure de l'édifice par rapport au plan d'origine. Même le portail occidental n'offre que des archivoltes arrondies et dépourvues des tores qui décorent celles de Cedofeita et le portail Sud. L'élégance des fenêtres résulte d'une modification de la forme des ouvertures de Cedofeita qui servit de modèle ; elle mérite de retenir l'attention.

Par contre les chapiteaux du portail et ceux de l'intérieur reprennent un certain nombre de thèmes de Cedofeita en d'excellentes copies réalisées suivant une coupe biseautée qui correspond à celle de Paço de Sousa. On trouve aussi des chapiteaux échappant à l'influence de Coïmbre, tel celui représentant une figure humaine couchée au-dessus de la corbeille et tenant dans sa bouche un monstre, ou le chapiteau mozarabe dit « du palmier ». A l'inverse on découvre également des thèmes provenant de Coïmbre et qui n'ont pas été utilisés à Cedofeita, comme par exemple les sirènes à corps d'oiseau (Real I, p. 359).

Les consoles du tympan du portail occidental sont ornées de deux bovins, particularité due à la résurgence vivace d'influences locales, à laquelle il faut attribuer aussi la structure simple de l'édifice. Au portail Sud apparaît un thème classique fréquemment rencontré au Portugal sur nombre de modillons : il s'agit de l'acrobate dont le corps arqué forme une sorte de pont entre ses pieds et sa nuque. La représentation de ce personnage est tellement réussie que Monteiro qualifie cette œuvre d'un des meilleurs chapiteaux romans. Deux quadrupèdes à tête humaine dotée de bois de cerf décorent le chapiteau voisin et pourraient être dus à une interprétation erronée de la figure du Minotaure dans l'Antiquité grecque (Real).

CARQUERE. SANTA MARIA ET RESENDE. SÃO SALVADOR. CES DEUX **14** *églises sont très proches l'une de l'autre et conservent des œuvres sculptées romanes : une fenêtre et un portail, dont la comparaison est fort intéressante.*

Pour parvenir à Carquere, il faut emprunter la route N. 222 qui longe la rive gauche du Douro. A Resende on s'engage sur la route qui monte vers

Romão et on doit tourner devant l'église de cette agglomération en direction de Carquere. De l'édifice roman d'origine, érigé sur l'emplacement d'un ancien oratoire consacré à la Vierge Marie, il ne subsiste qu'une fenêtre, dont la richesse ornementale donne une idée de la splendeur de la construction primitive. D'après Nogueira Gonçalves, cette église daterait du milieu du XIIe *siècle tandis que la tour de défense et les bâtiments monastiques attenants, qui avaient été confiés à l'ordre des chanoines augustiniens seraient plutôt du dernier quart du* XIIe *siècle. L'ancien oratoire est devenu un lieu de pélerinage célèbre à la suite d'un miracle. On en célèbre la fête le 4e dimanche du mois de mai. D'après la légende Egas Moniz, fidèle vassal de la maison royale qui assurait temporairement l'éducation du jeune roi Alphonse Ier (Afonso Henriques), paralysé des deux jambes depuis sa naissance, y avait demandé à la Vierge de guérir ce garçon lorsque celui-ci avait cinq ans. La prière fut exaucée, et devenu adulte, le roi remplit la promesse de son éducateur de faire construire en ce lieu une grande église.*

La fenêtre semble avoir été réalisée par un artiste hors pair qui utilisa le meilleur matériau possible. Elle montre que, malgré les troubles de ce temps de guerres au Portugal, il était possible d'exécuter des œuvres d'art qui dépassaient les normes habituelles par leur qualité stylistique et technique. L'éventualité d'une influence issue de Braga, Travanca ou Coïmbre n'est pas à exclure.

L'arc intérieur de cette fenêtre, conçue selon le principe dit « du mur fendu », est décoré d'une variante du motif des « beak heads *». Celui-ci se composait primitivement d'oiseaux mordant le tore de leur bec ou laissant pendre leur langue au-dessus de son bord. A leur place apparaissent ici des sortes de chats munis, en dessous de leur tête, d'une protubérance indéfinissable, semblable à une barbe. Les chapiteaux, par contre, sont ornés d'oiseaux, la tête retournée sur leur dos. Comme l'a fait remarquer Real avec raison, ils sont empruntés au répertoire des motifs animaliers de l'art « bénédictin » qui, depuis Travanca, influença un petit nombre d'églises de la région du Douro Litoral. Selon Real, ces oiseaux représentent des hiboux semblables à celui qui figure sur l'un des piliers de Rates. L'attention doit être aussi attirée par une petite figure d'ivoire, conservée dans le reliquaire de Carquera. Elle possède la forme d'une Theotokos (mère de Dieu) et serait, d'après Correira (p. 19) à mettre en relation avec la guérison miraculeuse d'Alphonse 1er.*

Sur le chemin de retour on s'arrêtera devant l'église de Resende dont les travaux de réfection n'ont été achevés que tout récemment. Le seul élément d'origine est son portail Ouest élevé un siècle environ après la construction de l'église de Carquera. Il illustre l'évolution subie par la sculpture durant la période de transition, évolution à laquelle les réalisations architecturales de la région du Douro inférieur n'ont pas toujours su se soustraire. Real signale à ce propos une simplification des modèles de Braga et Travanca que l'on peut relever de part et d'autre du Douro. On la constate ici à Resende dans la représentation d'un atlante, comparable à celui de São Martinho dos Mouros, et dans l'exécution d'un lion symbolisant la punition du péché. A Travanca ont été empruntés également le motif du serpent enroulé, que l'on trouve aussi à Tarouquela, São Martinho dos Mouros et Almacave, et celui de la sirène. Le portail de Resende a pourtant perdu cette fraîcheur et cette originalité qui caractérisent encore la sculpture de Carquere.

15

CASTELO DE VIDE. A PROXIMITÉ DE LA VILLE, LES RUINES DE L'ÉGLISE paroissiale Salvador do Mundo se dressent à environ 35 km au Nord de Lisbonne, près du sobral (plantation de chênes-lièges) du Monte Agraço, sur les terres de la commune de Cachimbos. On y parvient en empruntant la route N. 8 jusqu'à Loures, où on s'engage ensuite sur la route N. 115 qui conduit jusqu'à ce village. L'église s'élève dans le voisinage d'un cimetière et près d'une ferme, à laquelle elle servait encore récemment de grange. L'édifice montre comment le premier art gothique fut accueilli en milieu rural et révèle plusieurs particularités intéressantes de ce courant artistique naissant. Une étude de cette église a été réalisée par Virgolini Jorgo (« *A Igreja românogotica do Salvador do Mundo no Sobral de Monte Agraço* » tirage à part du *Boletim cultural da assembleia distrital de Lisboa*, 1979). Le premier document attestant l'existence de cette église date de 1320. Celle-ci appartenait à un petit village qui ne comptait, selon un recensement cadastral, que 15 familles en 1527, mais s'agrandit ensuite et atteignit une population de 900 familles en 1789. L'entrée actuelle de l'édifice, située du côté Sud et constituant vraisemblablement un ancien portail latéral, présente un simple arc brisé pourvu de moulures, s'appuyant sur des impostes décorés d'un modeste ornement en forme de feuilles. Des portails semblables donnent accès à la chapelle du cimetière et à l'église toute proche de São Quintino. A l'intérieur de l'édifice on distingue nettement les deux styles qui caractérisent la période de transition : de la phase tardive romane relèvent les chapiteaux figuratifs, notamment un quadrupède marchant sur l'astragale, un évêque ou abbé muni d'une crosse et une tête humaine stylisée entourée de feuilles qui rappelle certaines sculptures des chapiteaux du cloître de la cathédrale de Lisbonne, mais aussi les ornements géométriques qui complètent, comme à Lisbonne, les représentations des corbeilles. Les motifs végétaux, qui, par contre, jouissaient d'une faveur de plus en plus grande durant cette période de transition, n'apparaissent ici que très rarement. Ce qui frappe également, c'est que la surface des chapiteaux reste de plus en plus nue, particularité de l'art roman tardif qu'on constate également dans d'autres églises portugaises, comme à Mileu et Alcácer do Sal. Quant aux arcs diaphragmes, supportant la charpente, si leurs colonnes et bases sont encore entièrement romanes, leurs nervures vigoureuses et profilées appartiennent par contre déjà pleinement à l'esthétique gothique. Un grand nombre de marques de tâcheron et la bonne qualité du travail prouvent qu'un atelier important et très qualifié a été ici à l'œuvre. Fait exceptionnel : le nom de l'architecte nous est connu. Il s'agit d'un certain Diego Martins, nom dont la consonance pourrait indiquer une ascendance française.

16 CETE, SÃO PEDRO. CETTE ÉGLISE, SITUÉE PRÈS DE LA ROUTE N. 15 *entre Paço de Sousa et Valongo, appartient, elle aussi, au nombre des monuments romans les plus anciens du Portugal. Son histoire ressemble tout à fait à celle d'une série d'autres églises anciennes du pays qui n'ont pas encore été étudiées à ce jour. Dans le contexte des pélerinages de Compostelle du* IXe *siècle des moines bénédictins originaires de provinces françaises, et particulièrement de Bourgogne, affluèrent en nombre croissant. Ils déployèrent une grande activité dans l'arrière-pays libéré par la Reconquête : ils améliorèrent les routes de pélerinage, assurèrent la sécurité des pélerins, réédifièrent et construisirent des églises, influencèrent enfin les artistes de cette époque en leur transmettant des sources d'inspiration nouvelles. Durant le second quart du* IXe *siècle deux Maures convertis au christianisme firent venir des moines de Cettes, afin de construire avec eux un monastère et une église. La dotation est confirmée par un document de 882. On rapporte que ce monastère fut détruit par les Arabes vers la fin du* X[e] *siècle, mais qu'il fut reconstruit, vers 1100, sur l'ordre d'un Gascon qui avait immigré avec l'intention de venir combattre les Musulmans. Un document de 1097 précise que le prieur de la communauté fut élu parmi les moines du monastère voisin de Paço de Sousa. Entre 1121 et 1128 la communauté obtint le pouvoir de juridiction, preuve de sa bonne conduite et de l'estime qu'elle avait acquise. Sous l'abbé Stéphane I*[er] *l'église fut transformée et adaptée au goût gothique. Le tombeau de l'abbé, daté de l'an 1323 (« Era 1361 ») et muni d'une inscription affirmant qu'il fit entièrement reconstruire l'église (*« qui hanc ecclesiam totam de nuove opera renovavit »*), se trouve dans le chœur.*

L'état de certaines parties de l'appareil incite à penser qu'un incendie fut la cause de cette rénovation. Aucun élément tributaire du style roman bénédictin n'est resté visible. Or si l'édifice précédent appartenait à ce style, il est absolument certain, selon Mattoso, que des restes de son ornementation auraient été remployés lors de la construction de la nouvelle église qui témoigne d'une grande austérité et d'une étonnante sobriété. L'histoire de l'église exclut pourtant l'hypothèse d'une éventuelle relation avec le mouvement clunisien. Ars Hispaniae *(page 371) relève à ce propos une parenté existant entre certaines parties de cette construction et celles des anciennes églises de Galice. Malgré toutes les modifications effectuées à l'époque gothique, on note un certain attachement aux formes traditionnelles, quelle que soit la dégénérescence dont témoignent ces dernières.*

Pour visiter l'église quelques brèves indications peuvent suffire. Le portail latéral Sud avec son arc surhaussé révèle des influences mudéjares qui persistèrent au Portugal jusqu'au XIIIe *et au* XIVe *siècles. Le portail latéral Nord par contre est de style gothique, bien que les fleurs stylisées, son rebord sculpté et la conception des piédroits se réfèrent à la période de transition. L'un des chapiteaux de l'arc triomphal, qui repose sur de fortes colonnes, rappelle, par ses ornements végétaux, un chapiteau d'Aguas Santas. Le chapiteau septentrional de cet arc est orné de trois masques de bonne facture et appartient à un type de chapiteau de plus en plus apprécié au Portugal durant le* XIIIe *siècle. Les impostes de l'intérieur de l'église ont des profils de deux boudins séparés par une gorge profonde, mais ils ne présentent plus leur riche ornementation du passé. L'oculus du mur de l'arc triomphal comporte une étoile de Salomon à six branches que l'on retrouve, sous une forme semblable, à Leça de Balio et dans d'autres églises datant de l'époque de transition. La présence de deux petites fenêtres romanes dans les murs du vaisseau fait penser que les travaux de reconstruction n'ont peut-être pas concerné l'édifice entier. L'abside, par contre, a été entièrement refaite en style gothique. Elle est semi-circulaire à l'extérieur comme à l'intérieur. Sa voûte en quart-de-cercle est immédiatement suivie d'un berceau brisé que renforce un arc doubleau. L'abside est étayée, à l'intérieur comme à l'extérieur, par une arcature de sept arcs, dont trois sont percés de fenêtres. On remarque à l'intérieur un support en forme de pilier. La corniche s'appuie sur des corbeaux gothiques qui se poursuivent sur une partie de la nef.*

Dans la salle capitulaire on peut encore voir le fragment d'une figure en ronde-bosse, à laquelle Real consacre une partie de son étude.

Grâce à ses nombreuses marques de tâcheron et du fait que le moment de sa reconstruction est connu, cet édifice peut constituer un repère précieux pour la datation d'autres monuments de la région.

Les influences gothiques sont perceptibles à São Pedro de Cete dans les parties hautes des murs intérieurs et dans la conception du chœur, qui rapproche typologiquement cette église de celles des ordres mendiants. Le goût du décor s'est, de ce fait, appauvri. De plus, la façade occidentale est mal proportionnée, car elle présente une double élévation ; celle de la tour et celle du pignon. Au-dessous de celui-ci s'ouvre une rose qui semble avoir été refaite lors de la restauration des années 1929-1935 et n'est ni belle, ni lumineuse. Un contrefort de dimensions beaucoup trop importantes s'élève entre le portail et l'angle Nord-Ouest de la tour, ce qui semble faire de l'ensemble une création désordonnée, résultat du hasard. Le portail occidental, que Real qualifia d'« œuvre romane de la seconde génération », n'offre que peu d'ornementation, à l'exception d'une série de billes et de chapiteaux de peu de vigueur, dont l'un, du côté droit, présente une tête. C'est avec raison que Menezes considère le portail comme « monotone ».

Selon certaines informations il semblerait que quelques pièces romanes intéressantes auraient été récemment découvertes à Goltar, près de Cete. Nous le signalons sans plus au lecteur.

ELVAS. SÃO PEDRO. ELVAS EST UNE PLACE-FORTE SITUÉE A LA **17** hauteur de Lisbonne près de la frontière orientale du Portugal et juste en face de la ville espagnole de Badajoz, elle aussi pourvue d'impressionnantes fortifications. Elvas, qui fut repris aux Arabes dès 1226, possède une cathédrale dont le portail, selon Monteiro (partie générale, p. 10), constitue un exemple de l'art de l'époque de transition avancée. Il s'agit d'une œuvre assez rudimentaire qui, inexpliquablement, fut maintenue lorsqu'on transforma la tour et les deux portails latéraux selon le goût manuélin au XVIe siècle. Ce portail, qui ne présente qu'une ébauche de ressauts, est surmonté d'archivoltes légèrement brisées de style roman tardif. Celles-ci ne reposent pas, comme à São Alporão de Santarem, sur une avancée murale, mais sur des supports semblables à des piliers, maçonnés à l'aide de pierres de taille de dimensions diverses et accompagnés de fûts de colonnes de diamètres différents et dépourvus de toute fonction. L'impression générale est celle d'une réalisation plus pauvre qu'ornementale, dont même les abaques, les chapiteaux et les bases paraissent inadéquats. Il s'agit peut-être d'une œuvre exécutée par de simples artisans et qui, par suite, contrairement à certains avis, n'est pas encore marquée par l'esthétique gothique.

18 ESCAMARÃO EST SITUÉ SUR LA ROUTE N. 222, QUI LONGE LA RIVE *gauche du Douro, juste à l'Est du pont qui franchit le fleuve près d'Entre-os-Rios. L'église pourrait bien être l'une des plus anciennes constructions romanes de la région, son* « couto » *(acte juridique déterminant le droit d'utilisation) datant de l'an 1132. Elle appartenait à un monastère de chanoines augustiniens et semble avoir gardé sa structure d'origine. Deux corps de construction rectangulaires la composent, le plus grand constituant la nef, l'autre, plus ramassé, l'abside. Les interventions ultérieures semblent s'être limitées à l'aménagement, dans l'axe de l'édifice, d'une fenêtre jumelée, pourvue de meneaux en forme de quadrilobe, et à l'abaissement du toit de l'abside, bien que la hauteur de celle-ci fût déjà restreinte à l'origine. Une restauration de l'église a été entreprise dans les années 1974-75. Il s'agit d'une architecture dépourvue de supports en forme de colonnes. Tous les arcs reposent sur des piédroits. La décoration n'est pas figurative, mais purement ornementale et, en revanche, d'une abondance exubérante. Les motifs renouent avec ceux de l'époque préromane et du premier art roman. C'est sans doute ce fait qui a incité Monteiro à rapprocher l'architecture de cette église de celle de la façade occidentale de Paço de Sousa. En réalité il s'agit d'une tendance qui se maintint longtemps encore au Portugal et se manifesta surtout durant la période de transition. A l'inverse, l'utilisation exclusive d'arcs brisés, dans un édifice aussi précoce, indique clairement qu'on ne peut tenir cet élément architectural pour caractéristique de l'esthétique gothique. Le portail occidental aligne des œillets, des boules et des fleurs à huit pétales, en rangs serrés. L'arc triomphal, qui date probablement de l'époque de la transformation de l'abside, et la fenêtre gothique reprennent ces ornements, peut-être sur le conseil du maître d'œuvre au moment de leur adjonction, ou sur l'initiative de l'atelier, sans doute impressionné par les modèles qu'il avait sous les yeux. Il n'y a pas de chapiteaux. Les modillons de la nef diffèrent de ceux de l'abside par leur forme. Dans un cas comme dans l'autre ils sont dépourvus d'ornements et purement fonctionnels. L'oculus du mur de l'arc triomphal date vraisemblablement de l'époque durant laquelle on modifia l'abside.*

19 *EVORA, DEPUIS QUE MONTEIRO A PUBLIÉ, EN 1908, SON ÉTUDE SUR* l'architecture romane au Portugal, on considère généralement la cathédrale d'Evora comme l'exemple-type d'un édifice bâti à un stade avancé du processus de transition, car elle comporte autant d'éléments romans que gothiques. « La construction fut commencée selon les traditions nationales des cathédrales romanes et fut terminée sous l'influence des formes gothiques, introduites aux XIIIe et XIVe siècles », dit l'un des auteurs à ce sujet, et ces oppositions architecturales sont en effet clairement visibles.

On affirme le plus souvent que la construction fut entreprise par l'évêque Paio en 1186, peu de temps après la reconquête de la ville, et que l'édifice fut consacré en 1204. Ces dates ne peuvent se référer qu'à une première construction de style roman tardif, qui fut remodelée sur l'initiative de l'évêque Durando cent ans plus tard environ. L'inscription d'une pierre tombale conservée au Musée archéologique d'Evora en fournit la preuve. Une nouvelle consécration eut lieu en 1308, mais les travaux se poursuivirent jusqu'au XIVe siècle. Le cloître gothique élevé du côté Sud de la cathédrale, fut réalisé de 1322 à 1340. Au XVIIIe siècle, on remplaça le chœur par une construction de style néo-classique, réalisée par l'architecte allemand Ludwig (Ludovico), qui bâtit également le célèbre monastère de Mafra près de Lisbonne. Malgré ces transformations on peut encore reconnaître le tracé rectangulaire des anciennes absidioles, ce qui fait estimer à Tovares Chico, vraisemblablement avec raison, que le chœur primitif d'Evora avait pris pour modèle celui de la cathédrale de Lisbonne, dont les absidioles et l'abside étaient rectangulaires à l'origine. C'était d'ailleurs également le cas de Braga.

Datant de l'époque romane tardive le plan de la cathédrale, basilical, comporte sept travées et un narthex aménagé entre les deux tours occidentales. Contrairement au plan des cathédrales de Braga, Coïmbre et Lisbonne, celui d'Evora est cruciforme en raison du fort débordement du transept. La façade occidentale témoigne d'une adaptation encore tâtonnante du modèle de Santa Maria de Lisbonne aux nouvelles exigences esthétiques du style gothique : l'arc d'entrée du narthex est légèrement brisé, les fenêtres diffèrent les unes des autres par leurs formes ; leur distribution est irrégulière et une vaste baie, ornée d'un remplage et en retrait, remplace la rose de l'église de Lisbonne ce qui a permis l'aménagement d'une terrasse.

Du reste la cathédrale de Lisbonne a servi de modèle pour toutes les constructions. Par contre tout-à-fait neuve et audacieuse est la conception spatiale du chœur, encore clairement discernable en dépit des transformations postérieures de Ludovico. Elle a manifestement exercé une influence sur la réalisation du chœur de São Domingo d'Elvas, cité voisine. Les techniques architecturales des cisterciens de Tarouca et d'Alcobaça ont également joué un rôle dans les piliers d'une seconde phase de construction et le lancement des voûtes de la nef centrale et du transept en berceau brisé. Malgré ces innovations d'une conception spatiale gothique on ne peut que remarquer l'attachement profond à l'opulence plastique des formes romanes.

Les fenêtres des façades latérales avec leurs colonnes médianes et le réseau simple, qui, à la façon d'un tympan, remplit leurs arcs brisés, ne renient certes pas leur origine gothique, mais elles ne présentent aucun de ces aspects prétentieux que leur reproche Dos Santos. Un tel penchant se manifeste plutôt dans les roses du transept, dont l'une des ramifications savantes comparables à un réseau de filigranes, contient une figure qui évoquerait l'étoile du matin et l'autre, la rose mystique.

Le portail occidental, restauré au XIXe siècle, a été doté d'un avant-corps pompeux. Ses six archivoltes ne présentent que des boudins nus de tracé légèrement brisé séparés par des gorges. Elles prennent appui, à une assez grande hauteur, sur des impostes profilées et à ressauts qui ressemblent à des chapiteaux et constituent une sorte de baldaquin orné de fleurs. Celui-ci abrite un *apostolado*, une représentation des apôtres, fait très rare au Portugal et qui mérite d'être examiné en détail. Les apôtres sont placés, nettement au-dessus du spectateur, sur des consoles que supportent des fûts de colonnes lisses. Cette position élevée ainsi que le contraste existant entre les moulures nues des colonnes et la sculpture en ronde-bosse des figures confère à ces dernières une majesté accentuée encore par le fait que leurs pieds reposent sur des animaux, des atlantes et des païens (ceux-ci se reconnaissent à la forme caractéristique de leurs bonnets). Deux apôtres, probablement Pierre et Paul, légèrement séparés des autres, en tant que figures intérieures, se font face, de part et d'autre du portail. Certains spécialistes estiment que ces deux apôtres relèvent encore de l'esthétique romane, mais on ne voit pas ce qui peut donner raison à un tel avis. Le drapé des vêtements, identique pour toutes les figures, relève du premier âge gothique. Les visages se ressemblent ainsi que les barbes et les poses des personnages. Seul Pierre fait exception à la règle, en ce qui concerne ces derniers points. Les corps ont été visiblement sculptés d'après nature et avec beaucoup plus de maîtrise que dans d'autres cas similaires du Portugal aux XIIe et XIIIe siècles. Aussi est-il difficile de se rallier à l'avis de Kingsley Porter qui attribue ces œuvres au début du XIIIe siècle. Ils datent au plus tôt de la fin de ce siècle et sont vraisemblablement l'ouvrage de maîtres formés en France. Une autre représentation des apôtres se trouve à Evora même sur le devant du maître-autel de l'église São Antão. Kingsley Porter le datait de la fin du XIIe siècle. Comparons-la avec un troisième *apostolado* qui décore le cloître de l'église São - Salvador de Grijó au Sud de Porto et qui ne peut avoir été sculpté avant la seconde moitié du XIIIe siècle (le défunt est tombé au cours du combat en juillet 1245). Il est clair qu'à cette époque la sculpture n'avait pas encore atteint le niveau dont peuvent se prévaloir les figures du portail occidental de la cathédrale d'Evora. Ces dernières sont beaucoup plus proches de celles des quatre évangélistes qui se trouvent dans le cloître du XIVe siècle.

Bien que l'intérêt de la cathédrale d'Evora se limite en réalité à permettre de comparer son architecture intérieure avec celle d'autres constructions datant de l'époque de transition, notamment la cathédrale de Lisbonne, à laquelle elle doit tant, et quelques cathédrales françaises, nous voudrions encore attirer l'attention du visiteur sur quelques-unes de ces particularités. L'une d'elles est la tour qui s'élève au-dessus de la croisée du transept. Alors que la voûte de cette croisée correspond, à quelques détails près, à celle de son modèle de Lisbonne, la tour suit l'exemple de la *« torre del gallo »* qui fut érigée dans la cathédrale vieille de Salamanque (voir à ce propos, *León Roman*, Zodiaque, pages 343 ss). Il est vrai que la tour d'Evora ne constitue qu'une imitation modeste et très simplifiée de ce modèle, mais il est intéressant d'observer, du toit, comment, au moyen de pierres plates en forme de tuiles, a pu être réalisé le passage de la souche octogonale au cône tronqué des parties supérieures de la tour et d'étudier l'architecture des pittoresques tourelles qui entourent son sommet. Comme à Coïmbre le toit est plat et hérissé de créneaux.

On notera également la prédilection des artistes de cette époque pour l'ornementation arabe qui, sous le nom d'« art mudéjar », se répandit à travers l'Europe centrale à partir du XIIe siècle. On la ressent ici dans la décoration des oculi situés au-dessus des arcs du cloître.

La cathédrale d'Evora montre encore comment les chapiteaux se détournèrent des modèles romans, dans leur forme et dans leur ornementation et leur substituèrent un décor végétal qui s'exerce dans de multiples variantes de crochets.

20

GRIJÓ EST UN ANCIEN MONASTÈRE DE L'ORDRE DES CHANOINES *augustiniens, situé au Sud de Porto. Son cloître abrite un sarcophage qui appartient au nombre des premiers monuments funéraires sculptés du Portugal. Il fut réalisé pour Don Rodrigo Sanchez, fils illégitime du roi Sanche Ier (1185-1211), mortellement blessé en 1245 dans un combat qui eut lieu aux environs de ce monastère. Le défunt est figuré sur le couvercle du sarcophage comme un gisant tenant de ses deux mains l'épée sur sa poitrine. Le visage est très endommagé, ainsi que les deux anges qui prient aux pieds du chevalier et s'apprêtent à emporter au ciel son âme, représentée, selon les habitudes de l'époque, sous la forme d'un petit enfant. Seule l'une des deux faces longitudinales du sarcophage est visible. Elle est décorée d'une suite d'arcades en plein cintre, dont les arcs, chapiteaux et bases de colonnes sont exécutés avec minutie et encadrent des édicules. Sous les arcs se tiennent les douze apôtres, debout, pieds nus selon l'iconographie traditionnelle et munis de leurs attributs. Leurs visages, inexpressifs, sont empreints de hiératisme. On voit aussi le Christ, entouré d'une mandorle et des symboles des quatre évangélistes. Conformément aux coutumes vestimentaires des premiers chrétiens, il porte encore une tunique et un manteau aux plis imposants. Fidèle par ces détails à la tradition sculpturale française, la figuration comporte cependant une particularité inhabituelle et étrange : à l'extrême droite apparaît un treizième personnage fort mystérieux, portant une couronne. Sa présence pourrait indiquer que, ne serait-ce que par la lignée d'un de ses parents, le défunt était d'ascendance royale (Une interpréta-*

*tion identique est donnée par Menezes, p. 49, qui fait remarquer que ce sarcophage est l'un des deux monuments funéraires du Portugal représentant les apôtres à l'intérieur d'édicules.) Carreira (*Estudos de Historia de Arte, *p. 29) suppose qu'il s'agit de l'œuvre d'un artiste autochtone du* XIIIe *siècle, qui pourrait s'être inspiré de la sculpture du gisant du tombeau de Philippe, frère de saint Louis, qui se trouvait à Royaumont et est maintenant conservé à Saint-Denis. Il attribue au sarcophage de Grijó une très grande importance, car cette œuvre prouve, à son avis, qu'à côté de la tradition romano-byzantine une nouvelle esthétique réaliste prit corps au cours du* XIIIe *siècle. L'art populaire suivit instinctivement cette nouvelle tendance, comme le démontrent par exemple les sarcophages des évêques Tiburtio et Faves à Coïmbre et Durando ou le sarcophage d'un inconnu à Paço de Sousa. Les apôtres de Grijó sont pourtant encore représentés isolés, figés dans des attitudes maladroites, avec des pieds et mains beaucoup trop grands, mais habillés de vêtements au plissé déjà très élaboré. Cette création, qui se situe dans la tradition de la sculpture française, est cependant de qualité bien inférieure à celle du sarcophage de Paço de Sousa.*

21 *LAMEGO. SANTA MARIA D'ALMACAVE. LAMEGO EST UNE VILLE DE* vieille tradition chrétienne, qui devint siège épiscopal en 510, par décision du Concile de Lugo. Après que les arabes l'eurent conquise, sa cathédrale fut transformée en mosquée. Ordoño II, roi de Galice, reprit Lamego en 910, mais Almançour l'occupa de nouveau en 985 et le détruisit ensuite. C'est Fernando Ier « El Mayor », roi de Castille (1035-1063) qui libéra définitivement la ville en 1057. Aucune trace de l'ancienne cathédrale ne subsiste aujourd'hui. Seule la petite église wisigothique São Pedro de Balsemão, située dans les environs de Lamego, évoque encore la vie chrétienne de cette région durant le Haut Moyen Age. (Pour la description de cet édifice, voir dans cette collection *« L'art préroman hispanique 1 »*, page 170 et page 407, n° 55.) Quant à la cathédrale élevée à Lamego durant l'époque romane, elle comportait, selon Monteiro (partie générale, p. 20), trois nefs, un transept et trois absides semi-circulaires. De cette construction il ne subsiste que la tour dont deux fenêtres méritent l'attention : l'une offre, du côté extérieur, une décoration surabondante de boules, l'autre un arc polylobé qui révèle, comme le fait remarquer également Goddard King, des influences mozarabes. La ville possède un second édifice roman, l'église Santa Maria d'Almacave, sur la datation de laquelle les avis diffèrent : Nogueira Gonçalves (*Arquitectura Românica em Portugal-Esquema*, p. 14) et Almeida (III, 2, p. 128) estiment qu'elle remonte au milieu du XIIe siècle, ce que semble confirmer en effet la conception stylistique du portail occidental. D'autres auteurs par contre sont convaincus que cet édifice, bâti au sommet d'une pente rocheuse abrupte, à proximité d'un ancien cimetière arabe, était en fait une mosquée avant le milieu du XIIe siècle. Ils rappellent à ce propos que l'église Santa Maria de Almacave servit, en 1139, de lieu de rassemblement aux premiers cortès qui y acclamèrent avec enthousiasme l'installation, en la personne du roi Alphonse Ier, de la première monarchie portugaise. Ces deux datations sont cependant conciliables : la mosquée, construite avant le milieu du XIIe siècle et probablement transformée après la Reconquête, pourrait avoir été dotée du portail actuel vers le milieu du siècle suivant. En faveur de cette hypothèse plaide la grande ressemblance qui existe entre ce portail et ceux de quelques autres églises du Douro Litoral (par exemple celui de São Martinho dos Mouros) qui subirent eux aussi des modifications, peut-être de la part du même atelier, au milieu du XIIIe siècle. La présence d'un encadrement en forme de frise à cinq rangées d'ornements, si semblable à celui du portail de l'église voisine de l'Ermida do Paiva, confirme encore cette hypothèse. A la différence des autres églises du Douro Litoral, Almacave reprend le répertoire des sculptures animalières de Braga et de Travanca : ainsi y voit-on des oiseaux aux ailes déployées, une sirène, deux oiseaux à tête commune et un serpent enroulé. L'église fut restaurée dans les années 1951-1952.

Le Musée d'Art et d'Archéologie de Lamego possède quelques sculptures de la période de transition, parmi lesquelles une Vierge, debout avec l'Enfant, et deux apôtres assis tenant chacun un livre ouvert (voir à ce propos, Correia, p. 31). La provenance de ces deux œuvres n'est pas connue. Le musée présente aussi le pendant du sarcophage de Don Pedro, comte de Barcelos, conservé au musée de Tarouca. Il s'agit du sarcophage de Dona Blanca, l'épouse du comte. La face frontale en est décorée de scènes d'une chasse aux sangliers. Ces deux sarcophages datent du milieu du XIVe siècle, mais comme l'a souligné Real, ils sont encore entièrement conçus selon les normes esthétiques romanes. Le musée abrite aussi une collection de tapisseries de Bruxelles du XVIe siècle, qui est très connue même hors du Portugal et comporte des pièces égales en qualité à celles présentées à Saragosse dans l'ancien palais d'Henri VIII, et à l'intérieur de la cathédrale, à Palencia, ainsi qu'au musée de Bruxelles.

LEÇA DE BALIO. CETTE ÉGLISE DU XIVe SIÈCLE EST SITUÉE DANS UN **22** *faubourg de Porto au voisinage d'Aguas Santas. Elle possède une tour de défense et peut constituer un bon exemple d'édifice du premier art gothique, bien que les thèmes de ses sculptures restent encore fortement influencés par des modèles romans. Lors de la restauration de l'église, en 1934, on mit à jour des restes de sculptures d'une construction précédente de style roman. Selon Mattoso ces fragments pourraient dater de 1026-1063, époque à laquelle vivaient les célèbres abbés Tudeildus et Rendulfus. Ils pourraient constituer de ce fait les plus anciens témoignages de l'art roman portugais du* XIe *siècle. Il s'agit de bases de colonnes et de trois chapiteaux entreposés aujourd'hui en plein air derrière l'église. Mattoso décrit ces éléments dans son livre* « Le Monachisme ibérique de Cluny » *(Louvain 1968) (p. 321, pl. I). Quant à Almeida, il estime au contraire que les chapiteaux, décorés de fleurs de lys mais dépourvus de volutes, pourraient remonter au* XIIIe *siècle. Il date les bases* *de la même époque, à l'exception de quelques-unes d'entre elles qu'il attribue à la seconde moitié du* XIIe *siècle. Mais, en dehors de ces vestiges, les chapiteaux figuratifs du portail occidental et du portail Sud se révèlent eux-mêmes d'un grand intérêt. Comme beaucoup de chapiteaux de Barcelos ils montrent en effet l'évolution subie par les chapiteaux animaliers du roman « bénédictin » et celle d'autres thèmes romans. A l'intérieur de l'église le chapiteau le plus connu est celui qui représente le péché originel, sculpture que Menezes et Real recommandent tout particulièrement à l'attention du visiteur. Elle unit en effet l'iconographie de la haute époque romane à l'esthétique gothique qui se manifeste dans le dessin de l'arbre. Le besoin ressenti alors d'élargir les thèmes traditionnels se manifeste clairement dans les scènes de l'adoration des mages, de la flagellation et de la crucifixion qui surmontent les colonnes du second pilier du bas-côté Sud. Mais, comme à Barcelos, nombre de sujets nous échappent. Le visiteur qu'intéresse l'art de cette époque ne doit pas manquer d'étudier l'iconographie du monument commémoratif de F. R. Estevão Vasques Pimentel.*

23 *LEIRIA. SAÕ PEDRO. SI L'ON DÉSIRE CONNAÎTRE À FOND L'ART ROMAN* portugais, une visite de cette église sera des plus instructives. Elle est située en effet à mi-chemin entre les deux centres artistiques constitués par Lisbonne et Coïmbre et a accueilli les influences de l'un et de l'autre. L'église est située à côté d'une caserne près du château-fort qui, d'une hauteur, domine la ville. On y parvient en empruntant la route de Lisbonne et en tournant à gauche juste avant le début d'une déclivité, à la hauteur d'un panneau qui indique la direction « Castelo ». Lorsqu'on vient de Coïmbre par contre, on doit traverser la ville et, à l'inverse, tourner à droite après avoir franchi la montée. Il est toutefois recommandé de s'adresser d'abord à l'Office de Tourisme afin d'obtenir la clef de l'église.

En 753 déjà, peu de temps après que les Arabes eussent submergé la péninsule, Alphonse Ier put reconquérir le castel de Leiria. C'est seulement sous le règne de Ramiro Ier, cent ans après cette victoire, que la forteresse retomba entre les mains des Musulmans qui, sous la conduite du roi Mohammed, depuis Cordoue, avaient réoccupé de manière systématique toute la partie méridionale de la péninsule ibérique. Durant trois cents ans Leiria demeura possession arabe jusqu'à ce qu'en 1134 le jeune prince Alphonse, futur roi du Portugal, réussît à reconquérir cette place forte par une attaque brusque. Il la fit reconstruire et réparer ; il ordonna aussi l'édification de la petite église Santa Maria da Penha. Au bout de six ans, pourtant, le prince arabe de Cordoue sut tirer avantage d'un litige qui opposait Alphonse à son cousin et vassal Alphonse VII de León et se rendit encore une fois maître du castel. Il ne put cependant tenir la place que jusqu'au retour du jeune roi portugais. Cette courte occupation musulmane avait néanmoins entraîné de nouvelles destructions. Il s'ensuivit des travaux de reconstruction et le renforcement des ouvrages de défense en même temps qu'une réfection de l'église. Celle-ci dépendait désormais des chanoines de Santa Cruz de Coïmbre. L'accroissement de la population fut bientôt tel que Leiria accéda au rang de ville dès 1142, ce qui incita les Chevaliers du Saint Sépulcre à installer un chapitre à l'église Santa Maria. Mais après quelques années la construction d'une seconde église s'avéra nécessaire ; elle est mentionnée pour la première fois dans le *foro* du roi Sancho Ier en 1195 et semble avoir été achevée dans le premier quart du XIIIe siècle à l'époque du prieur Pedro Godinho. Cette nouvelle église, consacrée à saint Pierre, est celle que nous voyons aujourd'hui encore devant nous. Par suite de l'augmentation continue de la population elle fut considérablement agrandie en 1370 et desservie par ses propres chanoines, qui dépendaient toutefois de ceux de Santa Maria et par là indirectement de Santa Cruz de Coïmbre. En 1545 le pape Paul III fit de Leiria le siège d'un nouvel évêché. Il fallait construire une cathédrale et c'est Saint-Pierre qui assuma provisoirement le rôle d'église principale du diocèse jusqu'en 1573. Elle reprit alors, après cet intermède glorieux, les fonctions plus modestes d'église paroissiale et subit un nouvel agrandissement à la fin du XVIIe et au début du XVIIIe siècle. Le chœur et le portail occidental demeurèrent heureusement intacts. Ces parties ne souffrirent pas non plus durant la période d'irréligiosité du XIXe siècle, où l'édifice servit de théâtre, de grenier, de prison et de dépôt de bois de chauffage. En 1933, lorsque la D.G.E.M.N. entreprit la restauration de l'église, celle-ci n'était plus, à en juger d'après les photos données dans son *Bulletin* (n° 12, juin 1938), qu'une misérable ruine. Après une étude approfondie, il fallut bien se rendre à l'évidence et constater que, par suite de l'absence d'éléments essentiels, une reconstruction complète de l'édifice n'était plus possible ; on en fut réduit à la restauration des parties subsistantes tout en laissant en place les transformations ultérieures.

Extérieur. Malgré la date relativement tardive de sa construction cette église conserve dans sa structure l'esprit traditionnel de l'architecture romane. Le portail est creusé dans un avant-corps fortement marqué comme dans bon nombre d'églises romanes du Portugal. Juste au-dessus des archivoltes s'étend une corniche qui repose sur des modillons, comme à Coïmbre, mais se trouve malheureusement en très mauvais état de conservation. La qualité des sculptures reste pourtant sensible. L'étroite fenêtre qui s'ouvre au-dessus de l'avancée relève également des traditions architecturales du roman portugais. Les quatre archivoltes sont encore en plein cintre ; elles sont agrémentées de tores séparés par des scoties. L'archivolte extérieure est lisse. Les trois archivoltes intérieures offrent un décor unique au Portugal : elles sont occupées par de petites figures humaines représentées en torse, ou par une partie de celui-ci voire uniquement leur tête. Quelquefois on ne voit que les bras du personnage. Ces figures se tiennent dans les parties concaves des arcs, alors que leurs membres disparaissent sous les tores. Leurs poses sont très diverses : quelquefois l'un d'eux pose les mains sur le tore ou appuie sa tête sur ses bras ; quelquefois ils tiennent leur tête dans leurs mains. Malheureusement toutes ces sculptures ont été exécutées dans un calcaire qui a beaucoup souffert des intempéries. Elles témoignent pourtant d'une réelle maîtrise.

Comme l'a noté Real, de telles figures se rencontrent assez fréquemment dans l'art anglo-normand. Mais nous les trouvons aussi en Espagne, par exemple au portail occidental de Leyre, comme l'a fait remarquer Real, ou à l'église San Esteban de Ribas de Miño en Galice. Au portail Nord de l'ermitage d'Echano à Oloriz elles sont, tout comme à Leiria, disposées radialement et se fondent avec l'archivolte. Contrairement à l'opinion de Goddard King (p. 287) pourtant, il ne semble pas exister de relation entre ces figures et les Vieillards de l'Apocalypse de l'ancien portail Nord de la cathédrale de Compostelle. Les parties concaves des fûts de colonnes qui proviennent de ce portail et sont actuellement conservées au Musée de Compostelle, abritent cependant des personnages qui présentent une certaine ressemblance avec nos figures. Le portail est encadré par une frise d'une grande élégance : elle présente la forme d'une vrille ondulée qui part de la bouche de masques ; des parties concaves de la vrille jaillissent des touffes de feuilles longues et pointues qui, par leurs courbes et leur mouvement descendant, accusent des tendances décoratives déjà gothiques (Real, I, p. 354). C'est avec raison que Real souligne l'existence d'une relation entre cet élément et l'architecture de la cathédrale de Lisbonne. Les masques, d'où est issue cette frise, se retrouvent d'ailleurs, eux aussi, sous une forme presque identique, aussi bien à la tour de la cathédrale de Lisbonne qu'à la Sé Velha, autre marque de la parenté qui unit ces trois églises. Les fûts des colonnes sont lisses, mais ont été remplacés, à l'exception de trois d'entre eux. Les intempéries ont presque complètement effacé le décor des chapiteaux ; la forme des corbeilles est pourtant celle des chapiteaux du portail de Lisbonne. Le décor des abaques, à en juger par les quelques restes subsistants, semble correspondre à celui des abaques des chapiteaux de l'intérieur. Le tympan a disparu. La petite fenêtre centrale a été reconstituée à l'aide des quelques fragments redécouverts au moment de la restauration. Les grandes ouvertures, dans les parties Nord et Sud de la façade, datent du XVIIIe siècle ; faute d'une connaissance précise des données d'origine elles n'ont pas été supprimées.

Le chœur avec ses trois absides rectangulaires n'a subi aucune transformation. Les petites fenêtres romanes et les corniches sur modillons rappellent à quel point les constructeurs avaient un esprit conservateur. Le *Jogral* en vêtement de fête, l'atlante barbu aux bras musclés, l'animal qui semble être un crapaud et des oreilles duquel sortent de petites branches, l'homme barbu, dont le couvre-chef ou la coiffure descend droit sur le front, de même que le rouleau pesant sur un personnage, constituent en effet un décor qui aurait pu être sculpté un demi-siècle plus tôt.

Intérieur. En entrant dans l'édifice le visiteur est surpris de ne trouver, en dépit de l'existence de trois absides, qu'une seule nef, combinaison architecturale qu'on ne redécouvre au Portugal qu'à Santa Cruz de Coïmbre. Comme São Pedro de Leiria était placé sous le patronage du monastère de Santa Cruz, cette forme du plan de la construction est explicable. Elle avait peut-être également des raisons liturgiques. Goddard King (p. 278) présume que la présence des trois absides est due au fait que cette église servit provisoirement de cathédrale ; une telle hypothèse oublie cependant que tous les chapiteaux du chœur datent indéniablement du XIIIe siècle et ont donc été taillés à une époque nettement antérieure à celle durant laquelle cette église a tenu lieu de cathédrale. Le chœur qui est parvenu jusqu'à nous sans intervention majeure est indubitablement empreint d'une certaine élégance. Encadrée de deux absidioles nettement plus basses et pourvue d'archivoltes torsadés en plein cintre, l'abside principale est plus spacieuse ; ses arcs d'entrée sont beaucoup plus élancés que ceux des absidioles et sont surmontés d'un oculus flanqué à droite et à gauche d'une petite fenêtre romane à arc en plein cintre au-dessus des absidioles. Les arcs d'entrée des trois chapelles donnent à l'élévation orientale de la nef un élan vertical rythmé qui trouve un modeste contrepoids dans une frise horizontale d'impostes dans laquelle s'insèrent les abaques des chapiteaux de l'arc triomphal et ceux de l'arc de l'abside centrale. Elle constitue la base des petites ouvertures situées au-dessus des absidioles et semble, à l'origine, s'être étendue sur les autres murs. Les trois chapelles sont voûtées en berceau ; le berceau de la chapelle centrale se termine cependant par un cul-de-four qui repose sur un mur oriental intérieurement arrondi mais droit à l'extérieur. Une telle structure architecturale revêt un intérêt particulier ; elle pourrait en effet infirmer l'hypothèse selon laquelle le plan rectangulaire des absides aurait été fréquemment choisi afin d'éviter la construction d'une voûte sphérique qui aurait pu poser des problèmes à des maîtres d'œuvre peu expérimentés. Il se peut pourtant aussi que cette forme de voûtement rare soit une réalisation postérieure à la construction de l'édifice ; l'espace entre le mur tangentiel extérieur et le mur semi-circulaire intérieur aurait été alors comblé au moment de la construction de la voûte, afin d'assurer à celle-ci une stabilité qui, vu les dimensions de l'abside centrale, aurait pu paraître compromise.

Les chapiteaux du chœur, huit en tout, ont été sculptés par au moins deux artistes distincts qui avaient subi l'influence de l'atelier de la Sé Velha aussi bien que celle de l'atelier de Lisbonne. Selon l'avis de Real (I, p. 354-355), l'un de ceux-ci était même originaire de Lisbonne. Quelques-uns de ces chapiteaux prennent en effet pour modèle les dessins des chapiteaux de Coïmbre, et les suivent de façon fidèle, alors que d'autres s'en écartent et traitent les sujets selon une technique caractéristique de l'atelier de Lisbonne. Un troisième groupe de chapiteaux révèle enfin une étroite parenté avec les sculptures de Lisbonne ; par exemple un des chapiteaux de l'arc triomphal. Ce n'est pourtant pas seulement l'interpénétration d'influences provenant de Coïmbre et de Lisbonne qui rend l'église de São Pedro de Leiria si intéressante sur le plan de la sculpture. L'attachement de son architecture à la tradition, en dépit de la conception déjà plus moderne de sa sculpture, constitue lui aussi un trait remarquable de cet édifice.

24 LORVÃO. LA FONDATION DU MONASTÈRE DE SÃO MAMETE DE *Lorvão, situé près de Coïmbre du côté droit de la vallée du Mondego, semble remonter au* VIe *siècle. Son existence est attestée à partir de 911, année au cours de laquelle Coïmbre fut reconquis pour la première fois. En 981, après la défaite du roi Ramirez par Almançour, la région retomba sous la domination musulmane jusqu'à la seconde reconquête de Coïmbre par le roi Fernando le Grand en 1060. A partir de 1109 le monastère fut confié à des moniales de l'ordre de saint Benoît, jusqu'à ce qu'il fût transformé, en 1200, en abbaye cistercienne dont la direction fut confiée à l'abbesse Thérèse, fille du roi Sancho Ier. Le monastère, doté au cours des temps de riches donations, exista jusqu'au* XIXe *siècle époque à laquelle tous les établissements monastiques furent dissous. Les bâtiments romans furent malheureusement détruits au* XVIIe *et au* XVIIIe *siècles et remplacés par des constructions plus modernes. Seuls quelques rares chapiteaux et quelques parties du cloître, érigé durant le dernier quart du* XIIe *siècle, subsistent encore. Le renom du monastère vient surtout de son scriptorium. C'est ici que fut exécuté l'un des rares exemplaires encore conservé du commentaire de Beatus — le seul daté — exécuté au* XIIe *siècle et muni de riches enluminures. Le manuscrit et un bestiaire d'oiseaux rédigé dans le même scriptorium se trouvent aujourd'hui dans la Torre de Tombo de Lisbonne, qui abrite les Archives d'État du Portugal. Le manuscrit de Beatus a été reproduit, avec des illustrations en noir et blanc, par la Fundação Gulbenkian en 1972 (Pour d'autres renseignements sur ce manuscrit, voir dans cette collection,* L'Art mozarabe, *p. 355 et ss. ainsi que le 16e volume de la série des « Points Cardinaux »,* Les jours de l'Apocalypse.*)*

25 *LOUROSA. SÃO PEDRO. DEPUIS COÏMBRE, ON PARVIENT À SÃO* Pedro de Lourosa en suivant la route N. 17 en direction de Guarda jusqu'à Oliveira do Hospital, où l'on tourne à droite. On trouve là une construction mozarabe qui, dans sa majeure partie, a conservé son état d'origine. C'est le livre de l'historien d'art espagnol M. Gómez-Moreno *(Iglesias Mozárabes)* qui a attiré l'attention du public, il y a soixante ans environ, sur ce monument, qui fut soumis par la suite — dans les années 1948-49 — à une restauration très soignée. Son édification remonte à l'époque durant laquelle Alphonse III (866-910), roi des Asturies et de la région cantabrique, favorisa de toutes ses forces la réinstallation de la population autochtone et des réfugiés mozarabes dans la ville de Coïmbre et dans la Beira Alta, région située entre le Douro et le Mondego. Tout le village de Lourosa fut peuplé, paraît-il, de mozarabes venus des zones méridionales du pays, ce qui explique certaines particularités de son église. Celle-ci constitue l'unique monument mozarabe du Portugal parvenu jusqu'à nous et revêt de ce fait une importance capitale pour l'histoire de l'architecture. La date de la consécration de cet édifice, inscrite sur une pierre placée au-dessus du portail, relève de la chronologie espagnole et correspond à 912 ap. J.-C.

Au cours des siècles l'église connut de nombreuses transformations visant, d'après certaines études (*Boletim* n° 55, p. 18), à l'agrandissement de son espace intérieur et l'adaptation de ce dernier aux besoins liturgiques. Lors des travaux de restauration la plupart de ces modifications semblent avoir été annulées. Certaines de ces interventions soulèvent cependant quelques doutes quant à leur justification (voir à ce propos dans cette collection, *L'Art mozarabe,* p. 147-148). Ce que nous avons actuellement sous les yeux n'est pas dépourvu de quelques contradictions : on découvre des éléments d'un caractère indéniablement mozarabe, tels que des arcs en fer-à-cheval, dont la partie semi-circulaire est prolongée ici d'un tiers de leur rayon, des colonnes d'inspiration toscane ou dorique, des chapiteaux et bases bien typiques et des fenêtres à *« ajimez »*. Mais d'autres particularités, telles que l'exiguité de l'espace intérieur, le chœur double et les petites salles installées au-dessus des voûtes en coupole, qui caractérisent en général les constructions mozarabes, font ici défaut. Par contre, comme le constate également J. Fontaine, l'organisation de l'espace intérieur de l'église de Lourosa rappelle l'architecture wisigothique de San Pedro de la Nave, mais aussi celle, d'inspiration à la fois wisigothique et asturienne, de l'église de San Salvador de Valdedios, consacrée 19 ans plus tôt que Lourosa. Il est difficile d'expliquer ces données stylistiques contradictoires en supposant un apport direct de l'art de Cordoue qui aurait eu lieu au moment de la création du village. Ce sont plutôt l'origine asturienne du souverain et l'éventualité d'un octroi de subventions de sa part qui pourraient avoir conduit à cette assimilation d'éléments stylistiques à tel point différents. Des remplois et de nombreux lieux de sépulture, partiellement réutilisés à plusieurs reprises, révèlent que l'emplacement est celui d'une ancienne agglomération romaine.

MATRIZ DE CONSTANCE (LA) EST SITUÉE NON LOIN DE VILA BOA DE **26** *Quires, d'où on peut l'atteindre facilement après avoir franchi la rivière Tamego. Le seul élément encore en place de cette ancienne construction romane est son portail Sud. Son tympan présente, selon l'avis de certains historiens d'art portugais, le dessin stylisé d'un arbre de vie, comparable à celui, de dimensions plus importantes, qu'on trouve à Tarouquela. Deux lions, malheureusement fortement effrités, portent, à la manière de consoles, ce tympan et un linteau assez primitif ; ils pourraient avoir eu une fonction apotropaïque. Bien que l'arbre de vie ait joué un certain rôle dans l'iconographie romane, son symbolisme était très variable, comme c'était d'ailleurs le cas pour beaucoup d'autres motifs végétaux stylisés, ce qui rend son interprétation difficile. Ainsi le tympan de Nossa Senhora de Orada, dont le message était sûrement très intelligible à son époque, donne-t-il lieu à des explications très divergentes. A Tarouquela et Constance par contre les sculptures du tympan semblent purement ornementales. (Voir à ce propos, outre les publications de Zodiaque, dans l'ouvrage de Marie-*

Madeleine Davy, « Initiation à la Symbolique Romane », XIIe *siècle, Flammarion 1964, les nombreuses reproductions de symboles de la p. 221 et les conclusions fort intéressantes de la p. 264.)*

27 *MILEU. L'« ERMIDA DE NOSSA SENHORA DA POVOA DE MILEU » EST* située tout près de la ville frontalière fortifiée de Guarda. Des fouilles archéologiques ont permis d'établir que le roi wisigoth Chindasvinta, successeur du roi Recaredo 1er, avait déjà fait construire en ce lieu, sur les restes d'un temple romain, une église dédiée à la Vierge après que saint Ildefonse, archevêque de Tolède, eut condamné les enseignements des hérésiarques Pélage et Tandis et leur refus du culte de la Vierge. Cette première fondation remonte à la seconde moitié du VIIe siècle. Lorsque les Sarrasins eurent conquis la place, l'église fut démolie et ses pierres servirent à lever des fortifications. Après la Reconquête, des moines bénédictins rétablirent ce lieu de culte de la Vierge. Plus tard la reine Mafalda (1128-1182), épouse du premier roi du Portugal, y fit élever une église et un gîte pour les pèlerins afin de satisfaire aux besoins d'une dévotion mariale croissante. Cet édifice connut ultérieurement une ou plusieurs transformations, peut-être déjà lorsque en 1199 le roi Sanche 1er concéda les droits municipaux à Guarda. Certains ornements architecturaux semblent indiquer cependant que cette transformation, ou une seconde intervention décidée par la suite, n'eut lieu que sous le règne du roi Denis (1279-1325), lorsque les motifs romans, modifiés selon le goût de cette période de transition, et l'art mudéjar connurent de nouveau une grande faveur.

L'édifice est modeste et consiste en deux corps de construction rectangulaires joints l'un à l'autre, une abside relativement spacieuse, un toit à charpente, quelques rares fenêtres en archère et deux portes latérales ouvertes l'une en face de l'autre, qui facilitaient sans doute le défilé des fidèles devant la statue de la Vierge. Le portail occidental présente deux archivoltes lisses aux arêtes vives en plein cintre engagées dans le mur et retombant sur des abaques et des piédroits. Le linteau porte un tympan nu qui a du vraisemblablement en remplacer un autre antérieur, qui était orné. L'oculus simple, décoré de boules, pourrait être d'origine. Cet oculus de même que celui du mur de l'arc triomphal révèle des influences mudéjares. L'arc triomphal lui-même, avec son tracé en plein cintre légèrement brisé et son alternance de tores et scoties, correspond à un stade assez avancé de la période de transition. Cette datation s'applique aussi à ses chapiteaux qui surmontent des demi-colonnes. Ils témoignent d'une prédilection renaissante pour la décoration figurative et, de ce fait, d'un certain retour en arrière qui caractérise fréquemment l'art portugais de la fin du XIIIe siècle. Tandis qu'en France, avec l'apparition de l'art gothique, le chapiteau figuratif s'ajustera sans cesse davantage à la forme de la corbeille et à cause de cela, préfèrera les motifs végétaux épousant mieux cette dernière, ici on observe un mouvement contraire qui n'est pas resté isolé. L'un de ces chapiteaux montre ainsi, des deux côtés d'un arbre de vie stylisé, deux oiseaux aux becs acérés en train de s'affronter sans s'attaquer toutefois ; au-dessus de leurs dos apparaissent des masques. L'autre chapiteau représente une tête féminine élégamment drapée, vers laquelle un animal s'approche sur l'astragale. Le souci de remplir les espaces vides de la corbeille, qui se manifestait sur le premier chapiteau par la présence des deux masques, est satisfait ici par l'adjonction de deux grandes feuilles stylisées, ce qui témoigne une fois de plus de la longévité des principes qui régissaient la sculpture romane du Portugal.

Des réminiscences romanes ont également influencé très nettement la riche décoration des modillons sur les murs extérieurs, la frise du toit avec ses métopes et les corniches avec leurs ornements de billes. Le grand laps de temps qui a séparé la réalisation de ces motifs de celle de leurs modèles a conduit, il est vrai, à certaines modifications.

Pour plus de détails on pourra avantageusement consulter le *« Boletim »* n° 78 de la Direction des Monuments Historiques du Portugal, édité en décembre 1954 à l'occasion de la restauration de l'édifice.

MONSARAZ. L'ERMIDA DE SANTA CATARINA EST SITUÉE À LA HAU- **28** *teur d'Evora près de la frontière orientale du Portugal dans le voisinage de Monsaraz (région de l'Alentejo). L'édifice, qui porte les caractéristiques de l'art roman tardif ainsi que du premier gothique et accuse certaines influences de la rotonde de Tomar, servit apparemment de point d'appui aux Templiers. Il s'agit en effet d'une construction fortifiée qui fut érigée lors du départ des Maures en 1249, afin de fixer et de pacifier la population arabe restante. En même temps l'installation de cette place forte avait pour but de permettre de futures conquêtes et tout particulièrement le passage sur le continent africain.*

La construction, bien qu'en ruine, est encore relativement bien conservée. Elle comporte un chœur hexagonal de plan centré que les contreforts, taillés dans le granit local, font apparaître, extérieurement, de forme carrée, et une nef d'une travée qui lui fut apparemment adjointe par la suite. A l'angle Sud-Ouest du chœur un escalier en colimaçon conduit à la plateforme d'une tour hérissée de créneaux et surmontée d'un beffroi. La construction hexagonale ne présente pas d'autres éléments structuraux, que des contreforts et six fenêtres carrées. A l'intérieur on découvre une coupole à six pans soutenue par de lourdes nervures rectangulaires tendues sur double support. Une galerie de circulation court au niveau des fenêtres tout autour de la voûte, dont les nervures s'appuient sur des piliers rectangulaires munis de demi-colonnes. Les différents pans de mur sont divisés en trois zones horizontales, dont l'inférieure est occupée par une double arcature aveugle. Au-dessus s'étend un triforium aveugle pourvu de quatre arcades, puis une frise en dents d'engrenage, que surmontent les fenêtres et la galerie. A l'Est s'ouvre une niche abritant l'autel, à l'Ouest un portail à arc en plein cintre qui s'inscrit dans un cadre rectangulaire de style arabe (alfiz) *et donne sur la nef. Cette dernière n'a plus de couverture. Selon la monographie de José Pires Gonçalves* (« A Ermida

Românica de Santa Catarina de Monsaraz »), il en serait ainsi depuis la seconde moitié du XIXe *siècle.*

La construction est faite de briques, pour l'essentiel, mais aussi d'autres matériaux tels que du schiste et des pierres calcaires. On constate la présence d'un grand nombre d'éléments de remploi qui pourraient provenir, vu leurs caractéristiques stylistiques, de l'époque romaine ou wisigothique. La technique du briquetage et l'ornementation prouve que le travail a été exécuté par un atelier d'artisans arabes, qui se situaient dans la ligne de Cordoue et de Sahagun. De ce fait les remplois furent effectués d'une manière plus ou moins heureuse, peut-être sur les indications des Templiers.

Aucuns renseignements ne peuvent établir une datation précise de l'édifice. L'église n'est mentionnée pour la première fois que dans un rapport de 1534 rédigé à l'occasion d'une visite épiscopale. « Les pierres et les circonstances historiques ont pourtant leur langage propre. » Ainsi la voûte de l'hexagone accuse-t-elle un stade d'évolution généralement atteint au milieu du XIIIe *siècle. C'est en effet à cette époque également que la région située de part et d'autre du cours inférieur du fleuve Guadiana et Monsaraz lui-même furent repeuplés et que l'église put être placée sous le vocable de sainte Catherine, car celle-ci ne figura au nombre des saints de la liturgie romaine qu'au début du* XIIIe *siècle. Le premier monastère qui lui fut consacré est celui que fonda le roi de France à Paris en 1228. C'est à partir de cette date que l'invocation de la sainte se répandit. Le fait qu'un templier de Monsaraz participa aux délibérations conduites par le pape Clément V, délibérations qui aboutirent à l'incorporation de l'ordre des Templiers à celui du Christ, pourrait du reste confirmer cette datation.*

29 *NOSSA SENHORA DE GUADELUPE (À NE PAS CONFONDRE AVEC L'ÉGLISE*

du même nom, située près de Vila Real au Nord du pays) s'élève, vers la zone Sud-Ouest du Portugal, entre Reposeira et Figueira et à l'Est de Vila do Bispo, au bord de la route N. 125. Il s'agit d'une chapelle construite à l'époque du roi Denis (1279-1325). Elle prouve que la décoration traditionnelle des chapiteaux de grande taille à l'aide de figures, de têtes ou de lourds motifs géométriques et végétaux se maintint dans beaucoup de petites églises monastiques et rurales, alors que les édifices plus importants avaient déjà adopté l'esthétique gothique et avaient inspiré des églises bâties par les ordres mendiants. Les espaces entre ces différentes sculptures restent souvent vides montrant ainsi que la frénésie ornementale était en train de tarir.

30 POMBAL. SANTA MARIA. CETTE ÉGLISE FAIT PARTIE DU CHÂTEAU

fort du même nom, situé au bord de la route N. 1 entre Leiria et Coïmbre. Une route à forte déclivité mène de Pombal au château. D'après des inscriptions trouvées à Tomar et Almourol, celui-ci fut fondé par Gualdim Pais, grand-maître de l'Ordre des Templiers, en 1171, et servit de point d'appui stratégique. Selon Real (I, p. 356), c'est dès 1155 que l'agglomération fut repeuplée par des Chrétiens. Un registre des églises existant alors dans l'évêché fut dressé en 1259 et révèle que Pombal possédait à cette époque trois églises. Parmi celles-ci les restes de la plus ancienne s'élèvent dans la cour intérieure du château. Quant à l'église Santa Maria qui, d'après Real, constituait le sanctuaire proprement dit des Templiers, il n'en subsiste que les ruines de son chœur près de la seconde enceinte fortifiée. L'édifice fut détruit lors des trois incursions françaises au Portugal durant l'époque napoléonienne. L'abside, semi-circulaire, était précédée d'une construction rectiligne comprenant deux absidoles rectangulaires. Sa structure accuse, selon Real, des influences issues de Lisbonne, spécialement de l'église São Vicente de Fora, aujourd'hui disparue, mais aussi de Santa Cruz de Coïmbre. L'un des chapiteaux conservés à l'intérieur du château présente une ornementation en forme de feuilles, très semblable, à ce que l'on dit, à celle des chapiteaux du portail de São Pedro de Leiria, mais aussi très proche de celle d'un des chapiteaux de la Sé Velha. C'est la raison pour laquelle Real date ces chapiteaux de la fin du XIIe *ou du début du* XIIIe *siècle.*

En partant de Pombal on peut visiter des monuments comportant des vestiges intéressants de sculpture romane. Ils sont fort divers mais présentent tous un caractère exubérant et un style ampoulé. Près de Pombal, dans l'église Santa Maria d'Abiul, sur la N. 237, on trouve un chapiteau de ce genre dans un débarras et un autre, semblable, à Santa Eufemia de Penela qu'on atteint en prenant la N. 1 en direction du Nord jusqu'à Condeixa où l'on doit emprunter la N. 347.

A 11 km de ce carrefour, de l'autre côté de la N. 1, se trouve São Pedro de Soure qui est, d'après Real, un joyau architectural. Ses chapiteaux et impostes sont particulièrement intéressants, car ils datent de l'époque comtale, c'est-à-dire de celle qui précéda la fondation de la monarchie portugaise, et leur style s'apparente à celui des parties les plus anciennes de la cathédrale de Braga.

31 *PORTO. CATHÉDRALE. VISIBLE DE TRÈS LOIN, LA CATHÉDRALE DE*

Porto s'élève sur une colline qui domine la vallée du Douro. Au cours des huit siècles de son existence elle a malheureusement subi tant de transformations qu'elle ne conserve que peu de choses de l'édifice roman originel. La restauration de 1941 n'a pu changer cet état de fait, d'autant que bon nombre des apports architecturaux ultérieurs, jugés de réelle valeur, ont été de ce fait épargnés.

D'après le rapport de la restauration, la construction de cette cathédrale aurait commencé en 1113 ou 1114, peu de temps après l'intronisation de l'évêque Hugues II, d'origine française. Le premier office religieux aurait été célébré en 1120. Un laps de temps aussi court pour la préparation du chantier et l'exécution des travaux paraît peu crédible, même s'il suffisait alors d'achever le chœur pour qu'une église pût être ouverte au culte, et même si l'on suppose que l'évêque Hugues, en tant qu'ancien archidiacre de la cathédrale de Compostelle, avait pu avoir recours à l'atelier qui se trouvait encore à l'oeuvre en ce lieu. Le commencement des travaux fut suivi en tout cas de longues interruptions, peut-être même d'une modification du plan. En effet, en 1179, lorsque le roi Alphonse Ier mit une somme d'argent assez substantielle à la disposition de la cathédrale, celle-ci n'était apparemment pas encore achevée. Suffisamment de raisons font penser par ailleurs que dans ses parties essentielles l'édifice ne fut terminé qu'aux premières décennies du XIIIe siècle (Real I, p. 357-358).

Manuel Monteiro, dans *Igrejas medievais de Porto*, p. 11 à 31, a attiré l'attention sur les relations existant entre cette cathédrale et les églises du Limousin. Almeida (III, vol. II, p. 86 et 87) a complété ces observations en se référant à l'étude de Magalhães Basto. D'après les résultats de ces travaux il semble prouvé que le chœur primitif comportait un déambulatoire et trois chapelles rayonnantes ainsi que trois étages, dont un médian pourvu d'un triforium. Ce chœur, qui pourrait avoir présenté beaucoup de ressemblances avec celui des églises de Beaulieu et du Dorat, fut remplacé par le chœur actuel entre 1606 et 1610. La ressemblance avec le chœur de Solignac, supposée par Coutinho dans *Notulas para a Historia da Sé de Porto*, fig. 11, est peu probable : cette construction à nef unique voûtée de coupoles a conféré au chœur une structure certainement différente de celle de l'ancien chœur de Porto. Certes, l'aspect extérieur de l'extrémité orientale, sur lequel se base Coutinho, est très semblable dans toutes les églises du Limousin et du Quercy, qu'il s'agisse d'édifices à nef unique ou à trois nefs, de constructions couvertes de coupoles ou non.

Le transept saillant a été conservé, bien que fortement modifié. Il comportait à l'Est deux absidioles dont celle du côté Sud, l'actuelle chapelle Saint-Pierre, présente encore son plan polygonal d'origine, qui était vraisemblablement aussi celui des autres chapelles.

Le voûtement initial a été maintenu. Le berceau légèrement brisé et les voûtes des collatéraux reposent sur des arcs doubleaux exécutés selon les techniques de l'époque romane tardive. Les piliers composés et la hauteur de l'espace intérieur annoncent pourtant déjà le début des tendances gothiques.

A côté d'influences limousines on en trouve d'autres issues de la sculpture romane de Coïmbre. Celles-ci se manifestent surtout dans les éléments anciens du portail occidental, dont certaines parties ont été malheureusement remplacées, ou dans la décoration de certains chapiteaux à l'intérieur. Des études détaillées ont été effectuées à ce sujet par Real (I, p. 357-358) et Almeida (p. 129-130).

La cathédrale de Porto a servi de modèle à nombre d'églises plus ou moins proches. C'est à Almeida que revient le mérite d'avoir attiré très tôt l'attention sur ce point (III, vol. II, p. 253). Il a établi une liste des monuments dont l'architecture s'est inspirée de la cathédrale de Porto et a relevé les traits les plus caractéristiques de cette influence, parmi lesquels figure une mouluration qualifiée de « limousine » (I, p. 31-32).

Dans la cour, à laquelle on parvient après avoir traversé la sacristie, on trouve encore quelques vestiges anciens qui proviendraient du cloître. Des piliers robustes et de grandes dimensions soutiennent sans le concours de colonnes des arcs légèrement brisés et de grande épaisseur, alignés en rangées parallèles. Les impostes et archivoltes des arcades ainsi créées sont ornés de motifs géométriques simples, alors que les cintres des arcs présentent des tores de faible diamètre. Une construction tellement imposante paraît pour le moins inhabituelle pour les arcades d'un cloître et constitue sans doute un exemple unique. Peut-être vaudrait-il mieux la penser destinée à un ouvrage de défense.

32 SANTA MARINHA DE MOREIRA DE REI PEUT ÊTRE ATTEINT, DEPUIS

Trancoso, par la route N. 324. Les ruines de cette église, contruite vers la fin du XIIe *siècle sont situées sur le haut plateau de la Beira orientale et appartiennent à un village complètement abandonné par ses habitants, fait fréquent dans ce pays d'émigration qu'est le Portugal. Comme son nom l'indique, cette agglomération était habitée par les descendants de colons arabes. Sur la place principale du village, aujourd'hui déserte, s'élève encore, comme dans beaucoup de communes portugaises, un* « pelourinho », *colonne de juridiction, à l'ombre de laquelle le seigneur du lieu prononçait, au nom du roi, les sentences et faisait procéder à la mise au pilori ou à l'exécution de la peine capitale. Le nom du village apparaît déjà dans des documents de l'an 960, dans lesquels il figure en tant qu'établissement mauresque. Le premier roi du Portugal octroya à cette colonie arabe le* « foral », *assurance officielle de ses droits, et le roi Manuel lui accorda l'autonomie administrative, et par là la juridiction ordinaire, en 1512. L'église appartenait initialement à une commanderie de l'ordre des Templiers et devint ensuite propriété de l'ordre du Christ. Le plan de l'édifice est de la plus grande simplicité et présente deux corps de construction rectangulaires, celui de la nef et celui de l'abside. L'appareil, de mauvaise qualité, a été apparemment taillé par la population elle-même. On accède à l'intérieur de l'église soit par le portail occidental, soit par l'un des deux portails latéraux qui s'ouvrent dans la nef à des hauteurs différentes. La façade occidentale est surmontée par un double beffroi impressionnant. Le portail occidental est d'une grande modestie : deux archivoltes en plein cintre lisses et pourvues d'arêtes vives, reposent sur deux colonnes, aux chapiteaux décorés de motifs végétaux. Des abaques plats et un tympan nu complètent cette structure. La corniche repose sur des modillons, dont certains sont ornés de feuilles et de figures géométriques. Une étoile de Salomon rappelle que cette église appartenait à l'ordre des Templiers. L'une des colonnes du portail porte les marques des différentes mesures de longueur légales et constitue de ce fait une curiosité assez rare. L'arc triomphal qui, malgré l'accomplissement de plusieurs travaux de restauration, se trouve toujours à l'air libre, est tout à fait remarquable : les ornements des deux frises qui l'encadrent révèlent qu'il est inspiré du portail Sud de la cathédrale de Braga. L'excellente qualité de son exécution permet de penser qu'on a fait appel à un tailleur de pierres étranger. Les chapiteaux sont dignes d'attention : celui du côté Sud à cause de son décor de feuilles à épaisses nervures et de ses volutes d'angle à extrémités en forme de têtes d'oiseaux, éléments ornementaux qui évoquent des chapiteaux beaucoup plus anciens de Rates, Braga et d'autres églises du Nord du Portugal, celui du côté septentrional à cause de la présence de deux coquilles indiquant sans doute que cette région n'était pas étrangère aux pèlerinages de Compostelle.*

deux d'entre eux ont été placés devant le portail occidental.

Il faudrait encore mentionner le portail Ouest de l'église São Pedro qu'on peut considérer comme la dernière réminiscence de l'esprit roman à Santarem. A l'inverse, les ruines de São João Baptista de Alfange sont très intéressantes pour l'histoire de l'art roman car il s'agit de l'église la plus ancienne de la cité et, d'après Real, celle-ci constitue l'un des témoins les plus importants de l'art roman dans le Sud du Portugal.

33 *SANTAREM. SÃO JOÃO DE ALPORÃO. SANTAREM EST SITUÉ À 79 KM AU* Nord de Lisbonne sur la rive droite du Tage. La position stratégique de cette ville, construite sur une colline, l'exposa à de nombreuses attaques lors de la Reconquête, jusqu'à sa libération définitive en 1147. L'église São João fut certainement construite avant 1207. C'est un des plus beaux exemples d'un monument architectural gothique nordique marqué par l'influence d'un maître d'œuvre originaire d'Angleterre ou de Normandie. Cet apport se conjugue fort harmonieusement avec des éléments mozarabes d'une grande élégance, tout en se greffant sur un ensemble relevant de l'art roman finissant. Une tour de défense isolée et le portail occidental, encore roman, aménagé dans la profondeur d'un avant-corps pentagonal et pourvu de cinq archivoltes à ressauts, donnent l'impression d'une construction fortifiée, que la présence d'une rose dans la partie haute de la façade ne parvient pas à atténuer. A l'intérieur par contre on est frappé par la luminosité de l'édifice due à une sorte de déambulatoire qui donne au chœur de cette église, selon l'appréciation de Dos Santos, une place tout à fait à part dans l'architecture portugaise. La partie occidentale de la nef est couverte d'une voûte en berceau brisé, la seconde travée d'une sorte de croisée d'ogives à nervures profilées : un exemple du début de l'art gothique au Portugal qui trouve son modèle dans la voûte de la tour de la cathédrale de Lisbonne. Le chœur est de plan pentagonal. Chacun de ses pans muraux est percé d'une haute double fenêtre. Les arcs en fer-à-cheval qui précèdent ces fenêtres du côté intérieur reposent sur des colonnes doubles, constituent un passage et accueillent en même temps les cinq nervures qui renforcent les cinq segments de voûte. Dans la partie supérieure des triangles sphériques ainsi créés s'ouvrent des oculi décorés d'arabesques qui rappellent ceux des cloître du premier art gothique. Les éléments mozarabes de cette structure donnent à l'abside une élégance et une grâce sans commune mesure avec la lourdeur qu'exprime l'aspect extérieur de l'église. Les colonnes élancées de l'arc triomphal délimitent le chœur vers la nef. Une clef de voûte en forme de masque, semblable à celles de la cathédrale de Lisbonne, donne à penser qu'au moins la réalisation des voûtes de cet édifice avait été confiée à un artiste qui avait travaillé à la cathédrale.

L'église sert aujourd'hui de musée lapidaire. On y trouve essentiellement des sculptures d'origine plus tardive, des sarcophages, des chapiteaux arabes, mais aussi des animaux sculptés exotiques (éléphants) ;

34 SERNANCELHE. SÃO JOÃO BAPTISTA. SERNANCELHE EST SITUÉ À *environ 50 km au Sud de Lamego entre Aguiar da Baira et Moimenta, sur la route N. 226 qui conduit de Lamego à Trancoso. Il s'agit d'un très ancien lieu de colonisation, dans lequel on a relevé la présence de ruines d'un château fort préchrétien. Le premier « foral », code législatif qui déterminait les droits et les obligations des habitants, date de 1124, par conséquent de l'époque durant laquelle le Portugal était encore l'un des fiefs du roi de León. Plus tard Sernancelhe devint une commanderie de l'ordre des Chevaliers de Malte, qui y possédait encore récemment un hôtel décoré d'armoiries datant du* XVIIIe *siècle. L'église était une collégiale à l'origine. Il paraît qu'un sanctuaire encore plus ancien dédié à saint Pierre s'élevait originellement à l'intérieur de la vieille enceinte mais il a aujourd'hui disparu.*

D'après une inscription du mur extérieur Nord de l'abside, la construction de l'église semble avoir été commencée vers 1172 (« Era 1210 »). Les travaux semblent avoir été menés sans interruption, ce que confirment la forme primitive des modillons, décorés pour la plupart de motifs géométriques, et les billes qui ornent la corniche. Le premier remodelage de la façade occidentale ne peut avoir été effectué qu'au XIIIe *siècle lorsque les influences du premier gothique se manifestèrent. Les sculptures des archivoltes témoignent encore de quelques réminiscences du* XIIe *siècle et rappellent la décoration de Braga, Rates, Vilar de Frades et d'autres églises datant de cette époque. Ainsi l'archivolte centrale présente-t-elle cinq figures d'anges qui, disposées en position longitudinale, montent jusqu'à la clef de l'arc. Elles sont sculptées en haut-relief et abritées par des baldaquins dont les deux parties supérieures s'unissent, peut-être fortuitement, en une sorte de double couronne. Les anges sont pourvus de grandes ailes arrondies, dont l'une seulement reste visible. Très intéressants et très rares pour l'époque sont également deux groupes de trois figures travaillées en ronde-bosse qui se trouvent à l'intérieur de deux édicules de la façade occidentale. Ces figures sont déjà fortement effritées, mais laissent encore deviner des caractéristiques du début de l'ère gothique. Elles représentent les quatre évangélistes, tenant leurs livres dans leurs mains, ainsi que les apôtres Pierre et Paul.*

Une seconde transformation du portail occidental eut lieu durant le dernier quart du XVIIe *siècle. L'ancien tympan fut alors remplacé par un élément architectural qui associe, avec beaucoup de goût, la struc-*

ture d'un arc et celle d'un tympan et est décoré de deux rosaces et d'un oculus trilobé. On a l'impression que l'embrasure du portail fut également modifiée (adjonction de deux fûts de colonnes supplémentaires, remplacement d'anciens chapiteaux dont l'un, décoré de trois rangées de feuilles proéminentes et de hauteur différente, est conservé à l'intérieur de l'église). A l'intérieur de l'édifice on découvre un arcosolium qui abrite le tombeau des membres de la famille Pacheco et un baptistère décoré de belles cannelures.

35 *SILVES. CATHÉDRALE. A PARTIR DE LAGOS ON PARVIENT À SILVES EN* suivant la route N. 124 en direction du Nord. Lorsqu'on se trouve dans la partie la plus méridionale du Portugal, on ne doit pas craindre ce petit détour qui permet de visiter la cathédrale. Elle ne fut commencée, il est vrai, qu'au milieu du XIIIe siècle, ce que montrent la nef centrale et les collatéraux, conçus en style gothique, alors que le transept et le chœur, plus tardifs, sont flamboyants. A l'angle Nord-Ouest du transept pourtant subsiste encore une partie de l'ancienne construction romane. Elle rappelle que le roi Sancho Ier réussit déjà à conquérir Silves en 1189 au cours d'une attaque-surprise. Au bout d'un an cependant la ville dût être abandonnée de nouveau et ce ne fut qu'en 1242 qu'une troupe de croisés en fit définitivement une possession portugaise. Les nombreux tombeaux qu'on découvre près de la cathédrale pourraient bien dater de cette époque de combats. La présence d'éléments romans témoigne à quel point les souverains portugais avaient à cœur de faire édifier, immédiatement après la reconquête d'une agglomération, une église chrétienne ou de faire procéder, comme ce fut souvent le cas, à la transformation d'une mosquée.

36 SINTRA. SANTA MARIA. ON PARVIENT À CETTE ÉGLISE EN SUI*vant la route N. 5, qui part de Lisbonne en direction de l'Ouest. Sintra fut reconquis lors du siège de Lisbonne en 1147, et sur l'ordre du roi Alphonse Ier on y construisit une première église, qui fut dédiée à la Vierge. L'église fut agrandie, sous la direction du prieur Martin Dude, au XIIIe siècle. De cette construction, qui s'effondra lors du séisme de 1755, plusieurs chapiteaux ont été conservés et remployés au moment de la réédification du sanctuaire. Deux autres chapiteaux anciens se trouvent au musée archéologique Do Carmo à Lisbonne, où, pendant longtemps, ils n'attirèrent pas l'attention. Une étude comparative effectuée par M. L. Real a permis récemment d'établir qu'ils proviennent du portail occidental de l'église São Pedro de Sintra, qui s'élevait à l'intérieur de l'enceinte du château. L'examen de leurs sculptures a apporté de nouvelles lumières sur l'évolution de l'art roman dans la région que délimitent le Tage, le Cabo Carvoeiro et le Cabo Raso.*

Un chapiteau roman, qui se trouve aujourd'hui au Musée National d'Archéologie de Lisbonne, provient du monastère de Chelas, qui est situé dans le voisinage de la capitale. Il présente, selon les constatations de Real, une parenté évidente avec l'art almoravide et certaines affinités avec les sculptures de Coïmbre. D'autres restes de sculptures romanes, de moindre importance, peuvent être vues dans les localités suivantes, toutes situées près de Lisbonne : Barcarena (entre les routes de sorties n° 3 et n° 5), Belas et Cheleiros (sur la route N. 117), Loures et Lousa (sur la route N. 8), Enxarra (en s'engageant, sur la route N. 8, dans la route N. 9/2), Bucelas (au croisement de la N. 115 et de la N. 116), Vila Franca de Xira (sur la N. 10), Azambuje (sur la N. 3), Torres Vedras (sur la N. 8 ; on y trouve l'église Santa Maria do Castelo, qui comporte deux portails romans. Le portail occidental est un travail provincial conservé dans son état originel ; le portail méridional porte deux inscriptions, dont l'une permet de dater cette oeuvre d'une période antérieure à l'an 1207), Carvoeira (à atteindre, depuis Torres Vedras, par la N. 248), Lourinha (sur la N. 8/2) et V.a. Verde (sur la N. 9).

TABOADO. SÃO SALVADOR. TABOADO EST SITUÉ PRÈS DE MARCO **37** de Canaveses. L'endroit est mentionné, parmi d'autres localités, dès le milieu du XIe siècle dans des documents ayant trait à des transferts de vastes domaines qualifiés de « villas ». On peut penser qu'il s'agit d'unités cadastrales wisigothiques pour lesquelles on utilisait encore les anciennes appellations romaines. Selon la terminologie de ces documents les domaines furent cédés « avec toutes les églises », ce qui ne permet pas de savoir si Taboado possédait déjà un sanctuaire à l'époque. L'existence de l'église São Salvador est évoquée pour la première fois en 1131, lorsque le premier roi du Portugal transmet cet édifice, avec d'autres possessions, à un certain Gosendo Alvaris « en propriété et usufruit ». L'église doit par conséquent avoir été construite avant cette date. Il ne s'agissait pourtant pas de l'édifice que nous voyons aujourd'hui, car celui-ci présente toutes les caractéristiques d'une construction de la seconde moitié du XIIIe siècle. Mais le fait même que, selon le constat établi au moment de sa restauration (*Boletim* n° 125, 1972), ce second édifice soit parvenu jusqu'à nous sans modifications majeures, constitue déjà une coïncidence particulièrement heureuse. L'église est en effet un exemple précieux d'un des stades de l'évolution que connut l'architecture romane de cette région durant cette période de transition. Le monument semble avoir été, pendant un certain temps, propriété de l'ordre des Templiers, puis celle de chanoines augustiniens.

De fortes ressemblances avec d'autres églises de cette époque plaident en faveur de la datation indiquée. Ainsi on peut remarquer une très grande parenté tant dans les thèmes traités, dans la technique de la taille des pierres que dans les dispositions des sculptures, entre les chapiteaux de son portail et ceux du portail occidental de Paço de Sousa, aussi bien qu'entre les consoles des tympans de ces deux églises : ces derniers éléments, décorés dans un cas comme dans l'autre de têtes de bœuf montrent également une certaine affinité avec les consoles du tympan de Roriz. Quant à la rose et ses sept petits oculi, elle rappelle celle de Barrô qui lui est apparemment contemporaine ; ici à Taboado pourtant elle est agrémentée en outre d'une superbe frise. Une comparaison avec Roriz s'impose aussi en raison de la similitude des chapiteaux. L'influence de Paço de Sousa par contre se retrouve dans la décoration des quatre façades de l'édifice que parcourt une frise à mi-hauteur. Deux croix fleurdelysées, peu fréquentes au Portugal, surmontent les pignons. Autre originalité, le clocher-mur, qui possède deux baies et est contigu à l'angle Nord de la façade occidentale. A l'intérieur de l'église l'arc triomphal attire surtout l'attention : sa conception est celle d'un portail à deux arcs faiblement brisés et pourvus d'arêtes vives retombant sur des colonnes surmontées de chapiteaux. En comparant les derniers avec ceux du portail occidental on peut se demander si la réalisation des uns n'est pas nettement postérieure à celle des autres ou éventuellement due à des artistes différents. Du côté de l'épître, le chapiteau de gauche montre un oiseau plus grand que nature, probablement un pélican, celui de droite le motif bien connu des deux quadrupèdes affrontés et dressés ; ils ont cependant perdu ici leur côté effrayant et sont presque héraldiques. Du côté de l'évangile, le chapiteau de droite reprend le thème fameux des deux oiseaux aux cous entrelacés, exécuté ici d'une manière quelque peu grossière. Le chapiteau de gauche par contre offre une représentation inhabituelle : une figure humaine, nue et assise, tient de ses deux mains, au niveau des épaules, une sorte de joug qui lui passe derrière la tête. Les jambes de ce personnage sont ligotées juste sous les genoux. Selon toute apparence cette sculpture illustre la détention ou la torture d'un malfaiteur et avait peut-être pour rôle d'intimider les pécheurs. L'ornementation, riche, est assurée par une frise qui encadre les arcs, les astragales sculptés en cordelière, des volutes surmontées d'une moulure à boutons et les entrelacs, couronnés d'un motif de dents de loup, des abaques des chapiteaux se poursuivant en impostes jusqu'aux murs latéraux de l'édifice. Intéressante aussi est la fresque de l'abside qui représente le Sauveur entouré de saint Jean-Baptiste et de saint Jacques le Majeur et date, selon Correia, de la seconde moitié du XVe siècle. Les sépultures aménagées dans le sol de l'église pourraient remonter au XIIIe siècle.

38 TAROUCA. SÃO JOÃO. EN CE LIEU SITUÉ PRÈS DE LAMEGO, ON PEUT *voir l'église, toujours intacte, qui marque le début de l'expansion de l'ordre cistercien au Portugal. De plus amples renseignements à ce sujet sont fournis par les* Notes sur l'architecture et le décor dans les abbayes cisterciennes du Portugal *(Paris 1972) de Dom Maur Cocheril et dans l'ouvrage, plus détaillé et rigoureux, d'Artur Nobre de Gusmão, intitulé* Expansão da Arquitectura borgonhesa e os mosteiros de Cister em Portugal *(Lisbonne 1956).*

Le lecteur trouvera un court aperçu des particularités des églises cisterciennes portugaises et surtout de leurs relations avec leurs modèles français dans René Crozet : Remarques sur l'architecture cistercienne au Portugal, *Bragara Augusta, tomes 16-17, 1964, p. 14 et suivantes.*

Comme nous ne pouvons retenir dans cet ouvrage la grande abbaye de Santa Maria de Alcobaça, étudiée dans L'Art Cistercien de Zodiaque *(tome 2, pages 256 ss.) non plus que des édifices en ruines transformés, d'un intérêt secondaire, il ne reste à mentionner dans notre enquête sur l'art roman portugais que cette petite église de Tarouca et le petit sanctuaire de Santa Maria de Aguiar (voir plus haut p. 79 et 80).*

Le visiteur de São João de Tarouca ne peut qu'être surpris de constater que cet édifice n'est pas consacré, comme de coutume, à la Vierge, mais à saint Jean Baptiste. La raison en remonte à une légende de l'époque, selon laquelle ce saint serait apparu à saint Bernard durant son sommeil, en 1131, et lui aurait demandé de fonder au Portugal un monastère qui lui serait dédié. L'apparition ayant signalé qu'un groupe de religieux placés sous la direction d'un certain Tirito, se trouvait déjà dans le pays, saint Bernard en fit venir le moine Beomund avec quelques frères et les dépêcha à l'endroit indiqué.

Exception faite de la présence préalable de quelques moines isolés, c'est en effet durant la première moitié du XIIe siècle que l'ordre cistercien commença à prendre pied au Portugal. Il s'établit également dans la région au Sud-Est de Tarouca, où un groupe d'ermites avait adhéré à sa charte. Ces nouveaux moines semblent avoir vécu d'abord dans des conditions bien précaires, mais ils finirent par installer une conduite d'adduction d'eau dont subsistent encore quelques vestiges. Lorsque, durant l'occupation de la ville de Trancoso, ils prêtèrent leurs concours au souverain, celui-ci, en 1140, leur donna comme fief, en guise de récompense, la région qu'ils habitaient. Entre temps des frères experts dans l'art de bâtir étaient venus du monastère de saint Bernard et avaient commencé en 1152, l'édification de l'église, qui fut achevée et consacrée en 1169 (sur les erreurs de datation, voir Gusmão op. cit., *p. 343). Les frères continuèrent sur Alcobaça. Quant à Tarouca, les frères vécurent suivant l'observance de saint Bernard jusqu'en 1834, date à laquelle les monastères furent dissous.*

Exception faite des transformations qui ont affecté la façade occidentale de l'abside, l'église n'a apparemment subi aucune modification et porte donc fidèlement les traits de la première architecture cistercienne. Une restauration soigneuse de l'édifice a été réalisée durant les années qui précédèrent et suivirent la première guerre mondiale.

L'église est bâtie selon le plan de la seconde abbatiale de Clairvaux et se conforme ainsi aux prescriptions architecturales de saint Bernard lui-même. La façade occidentale, remaniée au XVIIe siècle, a l'aspect d'une œuvre de la fin de la Renaissance. Ses deux contreforts couronnés révèlent la division intérieure du vaisseau. Seule la rose, qui s'ouvre en son milieu, est d'origine. Elle se compose d'un cercle médian entouré d'arcs dont les côtés s'entrecroisent. Une rose semblable se trouve dans l'un des croisillons d'Alcobaça. Les façades Nord et Sud ont également conservé leur forme initiale et comportent encore leurs anciennes corniches reposant sur des modillons nus, des contreforts élevés contre les portions de mur qui séparent les fenêtres, les arcs en plein cintre de ces dernières, ouvertes dans les collatéraux et le transept saillant qui donne au plan de l'église la forme d'une croix et constitue l'un des éléments de stabilité du plan cistercien. L'appareil, en granit, est soigneusement taillé et porte de nombreuses marques de tâcherons. Le portail latéral Nord, lui-même réalisé au XIIIe *siècle, a gardé son aspect primitif. On découvre encore deux tympans décorés de croix nettement différentes des croix non-cisterciennes du Portugal. Leur forme, plus effilée, n'est pas creusée dans la pierre, mais sculptée en relief. Au lieu de l'habituel décor d'entrelacs apparaissent trois baguettes étroites encadrant la croix.*

Comme dans beaucoup d'autres églises le chevet a été modifié, lorsqu'on installa un retable dans le chœur. Quelques vestiges de l'ancien plan montrent qu'à l'origine il comportait trois absides rectangulaires, que remplaça une abside unique bien plus profonde. Celle-ci a du moins le mérite de respecter la tradition cistercienne et ressemble à celle de Fontenay : au-dessus d'une suite de baies en plein cintre s'en ouvrent d'autres, munies d'arcs brisés. Contrairement aux habitudes cisterciennes, toutefois, le chœur est plus bas que la nef centrale, ce qui a permis de percer un oculus dans le mur de l'arc triomphal.

A l'intérieur tous les éléments, à l'exception des piliers, suivent le modèle de Fontenay. La nef centrale, deux fois plus haute que les bas-côtés, est voûtée d'un berceau brisé. Les arcs doubleaux des différentes travées s'appuient non sur des colonnes ou des piliers, mais sur des culots. Comme la poussée latérale d'un voûtement en berceau est extrêmement forte, on a intégré ingénieusement au système de contrebutée les bas-côtés, dont la largeur ne mesure que 3 m 80 : dans chaque travée ils ont été dotés d'une voûte en berceau transversal, qui descend jusqu'au sol et répartit ainsi le poids de la voûte de la nef centrale. Les bas-côtés ont été ainsi transformés en une suite de chapelles qui communiquent entre elles par des ouvertures latérales. Cette solution cistercienne, que l'utilisation de voûtes en croisée d'ogives a rendue superflue par la suite, n'est pas parvenue à s'imposer dans la construction des autres églises romanes du Portugal, ce qui causa souvent des problèmes de stabilité. Seule Santa Cruz de Coïmbre, l'église principale des chanoines augustiniens, à peu près contemporaine, présente une architecture similaire (voir aussi Almeida I, p. 40). Les autres édifices romans à trois nefs préférèrent le plus souvent employer dans les collatéraux des voûtes d'arêtes reposant sur des arcs doubleaux qui transmettent au sol la poussée, par l'entremise de colonnes et de piliers. Au-dessus des arcs on élevait des murs destinés à porter les toits des collatéraux tout en contribuant à la stabilité de l'ensemble. Ce type de construction semble remonter aux vieilles traditions wisigothiques, qui s'étaient conservées dans les Asturies et en Galice.

A l'intérieur de l'église se trouve le sarcophage du Comte de Barcelos, fils préféré, bien qu'illégitime, du roi Denis, et qui mourut en 1354. Les riches sculptures qui décorent ce tombeau donnent à penser que le personnage était mort au cours d'un accident survenu durant une chasse au sanglier. Le pendant de ce sarcophage, celui qui abritait son épouse, se trouve au musée de la ville voisine de Lamego (ce musée abrite également la plus riche collection portugaise de tapisseries flamandes datant du Moyen Age). Près de l'autel, des carreaux de faïence placés sur les murs de la nef rapportent la légende de la fondation du monastère. Le retable, harmonieusement conçu, représente, comme de coutume, saint Benoît et saint Bernard. D'autres autels précieux se trouvent dans les croisillons : l'autel de saint Michel, exécuté par Vasco Fernandez et l'autel de l'apôtre Pierre, avec l'œuvre fameuse de Cristovão de Figueiredo, exécutée à Lamego vers 1533. On n'omettra pas de visiter également le chœur, avec ses stalles et ses peintures qui représentent les saints les plus importants de l'ordre, dont les noms sont inscrits à l'intérieur de petits cartouches portés par des anges.

Non loin de São João de Tarouca se dressent les vestiges d'une autre abbaye cistercienne, Santa Maria da Salzedas. *La construction de cet édifice eut lieu à l'instigation de la seconde épouse d'Egas Moniz, célèbre vassal royal. Grâce à elle, une donation faite aux bénédictins en 1163 par l'évêque Mendo aurait été transmise à Tirito, second abbé de Tarouca, au bénéfice de la communauté cistercienne. De la première construction subsistent encore les ruines de l'absidiole orientale et celles de l'abside principale de plan semi-circulaire. Ces vestiges se situent hors de l'axe de l'église nouvelle, qui dut être bâtie après l'arrivée des cisterciens (1177 ?). Consacrée en 1225, elle fut transformée selon le goût baroque au cours du* XVIIIe *siècle.*

Les vestiges de l'église de Salzedas, commencée, puis abandonnée par la suite, ont donné lieu à des fouilles qui, d'après Almeida I, p. 36, note 25, ont montré à l'évidence que cette construction s'était écartée des prescriptions architecturales cistercienne après qu'on eût entrepris une nouvelle église à un autre emplacement. L'indépendance vis-à-vis de ces normes laisse peut-être penser que cette liberté fut prise avant même le changement d'emplacement.

39

TRANCOSO. L'ÉGLISE NOSSA SENHORA DE FRESTAS EST SITUÉE sur la route N. 226 au Sud-Est de Serancelhe. Elle sert aujourd'hui d'église de cimetière, mais sa fondation, très ancienne, remonterait, s'il faut en croire certaines inscriptions, à 992. Le titre de l'église doit être plus récent et dater de la reconquête, lorsque les Arabes assiégeaient le château et l'agglomération. A cette époque, entre l'autel et la fenêtre de leur église, les habitants avaient emmuré une statue de la Vierge qui avait été retrouvée intacte, après le départ des Musulmans. Par la suite, cette statue opéra des miracles et aujourd'hui encore elle est vénérée, notamment au cours de pèlerinages qui ont lieu chaque année le 2 février et le 15 août.

A l'époque du premier roi du Portugal, on rénova entièrement l'église et il est possible, bien que non tout à fait certain, que le mariage de celui qui devait devenir le roi Denis y ait été célébré en 1282. En 1385, par contre, il semble qu'elle fut fortement endommagée lorsque les troupes espagnoles tentèrent de conquérir la ville de Trancoso. Vers 1770 on entreprit une reconstruction dans le goût baroque et l'on remplaça la façade Ouest par une construction nouvelle.

Seules la nef et les absides conservaient encore leur forme primitive, en dépit des aménagements qu'on y avait apportés. Enfin, en 1952-53 on réalisa une nouvelle restauration, tout en maintenant à l'intérieur des structures baroques comme le relate le *Boletim* 72 des Beaux-Arts.

De l'époque romane ne restent que les deux portails des bas-côtés, les frises du toit comportant des modillons de médiocre qualité, aussi bien tant en ce qui concerne leurs thèmes que leur facture, et quelques autres éléments sculptés moins importants. Les deux portails et l'arc triomphal sont ornés d'une frise en damier appuyée sur une rangée de billettes et frappent par leur monotonie. Les autres sculptures sont : un claveau orné d'une tête de chat à la façon d'un « beak head » et quelques têtes très primitives sur les consoles des tympans, ce qui vient confirmer l'opinion de Real selon laquelle une tendance vers la simplification domine dans la Beira Alta.

L'un des tympans est orné d'une croix de forme assez rare : elle comporte dans sa partie inférieure un deuxième bras et est surmonté d'un arc en anse de panier orné d'une simple rangée de billettes. Cette forme de croix dite patriarcale n'était portée à l'origine que devant le pape dans les processions ; elle fut concédée par la suite à quelques archevêques. Celui de Lisbonne reçut cette distinction en 1716. Mais comment expliquer la présence de cette croix dans l'église de Trancoso, cas unique au Portugal que nous sachions ?

Peut-être ce fait est-il à mettre en relation avec la légende de saint Jacques le Majeur, considéré comme patriarche de l'Espagne et qui, comme tel, avait le privilège d'être précédé d'une telle croix dans les processions. On pourrait imaginer soit que l'église ait appartenu provisoirement au chapitre cathédral de l'archevêché de Compostelle, qui venait d'être fondé à cette époque, soit qu'elle ait été consacrée à l'apôtre saint Jacques. De toute façon, il ne s'agit là que de simples conjectures. Le château, situé au-dessus de la ville, aurait été relié à cette dernière par un souterrain secret.

40 VILA BOA DE QUIRES EST SITUÉ AU NORD-OUEST DE MARCO DE CANAveces, *à 6 km de la route N. 211. Le monastère était la propriété de chanoines augustiniens, mais semble avoir appartenu auparavant, s'il faut en croire des informations non confirmées, à des moines bénédictins. Lors d'une restauration de l'édifice, effectuée vers 1881, on découvrit sur une pierre une inscription de l'an 1180, date qui se situe à l'apogée du roman « bénédictin ». On discerne distinctement une seconde campagne de construction correspondant à la première moitié du* XIII*e siècle au cours de laquelle fut érigé le portail occidental. Sa forme, la technique de la taille de ses pierres et le choix de son décor l'apparentent au portail de Paço de Sousa et le classent de ce fait parmi les réalisations que Monteiro a qualifié d'« art roman national ». Au* XIX*e siècle intervint une transformation très importante de l'édifice, au cours de laquelle le vaisseau fut prolongé vers l'Ouest. L'ancien portail occidental fut conservé. La double fenêtre de la façade cependant, qui présentait des dimensions inhabituelles et pourrait avoir été réalisée à partir d'une rose primitive au cours de la seconde campagne, subit à cette occasion quelques « embellissements » bien intentionnés mais néanmoins regrettables. C'est du moins ce que laisse supposer la présence d'une colonne médiane taillée dans un matériau différent et d'une sorte de remplage en forme de croix. Seuls les trois arcs de la fenêtre, faits de boudins en plein cintre et reposant sur des colonnes décorées de chapiteaux, semblent appartenir à la campagne de construction du portail occidental. Parmi les sculptures des corbeilles on distingue une danseuse, des quadrupèdes dressés et des feuilles d'acanthe.*

Le portail Sud est particulièrement intéressant. Ses sculptures diffèrent totalement de celles du portail occidental, fait qui a frappé également Dos Mattos : en fort relief, très stylisées, elles présentent des feuilles d'acanthe aux contours dentelés et comportent des ornements géométriques sous forme de cercles et d'hexagones, qui entourent des fleurs ou de nouveaux motifs géométriques et rappellent la décoration des fûts de colonnes du portail Sud de Saint-Jacques de Coïmbre. On y trouve aussi des sculptures figuratives, comme un poisson qui, flanqué de deux palmettes, occupe le centre d'un chapiteau, ou deux lions accroupis, aux membres fortement stylisés, qui se présentent sur un autre chapiteau et tiennent entre eux un élément difficilement définissable, peut-être une figure humaine d'une facture presque moderne. Ces fauves rappellent des modèles wisigothiques, mais aussi des travaux arabes sur ivoire ou des animaux de tapis orientaux. Une autre sculpture représente une bête au milieu de feuilles d'acanthe et mérite d'attirer l'attention car ainsi que l'a signalé Mattos, ce motif réapparaît dans le cloître de Cete, à Boelhe et à São Abdão, ce qui pourrait permettre de dater cette église. Deux consoles, portant un tympan lisse, proviennent certainement de la seconde campagne de construction. De cette période semblent dater aussi les impostes. L'origine des autres sculptures par contre n'est pas tout à fait claire : Almeida (II, 2, pp. 76, 91, 281) suppose qu'il s'agit d'œuvres du XIII*e siècle, inspirées par des modèles préromans, alors que Dos Mattos les pense plus anciennes, y relève des influences étrangères plus marquées et établit une relation entre elles et l'ancien portail occidental. A l'intérieur de l'église, l'abside est carrée et voûtée d'un berceau brisé. L'un des chapiteaux de son arc d'entrée pose une autre énigme : il représente deux sirènes enlacées et engagées dans un mouvement de danse. Cette sculpture est d'une qualité d'exécution extraordinaire et ne peut être comparée ni au décor du portail occidental ni à celui du portail Sud. La peinture qui la couvre augmente encore sa force expressive. Aucun ouvrage n'explique son sens et son mystère reste entier (voir à ce propos dans le présent ouvrage, p. 67, l'étude de Real sur « la sculpture figurative romane du Portugal » et, pour l'interprétation iconographique,* le lexique des symboles, *Zodiaque, p. 183, fig. 58). Une datation définitive de cette œuvre ne sera possible qu'après un examen plus approfondi de l'arc d'entrée et de l'arc de décharge de l'abside ainsi que des carreaux de faïence qui y subsistent.*

41 *VILA DO BISPO. SANTA MARIA. LA VILLE PEUT ÊTRE ATTEINTE DEPUIS* Porto par la route N. 15, qu'on quitte à Recezinhos en s'engageant à droite sur la route N. 211. L'église, qui appartenait à un vieux monastère bénédictin du XIe siècle, subit des transformations très importantes. De l'édifice primitif subistent encore une frise en damier, qui entoure l'abside rectangulaire, les restes d'un abaque à l'intérieur de la sacristie et surtout deux arcatures aveugles du portail occidental, peu fréquentes au Portugal et d'un grand intérêt dans le développement de la sculpture romane portugaise. Ce sont, entre autres, A. Dos Mattos (*« Douro Litoral »*, Terceira Serie, II, p. 72, 73 et IV, p. 62) et José Mattoso (« Le monachisme ibérique et Cluny », Louvain 1968, p. 322 et 323) qui ont attiré l'attention sur elles. Mattoso les date du XIe siècle et les rattache à la première construction en se fondant sur la facture des sculptures. Les figures ne sont plus incisées dans la pierre de manière rudimentaire, mais se détachent légèrement du fond, les contours des corps étant réalisés en creux. Cette technique de travail est semblable à celle des sculptures les plus anciennes de Rates et de Travanca. On y retrouve le motif des lions dévorant une proie : deux des fauves s'affrontent, dressés, sur chacun des claveaux, l'un occupant la face frontale, l'autre l'intrados de la pierre, alors que la tête commune des deux bêtes et la proie figurent sur le rebord. Comme l'a constaté avec raison Almeida, ces représentations ressemblent à celles du premier atelier de Braga, mais évoquent aussi les sculptures de la première phase de construction de Rates et de Travanca. En ce qui concerne l'utilisation d'arcatures aveugles en cette partie de l'édifice, ce sont vraisemblablement les façades des églises de l'Ouest de la France (Poitou et Saintonge) qui ont servi de modèle, bien que ces constructions comportent, pour la plupart, non pas une nef unique, mais une nef centrale et deux collatéraux. Cette influence aurait pu jouer par l'intermédiaire de San Pelagio de Diamondi, l'une des trois églises galiciennes présentant des arcatures aveugles. En tant que donation du roi Fernando II de León, cet édifice passa en effet à la possession de la cathédrale de Lugo en 1178 et fait aujourd'hui encore partie de ses propriétés. Le fait que ce sanctuaire est nettement plus ancien que Santa Maria de Vila Boa de Bispo et qu'il occupe dans l'architecture un rang qui dépasse celui d'une simple église du village, semble rendre tout à fait plausible une telle influence. Ce rôle d'intermédiaire et de modèle de l'église de Diamondi paraît être confirmé par ses sculptures (décrites dans *Galice romane*, Zodiaque), qui comportent des animaux disposés par paires et vraisemblablement aussi des motifs adoptés par l'art roman « bénédictin » du Portugal aux XIIe et XIIIe siècles. Il s'agirait alors d'une inspiration parallèle à celle exercée par l'église de Mondoñedo, étroitement liée à Braga à la suite de l'exil des ordinaires de ce lieu durant la conquête arabe. Là aussi on constate l'adoption de ce motif d'animaux groupés deux par deux, qui ne fut pas exclusivement utilisé dans le décor des chapiteaux, mais se répandit également sur les voussures et tous les arcs.

VISEU. CATHÉDRALE. DE COÏMBRE. ON PARVIENT À VISEU PAR LA **42** *route N. 2. D'après la liste des évêques présents au Concile de Lugo, la localité était le siège d'un évêché dès 569. A l'époque romane, on y édifia une cathédrale, dont il subsiste encore quelques restes. Les transformations dont la plus importante a été causée par l'effondrement de la façade Ouest en 1635 et qui ont été particulièrement radicales au* XVIe, *au* XVIIIe *siècle, ont épargné, dans sa majeure partie, la tour Sud (comme ce fut le cas aussi à Lamego). Le portail donnant sur le cloître mérite d'être mentionné. Au-dessus de celui-ci figure une sculpture de Marie tenant l'Enfant debout. Il s'agit d'une œuvre du* XIIIe *siècle. De cette époque date également le portail de la salle capitulaire sur le cloître. Ses six archivoltes permettent de se faire une idée de la riche ornementation de l'édifice roman. Le trésor de la cathédrale abrite deux célèbres reliquaires fabriqués à Limoges au début du* XIIIe *siècle (le Christ y est représenté comme roi et dans une attitude de souverain). On y voit aussi une croix en or portant une inscription soigneusement gravée en lettres grecques et un manuscrit enluminé rédigé en langue grecque ; ces deux objets permettent de conclure à l'existence de relations étroites avec l'Église byzantine.*

A proximité de la route de Bombarda s'élève, dans un petit bois, la petite église São Miguel de Fetal, romane à l'origine mais aujourd'hui transformée. Elle conserve le sarcophage de Roderic, dernier roi des Wisigoths, qui avait usurpé le trône du roi Witiza, mais fut grièvement blessé dans la bataille de Jerez de la Frontera. Ses fidèles compagnons le transportèrent jusqu'à l'église épiscopale de Viseu où il mourut.

VOUZELA PRÈS DE VISEU. L'ÉGLISE SANTA MARIA DE VOUZELA, **43** aujourd'hui chapelle de cimetière, est très connue pour les remarquables modillons de sa corniche. Selon le rapport établi au moment de sa restauration (*Boletim* n° 56), son édification remonte vraisemblablement à une initiative de l'ordre des Templiers qui en a été en tout cas le propriétaire. Par la suite c'est un événement historique qui fut à l'origine de la construction de cet édifice. Une action de guerre menée par le roi Afonso Henriques contre la région de Badajoz en 1169 avait échouée, et le roi lui-même avait été sérieusement blessé. On dit que durant plusieurs mois, il séjourna près des sources chaudes dans le voisinage de Vouzela, et leur dut finalement sa guérison.

On estime ainsi que l'église, autour de laquelle se forma bientôt une agglomération, avait été élevée à cette date. La réalisation des modillons et celle de deux oculi quadrilobés, dont l'un se situe au-dessus du portail occidental et l'autre au-dessus du portail Nord, semble pourtant être fort postérieure : Nogueira Gonçalves estime qu'il s'agit d'œuvres exécutées bien après le début du XIVe siècle, Tesouros par contre se prononce pour le XIIIe. En réalité les sculptures portent déjà la marque du naturalisme gothique, bien qu'une grande partie des motifs corresponde aux modèles habituels de la période romane. Des têtes humaines de belle facture, des masques, mais aussi des animaux tels qu'un bélier, un porc et un bœuf (dont on aperçoit les sabots antérieurs) s'offrent au regard. On découvre aussi le tétramorphe. Dos Santos compte ces travaux « parmi les plus beaux de l'époque romano-gothique du Portugal ». Contrairement aux modillons courants, d'exécution assez irrégulière, ceux de Vouzela sont réalisés dans des pierres taillées avec la plus grande précision. Certaines irrégularités, comme celles qui apparaissent près de l'oculus quadrilobé du portail Nord, pourraient être le fait de restaurations ultérieures. Les portails et les fenêtres de l'église sont dépourvus de tout décor. Une chapelle, construite du côté Sud de la nef durant le troisième quart du XVe siècle et reliée à celle-ci par un bel arc brisé, est couverte d'une impressionnante voûte réticulée. Le chœur possède un beau plafond à caissons.

LISBONNE

LISBONNE. LA CATHÉDRALE SAINTE-MARIE

Histoire

Après que les Wisigoths eussent conquis les régions occidentales de la péninsule ibérique appartenant alors à l'Empire et commencé à embrasser la foi chrétienne, leur conversion fut parachevée par l'érection d'évêchés au nombre desquels figurait Lisbonne. Tout siège épiscopal possédait une cathédrale et celle de Lisbonne occupait vraisemblablement l'emplacement de l'édifice actuel, ce que révèle la présence de restes de sculptures wisigothiques dont l'un se trouve incorporé au premier contrefort de la façade septentrionale tandis que d'autres, trouvés lors de la dernière restauration, sont conservés dans le cloître. Il faut aussi noter que les vestiges de l'ancienne enceinte wisigothique, situés près du château-fort São Jorge, présentent la même structure que les plus anciennes parties de la cathédrale. Nous connaissons du reste les noms des évêques de Lisbonne durant toute la période wisigothique. Puis survint, après l'épiscopat de Landerico, un manque de documents dû à la conquête arabe. On sait qu'alors la pratique de la religion chrétienne fut tolérée, mais limitée aux faubourgs de la ville. On peut donc supposer que, contrairement à ce qui se passa à Cordoue, la cathédrale wisigothique de Lisbonne fut transformée en mosquée par les conquérants.

En 1147 en tout cas, après la reconquête de Lisbonne par les Chrétiens, « la mosquée fut réconciliée, consacrée et utilisée comme cathédrale provi-

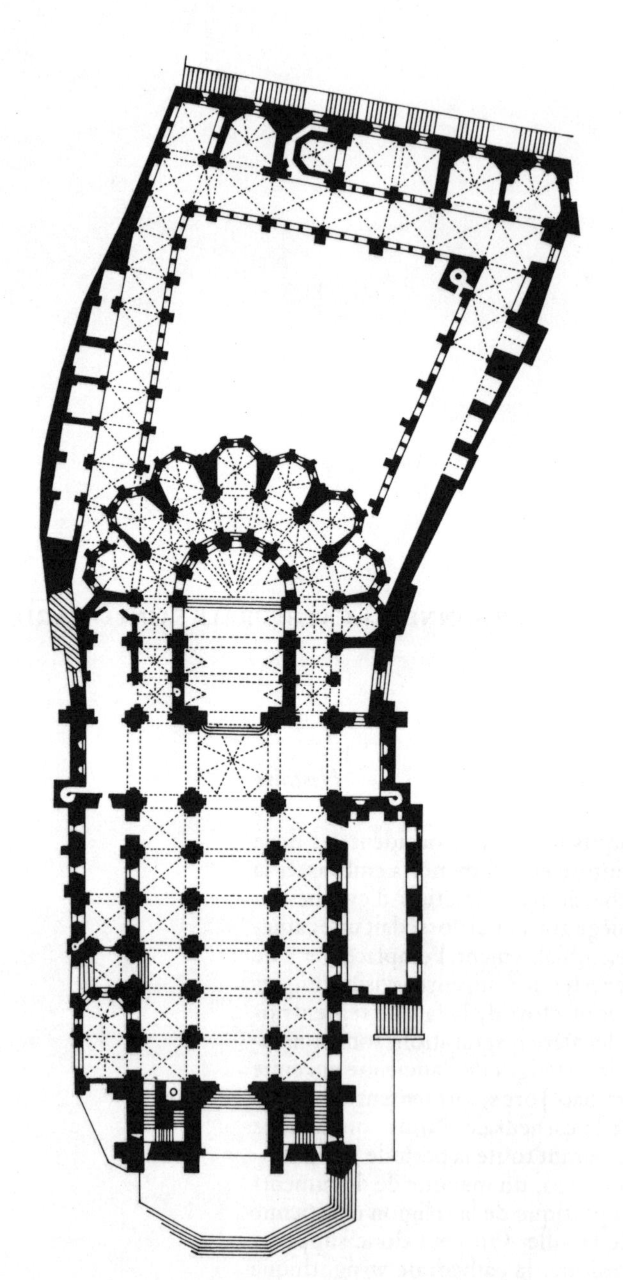

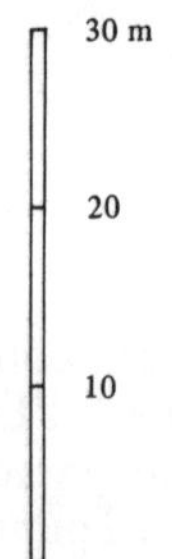

LISBONNE
cathédrale

soire ». Le premier service religieux eut lieu cette année-même le jour de la Toussaint. Gilbert de Hastings, un ecclésiastique anglais qui, en tant que membre d'un groupe de croisés britanniques, avait participé à la prise de la ville, en devint le premier évêque après qu'ait été rétabli le diocèse. Il semble que si le plan de la construction d'une nouvelle cathédrale, destinée à remplacer l'édifice ancien, fût arrêté très tôt, l'exécution des travaux connut pourtant quelque lenteur. La cause pourrait être due en premier lieu au fait que la population se trouva longtemps dans l'incertitude quant à l'évolution de la situation militaire : celle-ci ne se dessina clairement qu'à partir de la prise d'Alcácer do Sal en 1217. De plus, à en croire un document datant de 1173 (1), le transport des matériaux semble avoir posé certains problèmes peut-être liés à cette situation d'insécurité générale. Vers 1180 les travaux ne devaient être encore que peu avancés, car, dans son testament, le roi Alphonse Ier destina à la construction de cet édifice une somme double de celle qu'il légua à d'autres cathédrales, et son successeur Sanche Ier (mort en 1212) agit de même. C'est seulement sous le roi Denis (1279-1325) que fut achevé le cloître.

Quant à l'histoire de la construction proprement dite, nous ne la connaissons que partiellement, car, au cours du terrible séisme de l'an 1755, une grande partie des archives de la ville fut détruite. La réalisation de l'œuvre telle qu'elle se présente à nous aujourd'hui bénéficia pourtant de conditions exceptionnelles. L'édifice fut d'abord construit selon les principes et les techniques, tant statiques qu'esthétiques, de l'époque romane tout en accueillant des influences provenant essentiellement de l'architecture française du Languedoc puis des courants nouveaux qui se répandirent dans le Portugal au cours de la seconde moitié du XIIe siècle. Et comme le premier maître d'œuvre était un évêque d'origine anglaise, des influences d'origine normande s'y ajoutèrent tout naturellement. On y relève également quelques traits dus sans doute à l'imitation de certains modèles lombards. C'est la raison pour laquelle Couto, dernier restaurateur de la cathédrale, estima qu'un moine normand au nom inconnu et faisant partie des croisés anglais qui avaient pris part à la reconquête de la ville, assuma le rôle de premier architecte lors de la construction. Il est cependant douteux qu'on puisse identifier ce moine hypothétique avec le maître d'œuvre Robert dont nous savons qu'il travailla comme architecte à Lisbonne, qu'il fut appelé en consultation, à quatre reprises, sur le chantier de la cathédrale de Coïmbre, ce qui explique probablement certaines ressemblances que l'on peut relever entre ces deux monuments. A ce propos il faut aussi noter que bien que la cathédrale de Coïmbre ait vu ses travaux commencer un peu avant ceux de Lisbonne ou peut-être en même temps, elle fut achevée bien plus tôt que cette dernière. Cela explique qu'à Lisbonne on ressente bien plus nettement l'influence du premier art gothique, ce qui confère à cette cathédrale un aspect plus novateur et lui donne un caractère de transition dont Couto relève les traits en détail.

Malheureusement des événements ultérieurs dus tantôt à des cataclysmes, tantôt à des interventions humaines, ont privé cet édifice d'une bonne part de son originalité et de son authenticité, ce qui, contrairement à la Sé Velha de Coïmbre, le rend peu propre à l'étude de l'art roman tardif du Portugal. Ce furent d'abord les tremblements de terre des années 1337, 1344, 1347 et 1356, puis le séisme de 1755 et l'incendie consécutif qui ravagèrent la ville et provoquèrent de grands dommages. Il est vrai que les dégâts furent toujours réparés, mais ces interventions, heureuses et malheureuses, causèrent des altérations qui, lors des restaurations des XIXe et XXe siècles, empêchèrent parfois de rétablir l'aspect originel du monument. Ainsi modifia-t-on complètement le chœur édifié après la secousse sismique de 1344 : sous le règne d'Alphonse Ier (1325-1357) on lui ajouta un déambulatoire à chapelles gothiques rayonnantes, lui-même reconstruit après le nouveau tremblement de terre de 1347. Certains indices semblent prouver qu'à cette occasion la tour-lanterne située au-dessus de la croisée du transept fut transformée et complétée. Lors du terrible séisme de 1755, finalement cette tour et la coupole s'effondrèrent partiellement et dans leur chute, les pierres détruisirent une grande partie de la voûte de la nef. La tour méridionale de la façade Ouest elle-même s'écroula en partie et fut reconstruite sous une forme différente. D'autres destructions furent causées par le feu qui éclata à la suite de ce séisme et qui ravagea la ville ; la chapelle São Vicente et d'autres chapelles du cloître ainsi que le mobilier de la cathédrale en furent la proie. A la suite de cela, le chœur et la nef centrale reçurent, à la place de l'ancienne voûte à croisée d'ogives, un plafond de panneaux de bois, surmonté d'un toit en tuiles, dispositif qui fut maintenu jusqu'à la restauration du XXe siècle.

Outre ces restaurations nécessitées par des catastrophes naturelles, l'édifice subit des transformations volontaires et bien intentionnées qui altérèrent au cours des siècles sa forme et sa structure primitives. La première modification de cette nature eut lieu à la fin du XIIIe ou au début du XIVe siècle lorsqu'on adjoignit à la façade septentrionale une construction s'étendant du transept au portail Nord, appelée *« camarim do patriarca »* et comportant un étage. Au début du XIVe siècle, on ajouta à la tour septentrionale la chapelle Bartolomeu Joanes en pur style gothique. Son élévation Ouest est légèrement en retrait par rapport à l'alignement occidental de la tour et présente une niche inscrite dans un arc fait de fins tores au-dessus duquel s'ouvre une rose gothique simple. A cette construction on ajouta à l'Est un narthex communiquant avec la « *camerim do patriarca* » et abritant le portail Nord originel. Le narthex est aussi profond que la chapelle et répond à la largeur d'une seconde nef latérale qui ne fut jamais édifiée. Toutes ces adjonctions enlevèrent à la façade Nord sa structure initiale. Au XVIIe siècle on avança la partie centrale de la façade occidentale et on modifia la rose. Toutefois, à cette époque, les transformations intérieures de la cathédrale furent plus importantes encore. On couvrit l'ensemble de stucs, d'ornements en plâtre et de badigeon qui masquèrent en grande partie sa décoration primitive. Lorsqu'on tenta de dégager cette dernière au cours des travaux de restauration, bon nombre de chapiteaux furent malheureusement détruits. Ceux du triforium, du transept et des portails Nord et Ouest ont été cependant conservés.

C'est au cours du dernier quart du XIXe siècle que dans toute l'Europe et jusqu'au Portugal se fit jour un intérêt à l'égard des monuments historiques, un souci de leur sauvegarde et de leur restauration. En ce qui concerne la cathédrale de Lisbonne, qui se trouvait dans un état de délabrement total, c'est en 1899 que l'on décida de la soumettre à une réfection sérieuse qui ne visait pourtant pas à rétablir son état primitif, mais à lui restituer l'aspect qu'elle présentait à la fin du XVe siècle. On confia cette tâche à l'architecte Augusto Fuschini qui, après avoir mené à bien les travaux de démolition et de déblaiement et publié une étude succincte de l'histoire de cette construction, précisa dans son livre *A Arquitectura religiosa na Edade Media* (Lisbonne 1904) ses idées sur la méthode à adopter dans la restauration. Tout comme

Viollet-le-Duc en France, il préconisait une rénovation des œuvres dans une forme plus pure et plus complète que celle d'origine, ce qui suscita vite de nombreuses réserves et critiques. C'est la raison pour laquelle, en 1911, Faschini fut remplacé provisoirement par l'architecte Machado, puis définitivement par l'architecte Couto. Par la suite celui-ci dirigea surtout les travaux intérieurs de la cathédrale qui durèrent 25 ans. Toutefois, son intervention devait s'en tenir au rétablissement de l'état que présentait l'édifice à la fin du XVe siècle lorsque éléments romans et gothiques s'y conjuguaient. Couto tenta cependant, avec beaucoup de lucidité, de supprimer les plus grandes anomalies et de supprimer certaines adjonctions tardives qui s'accordaient mal avec le caractère roman de la construction originelle. Il était toutefois parfaitement conscient des difficultés qu'aurait soulevées un projet tendant à restituer dans son intégralité l'aspect primitif de la cathédrale. Son action dut ainsi tenir compte des apports architecturaux divers encore visibles, tout en essayant de s'inspirer des modèles anciens qu'on avait pu trouver. La structure primitive de la première cathédrale, datant de l'époque romane tardive, ne pouvait d'ailleurs être établie de façon absolument certaine, comme l'avait déjà constaté en 1908, avec d'ailleurs beaucoup de clairvoyance, l'éminent spécialiste de l'art roman portugais Manuel Monteiro dans les généralités de son étude sur l'église São Pedro de Rates (p. 36) : « Il est vrai », disait-il, « que le plan au sol et la structure générale de la cathédrale de Lisbonne sont encore distinctement discernables. Ses particularités pourtant ne peuvent plus être déterminées, car on ne peut deviner ce qu'était cet édifice qu'à travers les quelques pauvres restes de son portail. L'action des tremblements de terre et celle des restaurations qui en résultèrent ont été cruellement dévastatrices. Il est cependant possible d'établir que la construction de la cathédrale n'a pas été réalisée d'un seul trait, mais s'est étendue bien au-delà du début de l'époque gothique. Comme la cathédrale de Coïmbre, cet édifice possède une nef centrale et deux bas-côtés — tous les trois voûtés à peu près au même niveau —, un triforium, un transept et un déambulatoire. »

Toutes ces constatations ne doivent cependant pas nous empêcher de visiter cette cathédrale, afin d'y relever ce qui demeure encore de la construction romane initiale.

TABLE DES PLANCHES

I

2

3

4

6

7

COIMBRA

8

9

II

13

14

16

17

18

19

Premières impressions

La façade occidentale, munie de créneaux par la suite et insérée entre deux tours massives et élevées, les larges ouvertures de l'étage campanaire décorées de fines tores et de colonnettes, de même que les constructions jouxtant la façade septentrionale ne donnent aucune impression d'harmonie (pl. 1). Les faces imposantes des tours se réfèrent à l'esthétique architecturale des églises normandes de France, de Sicile et de l'Italie du Sud. Les grandes dimensions des ouvertures de l'étage des cloches par contre, la rose en retrait de la partie centrale de la façade, la faible élévation de cette dernière, le narthex avec son portail profondément creusé dans le mur et la décoration en forme de boudins s'accordent mal avec l'aspect fortifié des tours qui caractérise également dans une certaine mesure l'architecture de la Sé Velha. De plus l'adjonction de constructions à la façade Nord de l'édifice détruit la symétrie de l'ensemble et rompt l'unité architecturale en faisant appel à des formes appartenant au style gothique le plus pur.

Détails de la façade occidentale

Le corps central est nettement plus bas que les tours. Il n'atteint que les deux tiers de leur hauteur. Sa largeur ne dépasse pas celle de chacune d'elles. A son niveau inférieur le narthex et, au fond de celui-ci, le portail s'enfoncent profondément dans le mur. Au niveau supérieur la rose y creuse une seconde cavité. Cette rose fut reconstituée à partir de quelques fragments authentiques trouvés dans le triforium et insérée à son emplacement actuel qui n'est peut-être pas celui d'origine. Les deux hautes tours sont renforcées par des contreforts droits. Leurs baies rappellent celles de la Sé Velha ; elles se présentent sous forme d'ouvertures profondes, semblables à des portails, au fond desquelles on suspendit des cloches par la suite.

Le narthex et le portail occidental

Le narthex qui, dans la plupart des églises portugaises, n'existe plus ou subsiste sous une forme rudimentaire, constitue ici une petite salle rectangulaire et voûtée qui abrite en son fond, un portail constitué de voussures multiples. Cet ensemble était primitivement précédé par un atrium qui abritait de vieux tombeaux. Il fut supprimé lors de la dernière restauration afin de faciliter la circulation. La voûte du narthex, en plein cintre, est d'origine, tout comme les quatre archivoltes du portail qui, avec leur alternance de tores et de scoties, se conforment aux traditions de l'époque romane tardive. Les fûts et les bases des colonnes ont été refaits, les chapiteaux par contre sont authentiques (pl. 2). Les figures sveltes et étirées qui les décorent et la présence d'une floraison d'entrelacs reflètent déjà l'esthétique de la dernière phase du style roman. Exception faite de la représentation d'une reine qui semble personnifier une vertu, les thèmes traités restent cependant traditionnels. On y voit des hommes combattant et chevauchant des lions, l'archange Michel terrassant le dragon, accompagné de trois autres personnes qui, selon certains, figureraient les trois martyrs de Lisbonne ainsi qu'un petit masque ; du cou de ce dernier s'échappent des entrelacs. Toutes ces figures paraissent pourtant déjà moins lourdes et moins barbares ; la sculpture de la reine et celle, voisine, d'un ange semblent plus spiritualisées et présagent une nouvelle époque que préfigure encore plus clairement le Commentaire de Beatus enluminé près de Coïmbre durant le dernier quart du XIIe siècle (2). La luxuriance des entrelacs végétaux et floraux qui envahissent abaques et impostes traduit, elle aussi, cette évolution du goût. La décoration est devenue plus fantaisiste, le ornements ont perdu leur uniformité. Peut-être tous ces changements traduisent-ils la naissance d'une nouvelle joie de vivre qui s'était emparée des hommes et menait à l'art gothique. L'arc d'entrée du narthex est en plein cintre et d'une grande simplicité. Il ne présente pas de moulures et s'appuie sur des colonnes engagées sur le tiers de leur surface. Elles avaient été masquées lors des transformations opérées durant la Renaissance et ont été remises au jour lors de la restauration. Audessus du narthex s'étend un deuxième étage, couvert lui aussi d'une voûte en plein cintre. Les colonnes de son arc frontal sont également engagées. Au fond, la terrasse se termine sur le mur dans lequel s'insère la rose. Un parapet fait de créneaux couronne la partie médiane de la façade et repose sur une série de consoles. La structure de cet élément architectural correspond à celle de la frise qui se déploie au-dessus du portail principal de la Sé Velha (pl. 8) et servit de modèle à beaucoup d'églises portugaises, principalement à celles qui appartenaient à l'ordre des chanoines augustiniens. Le parapet a été restauré et complété à l'aide de sculptures de têtes animalières et humaines exécutées en style néo-roman.

La façade septentrionale

Elle a été profondément altérée par les adjonctions architecturales ultérieures dont nous avons déjà parlé et qui masquent le mur extérieur d'origine. Un fragment de sculpture wisigothique a été inséré dans le premier contrefort et rappelle la construction précédente. Les détails de cette œuvre restent lisibles pour la plupart (pl. 3). Il s'agit d'un relief composé de trois arcs légèrement en fer-à-cheval qu'accompagnent des tores et, en disposition radiale, des ornements en forme de coquilles, fréquemment utilisées à l'époque wisigothique (3). Ces arcs abritent trois niches délimitées par des colonnes torses aux chapiteaux vaguement indiqués et abritent quelques animaux : à droite un cheval, au centre deux oiseaux affrontés, à gauche un animal complètement effrité. Toute cette représentation est encadrée d'une frise de fleurs semblables à des lys et se termine par un cordon externe. Des influences byzantines sont évidentes. On trouve des motifs comparables sur deux restes de sculptures provenant du monastère de Chelas et conservés au musée do Carmo à Lisbonne.

La chapelle gothique ajoutée à l'extrémité Ouest de la façade septentrionale est suivie du narthex Nord qui fut construit en même temps qu'elle et donne accès au *portail septentrional.* Celui-ci date de l'époque romane et présente des archivoltes correspondant à celles du portail occidental. Les colonnes, par contre, reposent ici sur de hauts socles. Les chapiteaux diffèrent de ceux du portail Ouest par la forme de leurs corbeilles, par leurs motifs et leur modelé ce qui semble démontrer que plusieurs ateliers ou artistes ont participé à la réalisation des travaux. La décoration est parcimonieuse, surtout sur des éléments de moindre importance. Au lieu des séries de feuilles d'acanthe, de feuilles provenant d'autres végétaux et de fleurs, on trouve ici des branches irrégulières ou des motifs géométriques linéaires. Cette tendance à réduire les anciennes formes ornementales en abstractions, semble souvent une sorte de rébellion contre la tradition et est relativement fréquente au Portugal pendant cette période de transition.

Après avoir longé le troisième ajout architectural dit *camarim do patriarca*, au-dessus duquel se trouve la salle du *tesouro velho*, on parvient à la façade Nord du *transept.* Celui-ci appartient à l'édifice d'origine et a subi quelques transformations au cours de la première restauration effectuée au début de notre siècle. Deux grandes fenêtres qui ne constituaient certainement pas le dispositif d'éclairage primitif, ont été remplacées par une arcade composée de cinq arcs de style néo-roman. Au-dessus d'elle s'ouvre une rose de très belle exécution dont l'authenticité est aussi incertaine.

La *façade Sud* de la cathédrale n'offre rien de particulièrement remarquable. Les fenêtres au niveau des galeries ont été reconstituées à l'aide des quelques fragments qu'on avait retrouvés, la rose du transept fait pendant à celle du croisillon Nord et l'élévation générale est très proche de celle de l'église de la Sainte Trinité de Caen.

L'*intérieur* de l'église présente la structure d'une basilique à trois nefs de six travées chacune, un transept saillant à nef unique, une croisée de transept surmontée d'une tour-lanterne et un chœur muni d'un déambulatoire gothique. La parenté avec la Sé Velha de Coïmbre est indéniable, bien que le stade d'évolution soit ici plus avancé et que les formes appartiennent plus encore au style de transition. Ainsi des boudins fasciculés placés en guise de colonnettes arrondissent-ils les piliers cruciformes. Complétant des demi-colonnes adossées, ils forment — en laissant place à des scoties intermédiaires — des arcs en plein cintre soutenant les parties hautes de la nef centrale. Des influences normandes sont évidentes, que nous verrons également confirmées à la croisée du transept. La restauration a rendu à la nef centrale sa voûte en berceau d'origine ainsi que les doubleaux séparant les travées. Le berceau primitif avait été détruit lors du séisme de 1755 et avait été alors supprimé et remplacé par une voûte en bois et en plâtre. Les nefs latérales sont couvertes d'une voûte d'arêtes inhabituelle, car faite de briques. Les recherches ont montré qu'à une époque plus tardive elle remplaça une ancienne voûte en pierre. Tous les chapiteaux du vaisseau sont lisses : le ciseau des restaurateurs, en s'attaquant à la décoration en stuc du XVIIIe siècle, n'a pu éviter la destruction des sculptures.

Le *transept* et la *croisée* sont demeurés par contre indemnes et authentiques pour l'essentiel (pl. 4). Les voûtes de croisillons sont d'origine et leurs doubleaux se réfèrent de nouveau à des modèles normands. Du fait de leur forme et de leur emplacement l'authenticité des fenêtres et des roses est pourtant quelque peu douteuse. Elles ont apparemment été déjà modifiées assez vite et de nouveau transformées lors de la dernière restauration. Quant aux chapiteaux de cette partie de l'église, ils nous permettent de nous familiariser avec quelques aspects des sculptures qui ornaient la construction romane. Avec les chapiteaux du portail principal et ceux du triforium ils présentent un éventail de motifs, de formes et de techniques, qui est comme un résumé des œuvres d'autres ateliers romans, parmi lesquels l'école de Coïmbre et celle de Guimarães (arc frontal de la rose de la façade occidentale). Beaucoup de chapiteaux sont d'une grande simplicité, ainsi ceux, ornés de grandes feuilles, qui pendent au-dessus des abaques et font saillie. Les chapiteaux des parties les plus anciennes de l'édifice ne sont pas dépourvus d'un certain charme. Ils sont encore empreints de l'influence des motifs de la haute époque romane, dont ils présentent d'intéressants développements. On y découvre d'élégants rapaces devenus paisibles et picorant des pommes de pin ou se désaltérant dans des vases (pl. 6), des quadrupèdes, gras et pourvus de trompes, d'une facture presque caricaturale, tels que nous les rencontrons dans l'église paroissiale de Barcelos et, moins nombreux, à la Sé Velha, mais aussi des lions stylisés munis de colliers, se balançant sur l'astragale et faisant jaillir de leur gorge des objets stylisés indéfinissables. On relève également quelques résonances de l'art de la région de Minho sous forme de motifs végétaux abstraits et d'ornements géométriques, les uns et les autres gravés dans la pierre.

La *croisée du transept et la tour-lanterne* s'inspirent, comme celles de la Sé Velha, de modèles normands dont l'influence était grande à cette époque et avait inspiré Maître Robert lors de l'élaboration de ces deux cathédrales. Au-dessus des arcs des quatre piliers renforcés de la croisée se déploient une coupole octogonale munie de trompes et une lanterne. Les autres éléments de cette structure correspondent à ceux de la voûte de la tour septentrionale de la façade. Quatre nervures croisées supportent la coupole et portent un fleuron comme clef de voûte. Au-dessus s'élevait, jusqu'en 1755, une grande tour carrée dont la moitié supérieure fut détruite cette année-là par le tremblement de terre. D'après de vieilles gravures cette tour comportait deux étages, trois d'après d'autres ; chacun d'eux présentait vraisemblablement, sur chacune des quatre faces, deux ouvertures laissant passer le son des cloches. De cette tour ne subsiste aujourd'hui que la souche. Celle-ci est couverte par un toit en pavillon dont la ligne de départ se situe légèrement au-dessus d'un plancher placé juste au-dessus de la coupole. Dans l'épaisseur des murs des parties basses de la tour et à un niveau situé un peu en-dessous de celui de la naissance de la coupole court une galerie de circulation. Elle comporte huit fenêtres romanes du côté intérieur et, du côté extérieur, huit petites portes ainsi qu'une autre fenêtre de style roman, visible depuis le cloître. Dans la maçonnerie des tours également ont été aménagés, perpendiculairement aux trompes, quatre escaliers à vis qui permettent la communication entre la coursière et la salle située au-dessus de la voûte. Il s'agit d'un système de voies de circulation qui fut employé dans de nombreuses églises importantes à partir de la seconde moitié du XIIe siècle.

Le chœur

Les études faites avant la dernière restauration démontrèrent que la cathédrale de Lisbonne ne possédait initialement qu'un chœur modeste qui comportait une abside centrale, arrondie à son extrémité orientale et précédée d'une travée droite flanquée de deux absidioles. Le plan de cette abside de dimensions réduites est aujourd'hui marqué sur le sol du sanctuaire. Au XIVe siècle, sous le règne d'Alphonse IV (1325-1357), on entreprit une modification de l'ensemble, dont le but était l'aménagement du déambulatoire et la construction de nombreuses chapelles. L'abside principale fut agrandie, les absidioles supprimées. Puis on éleva le déambulatoire et on l'entoura de neuf chapelles rayonnantes, auxquelles on adjoignit du côté Nord, la chapelle du Saint-Sacrement et, du côté Sud, la chapelle São Vicente. A l'intérieur des chapelles ont été installés de nombreux monuments funéraires, souvent précieux du point de vue artistique et intéressants sur le plan historique. Le sanctuaire proprement dit se compose de la travée droite agrandie et d'une salle heptagonale à l'Est.

Le triforium

La forme du triforium n'a apparemment subi aucune modification décisive au cours des siècles et se situe, sur le plan de l'évolution des structures architecturales, entre le triforium de Coïmbre et celui d'Evora. De chaque côté de la nef ce triforium présente quatre ouvertures, chacune surmontée d'un arc de décharge correspondant à un des arcs des travées exhaussées du vaisseau. L'aspect de ce triforium est plus sévère et plus rude que celui de son pendant de Coïmbre qui témoigne d'une conception plus rythmée et plus élégante. Le plan et la fonction des parties supérieures de ces deux églises diffèrent également. A Lisbonne, comme d'ailleurs dans beaucoup d'autres églises inspirées, elles aussi, par l'architecture normande, il n'existe en effet aucune véritable cohésion de structure entre les couvertures du triforium, les tribunes et les salles supérieures. Celles-ci sont séparées par les imposantes maçonneries du triforium et de son étroite coursière, avec laquelle elles ne sont en relation que par l'intermédiaire d'un petit nombre de passages. A cela s'ajoute l'impossibilité de communiquer, à partir du triforium, par voie acoustique ou optique, avec la nef et le chœur. Toutes ces particularités opposent la cathédrale Sainte-Marie de Lisbonne à la Sé Velha de Coïmbre et également à d'autres églises où on cherchait à accueillir les fidèles, les pèlerins ou, comme en Italie du Sud, les femmes, les « matrones », dans les locaux supérieurs de l'édifice et à leur permettre de participer, à partir de ces lieux, au déroulement de la liturgie et de l'office. D'autres caractéristiques témoignent à la Sé Velha du souci de garantir la stabilité de l'édifice et de neutraliser les poussées de la voûte de la nef centrale. Les salles supérieures de la cathédrale de Lisbonne sont couvertes de voûtes d'arêtes, réalisées en brique, comme celles des collatéraux, et pourvues d'arcs doubleaux et de piliers engagés de section carrée, qui, à en juger d'après les impostes, datent encore de l'époque romane, mais non toutefois de la première période de cette dernière. Comme beaucoup d'églises normandes, l'édifice devait en effet présenter une charpente apparente. Les supports correspondant à un tel type de couvrement sont encore visibles sur les murs situés au-dessus du collatéral Sud. On accède au triforium par des escaliers à vis à partir du transept ou depuis les tours.

La visite des tours

Le visiteur qui s'intéresse à l'architecture des tours ira voir de préférence, parmi les tours carrées de la façade occidentale, celle du côté Nord. La tour méridionale a subi en effet de fortes destructions lors du séisme de 1755 et a été modifiée au cours de sa restauration. La tour septentrionale par contre est authentique, pour la plus grande part, bien que la présence de deux blasons de l'archevêque-cardinal Da Costa (1464-1500) rende vraisemblables certaines transformations de l'un des arcs d'une fenêtre. Ces blasons apparaissent, l'un sur le contrefort septentrional de la façade, l'autre sur un chapiteau de la fenêtre ouverte sur la face méridionale de la tour. Un escalier tournant, dont le noyau est constitué par un pilier central, conduit au premier étage. Une voûte nervée, reposant sur quatre masques d'angle, rappelle la voûte de la tour-lanterne de la Sé Velha qui lui est tout-à-fait semblable. Cet étage communique avec d'autres parties de l'édifice : une porte romane conduit au triforium, une autre, également romane, et surmontée d'un arc en plein cintre, donne accès à la galerie de la nef et une troisième mène vers les deux doubles fenêtres romanes dont l'embrasure est décorée par trois colonnes de chaque côté. Un escalier à vis monte au deuxième étage qui abrite les cloches et est couvert par une coupole dont les huit nervures présentent un fleuron comme clef de voûte. La salle est caractérisée surtout par quatre grandes ouvertures qui, semblables à des portails, comportent de nombreuses archivoltes reposant sur des chapiteaux et des colonnes et constituent, sur une échelle beaucoup plus importante, une réplique de la fenêtre supérieure de la façade occidentale de la Sé Velha. On peut parvenir aux terrasses des tours et à celle de la partie centrale de la façade par de petits escaliers aménagés dans les salles situées au-dessous de ces dernières.

Le cloître fut commencé sous le règne de Denis (1279-1325) qui en fit construire également un du même genre à Alcobaça. Conçu en pur style gothique, il possède quelques très belles clefs de voûte. D'après Castilho (*op. cit.*, p. 110 et ss.), la construction de cet ensemble, élevé le long du mur d'enceinte de l'église, semble s'être déroulée, malgré une certaine disparité de formes et quelques interruptions des travaux, dans un laps de temps assez court. Le cloître abrite le musée de la cathédrale, dont on ne peut que conseiller la visite. On y verra des fragments et les restes d'anciennes sculptures de l'édifice et des objets funéraires. On y trouvera également des sculptures wisigothiques et romanes récemment découvertes, qui illustrent l'histoire de la cathédrale. On notera spécialement des pierres tombales discoïdales trouvées lorsque l'on réduisit la surface de l'atrium. En sortant du cloître on pourra admirer une superbe grille romane (pl. 5) qui servit, en dernier lieu, à fermer l'une des chapelles du déambulatoire.

NOTES

(1) Document cité par Real.

(2) Voir à ce propos : Anne de Egry : *O Apocalypse de Lorvão,* Fundaçaõ Calouste Gulbenkian, Lisbonne, 1972.

(3) Exemples dans *L'art préroman hispanique,* Zodiaque, I, pl. 29 et 34.

COIMBRE

C O I M B R E

Coïmbre constitue l'un des centres de la vie intellectuelle du Portugal et le siège de l'une des plus anciennes universités d'Europe. La présence de monuments romans — parmi lesquels la cathédrale, la Sé Velha, le plus important édifice portugais de ce style —, le rayonnement et les multiples influences que ceux-ci exercèrent, en font un lieu essentiel pour l'étude de l'art roman.

A l'époque romaine, la ville portait le nom d'Aeminium et formait une petite agglomération située sur la rive septentrionale de la rivière Mondego. Sa situation, au lieu où la route de Lisbonne à Braga franchissait ce cours d'eau, lui conférait une importance stratégique indéniable. A 16 km environ au Sud, sur la rive opposée, s'élevait Conimbriga, cité celte datant de l'âge de fer, qui, sous la domination romaine, avait été promue au rang d'oppidum. Le nom de son premier évêque, Lucentius, nous est connu grâce aux listes des participants aux Conciles de Braga en 561 et 572. A l'époque des invasions germaniques, Conimbriga semble avoir perdu de son importance. Après quelques incursions de reconnaissance et de pillage, les Suèves conquirent la ville en 468. La majeure partie de la population se réfugia à Aeminium qui, de ce fait, se développa aux dépens de sa rivale : on y frappait la monnaie du royaume suève, on y transféra le siège de l'évêché (1) et on donna finalement à la ville le nom même de Conimbriga. L'ancienne cité de Conimbriga n'est plus aujourd'hui qu'un champ de ruines au demeurant d'un très grand intérêt archéologique.

Après l'effondrement du royaume wisigothique au VIIIe siècle, les Musulmans semblent avoir pris Coïmbre sans combat. Comme partout, durant la première période de la domination arabe, les relations entre les populations musulmane et chrétienne furent empreintes de tolérance. Au moment de la Reconquête, lancée par le roi Alphonse III, Coïmbre fut repris par le comte Hermenegildo en 878, mais lors de l'assaut du célèbre chef arabe Almançour en 987, retomba aux mains des Musulmans. C'est seulement le 9 juillet 1064 au cours de la campagne de Fernando le Grand de León que la ville fut définitivement libérée. Les opérations militaires ultérieures et quelques avances musulmanes constituèrent souvent des menaces pour Coïmbre. Certains historiens affirment que la ville fut de nouveau assiégée par Aboul Hassan Ali Ibn Jusuf, qu'elle fut prise en 1119 et pillée alors, qu'elle subit de nouvelles épreuves entre 1139 et 1142, mais aucun document ne le prouve.

Il est par contre certain que, de 987 à 1064, période de domination arabe, les Chrétiens bénéficièrent à nouveau d'une large tolérance religieuse, bien que les Musulmans eussent engagé alors une politique intense de colonisation. Nous ignorons pourtant si cette attitude bienveillante des Arabes alla jusqu'à permettre aux Chrétiens de construire des églises ou de les restaurer. A l'inverse, lorsque Coïmbre fut reconquis par Fernando le Grand, l'administration chrétienne fut placée sous l'autorité du comte Sesnando Davidiz, un noble mozarabe. Celui-ci se préoccupa non seulement de reconstruire les églises chrétiennes et de réorganiser le diocèse avec l'aide de l'évêque Paterno, mais encore d'accueillir largement les populations mozarabes affluant du Sud de la péninsule, tout en épargnant les Arabes restés dans la région. De cette façon put naître une symbiose des deux cultures, qui devait laisser des traces dans les monuments qu'on fit construire par la suite à Coïmbre. Manuel Gómez Moreno (2), l'un des meilleurs connaisseurs de l'art mozarabe, estime que Coïmbre constituait à l'époque pour les Chrétiens mozarabes le centre le plus important de toute la partie occidentale de la péninsule ibérique.

1 LA CATHÉDRALE VIEILLE "SÉ VELHA"

Histoire de la cathédrale de Coïmbre

Compte tenu du fait que dès l'aube de l'ère chrétienne, tout évêché était doté d'une cathédrale, on peut penser qu'il en existait déjà une à Coïmbre à l'époque suève et wisigothique. Mais contrairement à ce qu'on peut constater à Lisbonne, il ne subsiste aucune trace d'un tel édifice, et les quelques restes d'une construction wisigothique que conserve l'église São Pedro ne peuvent être tenus avec certitude comme provenant de l'ancienne cathédrale. Sous l'occupation arabe celle-ci a très vraisemblablement été préservée comme dans d'autres évêchés, bien qu'on ne puisse exclure qu'elle ait subi de graves dégâts ou destructions lors de la seconde conquête arabe sous l'assaut des hordes fanatisées d'Almançour. Il est possible aussi que l'édifice ait été transformé en mosquée, car lorsque Fernando le Grand reprit définitivement la ville, la mosquée semble avoir été reconvertie en une cathédrale consacrée à sainte Marie (3).

Sur le sort ultérieur de cette église nous ne disposons pas de témoignages directs. Les documents de donations et les testaments des années 1086, 1108 et 1110 laissent subsister quelque incertitude, car il y est question tantôt d'une *vetus ecclesia Sedis,* tantôt d'une église nouvelle. Les explications de Real (4) permettent de supposer que le nom de « nouvelle église » se rapporte à l'église São João de Almedina, en faveur de laquelle, en 1087, dans ses dernières volontés, le comte Sesnando prit, lui aussi, des dispositions. La *vetus ecclesia Sedis* par contre pourrait parfaitement avoir été cette ancienne église qui servit aux Arabes de mosquée, fut reconsacrée cathédrale par Fernando le Grand, bénéficia de plusieurs restaurations, dont la dernière sous l'évêque Gonçalo (1109-1128) et fut utilisée jusqu'à la construction d'un nouvel édifice de style roman (5).

Nous savons aussi que cette ancienne cathédrale possédait trois autels qui correspondaient vraisemblablement aux trois nefs. L'un de ces autels était dédié à sainte Marie, le second à saint Pierre et le troisième à saint Martin de Tours. Le document de 1086 précise par ailleurs que l'édifice comportait un *« atrium australense »*, terme qui désigne probablement le cloître.

Aucun document par contre ne nous renseigne sur la date à laquelle l'actuelle église, la Sé Velha, c'est-à-dire la cathédrale vieille, fut construite. Ni le début ni la fin de la campagne ne peuvent donc être définis de façon précise. Un certain nombre de points de référence permettent d'avancer toutefois une datation approximative, bien qu'ils donnent lieu, de la part des spécialistes, à des interprétations différentes et à des hypothèses divergentes.

Avant d'aborder ce problème de datation il sera utile de tracer brièvement un tableau de l'évolution de la situation politique dans la mesure où celle-ci a pu impliquer quelque conséquence sur la construction de la Sé Velha et, de façon plus générale, sur l'orientation que prit l'art roman au Portugal. Le comte Sesnando décéda peu de temps après la mort de Fernando le Grand, et le successeur de ce dernier, Alphonse VI, transmit la dignité comtale au prince Henri de Bourgogne, l'un de ses plus valeureux chevaliers, qui était en même temps son gendre et le parent du célèbre abbé Hugues de Cluny. En 1095, il lui donna en fief la vaste région située entre les rivières Minho et Mondego. La Reconquête se poursuivit à un rythme accéléré, même lorsque, après le décès du comte Henri en 1112, son épouse Tareja (Thérèse) assuma la régence et elle se développa plus rapidement encore lorsque, en 1125, son fils Afonso Henriques lui succéda. A l'intérieur des régions reconquises la reprise du christianisme se renforça après que le comte Henri eût fait venir un grand nombre d'ecclésiastiques et de moines français : conformément à la politique de Cluny et de la Curie romaine, ceux-ci écartèrent les traditions mozarabes et introduisirent des conceptions artistiques d'origines française et italienne.

L'édification d'une nouvelle cathédrale semble avoir été décidée après la victoire d'Ourique sur les Maures en 1139, lorsque les troupes chrétiennes proclamèrent Afonso Henriques roi d'un état portugais indépendant et que celui-ci choisit Coïmbre comme lieu de résidence. Quant à la question de savoir qui fut le maître d'œuvre de ce nouveau sanctuaire, les opinions des spécialistes divergent, mais ce problème paraît secondaire : nous pouvons penser, en effet, que tant les autorités laïques que les instances ecclésiastiques étaient animées du même désir de doter la nouvelle capitale d'une cathédrale convenable. L'initiative de la construction pourrait avoir été prise par le roi, comme ce fut le cas sous le règne de son père lors de la construction de la cathédrale de Braga et de l'église de pèlerinage de Rates. Dans de telles conditions, le financement du projet aurait été assuré essentiellement par le prince et de façon complémentaire par l'évêque. Ce partage des responsabilités expliquerait le fait souligné par David (6) que dans le *Livro dos calendas* et dans le *Memorial*, dont on donnait lecture, à la Sé Velha, la veille de l'anniversaire de la mort du roi, Afonso Henriques soit qualifié du titre de fondateur. Au cours des travaux, celui-ci apporta d'ailleurs son aide sous forme de nombreuses donations et mit à la disposition du chantier comme ouvriers des prisonniers arabes. L'important concours de l'évêque Miguel Salomão ne fut pas moins méritoire.

Peu de repères permettent par contre de fixer avec sécurité la date du commencement de la construction : les documents sont ou peu précis, ou remplis de contradictions. Les spécialistes estiment que les travaux furent entamés entre 1139 et 1162. L'ancienne cathédrale devait être encore debout en 1139, car l'évêque Bernard y reçut de façon solennelle, cette année-là, l'archevêque de Braga. Par contre la violente altercation qui eut lieu entre ces dignitaires, et qui devait devenir historique, ainsi que le synode de 1143, qui régla, en présence du cardinal Guido, un litige au sujet des droits de la cathédrale et de ceux du monastère de Santa Cruz, eurent lieu dans l'église São João. Il est par conséquent fort possible que la destruction de l'ancienne cathédrale ait été entreprise après 1139.

Les travaux préparatoires, tels que l'élaboration des plans et le creusement de fondations, rendu sans doute nécessaire par les données topographiques et le projet d'une construction plus vaste, semblent avoir été effectués sous l'évêque Bernard. Une interruption assez longue de l'activité du chantier a dû intervenir pour plusieurs raisons : l'évêque Bernard mourut en 1146. Son successeur João Anais ne fut nommé qu'au mois de février 1148 et fut destitué en 1154 en raison de son incapacité. Il s'ensuivit une longue vacance, jusqu'à ce qu'en 1162 Miguel Salomão, prieur du chapitre, devint évêque. Par ailleurs des difficultés financières pourraient avoir également imposé la suspension des travaux : déjà sous l'épiscopat de Bernard, malgré les efforts de l'évêque, la Sé dut se défaire de nombreuses possessions et de certains privilèges ; d'autres concessions durent être acceptées sous son successeur et durant la vacance du siège épiscopal. Il fallut l'autorité et la personnalité de Miguel Salomão pour mettre de nouvelles ressources à la disposition du chantier. Il semble avoir été d'ailleurs très fortuné et tout à fait disposé à couvrir une partie considérable des dépenses de ses propres deniers, n'hésitant pas à imposer des sacrifices aux chanoines. Un document de l'année 1168, évoqué par Almeida (7), montre qu'après la reprise des travaux la recherche d'un financement s'effectuait même très loin de Coïmbre : il y est question d'une donation, en faveur de la Sé, des droits d'exploitation de salines appartenant aux habitants de la commune d'Aveiro, située à 100 km de Coïmbre et elle-même siège épiscopal.

Quant à savoir à quel moment l'édifice fut achevé, nous ne disposons également que de quelques indices : un acte notarié de l'année 1172, par lequel le roi lègue à la cathédrale quelques maisons afin d'y loger les chanoines, précise que ces bâtiments étaient situés juste en face de la cathédrale et séparés du portail occidental par une rue longeant la façade. Le portail occidental, semble-t-il donc, devait être au moins en construction à cette date. Les exigences financières que l'évêque Salomão faisait peser sur le chapitre entraînèrent un sérieux différend en 1172, à tel point que l'évêque dut démissionner. Il est pourtant peu probable que cet homme qui avait été le plus grand bienfaiteur de l'entreprise, et qui ne cessa, d'après les indications du *Libro preto,* de fournir des moyens financiers considérables et fut l'instigateur de tous les travaux, ait abandonné l'œuvre de sa vie, si l'accomplissement de celle-ci n'avait pas été proche. Bernudos, successeur de Salomão, fut enterré dans la nouvelle cathédrale en 1182 et, en 1185, le nouveau roi Sanche y fut couronné.

Cette datation se trouve confirmée par certaines particularités de l'édifice lui-même. Almeida (8) constate que les signes lapidaires ont apparu au Portugal au plus tôt durant le dernier quart du XIIe siècle. Il est vrai qu'il faut se garder de donner à de tels indices une valeur absolue, mais lorsqu'ils en sont accompagnés d'autres — comme c'est précisément le cas à Coïmbre — ils peuvent constituer un appui précieux. Dans la Sé Velha ces marques de tâcherons se relèvent sur le portail occidental, qui constitue en règle générale l'élément par lequel s'achève la construction. L'édification de la cathédrale semble donc s'être étendue sur une vingtaine d'années, ce qui, compte tenu de l'apparente unité du monument, représente une durée de construction normale pour l'époque. La tour-lanterne située au-dessus de la croisée du transept et le cloître n'étaient probablement pas encore élevés à ce moment-là ; on commença leur construction peu de temps après l'achèvement de l'église. Les travaux nécessaires furent poursuivis de façon continue et terminés vers 1320.

La Sé Velha ne connut heureusement que peu d'interventions ultérieures. La plupart d'entre elles se limitèrent à des apports d'ordre décoratif et à l'installation de monuments funéraires qui, lors des restaurations de 1893 et de 1962, furent presque tous rassemblés à l'intérieur du cloître. Au XVIIIe siècle, une coupole remplaça la tour située au-dessus de la croisée du transept, laquelle menaçait de s'écrouler, et l'évêque et comte Jorge de Almeida fit transformer le portail Nord et la porte de Santa Clara. En 1566, l'évêque Soares ordonna une modification de l'absidiole Sud : on supprima la partie semi-circulaire, on suréleva les murs, on couvrit la chapelle d'une coupole et on la dota intérieurement d'un grand autel de pierre.

Les renseignements que nous possédons sur les architectes, dont l'œuvre nous remplit aujourd'hui encore d'admiration, sont également peu abondants. C'est à nouveau le *Libro preto* déjà cité qui, en évoquant le soutien financier accordé aux travaux par l'évêque Salomão, nous fournit quelques indications à cet égard. Ce texte précise que *magistro Bernardo qui in opere ecclesiae magister fuit per decem annos centum et viginti quatuor morabitinos, excepta annona quam ei dabat episcopus ad suam mensam et vestimento uno corporis sui in unoquoque anno valente tres morabitinos. Magistro Ruberto de Lisbona qui venit ibi per quatuor vices ut melioraret in opere et in portali ecclesiae per unamquamque vicem septem septem septem (sic) morabitinos dedit, et in expensa panis et vini et carnis cum suis quatuor jumentis et quatuor mancipiis per illas vices quibus ibi stetit in illo opere decem morabitinos... Suerio quoque magistro post mortem Bernardi magistri semper dat unum vestimentum et unum quinale de vino et unum panis modium*. Rédigé en latin médiéval, un latin qui avait perdu beaucoup de sa précision, ce passage du livre ne nous livre que peu d'informations non sujettes à caution. L'interprétation méthodique et précise du texte par David (9) établit les faits suivants : au cours de la construction de la cathédrale, un certain Bernard exerça pendant dix ans les fonctions d'architecte et fut remplacé à sa mort par maître Soeiro. A quatre reprises un certain maître Robert vint, accompagné de ses compagnons, de Lisbonne à Coïmbre, afin d'y effectuer des améliorations qui concernaient, entre autres, le portail occidental. Le montant des honoraires payés et le fait même qu'on ait appelé cet homme de Lisbonne permettent de penser que celui-ci était particulièrement qualifié. Un autre document révèle que, plus tard, maître Robert séjourna de nouveau à Coïmbre et qu'il entretint vraisemblablement des relations avec le monastère de Santa Cruz.

Quant à l'origine de ces deux architectes, Bernard et Robert, nous ignorons tout. Leurs noms permettent de présumer qu'ils étaient d'origine française ou franco-normande. Ceci est d'autant plus vraisemblable que l'évêque Bernard, qui prépara la construction de la cathédrale et fit probablement procéder aussi aux premiers travaux, était lui-même un ancien moine bénédictin français, appelé au Portugal par l'évêque Géraud de Braga, ancien moine de Moissac. Dans ce contexte, David cite le célèbre archéologue portugais Virgilio Correia qui reconnaît à celui des architectes qui dessina les plans de la cathédrale Sé Velha une *real mestria nos dominios da arquitectura* et *o conhecimento do estilo românico na su fase evolucionada* et en conclut à une *intervenção de tecnicos especializados alheis ao meio artistico português do tempo*. Dans un document de 1144, un architecte du nom de Soeiro est présenté comme le maître d'œuvre du monastère de Grijó près de Porto, mais nous ignorons s'il s'agit du même architecte que celui de Coïmbre. Quant à Robert nous savons qu'il dirigea la construction de la cathédrale de Lisbonne.

Les renseignements que nous donne le *Livro preto* ont quelquefois conduit à des interprétations fantaisistes. C'est le mérite de Real d'avoir fourni des réponses convaincantes aux questions les plus importantes que soulevait ce livre et d'avoir défini le rôle qu'assuma Robert lors de la construction de la cathédrale de Coïmbre. La méthode qu'il utilisa à cette fin est celle de l'analyse archéologique comparative, seule susceptible d'aboutir à des résultats valables. Son étude exhaustive du monument constitue pour le visiteur un précieux recours et nous a servi de référence à plusieurs reprises dans le présent chapitre (10). Nous ne pouvons qu'en recommander la lecture au spécialiste aussi bien qu'à l'amateur d'art.

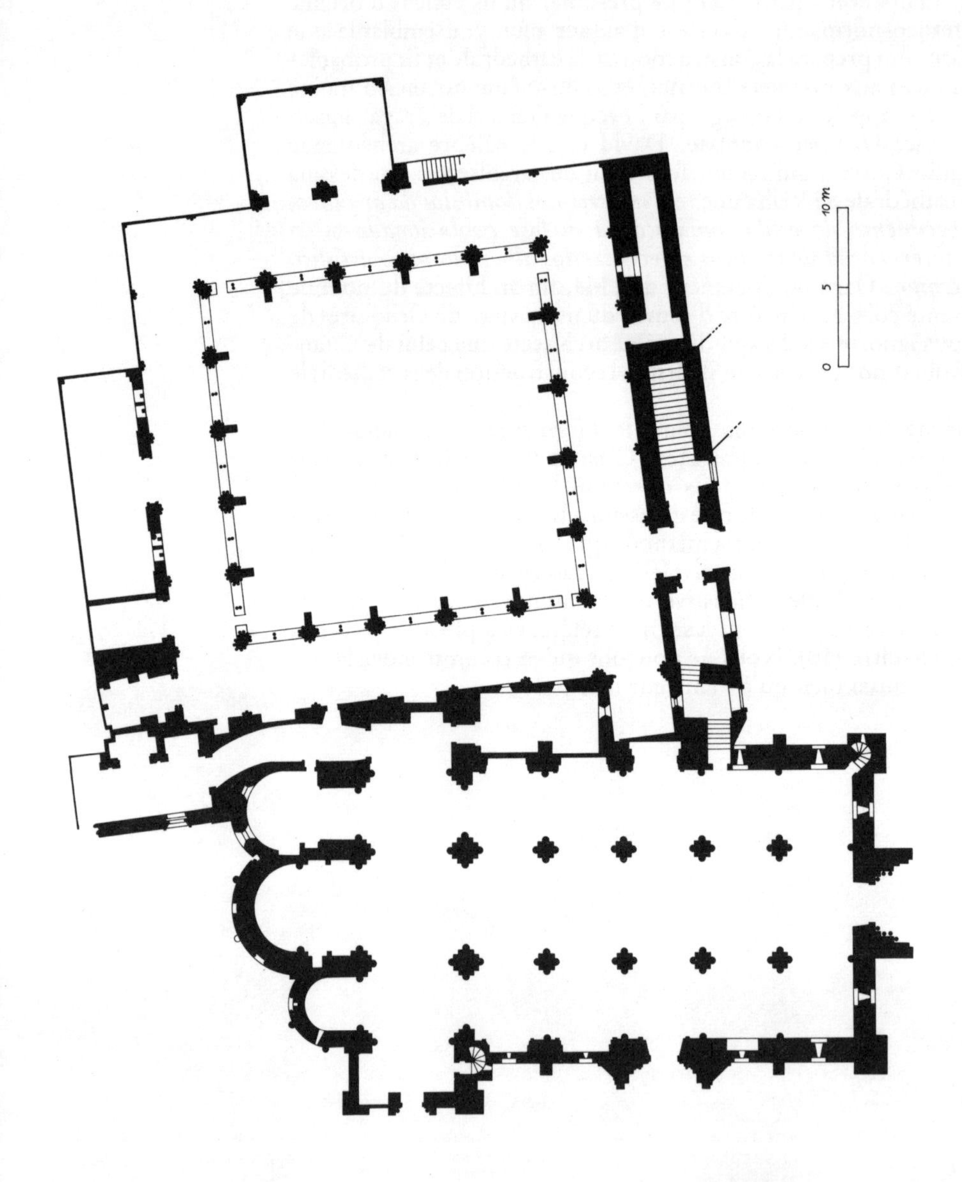

COIMBRE
SÉ VELHA

Premières impressions

Lorsqu'on quitte la Rua Ferreira Borges, l'artère principale de la ville basse, par la Porta Almedina, arc en fer-à-cheval ouvert dans la tour fortifiée témoin aujourd'hui encore de l'enceinte de l'ancien quartier de la Médine, on s'engage dans une vieille rue à gros pavés. Celle-ci, coupée par quelques marches, monte en forte pente jusqu'à une petite place qui semble constituer une terrasse par rapport à la déclivité du terrain. Juste en face de soi se dresse alors un grand édifice massif bâti en pierre calcaire d'un jaune brunâtre : c'est la Sé Velha (pl. couleurs p. 129). La forme cubique de cette construction qu'accentue l'absence de hautes tours et la faible saillie du transept, l'austérité de la façade occidentale, le parapet crénelé qui couronne les murs sur tout le pourtour et les petites fenêtres du rez-de-chaussée semblables à des archères font davantage penser à une forteresse qu'à une cathédrale. Cette impression s'accroît encore lorsqu'on aperçoit les deux puissants contreforts d'angle qui, lisses et sans décor, montent jusqu'au toit. Créneaux et merlons semblent avoir constitué une excellente protection pour les archers, et l'absence de tout ressaut dans l'élévation rendait difficile une escalade éventuelle des murs. Au milieu de la façade occidentale un avant-corps rectangulaire et fortement saillant monte lui aussi jusqu'au toit et ressemble à la souche d'une tour (pl. 8). Ces deux ouvertures profondes atténuent quelque peu le caractère hostile de cette façade tout en diminuant sa valeur défensive : il s'agit du portail occidental, auquel on parvient par un escalier qui comporte deux volées de six marches et d'une grande fenêtre qui supplée l'absence de rosace. En cas d'attaque, le creux du portail pouvait permettre aux agresseurs de se mettre à l'abri des flèches et de détruire les vantaux, d'autant plus qu'en ce lieu des mâchicoulis faisaient défaut et il n'y avait pas de tour de défense en face du portail (11). La fenêtre par contre est trop haute pour permettre une intrusion dans l'édifice sans des retards considérables et de grandes pertes.

En contournant la construction au Nord, on s'aperçoit que les façades latérales, le transept sur ses faces Nord et Est et l'absidiole du côté Est (pl. 7) sont également pourvus de meurtrières et que les fenêtres du transept s'ouvrent au-dessus de l'arcature aveugle à un niveau extrêmement élevé. Même une attaque contre l'abside principale aurait été difficile à mener, car les fenêtres de cette dernière sont situées dans la zone supérieure de l'arrondi et pouvaient être défendues à partir de différentes meurtrières et depuis la galerie orientale du transept : derrière les colonnes de cette dernière en effet des archers pouvaient s'embusquer.

Il est vrai que toutes ces dispositions de protection auraient été inefficaces dans le cas d'un siège prolongé et de l'emploi de balistes, de béliers et de brûlots. Elles étaient cependant suffisantes pour contrer des attaques-surprises auxquelles il fallait s'attendre à l'époque de la construction, aussi bien de la part des Arabes que des seigneurs espagnols ; les assiégés pouvaient ainsi attendre l'arrivée de renforts en toute tranquillité. L'intérieur de l'édifice, ses galeries et la terrasse de son toit offrait par ailleurs assez d'espace pour servir de refuge à un grand nombre de personnes. La présence de coursières reliant entre eux tous les points stratégiques de l'édifice, souligne encore la détermination des bâtisseurs de défendre ce lieu au besoin par les armes. Un système défensif tout à fait comparable se trouve en Galice à l'église San Juan de Puertomarín, construite au cours du XIIIe siècle par l'Ordre des Chevaliers de Saint-Jean (12). On peut donc supposer que nous avons ici affaire à un type de forteresse qui représentait le plus haut niveau des techniques défensives atteintes à cette époque dans la partie la plus occidentale de la péninsule ibérique, alors que les églises fortifiées françaises mentionnées par David (7) présentent des ouvrages plus élaborés réalisés à des siècles ultérieurs, ainsi ceux de Saintes-Maries-de-la-Mer, datant du XIVe siècle, et ceux de Royat, réalisés au cours du XVIe (14). Pour Coïmbre on peut supposer que des dispositifs de défense plus sophistiqués furent initialement prévus et qu'on renonça finalement à les exécuter.

Un autre trait assez surprenant de la Sé Velha est le plan basilical de son chevet à trois absides échelonnées et l'absence de déambulatoire à chapelles rayonnantes, ce qui prouve que cette église épiscopale n'était pas conçue pour accueillir de grandes foules de pélerins, mais pour répondre avant tout aux besoins de l'évêque, de la cour et de la ville. Ceci explique aussi les dimensions relativement modestes du sanctuaire et de son transept. La coupole de la lanterne située au-dessus de la croisée du transept impressionne par sa couverture en majolique arabe et on est frappé par le travail soigné de l'appareil qui se compose de pierres aussi régulièrement taillées qu'assemblées et témoigne de la présence d'une main d'œuvre qualifiée. Le matériau utilisé est la pierre « ança » qu'on débite près de Coïmbre, un calcaire qui, à l'opposé du granit — lequel prédomine dans les régions septentrionales — est particulièrement facile à débiter. En retournant vers le portail occidental on constate finalement que la Sé Velha est bâtie sur un terrain en déclivité du côté Ouest, ce qui a nécessité la construction de soubassements dont la hauteur s'accroît jusqu'à atteindre 4 m à l'extrémité occidentale.

Visite

Une fois revenu à la façade occidentale (pl. couleurs p. 129) on comprend à présent que les énormes masses de pierre des deux *« gigantes »* d'angle et de l'avant-corps central répondent en premier lieu aux données topographiques et à la nécessité de neutraliser la poussée de cette construction située sur une pente. Selon Almeida (15) les profondes cavités du corps central répondent au souci d'assurer la protection des archivoltes, mais en ce cas un avant-corps central moins élevé, se terminant juste au-dessus de l'arcade, aurait été bien suffisant. Il est possible aussi que la tour de la façade de Sainte Croix ait servi de modèle et ait influencé la conception architecturale si délibérée de la Sé Velha.

Bien que les arêtes de ce corps central saillant et les supports des nombreux arcs fassent prédominer les lignes verticales, des éléments de construction horizontaux ont permis à l'architecte de créer un équilibre harmonieux : le couronnement horizontal qu'aèrent les créneaux, la rangée des fenêtres au niveau des tribunes intérieures, leurs appuis en forme de moulures, la corniche qui souligne la fenêtre centrale et le tracé du soubassement, qui vient encore appuyer cette accentuation de l'horizontalité.

Examinons ces éléments horizontaux les uns après les autres : *a)* Des couronnements horizontaux n'apparaissent que très rarement dans les constructions religieuses de l'époque et ne s'expliquent apparemment que par le désir de l'architecte de créer des dispositifs de défense. Il est vrai que créneaux et merlons hérissent aussi les murs de la cathédrale de Porto et ceux de San Juan de Puertomarín dans la Galice voisine, mais en règle générale ils n'étaient employés à l'époque que dans les donjons érigés à proximité des églises où ils subsistent encore assez fréquemment de nos jours.

b) Quant à la rangée des fenêtres au niveau des tribunes intérieures l'effet d'horizontalité est dû surtout à la ligne de leurs appuis. Ceux-ci consistent, aux deux fenêtres latérales, en une moulure-larmier qui se poursuit sur les deux pans de mur que délimitent les trois avancées. Sur l'avancée centrale cette moulure est remplacée par une corniche-larmier qui s'appuie sur une arcature lombarde reposant sur des modillons biseautés et sépare la grande fenêtre, située dans l'axe de l'édifice, de la zone inférieure de la façade. Il s'agit d'un type de corniche qu'on rencontre souvent au Portugal et en Galice sur les bâtiments datant de la deuxième moitié du XIIe siècle (16). D'après Monteiro (17) et Lamperez y Romea cette forme de corniche serait d'origine orientale et aurait été importée en Europe par l'intermédiaire de la Catalogne. Déjà à l'époque du premier art roman elle aurait été utilisée de façon simplifiée dans les arcs et aurait été modifiée par la suite et répandue par les architectes romans de Lombardie. Les exemples donnés se réfèrent à plusieurs églises espagnoles, mais aussi à São Salvador de Souto au Portugal, dont la corniche apparaît ressembler à celle de l'église San Vicente d'Ávila. D'après Monteiro cette forme de corniche aurait été employée pour la première fois au Portugal lors de la construction de la Sé Velha. Cette hypothèse nécessiterait, bien sûr, une vérification qui s'avère difficile du fait qu'au Portugal les documents permettant une datation exacte des édifices font le plus souvent défaut.

c) Les deux fenêtres latérales, surmontées d'arcs en plein cintre de hauteur identique, contribuent elles aussi à créer une compensation horizontale des lignes verticales de la façade. Formées de baies jumelées que sépare une svelte colonne médiane, et encadrée d'arcatures aveugles elles donnent l'impression d'une suite ininterrompue d'ouvertures s'étendant de part et d'autre de la fenêtre centrale. On trouve des groupements de baies tout à fait comparables dans l'Ouest de la France, en Saintonge, en Poitou et en Angoumois, surtout dans l'agencement des ouvertures des tours comme à Poitiers à l'église Notre-Dame-la-Grande, à Saint-Jouin-de-Marnes, à Aulnay et ailleurs. Il est inutile d'évoquer dans ce contexte la disposition des fenêtres au rez-de-chaussée de ces églises, étant donné qu'à Coïmbre, pour des raisons de défense, les murs ne comportent, à ce niveau, que d'étroites archères.

Quant à la fenêtre située dans l'axe de l'édifice, par contre, il faut plutôt la mettre en relation avec le portail, dont elle reprend d'ailleurs la forme. Ces ouvertures profondes constituent une violente rupture de l'alignement de la façade et répondent à d'autres lois esthétiques témoignant d'une prédilection pour les défoncements. Ces deux profondes embrasures, dont chacune est garnie de quatre archivoltes en plein cintre encadrées d'un boudin extérieur, forment, grâce à l'identité de leur structure et de leur profondeur, un ensemble d'une grande force expressive. L'ornementation du portail des boules, des rosaces, des motifs végétaux et des dessins géométriques allie à ce caractère de puissance une note d'élégance. Qu'il nous soit permis d'insister sur quelques aspects importants de la décoration de ce portail :

a) Elle revêt surtout une fonction ornementale et comprend des motifs aussi bien végétaux que purement géométriques.

b) Ce fait en lui-même et la forte stylisation des formes révèlent qu'une influence mozarabe s'est exercée sur les artistes. Selon Real celle-ci apparaît de façon particulièrement nette dans l'exécution de la vrille de vigne du pilier Nord qui reçoit l'archivolte extérieure et dans les hauts socles des colonnes ainsi que dans leurs ornements : fers-à-cheval, lignes droites, surfaces serties de têtes de clou.

c) La surabondance des ornements sur les fûts de colonnes, leurs différentes variations et combinaisons dévoilent non seulement une inspiration provenant du portail Sud du transept de la cathédrale de Compostelle et des fenêtres supérieures de cet édifice, mais de plus un penchant presque baroque pour l'exagération que nous rencontrerons souvent dans les mouvements romans du Portugal. Une influence de Compostelle pourrait avoir joué également dans l'exécution des élégantes « entre-colonnes » qui ont été réalisées en munissant les arêtes des pans de mur verticaux, apparaissant entre les fûts des colonnes, de boudins finement travaillés. Il s'agit d'éléments architecturaux fort rares au Portugal, comme l'a signalé Monteiro. Des « entre-colonnes » ont été employées également à l'église São Tiago de Coïmbre.

d) Les chapiteaux assument un rôle secondaire dans la décoration du portail, mais dénotent une grande maîtrise et une familiarité avec certains thèmes déjà traités dans le reste de l'Europe occidentale. Certains détails pourtant ont été développés d'une manière caractéristique ; nous les retrouverons dans d'autres églises portugaises tel le chapiteau aux deux lions dont la crinière frisée, délicatement mise en plis, est ornée de rubans ou encore le motif de serpents (dragons ?) en haut dans le fond.

e) L'absence d'un tympan sculpté constitue un trait assez fréquent de l'architecture romane tardive ; on en trouve des exemples dans les Pyrénées, mais aussi en Espagne, comme à l'église d'Uncastillo qui peut être datée du troisième quart du XIIe siècle. Au Portugal ces tympans lisses remplacent parfois d'anciens tympans sculptés dont on a retrouvé occasionnellement quelques fragments. Les grandes feuilles lobées pendant aux angles des chapiteaux appartiennent également à l'époque romane tardive.

f) Il faut souligner enfin que, lors de la restauration de 1893, déjà beaucoup d'éléments de ce portail, abîmés ou rongés par le temps, durent être remplacés. Les travaux furent effectués de manière extrêmement consciencieuse : les modèles des sculptures furent choisis, dans la mesure du possible, à l'intérieur de la Sé Velha ou, comme pour les fûts des colonnes, à l'église São Tiago de Coïmbre, édifiée à peu près à la même époque. Les parties endommagées qui permettaient de reconnaître encore leur forme initiale, ont été restaurées de façon à ce qu'on puisse distinguer les éléments reconstitués.

La fenêtre à arc en plein cintre située au-dessus du portail est semblable à ce dernier, mais témoigne d'une plus grande simplicité. Nous rencontrerons encore souvent ce type d'ouvertures conforme à la tradition lombarde, avec sa large embrasure très marquée dans la partie inférieure et terminée par un appui horizontal, dans d'autres églises du Portugal.

En ce qui concerne la parenté artistique que l'on peut relever entre cette façade occidentale et d'autres, on a souvent pensé qu'elle s'inspirait de celle du transept de la cathédrale de Compostelle avec son portail « de las Platerias » (des orfèvres) (cf. *Galice romane*, pl. couleurs, p. 113). Cette façade, œuvre du célèbre maître Etienne, qui travailla plus tard à la cathédrale de Pampelune, présente en effet, dans la forme de ses ouvertures, les mêmes caractéristiques que la façade de la cathédrale de Coïmbre, mais en diffère dans tous ses autres éléments. Les deux ouvertures de son portail sont aussi profondément creusées à l'intérieur du mur, et celles des fenêtres supérieures, de dimension légèrement plus réduite, présentent une conception identique et la même base inférieure horizontale que les baies de la Sé Velha. Il est vrai qu'à Compostelle nous nous trouvons en présence d'un portail double et de plusieurs fenêtres d'étage ; il est vrai aussi que la division verticale par de hauts massifs y fait défaut, mais la structure des ouvertures, leurs disposition et leur forme sont identiques à celles de Coïmbre, si l'on fait abstraction de certaines divergences provenant d'éléments secondaires. Le plan de la façade de la Sé Velha, avec la réduction du nombre des ouvertures, la suppression des tympans et de nombreuses sculptures aux ébrasements constitue par rapport à la façade de Compostelle, une simplification faisant ressortir plus clairement la profondeur des ouvertures et leur caractère fonctionnel. L'absence de balustrade, ajoutée ultérieurement à la façade de Compostelle, accentue à Coïmbre l'effet des grosses nervures toriques, dont le diamètre augmente progressivement, améliorant la perception de l'espace encore plus fortement échelonné de ce portail.

Dans sa structure cette « façade des orfèvres » de Compostelle fait apparaître de son côté, des ressemblances avec des façades d'églises de Saintonge et du Poitou méridional, avec la différence toutefois que, dans ces régions, les portails ne comportent en règle générale qu'une porte placée entre deux ou plusieurs fausses baies, porte surmontée d'une seule fenêtre (18). Nous ignorons pourtant s'il existe, comme le suppose David (19), une relation directe entre ces façaces et celle de la Sé Velha ou si une influence s'est exercée par l'intermédiaire de Compostelle. La solution de ce problème dépend de la réponse que l'on donnera à la question fondamentale et toujours actuelle de savoir si, dans l'élaboration de l'art roman, c'est la péninsule ibérique qui a suivi la France ou l'inverse. Des datations sûres revêtent à cet égard une grande importance, mais dans la plupart des cas les dates de construction sont — nous l'avons déjà constaté — bien peu certaines. Quant à la façade « de las

Platerias », on s'accorde généralement à dater son achèvement de la dernière décennie du XIIe siècle (20). Pour les façades des édifices français qui auraient pu lui servir de modèle, les datations divergent par contre (21), mais semblent être plus tardives. La question de savoir d'où l'architecte de Coïmbre a tiré son inspiration reste donc entière.

Il convient toutefois de signaler qu'une très grande ressemblance existe entre la façade de Coïmbre et celle du croisillon Sud de l'église Saint Pierre d'Aulnay en Charente Maritime (Cf. *Haut Poitou Roman*, pl. 233). Nous y découvrons la même vigueur de construction et le même type d'ouvertures profondément creusées dans l'épaisseur du mur. La seule différence réside dans le fait qu'à Aulnay la cavité du portail n'est pas située dans un avant-corps de bâtiment, mais réalisée à l'aide de trois colonnes latérales avancées et disposées selon un plan échelonné. La façade de l'église de Moirax (Lot-et-Garonne) (cf. *Guyenne Romane*, pl. 38) par contre, que cite Real (22), ne peut vraisemblablement pas être retenue comme source d'inspiration éventuelle. La disposition de ses ouvertures est, certes, proche de celle des ouvertures de la façade de Coïmbre, portail et fenêtre d'étage s'y trouvent également dans une avancée qui dépasse la façade et forme clocher, mais aucun défoncement ne permet d'apprécier l'épaisseur des murs qui, à en juger par l'aspect peu profond du portail, n'est pas importante. La fenêtre située au-dessus du portail est nettement plus petite que celle de Coïmbre et souligne plutôt l'alignement de la construction, en raison de l'absence d'archivoltes échelonnées. Il n'est pourtant pas à exclure que cette façade ait été profondément modifiée au cours d'une restauration malheureuse que signale Durliat (23).

Contrairement à cela Mme Goddard King, une élève de Kingsley Porter, croit reconnaître dans la conception de la façade de la Sé Velha des influences italo-lombardes (24). Ce sont surtout les arcatures sur bandes lombardes, dont nous avons déjà signalé la présence, qui lui servent d'argument. La grande faveur que connut cet élément de construction, même sous la forme employée à Coïmbre, le rend cependant peu apte à déterminer des parentés entre monuments romans. Par contre le rapprochement établi entre les parties avancées de la façade de la Sé Velha d'une part et les éléments en saillie, les loggias de l'architecture de l'Italie du Nord, spécialement ceux de la cathédrale de Vérone, d'autre part, mérite quelque attention. Il est vrai qu'à Vérone la cathédrale aussi bien que San Zeno présentent sur leurs façades occidentales une avancée, mais celle-ci ne peut pas être comparée avec celle de la Sé Velha. Dans le cas de ces édifices de Vérone et dans celui de bien d'autres églises de l'Italie du Nord, à Parme (cf. *Émilie romane*, pl. 73) aussi bien qu'à Plaisance, il ne s'agit pas en effet d'avant-corps destinés à recevoir des cavités abritant portail ou fenêtres ; leur fonction est bien au contraire d'installer devant la façade et en jonction avec elle, une sorte de baldaquin destiné à protéger le portail qui s'ouvre dans l'alignement de la façade et non dans la profondeur du mur. Aucune liaison organique n'existe entre ces baldaquins et l'appareil des façades, indépendamment du fait que, dans le cas de constructions en brique ou en marbre, un certain renforcement du mur pouvait avoir été jugé indispensable. Des colonnes, le plus souvent très élégantes, s'appuient presque toujours sur des lions accroupis et soutiennent un avant-toit et un fronton, et en général, les murs latéraux font défaut. On évite de cette manière, même dans les façades richement structurées comme celle de Parme, de susciter ne serait-ce que l'apparence d'une organisation architecturale en profondeur. Derrière les arcades l'alignement des façades demeure visible en permanence et rappelle qu'il ne s'agit que d'éléments avancés n'intervenant pas dans le parti général de l'élévation ; à Coïmbre à l'inverse l'avancée centrale constitue une partie intégrante de la façade et ses cavités sont liées à la structure du mur. Le portique de Parme est d'ailleurs daté de 1281.

L'aménagement des portails au fond d'une cavité semble avoir été un procédé qui ne rencontra que fort peu de résonance en Lombardie et dans toute l'Italie du Nord. Des façades telles que celle de Coïmbre, qui comporte deux cavités profondes, y sont encore plus rares. Peu d'églises romanes de Lombardie présentent un tel portail (25) et dans le reste de l'Italie du Nord on ne peut avancer qu'un seul exemple : la cathédrale de Ferrare (26). La même constatation peut être faite en Piémont (27) et, sur la route, en France on ne peut citer que la cathédrale d'Embrun, où des faisceaux de colonnettes nouées datant du XIIIe siècle et situées des deux côtés d'un baldaquin, donnent l'impression fallacieuse que le portail s'insère dans un défoncement de la façade (cf. *Alpes Romanes*, pl. 127).

Il n'est pas possible non plus de rapprocher le creux profond de la fenêtre de la façade de Coïmbre des loggias et balcons des cathédrales de l'Italie du Nord, comme le tente Mme Goddard King. Qu'il s'agisse de la cathédrale de Parme ou d'autres édifices de l'Italie septentrionale, ces éléments sont toujours plaqués contre la façade et jamais creusés dans cette dernière. Dans plusieurs cas ils datent même d'époques postérieures. Leur fonction est surtout décorative et se trouve donc, de ce fait, en opposition avec les principes de construction de la Sé Velha. Seul l'appui de la fenêtre de cette façade se retrouve dans certains édifices de l'Italie du Nord, comme par exemple à l'hôtel de ville de Côme, appelé « Broletto », ou dans certaines loggias.

Cette différence entre la forme de la façade de Coïmbre et celle des façades de l'Italie du Nord semble, d'après des études récentes (28), provenir d'une divergence dans la conception de l'espace selon les lieux : on peut relever une prédilection pour les murs profonds à l'Ouest d'une ligne allant de la Gascogne à la Normandie et à la Picardie, ce qui aurait mené à « l'effort de rendre les volumes perceptibles et de faire passer à l'arrière-plan les préoccupations ornementales auxquelles on accordait la préférence » dans le Sud et l'Est de l'Europe (29).

En résumé nous constatons que la façade occidentale de Coïmbre présente des ressemblances avec le portail Sud du transept de Compostelle ou avec certaines façades du Poitou et tout particulièrement celle de Saint-Pierre d'Aulnay. Elle a cependant assimilé toutes les influences jusqu'à en tirer une formule personnelle, dont le rythme, l'harmonie et l'équilibre impressionnent, malgré sa relative austérité, tout visiteur de l'édifice .

Tournons-nous maintenant vers la façade septentrionale. La première chose qui frappe le regard est un avant-corps en marbre construit dans le style de la Renaissance italienne, qui rompt la sévérité du mur roman et remplace l'ancien portail latéral (30). Le même marbre clair que l'on retrouve dans l'extrémité peu saillante de l'étroit transept, montre que la Porte Sainte-Anne a subi, elle aussi, une transformation à la même époque. La façade du transept par contre est restée intacte. Ici encore les lignes horizontales prédominent : elles s'imposent d'abord sous la forme d'une arcature composée de six arcs qui s'appuient sur des colonnes. Par rapport à l'exiguïté des arcs et des chapiteaux, les tailloirs paraissent beaucoup trop imposants : le visiteur pourrait penser que leur dimension relève d'une recherche décorative assez peu justifiée, en réalité il s'agit d'un dispositif d'ancrage d'une coursière intérieure que nous étudierons plus loin. C'est sur cette coursière que s'ouvrent les trois fenêtres sans ornement situées un peu au-dessus. La moulure qui délimite l'arcade dans sa partie supérieure et parcourt la façade dans toute sa largeur accentue les lignes horizontales de cette composition tout comme la frise inférieure sur laquelle repose l'arcature. Comme dans la façade occidentale, la zone supérieure du mur comprend une large arcade géminée ; celle-ci prend appui sur des colonnes par l'intermédiaire de tailloirs très vigoureux également. Cette arcade renferme une double baie couverte d'un arc en plein cintre et divisée par une colonne jumelée. L'utilisation d'une telle source de lumière au lieu d'une rosace est assez fréquente au Portugal durant la seconde moitié du XIIe siècle (31). Le transept est couvert d'une terrasse hérissée de créneaux : elle se situe au même niveau que la couverture de la nef et s'oppose de ce fait aux traditions architecturales françaises qui font appel au toit en bâtière et aiment le décalage des lignes.

Une particularité de cet édifice mérite encore d'être mentionnée : il s'agit d'une de ces inscriptions extrêmement rares, en écriture coufique, qui rappellent les graves menaces qui ont pu peser sur la chrétienté et le moment décisif de son histoire. Cette inscription est gravée dans une pierre de la façade septentrionale du transept et située près de l'angle occidental à une hauteur de 3 m 50 environ. Par suite de l'effacement de quelques lettres, le déchiffrage pose quelques problèmes aux experts, mais le sens de ce message semble être le suivant : « Ma main va périr un jour, mais mon inscription restera toujours ». La présence d'une telle inscription prouve que des ouvriers mozarabes ou mudéjars collaboraient à l'édification de la cathédrale. La teneur de la phrase semble confirmer l'hypothèse de Real (32) selon laquelle son auteur n'était vraisemblablement pas un modeste tailleur de pierre, mais un *capataz*, un contremaître.

Le chevet se joint au transept sans intermédiaire. Pour bien apprécier cet ensemble, il est recommandé de gravir encore un peu la pente et de s'engager sur le chemin qui, sur la droite, mène à un point d'où l'on a une excellente vue sur la partie orientale de l'édifice (pl. 7). Ce qui impressionne de prime abord, c'est l'extraordinaire simplicité de cette construction, ce qui la distingue des chevets français érigés à cette époque. Trois chapelles seulement, en hémicycle, constituent le chevet de l'édifice et s'échelonnent en profondeur et en hauteur. La chapelle principale est relativement étroite, mais atteint une élévation qui a permis l'installation de deux étages. Des moulures et des demi-colonnes adossées divisent ses murs dans les sens horizontal et vertical. La modestie de l'architecture est telle qu'on pourrait se croire en face d'une basilique de moyenne importance plutôt qu'en présence d'une cathédrale. Les ornements sont très parcimonieux. Les arcatures aveugles qui, en Saintonge, s'étendent au-dessous de corniches portées par des modillons, n'existent pas ici ; les chapelles, à l'opposé de celles d'Auvergne, ne s'étirent pas en hauteur et renoncent, dans leur partie supérieure, à ces larges métopes décorées d'étoiles, de besants, de damiers et autres ornements. Au lieu et place de tels éléments, l'abside principale utilise plutôt les structures architectoniques aveugles de l'étage inférieur, les chapiteaux des confreforts-colonnes et modillons, soutenant la corniche. Les chapiteaux sont excellemment travaillés et taillés en profondeur, ce qui leur confère beaucoup de vie en raison de leur jeu d'ombre et de lumière. En bénéficient les motifs qui appartiennent principalement au règne végétal ou forment des entrelacs, mais qui sont quelquefois pleins de fantaisie et très étranges. Les modillons ont été en partie remplacés ; leurs sculptures ne traitent pas les sujets populaires tirés du monde animal et humain qui prédominent dans le Nord du pays ; elles sont purement ornementales, mais néanmoins originales. L'archivolte des fenêtres mérite une attention particulière : c'est le seul élément à fonction exclusivement décorative prenant appui sur les tailloirs. Ces derniers se prolongent horizontalement sur l'arrondi du mur de l'abside. On retrouve cette moulure à l'étage inférieur. Au travers de variations multiples, ce décor est très fréquemment utilisé en France (33) et en Espagne (34), mais tout particulièrement dans la Galice voisine (35). Le décor de notre cathédrale est la réplique exacte de celui de l'église San Millán de Ségovie.

L'absidiole Sud a été transformée ultérieurement : elle fait plus fortement saillie que son pendant septentrional, a été surélevée et dotée d'une lanterne. A l'origine elle présentait la forme de l'absidiole Nord qui est restée inchangée. Celle-ci se blottit contre l'abside principale et révèle encore son dispositif de défense originel : une meurtrière perce son mur du côté Nord et la fenêtre orientale elle-même est de petite dimension afin d'éviter l'intrusion de tout envahisseur éventuel. Comme la fenêtre de l'abside principale cette ouverture est couverte d'un arc qu'agrémente un décor de boules qui se poursuit sur les murs à gauche et à droite, selon une ligne horizontale. L'abside Nord conserve quelques chapiteaux et modillons de bonne facture.

Dans le mur oriental du transept au-dessus de l'abside centrale s'ouvre une galerie extérieure qui confère à ce chevet, sobre et austère, une petite note d'extravagance, telle que nous la trouvons en France dans les églises d'Auvergne. Cet élément de décor apparut pour la première fois sur les rives du Rhin inférieur où il fut d'abord employé à la cathédrale de Spire ; il connut ensuite un essor triomphal vers l'Ouest et le Sud à travers la Lombardie et toute l'Italie. Ici à Coïmbre cette galerie se compose de six arcs qui s'étendent au-dessus de l'abside principale sur toute sa largeur ; celle-ci correspond à la largeur de la lanterne de la croisée du transept. Les colonnes de cette galerie offrent des chapiteaux qui dépassent en expressivité ceux du chœur. On pense que, dans leur majorité, ils sont l'œuvre d'artistes mozarabes. Le chapiteau de la colonne centrale et celui de sa voisine du côté Nord sont remarquables. Les détails de leurs sculptures ne peuvent être distingués qu'à l'aide de bonnes jumelles. Deux coursières débouchaient autrefois sur cette galerie, afin de faciliter la défense du côté de l'abside en cas d'attaque.

Dans sa partie supérieure la galerie est délimitée par une large moulure, au-dessus de laquelle se dresse la tour-lanterne. Celle-ci comporte quatre grandes fenêtres jumelées en plein cintre qui laissent la lumière entrer à flot à l'intérieur. Leurs éléments de décoration correspondent à ceux du chœur ; mais ils sont plus nombreux et semblent appartenir à une phase plus tardive de la construction. A l'origine une tour de trois étages surmontée d'une flèche s'élevait au-dessus de la lanterne ; on y accédait par deux tourelles d'angle du côté Est, conservées jusqu'à nos jours. Au XVIIIe siècle cette tour menaçait de s'effondrer ; elle fut détruite et remplacée par la coupole actuelle, dont la couverture en carreaux de faïence rappelle la composante mauresque de l'art portugais.

Intérieur

L'intérieur de l'église ne fait que confirmer l'impression déjà tant de fois exprimée : il y règne une harmonie totale des lignes, des surfaces, de la composition, un accord parfait entre l'espace et la lumière (pl. 10). Cet équilibre apparaît encore plus nettement depuis la récente restauration qui a libéré la cathédrale des adjonctions réalisées au cours des siècles. La lumière qui pénètre par les ouvertures en forme de meurtrières pratiquées au rez-de-chaussée, dans les murs des collatéraux et dans la façade occidentale, est faible et celle des fenêtres de l'étage supérieur, de dimensions plus grandes, est diffuse en raison des tribunes qui les précèdent. Seule la grande baie supérieure au centre de la façade occidentale donne une lumière directe dans l'axe de la nef centrale ; et cela crée au couchant de très beaux contrastes entre cette nef et les collatéraux plus sombres. Comme dans la plupart des églises pourvues d'un transept, la croisée est plus éclairée, soulignant par là qu'on entre dans le sanctuaire. La lanterne et les fenêtres des façades du transept, tantôt petites tantôt plus grandes, font converger la lumière extérieure vers ce lieu. Par contre l'obscurité règne de nouveau dans le chœur : la fenêtre, dans l'axe de l'abside principale, est masquée par un retable qui occupe presque la totalité de l'espace semi-circulaire et s'élève jusqu'à la voûte. Les fenêtres latérales elles-mêmes s'en trouvent neutralisées. L'absidiole Nord est éclairée par une seule meurtrière et la lumière de l'absidiole Sud, bien que celle-ci ait été agrandie et munie d'une coupole, demeure, elle aussi, tamisée.

Le parti général de la structure de la Sé Velha est celui d'une basilique à trois nefs munie de tribunes, selon un type qui se développa à partir du XIIe siècle, et que l'on a nommé, de façon quelque peu impropre, « église-halle longitudinale ». Il ne s'agit pas d'un édifice dont les différentes parties sont couvertes par un seul et même toit, non plus que d'une église dont la nef centrale est éclairée par des baies percées dans les parties hautes de ses murs après que ceux-ci aient été surélevés par rapport aux toits des collatéraux. Ce sont plutôt les collatéraux du modèle basilical qu'on a exhaussés d'un étage, en sorte qu'ils atteignent presque la hauteur du vaisseau central tout en ayant quand même leur couverture propre. Cette forme architecturale fut élaborée au XIe siècle à un moment où l'on chercha à remplacer par des voûtes les plafonds en bois des basiliques. Initialement on donna presque partout la préférence à la voûte en berceau, renforcée par des doubleaux, bien que ce système créât les poussées latérales les plus fortes. Afin de recevoir ces dernières, on eut recours à des tribunes, qui avaient été utilisées déjà à l'époque paléochrétienne dans les églises syriennes et byzantines et même plus tard en Italie du Sud. Ces anciennes tribunes, il est vrai, n'assuraient pas encore une fonction de stabilisation, mais servaient à séparer les femmes des hommes, raison pour laquelle elles furent nommées en Italie « matronées ». Mais plus tard on leur fit remplir ce rôle d'épaulement contre les poussées des voûtes. Cette nouvelle architecture permettait par ailleurs de résoudre le problème que posait l'affluence croissante de fidèles. Elle fut adoptée en conséquence par la majorité des églises dites de pèlerinage et parmi celles-ci sans doute d'abord par Sainte Foy de Conques, comme le démontre l'étude convaincante de G. Gaillard (36).

Cette solution architecturale fut choisie lors de la construction de la Sé Velha, qui présente également une nef centrale surhaussée et couverte d'un berceau. Les deux collatéraux sont larges (rapport 1 :1,5), beaucoup plus bas et dotés de voûtes d'arêtes, comme c'était fréquemment le cas à cette époque. Le système de supports est aussi celui que les progrès techniques avaient atteints alors : des piliers de section rectangulaire prennent appui sur des piédestals octogonaux (pl. 9). Quatre demi-colonnes s'adossent à chaque pilier et servent d'appui aussi bien aux doubleaux des collatéraux et de la nef centrale qu'aux arcs des deux arcades longitudinales. Les colonnes de la nef centrale montent jusqu'aux impostes du berceau, ce qui accentue l'élan vertical du vaisseau et a permis d'en exhausser les murs sans compromettre pour autant la stabilité de la construction. De cette façon furent élevées cinq travées régulières. Les arcades longitudinales du rez-de-chaussée se composent d'arcs en plein cintre légèrement surhaussés à double rouleau. Pour augmenter la stabilité, les arcs extérieurs retombent sur des impostes faisant saillie sur les piliers et prolongeant les tailloirs des chapiteaux.

Au-dessus des collatéraux s'étendent, sur toute leur longueur, des tribunes qui s'ouvrent du côté de la nef centrale par d'élégantes arcades géminées inscrites dans des arcs de décharge. Les pleins cintres des arcs de ces baies reposent sur trois groupes de colonnes jumelées ; celui du milieu, qui reçoit les deux arcs, est isolé et s'appuie sur un bahut limitant la galerie vers la nef centrale. Les deux autres groupes de colonnes sont adossés aux piliers, qui prolongent ceux du rez-de-chaussée. Les fenêtres jumelées s'inscrivent dans un arc de décharge. Celui-ci prend appui sur des impostes qui prolongent les tailloirs des chapiteaux adossés aux piliers supérieurs, de la même manière que les impostes du rez-de-chaussée.

Cette conception des tribunes ne se distingue de celle de Compostelle que par quelques détails insignifiants. Les arcs des arcades géminées y ont un rayon plus petit, mais par contre sont plus fortement surhaussés (cf. *Galice Romane* pl. 77). Les colonnes qui portent ces arcs ne sont doubles que lorsqu'elles sont placées entre deux arcs, et les colonnes placées aux flancs des piliers sont plus épaisses, pleines et non-adossées. Il semble par conséquent que ce soit Conques qui, de façon directe ou par l'intermédiaire d'autres églises de pèlerinage, ait inspiré Compostelle, et des influences similaires paraissent avoir joué à Coïmbre. Il est vrai qu'à Conques le triforium est beaucoup plus simple (cf. *Rouergue roman* pl. 25) et qu'une évolution a dû intervenir. Toutefois Conques et Compostelle présentent le même système de voûtement des tribunes : celui-ci, en quart-de-cercle, épaule la voûte en berceau de la nef centrale. La voûte des galeries de Coïmbre par contre est en berceau, à 3 m 50 au-dessus du niveau du sol et de ce fait exactement à la hauteur du berceau de la nef centrale, dont il reçoit la poussée. Tous les éléments de construction de Coïmbre, et spécialement la structure du triforium, concourent à permettre une forte surélévation de la nef centrale sans que la stabilité de l'œuvre en soit compromise pour autant. Une telle solution architecturale exige pourtant des calculs statiques très précis et ne fut, de ce fait, que rarement utilisée dans la péninsule ibérique. Les moindres détails révèlent le souci constant de garantir la stabilité et témoignent de la maîtrise de l'architecte. Celui-ci installa des arcs de décharge à l'intérieur de la galerie, là où les arcs des arcades du triforium doivent soutenir une grande partie du poids de la voûte.

Ce système de supports et d'arcs de décharge longitudinaux aussi bien que transversaux, liés entre eux, constitue une sorte d'échafaudage qui, avec les contreforts extérieurs, confère à l'édifice une extraordinaire robustesse même aux endroits des fenêtres et des coursières, où l'épaisseur du mur est moindre.

Les coursières sont un dispositif de construction qui s'est développé en Normandie surtout. Son but était non seulement de rendre les parties hautes de l'édifice plus aisément accessibles, mais encore de faciliter la défense en cas d'attaque ennemie. Ici, à Coïmbre, ces coursières communiquent avec les tribunes. Chacune des galeries est reliée au rez-de-chaussée par un escalier à vis. Afin de faire communiquer les tribunes entre elles d'une manière plus directe, on a installé sur la face intérieure de la façade, au niveau de la grande fenêtre centrale, une coursière que délimitent vers la nef centrale cinq arcs montés sur des colonnes. Les fûts de ces colonnes sont étroits, élancés et suffisamment espacés pour ne pas empêcher la lumière de la fenêtre de pénétrer dans le vaisseau. Ce passage fait communiquer les galeries et s'intègre, de ce fait, au dispositif des coursières qui relient entre eux les différents points stratégiques de l'édifice. Aux extrémités orientales des galeries d'autres coursières prennent leur départ, parcourant les murs occidentaux du transept et se rejoignant sur sa face orientale.

Après être retourné dans la nef centrale on remarque, en s'approchant de la croisée du transept, que l'arc occidental de cette dernière est nettement plus bas que la voûte de la nef et soutient, en renforcement des arcs doubleaux, l'extrémité orientale de cette dernière. La petite ouverture qu'il comporte permet d'accéder à la lanterne (pl. 10).

Le transept, sur lequel il donne, se compose d'une nef unique assez étroite et couverte, elle aussi, d'une voûte en berceau (pl. 12). Ce type de couvrement, fréquemment employé dans cette partie des églises, permettait de dévier la poussée de la voûte du vaisseau. Le transept n'est que légèrement saillant, mais ce qui frappe surtout, c'est l'absence d'un déambulatoire qui, dans les églises de pélerinage, prolonge habituellement les collatéraux. Les deux extrémités du transept reflètent la structure des façades à l'extérieur en présentant également une arcature aveugle composée de cinq arcs : celle-ci servait à élargir et renforcer la coursière qui s'étend au-dessus, donnant d'un côté sur les tribunes et de l'autre se poursuivant à l'Est du transept. Les autres éléments structuraux de l'élévation intérieure de ces façades correspondent aux données extérieures. Une petite absidiole, invisible de l'extérieur, s'ouvre dans le mur oriental du croisillon Nord. Elle est pourvue d'une meurtrière qui témoigne de nouveau de la détermination des maîtres de l'ouvrage de pouvoir assurer, le cas échéant, la défense de l'édifice.

Cette succession d'arcatures aveugles surmontées de cousières mérite une attention particulière. Il s'agit d'une forme de construction qualifiée de « mur à deux revêtements » ou « mur évidé ». Son utilisation dénote une nouvelle conception architecturale, qui se manifesta d'abord en Normandie au début du XIe siècle : on ne concevait plus le mur comme une masse compacte, mais on cherchait à l'alléger et à l'ouvrir. Il s'y ajouta le besoin de créer entre les différentes parties des églises des dispositifs de communication, comme par exemple des coursières. Mais cela nécessita aussi un renforcement du mur. On y parvint de la façon la plus élégante qui soit en installant dans la zone inférieure de ce dernier une arcature aveugle et en donnant aux tailloirs des chapiteaux de cette dernière une dimension suffisamment grande pour permettre à la fois l'élargissement du mur supérieur et sa division en mur et coursière. Telle est la solution également adoptée à Coïmbre (37).

De l'époque romane date également la lanterne qui constitue la source principale d'éclairement du transept et le couvrement de sa croisée (pl. 11). Sa structure est à la fois simple et ingénieuse : l'architecte de l'époque, probablement désireux d'éviter les difficultés encore grandes d'un passage de plan carré au plan octogonal de la coupole, érigea au-dessus des puissants arcs de la croisée du transept des murs qui forment une souche de section carrée. Une arcature aveugle qui se déploie le long des quatre pans de ce carré et un couloir périphérique à claire-voie qui la surmonte, soutiennent la lanterne, dont nous avons déjà apprécié la forme extérieure en abordant l'édifice. Les quatre grandes fenêtres jumelées laissent pénétrer à flot la lumière et réduisent en même temps le poids de cet édicule, conçu en forme de tour. Comme les arcs de ces ouvertures sont portés par des colonnes médianes et des colonnes d'angle et sont surmontés d'arcs formerets toriques au cintre surbaissé, ils peuvent servir en même temps de support à une voûte d'arêtes couvrant la croisée du transept. L'appareil de cette voûte est fait de petites pierres de taille et descend aux quatre angles jusqu'à l'appui des fenêtres, ce qui augmente la stabilité de la construction. Pour consolider encore cette dernière, les arêtes des voûtes sont munies de nervures simples au profil triangulaire (trois tores de diamètre différent), dont les branches reposent sur de grandes consoles en forme de masques grotesques également situées dans les angles. Ces détails révèlent, eux aussi, l'influence du maître de la cathédrale de Lisbonne. La voûte, au premier étage de la tour septentrionale de cet édifice, repose en effet également sur des nervures appuyées sur des masques. Avec raison David (38) fait remarquer que cette construction ne présente pas encore les caractéristiques d'une voûte d'ogives, comme dans les coupoles espagnoles, car les nervures assument plus une fonction d'ornement que d'appui. Néanmoins elle représente une étape dans l'évolution vers la voûte à croisée d'ogives autonomes. A l'époque, ces nervures étaient probablement considérées comme des éléments de consolidation, bien que celle-ci ne s'imposât pas dans le cas d'une voûte d'arêtes, statiquement plus stable.

Il apparaît clairement que l'arcature aveugle était originellement une galerie ouverte telle qu'on en trouve dans les constructions normandes de la même époque (39). L'accès, encore visible dans l'arc diaphragme, rappelle son utilisation ancienne comme coursière. C'est vraisemblablement pour des raisons de stabilité que cette galerie fut obturée par la suite, soit au moment où l'on érigea, au-dessus de la lanterne, une tour de trois étages surmontée d'une flèche, soit au XVIIIe siècle, lorsque cette tour, menaçant de s'écrouler, fut, après sa destruction, remplacée par la coupole actuelle. Le couloir qui s'étend au-dessus de ce niveau passe devant les fenêtres de la lanterne et s'ouvre vers l'intérieur.

On peut encore se demander quelle fut la source d'inspiration de cette solution architecturale et quelle est la date de sa réalisation. Quant à l'utilisation d'une voûte d'arêtes comme couvrement de la croisée du transept, David (40) renvoie à l'église de Saint-Savin-sur-Gartempe, à sa connaissance le seul exemple comparable. Les principes de construction y sont pourtant différents : on a utilisé le système le plus simple possible en montant une voûte d'arêtes directement sur la moitié du transept en perdant de ce fait la possibilité d'un éclairage par une lanterne, solution beaucoup moins évoluée que celle de Lisbonne et de Coïmbre. Au-dessus de la croisée du transept ainsi couverte se dresse une tour d'un étage. Selon R. Oursel la structure de Saint-Savin-sur-Gartempe paraît bien originelle (*Haut-Poitou Roman* pl. 120). En tout cas la solution architecturale de cette église est beaucoup plus simple que celle de la Sé Velha, avec laquelle on ne saurait relever aucune parenté.

Héliot fait observer par contre que des tours-lanternes de forme cubique, comportant des couloirs intérieurs, étaient très répandues dans le Nord de la France, particulièrement en Normandie depuis le XIe siècle. Quelques-unes parmi elles présentent deux passages superposés dont au moins un se situe, comme à Coïmbre, au niveau des fenêtres. Parmi les modèles possibles de cette architecture, Héliot nomme en premier lieu l'église Saint-Étienne de Caen (41). La lanterne de cet édifice obéit en effet aux mêmes principes de construction que celle de notre cathédrale, sauf qu'une voûte en croisée d'ogives à huit nervures, réalisée entre 1100 et 1120, remplace la voûte d'arêtes de Coïmbre. Nous pouvons dire par conséquent que si la cathédrale de Coïmbre a pu s'inspirer de l'église Saint-Étienne, la voûte d'arêtes de sa lanterne constitue pourtant une innovation de son architecte.

En ce qui concerne la datation de la cathédrale, par contre, les opinions divergent. Héliot (42), qui compare cet édifice avec les constructions du Nord-Ouest de la France, estime que la tour de la croisée du transept de la Sé Vélha pourrait avoir été élevée entre 1180 et 1250. Les formes évoluées des moulures, des arcs, des fenêtres, des impostes et des chapiteaux incitent Antonio Nogueira Gonçalves (43) à penser même qu'elles indiquent une interruption de la construction, qui n'aurait été reprise qu'au XIIIe siècle, lorsque fut bâti le cloître. David (44) et Real (45) en revanche défendent un point de vue différent : ils ne constatent aucune discontinuité architecturale et affirment que la structure, spécialement celle des ogives, de même du reste que la décoration, étaient encore romanes. Real est toutefois contraint d'admettre que les particularités relevées par Nogueira Gonçalves existent effectivement.

Mais les datations et les conjectures sur des interruptions de campagnes, dès lors qu'elles s'appuient sur la seule évolution des formes, sont sujettes à caution : certaines formes, fréquemment qualifiées de gothiques, furent utilisées dès l'époque romane et, à l'inverse, des formes considérées à juste titre comme romanes continuaient à être employées en pleine période gothique suivant le niveau d'évolution artistique qu'avaient atteint sculpteurs et maîtres d'œuvre. Cela vaut d'autant plus lorsqu'ont eu lieu des réfections importantes comme c'est ici le cas.

En ce qui concerne la question de savoir par quel chemin les formes architecturales normandes ont pu parvenir jusqu'à Coïmbre, c'est Real (46) qui semble fournir la réponse : il a prouvé en fait que nombre d'éléments de la cathédrale de Lisbonne respectent les habitudes de construction et de décoration normandes et il a observé que certains détails typologiques et stylistiques d'une voûte de la tour septentrionale de cette cathédrale sont conformes aux caractéristiques de notre lanterne. Ceci n'est pas surprenant si l'on pense que Gilbert, le premier évêque de Lisbonne, faisait partie des croisés anglo-normands qui participèrent à la reconquête de la capitale portugaise en 1147. C'est à la suite de la consultation de l'architecte Robert qui, nous le savons, fut appelé à plusieurs reprises à Coïmbre, que ces influences normandes ont pu s'exercer en ce lieu.

Dans la chapelle principale le chevet, dont les absidioles ont été profondément modifiées, présente encore sa structure d'origine, mais celle-ci est presque entièrement masquée par un énorme retable qui occupe l'extrémité semi-circulaire. Les éléments visibles permettent de conclure qu'il s'agit d'une construction traditionnelle. Par l'intermédiaire de chapiteaux quatre hauts pilastres soutiennent l'arc triomphal à double rouleau légèrement outrepassé. Ce dernier relie la croisée du transept à la partie droite du chœur, qui n'est pas très profonde ; elle aussi est couverte d'une voûte en berceau. Conformément aux habitudes de la fin de la période romane atteinte alors, cette partie droite du chœur est divisée en deux étages par des arcatures aveugles. L'étage supérieur présente de nouveau une sorte de triforium composé de deux arcs de profil torique prenant appui sur trois colonnes jumelées. L'étage inférieur, par contre, comporte deux arcs simples, reposant sur un pilier central et des deux côtés sur les arêtes des piédroits.

L'absidiole du côté de l'épître a été transformée au XVIe siècle en une grande chapelle munie d'une coupole et d'une lanterne. L'absidiole du côté de l'évangile par contre a conservé sa forme originelle et son ancienne voûte.

Parvenus ainsi au terme de notre étude de l'architecture de la Sé Velha, nous voudrions encore dire un mot du mobilier et des chapiteaux de cet édifice. Devant le grand retable se dresse un *autel roman* constitué, comme on le constate du premier coup d'œil, de parties d'origines diverses. Elles n'ont pas été découvertes en un seul et même endroit et leur provenance n'est pas entièrement claire. La pièce monolithe centrale se compose de quatre étroites colonnes groupées à égale distance autour d'une colonne intérieure plus forte (pl. 18). On avait trouvé cette pièce en 1930 dans le mur du cimetière appartenant au monastère São Antonio dos Olivais à la périphérie de la ville. Ces colonnes finement taillées portent des chapiteaux, sur l'astragale desquels se dressent des palmettes qui s'inscrivent dans des rameaux en forme de cœurs renversés. Quelques rares feuilles étroites et pointues apparaissent au-dessus des palmettes et contrastent avec la richesse du feuillage qui, disposé en fourche, accompagne les angles peu saillants des chapiteaux. C'est avec raison que Real (47) a fait remarquer la ressemblance existant entre cette décoration et celle de la cathédrale de Lisbonne. Les fûts des colonnes sont cylindriques et s'élèvent sur des bases romanes présentant une scotie entre deux tores. Un socle remplace les plinthes habituelles. A la place des abaques apparaît une tablette dont l'inscription se rapporte vraisemblablement à la consécration de l'autel, mais constitue un fragment d'un texte inconnu. Celui-ci se trouvait au-dessus de la tablette sur une plaque amovible, aujourd'hui disparue, qui semble avoir servi à couvrir la cavité de la colonne centrale destinée à abriter des reliques. L'inscription tronquée a conduit à plusieurs interprétations que Real (48) a analysées en arrivant à la conclusion que ce texte pourrait avoir été rédigé au mois de novembre ou de décembre 1174.

Cet autel, dont la taille et la forme correspondent, comme le souligne David (49), à celles des autels français et italiens de l'époque préromane ou du premier art roman, a été supposé être l'ancien autel principal de la Sé Velha et, en raison de cela transféré à son emplacement actuel. On se souvenait en même temps que lors de la restauration du XIXe siècle deux colonnes semblables avaient été découvertes dans la sacristie et transportées au musée Machado de Castro. Ces deux colonnes ne provenaient apparemment pas de la même œuvre d'art que la pièce monolithe, car le décor de leurs chapiteaux est beaucoup plus plat, leur taille légèrement plus profonde et leur matériau du marbre, non du calcaire. Malgré cela on réunit ces trois éléments sur un socle commun et on les couvrit d'une grande table d'autel.

La mise en place de cet autel fut suivie de longues controverses, car on contesta que ces trois fragments eussent un rapport quelconque avec l'ancien autel principal, dédié à la Vierge Marie. Toutefois, l'inscription mentionnée plus haut semble prouver que le monolithe au moins avait une relation avec la Sé Velha. Ses dimensions sont pourtant trop réduites et ses sculptures trop modestes pour qu'il ait pu servir d'autel principal, surtout lorsqu'on le compare avec les autels de Gérone ou de Saint-Sernin. Tout semble donc indiquer qu'il s'agit du reste d'un autel secondaire cédé plus tard à São Antonio dos Olivais. Les deux colonnes en marbre, par contre, pourraient provenir du vieil autel de la Vierge ou avoir appartenu, comme semble le suggérer leur forme, à un baldaquin ou un ciborium.

Mais jetons encore un regard sur cette œuvre monumentale qu'est le retable en bois sculpté, exécuté par les maîtres Olivier de Gand et Jean d'Ypres entre 1498 et 1508 en gothique tardif des Flandres. Cette œuvre, toute en bleu et or, est consacrée à l'Assomption de la Vierge. Le panneau central montre Notre-Dame montant au ciel, et dominant des anges et plusieurs apôtres. A sa gauche et à sa droite apparaissent, dans des compartiments séparés, les princes des apôtres accompagnés des médecins-martyrs Côme et Damien. Au niveau inférieur deux petits panneaux centraux illustrent la naissance et la résurrection du Christ ; de chaque côté deux évangélistes sont représentés en train d'écrire. La partie supérieure du retable montre la scène de la crucifixion : à gauche et à droite de Jésus figurent les deux larrons, au pied de la croix la Vierge et saint Jean. L'extrémité supérieure du retable, qui occupe une partie de la voûte, comporte la scène de la résurrection, avec des anges tenant les instruments de la passion. Il est vrai que cette œuvre puissante s'oppose, par son faste, à la sobriété de l'édifice roman, mais elle en constitue sans doute aussi un complément superbe et elle exprime du moins, par d'autres moyens, la même piété profonde.

Sur l'ordre de l'évêque et comte Almeida, qui dirigea le diocèse de 1483 à 1543, l'absidiole septentrionale fut transformée par Nicolao Chanterene en une chapelle consacrée à saint Pierre. Cette chapelle, qui existe encore, est caractéristique du style de la première Renaissance à Coïmbre. Son autel traite des sujets tirés de la vie de son titulaire : au centre le Christ apparaît à saint Pierre (légende du *Quo vadis ?*) ; à gauche et à droite, saint Pierre et saint Paul. Dans la partie inférieure de l'autel scènes de la vie de saint Pierre : la crucifixion, saint Pierre en prison et Simon le Magicien. Un médaillon, à l'extrémité supérieure de l'autel, montre Dieu le Père bénissant. La chapelle abrite aussi la pierre tombale de l'évêque Almeida.

C'est également au XVIe siècle, mais du temps de l'évêque Soares, qu'on transforma l'absidiole du côté de l'épître en une chapelle dédiée au Saint-Sacrement. En 1566 cette chapelle reçut une coupole et une lanterne de même qu'un retable, œuvre du célèbre sculpteur João de Ruão qui, elle aussi, masque tous les murs. Le panneau supérieur montre le Christ en compagnie de dix apôtres. La partie inférieure représente, du côté Nord, la Vierge et l'Enfant, au centre, le sanctuaire entouré d'anges jouant des instruments de musique et, du côté Sud, les quatre évangélistes.

Parmi les nombreux monuments funéraires placés dans cette église, nous ne voudrions signaler que le superbe sarcophage qui se trouve entre le 4e et le 5e pilier du collatéral, du côté de l'évangile. Dans cette sépulture datant de la première moitié du XIVe - siècle repose Dona Betaça, fille de l'empereur byzantin Alexis Ange, aïeule de la reine portugaise Isabelle, qui fut canonisée au XVIIe siècle et dont l'autel et le portrait se trouvent juste en face dans le collatéral Sud.

Près du portail occidental, dans le collatéral Nord, subsistent les restes d'un parement mural en azulejos, travail sévillan dont on avait revêtu une grande partie des murs de la cathédrale au début du XVIe siècle. Ce revêtement a été enlevé au XIXe lors de la restauration de l'église.

Les chapiteaux

Le grand nombre de chapiteaux (environ 380) que possède la Sé Velha et les traits particuliers qui les distinguent des autres chapiteaux romans du Portugal nécessitent quelques observations préliminaires. A ce sujet nous renvoyons le lecteur à Real et à son étude sur la sculpture figurative romane du Portugal (p. 53 à 58) en les complétant par les constatations suivantes :

La majorité des auteurs portugais (Dos Santos, Monteiro, Vasconcellos, Almeida et Real) reconnaissent tous le caractère arabisant de ces chapiteaux. Celui-ci se manifeste en effet de diverses manières. D'abord par la forme de l'épannelage qui est inhabituelle. Il est vrai que la Sé Velha offre aussi des chapiteaux en troncs de cône renversé, mais la majorité de ses chapiteaux diffèrent de cette norme. Ces chapiteaux sont de grande dimension et présentent une partie inférieure étroite et conique qui ne s'élargit que peu jusqu'au tiers supérieur de la corbeille. A ce niveau les lignes amorcent alors un brusque mouvement vers l'extérieur, presqu'à angle droit et s'incurvent finalement vers la verticale en sorte que le tiers supérieur de la corbeille ressemble à un parallélépipède. Le mouvement des lignes vers l'extérieur est repris par l'abaque qui est lisse et conduit vers le tailloir par l'intermédiaire d'un large cavet (pl. 14). David (50) a nommé cette forme de chapiteau « *capitel de pescoço* » (littéralement : chapiteau de cou). Le visiteur trouvera une telle corbeille à l'état brut dans la partie Est de la tribune septentrionale.

Selon Gaillard (51), ce type de chapiteau apparût dans l'art musulman vers la fin du Xe siècle et se répandit ensuite, par le Puy et Saint Pierre de Roda, à travers la France et l'Espagne. Ainsi ce type de chapiteau parvint-il à Conques qu'il faut considérer à bien des égards comme un foyer artistique. En Espagne nous trouvons quelques exemples de ce chapiteau ou une forme de chapiteau semblable à Frómista, Silos et à Loarre.

Dans ce conteste, Real évoque d'ailleurs aussi des chapiteaux mauritaniens dont l'existence a été signalée par Terrasse et qui correspondraient tout à fait à ceux de Coïmbre (52). Il semble possible que, dans un cas comme dans l'autre, cela résulte d'une influence émanant d'un seul et même centre. Le chemin par lequel cette forme de chapiteau s'est transmise, un siècle et demi après sa première apparition, jusqu'à Coïmbre est difficile à définir. L'inspiration est-elle venue de France, d'Espagne ou, de façon plus directe, d'artiste mozarabes ? L'atelier de la Sé Velha manifeste en tout cas une véritable prédilection pour ce type d'épannelage.

Gaillard attire l'attention sur une autre particularité de ces chapiteaux arabisants, que l'on peut observer également à Coïmbre dans les motifs végétaux des corbeilles. Il cite Georges Marçais qui, à son avis, « en définit exactement l'esprit » : il s'agit de « l'absence de reliefs vigoureux et de fortes saillies aussi bien que de la prédominance du découpage sur le modelé ». La simplicité de l'épannelage présente, selon Marçais, un double avantage : elle souligne le caractère fonctionnel du chapiteau et en même temps offre à l'ornementiste de larges surfaces, propices au développement d'arabesques et à la juxtaposition de motifs en méplat. Les sculptures ne sont pas effet en bas-relief et ne témoignent pas de cette prédilection pour l'utilisation du trépan et pour la coupe en biseau qu'affectionnèrent pendant longtemps les sculpteurs arabes.

Les chapiteaux présentent surtout des motifs végétaux. Ceux-ci sont inspirés de modèles préromans, influencés de leur côté par l'ornementation wisigothique et musulmane, telle que nous pouvons la découvrir en partie au Musée Machado de Castro à Coïmbre même. Ces chapiteaux tiennent d'ailleurs de leurs modèles ce penchant vers l'ornement qui leur fait préférer l'abstraction à la réalité naturelle et leur confère un goût marqué pour la science des combinaisons et des arrangements symétriques ainsi que pour l'élégance des lignes. L'atelier, partant de simples dessins, a développé au fur et à mesure de son activité un sens remarquable de la variation des motifs. Cette évolution pourrait être comparable à celle que Gaillard a constatée en étudiant et analysant les chapiteaux du Panthéon des Rois à San Isidoro de León.

A côté de cela, des motifs végétaux qualifiés de clunisiens, parmi lesquels des têtes humaines ou animales prises entre des rinceaux, ont trouvé bon accueil à Coïmbre. Plus fréquente pourtant est la représentation de scènes purement animales telle que les moines bénédictins l'ont introduite dans le pays parmi d'autres innovations, au début du XIIe siècle. Le plus souvent, ces animaux se trouvent par paires, confrontés, adossés, ou ont, lorsqu'il s'agit d'oiseaux, les cous entrelacés. Confrontés, ils sont, soit tranquillement assis l'un en face de l'autre, soit adonnés à une occupation commune : buvant, mangeant, se défendant ou se combattant entre-eux. Ils sont ou bien pris dans la nature et réels ou bien mythologiques et fantaisistes ; on ne trouve aucune scène historiée ni même de figures humaines. Les têtes de personnages qui apparaissent sont, conformément au répertoire de motifs cités, celles de centaures (pl. 13) ou d'atlantes. Leur excellente facture semble prouver que l'absence de figuration humaine n'est pas dûe à l'incapacité des artistes, mais plutôt à une attitude intérieure, influencée sans doute par la tradition arabe et son interdiction de représenter des êtres humains. On peut voir en cela une autre caractéristique de la composante arabe de l'art de Coïmbre.

Ces différents sujets sont traités d'une manière assez personnelle, ainsi que l'a remarqué Real (53). La pose des animaux, à l'opposé de ce qu'on peut constater dans le Nord du Portugal, reste paisible, même lorsqu'elle n'est pas exempte d'agressivité. Ceci confère à ces sujets un côté presque héraldique, raide, et fige les animaux dans une attitude déterminée. Il faut constater par ailleurs que, dans certains cas, la proie que dévorent ces bêtes n'est jamais un être humain comme dans les scènes analogues des chapiteaux du Nord du pays. Très souvent les représentations d'animaux révèlent un grand souci du détail, comme par exemple la crinière des lions du portail occidental.

Pour illustrer ces observations à l'aide de quelques exemples concrets, parcourons encore une fois l'église en partant du côté Ouest du collatéral méridional.

1) Au premier pilier nous découvrons deux quadrupèdes affrontés dans une attitude qui pourrait être tenue pour menaçante. Leur intention paisible est toutefois révélée par une touffe d'herbe que chacun d'eux est en train de brouter. Leurs corps présentent un beau modelé, mais les détails sont juste gravés en surface. Une réplique presque identique se trouve à Tomar.

2) Le second pilier comporte, du côté Sud, un chapiteau présentant des thèmes végétaux traités d'une manière caractéristique de la Sé Velha : des tiges disposées par paires montent jusqu'au tiers supérieur de la corbeille où elles s'épanouissent en feuilles qui s'ouvrent avec élégance. D'autres feuilles remplissant les espaces intermédiaires jusqu'à mi-hauteur, sont plus banales ; toutefois leurs tiges s'élèvent au-dessus d'elles et s'achèvent en volutes (pl. 14). Leurs modèles se trouvent dans le cloître de São João de Almedina.

3) En face, au mur gouttereau Sud, une corbeille surchargée d'entrelacs rappelle le décor d'ivoires arabes.

4) Au niveau du troisième pilier se trouve, également contre le mur gouttereau, un chapiteau dont l'intérêt a été souligné par Real. Il présente quatre oiseaux dont les deux du milieu boivent dans un vase : l'un de ces oiseaux se désaltère directement dans ce récipient alors que l'autre lève le bec pour avaler le liquide. Les longs corps de ces animaux sont excellemment rendus jusque dans le moindre détail. La grande fenêtre du portail occidental présente un chapiteau semblable.

5) Au niveau du quatrième pilier nous découvrons, contre le mur gouttereau, un chapiteau orné d'un motif particulièrement apprécié par les bénédictins du Portugal : des têtes d'animaux (têtes de chats) de la bouche desquels sortent des rinceaux ; les espaces libres sont remplis de grandes feuilles.

6) En face du cinquième pilier, le mur gouttereau représente deux centaures paisiblement affrontés et pris dans les rinceaux ornés de boutons (pl. 13). De grandes feuilles fendues accompagnent les angles du chapiteau et remplissent l'espace entre ces deux figures. Les têtes présentent des traits humains très réalistes et ont un excellent modelé ; les barbes, les boucles des cheveux et les couvre-chefs trahissent une prédilection pour le menu détail. Les corps sont également sculptés avec brio et bien proportionnés.

7) En poursuivant notre visite du côté Est du collatéral septentrional, nous apercevons, sur la face Ouest du quatrième pilier, un chapiteau à motifs végétaux qui révèle une étroite parenté avec certains chapiteaux de la cathédrale de Lisbonne. Sur la face septentrionale du même pilier, le chapiteau témoigne de nouveau, par contre, du goût marqué de l'atelier pour les feuilles vigoureuses faisant saillie sur le tiers supérieur de la corbeille ; elles sont ici fortement stylisées.

8) La base de la colonne du troisième pilier est ornée de motifs que nous retrouverons à São Tiago de Coïmbre.

9) Au deuxième pilier notre attention est de nouveau attirée par les chapiteaux. En raison de la forme de ses feuilles et des ses pommes de pins, celui de la face Est fait penser à des modèles anciens tels que nous en trouvons au Panthéon des Rois à León et en Galice. Le chapiteau de la face Nord, par contre, avec ses feuilles élégamment courbées pendant des angles de la corbeille, répond aux tendances de l'art roman tardif.

10) Du côté intérieur de la façade occidentale, un chapiteau au départ des arcades, du côté Nord de la nef, vaut d'être signalé spécialement : il offre une des plus vivantes représentations de combats d'animaux ; on remarquera la disposition très étudiée de ses figures et la soigneuse élaboration des détails les plus infimes. Cette œuvre, qui rappelle l'un des chapiteaux du portail occidental de São Tiago, peut être considérée comme l'une des plus belles réussites de la

Sé Velha. Sa représentation de reptiles attaquant des oiseaux est identique à celle que nous trouvons au portail occidental de São Tiago ou à Tomar.

11) Nous continuons notre visite en gagnant, par l'escalier à vis du croisillon Nord, la tribune septentrionale. La vue sur le chapiteau Nord de l'arc triomphal récompense bien notre effort : les deux lions qui se présentent à notre regard témoignent de l'influence de Compostelle. De la gueule des deux fauves jaillissent des entrelacs qui occupent la partie centrale de la corbeille. Cette représentation semble être, sur le plan iconographique, un compromis entre le thème de tradition bénédictine des masques avec des entrelacs sortant de leurs bouches, et les combats d'animaux tels que nous les rencontrons à Coïmbre. Les corps des lions sont vigoureux et lisses ; leurs crinières dénotent un souci marqué des détails.

12) A la hauteur de la cinquième baie du triforium nous découvrons des chapiteaux non décorés qui révèlent la méthode d'épannelage dont nous avons parlé.

13) Le chapiteau au départ de l'arc doubleau qui sépare la quatrième et la cinquième baie présente des feuilles d'acanthe qui pourraient avoir influencé les chapiteaux de l'atelier à décor végétal.

14) Le chapiteau Est de la troisième baie offre un motif de spirales d'inspiration mozarabe occupant toute la corbeille. Depuis son apparition à Moissac, notée par Real, ce motif a connu une utilisation fréquente. On le trouve aussi à Tomar sous une forme légèrement différente.

15) Sur le chapiteau Ouest de cette baie les écailles, que nous avons déjà rencontrées sur une plinthe du portail occidental et qui viennent peut-être de Compostelle, sont transformées en petites feuilles à nervure centrale couvrant toute la corbeille. Ce motif réapparaîtra plus tard à Paço de Sousa sous une forme nettement plus raffinée reprenant le dessin d'écailles.

16) Entre la première et la seconde baie, le chapiteau décorant le départ Sud du doubleau est, selon Almeida (54), également d'origine mozarabe et réapparaît sous une forme plus raffinée à Paço de Sousa.

17) Le chapiteau Est de la première baie n'est apparemment pas une œuvre de l'atelier de la Sé Velha. C'est avec raison que Real (55) suppose qu'il s'agit d'une œuvre isolée. Inspiré de modèles septentrionaux, ce chapiteau représente la punition d'un homme par un quadrupède sous une forme grotesque et en usant d'une stylisation et d'une technique inhabituelles (pl. 17).

18) Nous trouvons une réplique de ce chapiteau, travaillée de la même manière, dans la galerie Sud, à laquelle nous parvenons en empruntant le petit passage situé au revers de la façade occidentale.

19) Le chapiteau au départ septentrional du doubleau qui s'étend entre la première et la seconde baie est un chapiteau à godrons tel qu'on l'utilisait à l'origine dans l'architecture byzantine. Ce type de chapiteau réapparut ensuite à l'époque romane surtout dans les églises anglo-normandes. Avec les autres caractéristiques normandes que nous avons déjà relevées, l'utilisation de cette forme de chapiteau à Coïmbre permet de saisir l'influence que la sphère culturelle normande a pu exercer sur la Sé Velha au moment de sa construction.

20) Le chapiteau du côté Ouest de la troisième baie offre une variante des motifs végétaux qui témoigne à nouveau de la prédilection des artistes pour des feuilles s'élançant vers le haut et s'élargissant à ce niveau ; on y remarque aussi leur goût pour l'élégance des lignes.

21) Sur le chapiteau du côté Ouest de la cinquième baie apparaissent pour la première fois des figures humaines, si l'on fait abstraction de la représentation des centaures que nous avons déjà étudiée. Il s'agit d'atlantes dont seuls la tête, les épaules et les bras sont visibles. Néanmoins l'artiste à réussi à suggérer l'action et les intentions de ces êtres fabuleux d'une manière qui rejoint les meilleures expressions de la sculpture romane tardive. Selon B. Rupprecht (56) la figure de l'atlante en tant que thème de sculpture aurait été introduit par Conques dans l'Europe romane. Dans ce chapiteau la position pliée des atlantes rend sensible le poids, qu'ils supportent, et leurs bras, appuyés sur un feuillage, accentuent encore l'impression de force concentrée qui se dégage de la sculpture. En même temps les visages trahissent la tension et la volonté qui soutiennent ces géants dans leur effort physique. Bien que la musculature ne soit pas encore rendue avec toute la rigueur anatomique voulue, cette œuvre dépasse de loin les représentations du corps et des attitudes humaines que nous pouvons rencontrer au Portugal à cette époque. C'est la raison pour laquelle nous pourrions qualifier ce chapiteau d'une des meilleures réalisations sculpturales de l'art roman portugais tardif, surtout si nous le comparons à d'autres atlantes sculptés à cette époque au Portugal. Dans leur quiétude, les harpies de ce chapiteau forment un heureux contraste avec les atlantes. Leurs bonnets correspondent à ceux qu'on découvre dans les représentations françaises de cette époque, par exemple à Aulnay (portail Sud du transept, archivolte extérieure, cinquième figure à partir de la gauche).

LE CLOÎTRE

Histoire de sa construction

Nous ne disposons pas de dates précises en ce qui concerne l'érection du cloître. Le début approximatif et l'achèvement des travaux peuvent cependant être reconstitués à la lumière de quelques documents anciens. Ainsi David (57) invoque-t-il une pièce de 1176 de laquelle il ressort que le chanoine Maître Dominique avait préparé l'ouvrage. D'autres indications sont données dans le testament du fondateur, le roi Alphonse Ier, qui, à sa mort, en 1185, légua un capital de 1 000 maravedis en or « *ad claustrum faciendum* ». De même son fils, Sanche Ier, qui décéda en 1212, destina 3 000 maravedis « *ad claustrum faciendum seu construendum* ». Et son petit-fils, Alphonse II, fit encore de son vivant, en 1218 et 1221, plusieurs donations et réserva 22 000 aurai, somme considérable, pour l'achèvement du cloître. La fin des travaux devait être prévisible à cette date, car dans son testament, ce roi donna plein pouvoir pour acquérir, avec la somme restante, des terres et des bâtiments. Il mourut en 1223. Contrairement à l'avis de David (58), le chantier semble avoir duré assez longtemps encore, car son successeur Sanche II se vit contraint, en 1240, d'ordonner qu'on rende à l'évêque et au chapître l'argent non utilisé. C'est donc entre 1180 et 1230, nons sans quelques interruptions, que ce cloître semble avoir été construit.

Première impression

L'entrée du cloître se trouve au milieu du collatéral Sud. Au premier abord on est impressionné par son élégance due à la conjugaison de deux effets architecturaux : d'une part la gracilité et la légèreté des colonnes centrales sur lesquelles s'appuient les arcs en plein cintre des ouvertures donnant sur la cour, d'autre part le caractère massif et vigoureux des supports qui accueillent des doubleaux légèrement brisés (pl. 20). Ceux-ci, au nombre de cinq dans chaque galerie de cet ensemble de plan carré, soutiennent les voûtes. Les tympans des arcades sont percés d'oculi, décorés par ce qu'on pourrait considérer comme la première et simple ébauche d'un remplage. Ces tympans diffèrent de ceux du cloître d'Evora conçus de façon similaire, mais dans lesquels la riche ornementation mudéjare des oculi nuit quelque peu, en raison du mouvement qui l'anime, à l'impression d'ensemble. Le cloître de la Sé Velha, par contre, impose un sentiment de calme et d'harmonie que renforcent encore les robustes piliers délimitant les travées et l'équilibre entre les lignes verticales et horizontales. Ces dernières sont accentuées par le bahut qui marque les limites de la cour centrale, les forts tailloirs à redents des chapiteaux, les impostes des piliers qui sont répétées au niveau du sommet des arcs en plein cintre et la corniche. Des éléments ornementaux très simples, tels que les triples tores sur l'intrados des arcs doubles, les étroites colonnes jumelées et les profils des nervures, assurent une distribution alternée d'ombres et de lumière et concourent en même temps que les proportions judicieusement choisies, à mettre en relief l'élégance de l'ensemble. De ce fait celui-ci suscite chez le spectateur cette impression d'harmonie qui se dégage des constructions cisterciennes. Il n'est pas surprenant que David (59) reconnaisse à ce cloître une beauté qu'aucun des cloîtres célèbres du Midi de la France ne saurait surpasser.

L'examen des détails montre qu'il s'agit d'une œuvre de transition, réunissant les caractéristiques des deux styles, et se situant, selon David, « sur la frontière entre le roman et le gothique ». Du style roman relèvent encore les proportions des quatre ailes du cloître dont chacune se compose de cinq travées. Les arcs qui font communiquer ces dernières avec la cour ne sont que légèrement brisés, comme souvent dans le roman portugais tardif. Chacun de ces arcs renferme deux arcades géminées, encore en plein cintre, et portées par de très étroites colonnes géminées. Les tympans, formés par les arcs des travées et les arcades, présentent donc des oculi, dont les ornements géométriques simples, tous différents les uns des autres, sont encore assez éloignés des remplages gothiques.

Les aspirations de la phase puriste du style gothique se manifestent par contre déjà dans l'utilisation de tores séparés par des scoties, en tant qu'élément de décor de tous les arcs. David (60) a attiré l'attention sur l'élégance de la jonction des arcades aux quatre angles du cloître : les tores s'interpénètrent et forment une nervure commune, qui maintient les profils et les conduit en faisceau vers le sol. Du style gothique relève également la structure des voûtes et leurs ogives. Les nervures des croisées offrent le même profil que celles de la lanterne de la cathédrale, fait qui peut être important dans le débat pour dater la coupole de la croisée du transept.

On retrouve aussi les caractéristiques d'une œuvre de transition dans la décoration. Celle-ci révèle encore une sensibilité romane, bien que les formes traditionnelles y soient déjà engagées dans un processus de dégénérescence, et s'oriente, en même temps — en particulier dans l'exécution des chapiteaux — Crozet (61) estime qu'on peut très bien étudier en ce lieu le passage progressif de l'esprit roman à l'esprit gothique. Un chapiteau placé au milieu de la galerie occidentale et orné du motif d'oiseaux mangeant des grappes de raisins, illustre la dégénérescence du chapiteau roman (pl. 19) Sa sculpture se distingue nettement de celle des modèles situés à l'intérieur de la cathédrale. Le plumage amoureusement rendu fait ici défaut ; les corps et les cous sont tendus et l'attitude des oiseaux entourant les fruits fait montre de raideur. Les mêmes observations peuvent être faites au sujet d'un chapiteau orné d'un couple de lions dont la qualité est loin d'atteindre celle du chapiteau du portail occidental. Même les rudes chapiteaux situés en face de la salle capitulaire, dans la galerie orientale, que David (62) considère comme les restes d'un cloître antérieur, proviennent très certainement de cette période de déclin du style roman. Les modillons des corniches avec leur décor de fleurs et de figures se retrouvent également sous une forme semblable en d'autres constructions de cette époque de transition. Il est difficile d'établir avec certitude s'il y a eu des contacts entre l'atelier de ce cloître et celui d'Alcobaça, ce que David estime tout-à-fait plausible en raison de la structure particulière des voûtes et des ogives. La construction de l'église d'Alcobaça débuta en 1178 et exigea sans doute la présence de toute la main d'œuvre disponible. Son cloître ne fut érigé que vers la fin du XIIIe siècle. C'est donc plutôt cet atelier qui aurait pu s'inspirer du cloître de Coïmbre et très particulièrement de la structure de ses ouvertures vers la cour.

Commençons notre visite par la galerie Nord, où se trouve l'entrée. Cette galerie s'appelle depuis des temps immémoriaux « *nave São Miguel* ». Dans la première chapelle, la clef de voûte présente quatre anges portant le Livre. Les fonts baptismaux proviennent de l'église São João de Almedina, construite au début de l'époque romane, mais par malheur ses sculptures ont été reprises ultérieurement. Des hauts-reliefs illustrent le baptême du Christ et la scène de Moïse sauvé des eaux.

Dans la dernière travée de cette galerie, la partie supérieure d'une ancienne porte est encore visible. La croix surgissant entre les feuilles qui orne son tympan est une sculpture plus récente.

La première chapelle de la galerie Est présente un arc en plein cintre reposant sur d'étroites colonnes. C'est la chapelle la plus ancienne de ce cloître ; elle est consacrée à l'archange Michel. Les membres de la famille du chancelier Julião, qui exerça les fonctions de conseiller des trois premiers rois du Portugal, y sont enterrés. La travée suivante abrite l'entrée de la chapelle Sainte Cécile, longtemps siège de la confrérie de la miséricorde.

Les trois travées suivantes sont situées en face de la salle capitulaire, qui dut être creusée dans le rocher. Depuis le XIIIe siècle, cette salle sert de chapelle mortuaire. Les nervures des voûtes et les arcs doubleaux s'appuient sur des impostes, conformément aux techniques cisterciennes.

La galerie Sud, appelée « *nave de poço, nef du puits* », comporte la chapelle Saint Nicolas et Sainte Catherine. Celle-ci, datant de 1355, est également creusée dans le roc. Initialement lieu de sépulture d'un chanoine, elle remplit le même usage à l'égard de tous les chanoines à partir du XVIIIe siècle. On y trouve le sarcophage de l'un des plus célèbres princes de l'époque préromane, celui du comte Sesnando de Coïmbre, qui fut longtemps à la tête du comté après la reconquête de la ville en 1064.

NOTES

(1) Entre 569 et 589, d'après Pierre David : « *A Sé Velha de Coimbra* », Porto 1943, p. 16.

(2) David, p. 17.

(3) Manuel Monteiro, *O Românico Português, A Igreja de São Tiago de Coimbra*, Coïmbre 1951, p. 25.

(4) Manuel Luis Campos de Sousa Real, « *A Arte Românica de Coimbra* »,*Dissertacão de Licenciatura em História, pela Faculdade de Letras do Porto*, Porto 1974, p. 43 ss.

(5) David, p. 23.

(6) David p. 31.

(7) Carlos Alberto Ferreira de Almeida : « *Arquitectura Românica de entre Douro-e-Minho* » 3, *Dissertacão de doutoramento en Historia de Arte, na Faculdade de Letras da Universidade de Porto*, vol. 2, p. 20

(8) Almeida, vol. 2, p. 45.

(9) David, p. 41 — 45.

(10) Voir citation p. 3.

(11) David, p. 58

(12) *Galice Romane*, Zodiaque, p. 301 et pl. 126.

(13) David, p. 51.

(14) Voir Benoît, p. 46 et Thibout, p. 262 dans *L'Art Roman en France*, Flammarion, Paris 1961.

(15) Almeida, vol. 2, p. 101.

(16) Voir *Galice Romane*, Zodiaque, San Estéban de Ribas de Miño, p. 351. pl. 146, 149.

(17) Manuel Monteiro, *Paço de Sousa. O românico nacionalizado*, Belas Artes, Lisboa, 12, 1943, p. 20.

(18) Quelques exemples entre autres : Notre-Dame-la-Grande, Poitiers ; Saint Nicolas de Civray ; Saint-Jouin-de-Marnes ; Saint Pierre d'Aulnay.

(19) David. P. 59.

(20) *Galice Romane*, Zodiaque, p. 109 et Marcel Durliat, *Le camino francés et la sculpture romane*, p. 70.

(21) Par exemple : Aulnay : vers 1150-1170 selon *Poitou Roman*, Zodiaque, p. 214, vers 1109-1135 selon Marcel Pobé, *l'Art monumental roman en France*, Braun, Paris 1955.

(22) Real, p. 209.

(23) M. Durliat, *L'Art Roman en France*, Paris 1961, p. 234.

(24) Georgina Goddard King, *Little Romanesque Churches in Portugal, Medieval Studies in Memory of A. Kingsley Porter*, Cambridge, 1939, vol. I, p. 273 — 292 et 280.

(25) Par exemple : S. Siro à Cemmo (Val Camonica) (Voir *Lombardie Romane*, Zodiaque, pl. 105) ou Almenno San Tome (id. pl. couleurs p. 323) et Maderno (portails à voussures, mais sans saillie du mur).

(26) Portail creusé dans une avancée en forme de baldaquin

(27) Cavagnolo Po (Turin) et S. Maria di Vezzolano (Asti), les deux portails dans un avant-corps rectangulaire légèrement plus élevé.

(28) Études de H. Focillon, E. Gall et Peter Meyer, citées par H. Eckstein ; *Die romanische Architektur*, Cologne 1975, p. 8,10, 31,35 ss. et p. 283, n° 53.

(29) Eckstein. Il est intéressant de constater que les Normands avaient apparemment faite leur cette prédilection pour l'échelonnement des parties murales. Nous le trouvons en effet en Angleterre dans des églises construites après la conquête normande.

(30) Comme dans le portail occidental de style roman, des arcs en plein cintre, échelonnés et appuyés sur des piédroits, mènent à l'intérieur. Des médaillons latéraux présentent des bustes en haut relief malheureusement déjà assez détériorés figurant les quatre vertus cardinales. Le tympan comporte en médaillon le buste de la Vierge à l'Enfant, entourée de putti. Dans des niches, à gauche et à droite de l'entrée, apparaissent Jean-Baptiste et le prophète Isaïe. Une retraite horizontale constitue la transition vers la partie médiane de l'élévation, qui se présente sous forme d'une tribune. Des colonnes et piliers étroits et élancés encadrent la partie centrale du balcon qui a été clôturée par une balustrade au XVIIIe siècle. Une frise, également très abîmée, délimite la zone supérieure à ce niveau. La partie la plus haute de la façade présente trois arcs, dont celui du milieu est plus

élevé et abrite la figure de sainte Anne accompagnée autrefois celle de saint Joachim ; les deux arcs latéraux entourent les figures (restaurées) des quatre évangélistes absorbés dans leur travail d'écriture. Un fronton droit termine la construction vers le haut. La composition de cet ensemble et l'exécution des détails ónt cette beauté calme et équilibrée qui caractérise la Renaissance et fait de ce portail l'une des plus précieuses créations du Coïmbre de cette époque. D'après la tradition, l'architecte aurait été d'origine française, mais son nom reste inconnu.

(31) Par exemple à Vila Boa de Quires.

(32) Real, p. 327-328.

(33) Haute et Basse-Auvergne, Bas-Limousin, Cantal.

(34) Loarre, Estíbaliz, Cervatos, Castañeda, Frómista, Santa Marta de Tera, Zamora et d'autres.

(35) *Galice Romane*, Zodiaque. Vers 1224, Vilar de Donas, planche 127. Vers 1164, San Julián de Astureses, pl. 134. Vers la fin du XIIe siècle, Hospital de Incio, pl. couleurs p. 294. Vers 1154, San Pedro de Dozón, pl. couleurs p. 312.

(36) *Rouergue Roman*, Zodiaque, p. 90 et 91.

(37) Pour plus de détails voir H. E. Kubach, *Architektur dez Romanik*, Stuttgart 1974, p. 105, 109 et les auteurs cités.

Les premières ébauches de ces coursières apparurent aux tours-porches ou aux transepts de Trèves, Essen, Bernay et Jumièges. Puis on créa, surtout en Normandie et dans la région du Rhin inférieur, des coursières sous arcades ouvertes qui s'étendirent jusqu'à la nef centrale. Pour les coursières intérieures c'est Saint-Étienne de Caen qui est l'exemple le plus cité, mais les cathédrales de Bayeux et Coutances pourraient parfaitement lui disputer cette préséance. C'est seulement vers 1080 que ces coursières se présentent finalement sous la forme de galerie extérieure telle qu'on en trouve à la cathédrale de Spire et telle qu'elle fut adoptée par la suite en Lombardie et à Pise.

(38) David, page 61 et aussi *La Sé Velha de Coïmbre et les dates de sa construction*, Lisbonne 1942, Institut Français au Portugal, p. 22.

(39) Pierre Héliot, « *Les coursières et les passages muraux dans les églises du Midi de la France, de l'Espagne et du Portugal aux XIIIe et XIVe siècles* », *Anuario de Estudios medievales*, vol. 6, Barcelone 1969, p. 213-217.

(40) David, p. 62.

(41) Héliot, p. 217. Il se réfère aussi à la cathédrale de Norwich, Lisieux, Tournai.

(42) Héliot, p. 217.

(43) Nogueiro Gonçalves. *A lanterna-coruchey da Sé Velha de Coimbra*, Coïmbre 1934.

(44) David, p. 60-62.

(45) Real, p. 249-255.

(46) Real, p. 239-241, et p. 253.

(47) Real, p. 154.

(48) Real, p. 154-161.

(49) David p. 87-89.

(50) David, p. 64.

(51) Gaillard, dans *Rouergue Roman*, Zodiaque, p. 46-47.

(52) Real, p. 134 et note 4 ; p. 344.

(53) Real, 1, p. 324.

(54) Almeida 1, p. 7, note 6.

(55) Real 1, p. 321.

(56) B. Rupprecht, *Romanische Skulptur in Frankreich*, Hirmer-Verlag, Munich, 1975, p. 53.

(57) David, p. 22-23.

(58) David se fonde sur le *Livro das Kalendas* et conclut de la phrase *et ipse consummavit illud* que le roi vit l'achèvement de l'œuvre.

(59) David, p. 65.

(60) David, p. 65.

(61) René Trojef : *La Sé Velha de Coimbra*, Revue Sol, n° 9, p. 61-62.

(62) David, p. 65.

2 LE MUSÉE MACHADO DE CASTRO

Ce musée, situé à proximité de la Sé Velha, est surtout un dépôt lapidaire. Il tient à la disposition des amateurs de l'art roman un nombre relativement grand de sculptures de ce style. Celles-ci donnent une bonne vue d'ensemble de l'évolution de la sculpture au temps de la Reconquête et tout particulièrement au XIIe siècle qu'on peut qualifier d'âge d'or de l'art roman tardif de Coïmbre. On peut étudier très spécialement ici les relations qui unirent les différents ateliers de cette époque. Nous nous contenterons de présenter les pièces les plus importantes en renvoyant, pour de plus amples détails, au chapitre sur la sculpture figurative (p. 33 à 75).

TABLE DES PLANCHES

22

23

25

26

S THOMAS S ANDREAS S

32

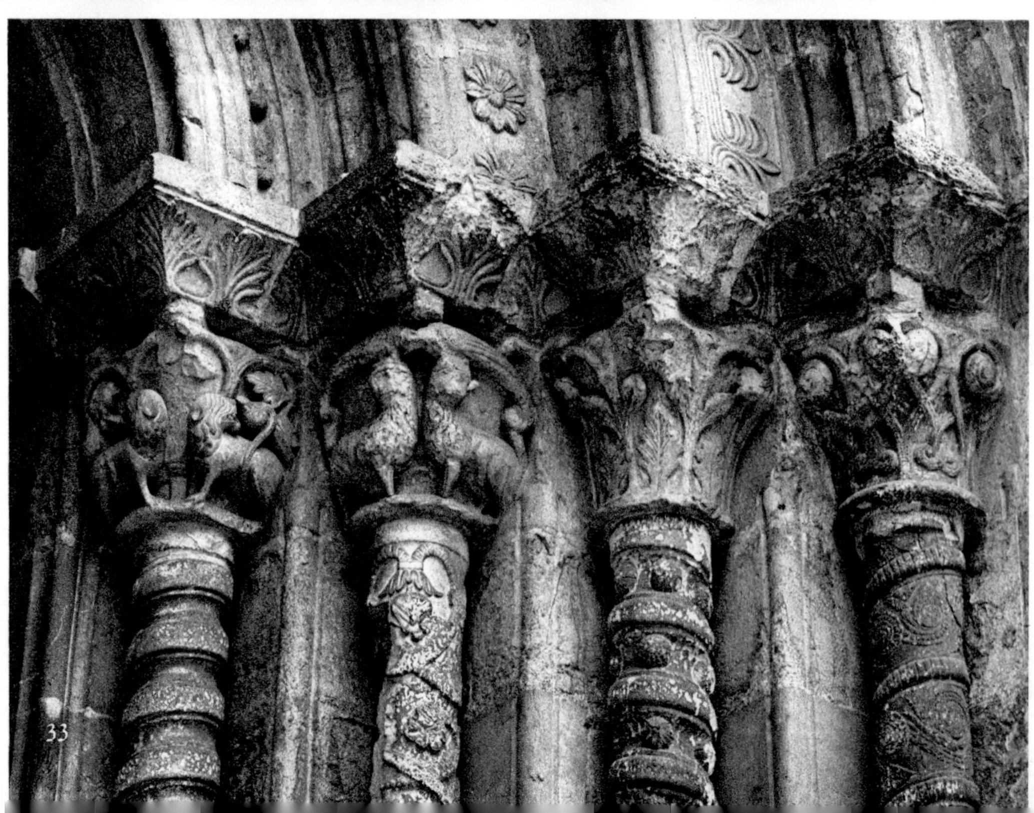
33

34

35

36

37

38

1. Les arcades du cloître de São João de Almedina (pl. 24) datent de 1087 environ et révèlent des influences de tradition wisigothique en même temps que d'autres plus tardives, de tradition arabe (1).

2. Restes provenant de la seconde campagne de construction de cette église qui fut terminée vers 1200 environ. Parmi ces vestiges, des remplois de l'époque wisigothique (pl. 21) et l'hypothétique reconstitution d'une figure en ronde-bosse représentant peut-être l'apôtre saint Jean (pl. 27) ; les fragments de cette sculpture avaient été découverts à l'intérieur de l'édifice (2).

3. Restes de l'église São Pedro qui fut reconstruite approximativement lorsqu'on élevait la Sé Velha. Les thèmes de ces sculptures révèlent une étroite parenté avec une variation du style roman qualifiée de « bénédictine » au Portugal. Nous retrouverons ce style dans l'église de Rates, agglomération située un peu plus au Nord et prise en charge par les moines de la Charité-sur-Loire au début du XIIe siècle. Dans l'évolution du roman au Nord du Portugal cette église occupa une position-clef. Les œuvres romanes de Rates et celles de l'église São Pedro pourraient témoigner d'un développement parallèle inspiré d'un modèle commun ou d'influences réciproques. Plusieurs des thèmes traités dans ces deux églises se retrouvent, en partie sous une forme modifiée, à la Sé Velha et dans bon nombre de petits sanctuaires des régions septentrionales, en sorte qu'on peut les qualifier de thèmes privilégiés de la sculpture romane portugaise. Ce sont essentiellement les thèmes suivants : masques ou têtes d'animaux de la bouche desquels sortent des entrelacs ou des rubans ornés de boutons (3) ; sirènes tenant leur double queue des deux mains (pl. 22) ; sirènes à queue unique : d'une main elles soulèvent cette dernière tandis que de l'autre, elles brandissent un poisson (4) ; oiseaux buvant à un récipient posé entre eux (pl. 22) ou picorant du raisin (5) ; animaux, quadrupèdes ou oiseaux, calmement affrontés ou se défendant contre des agresseurs (pl. 26) ; quadrupèdes dressés sur leurs pattes arrières (plus tardivement aussi oiseaux) et lacèrant une proie suspendue entre eux ; serpents se mordant mutuellement la queue ou se lovant, glissant parfois vers des animaux placés au-dessous d'eux (6).

4. Restes de l'église Santa Cruz, œuvre du premier grand atelier de Coïmbre au XIIe siècle. La construction de l'édifice fut commencée en 1131. Les artistes de cet atelier, de haut niveau, accueillirent des influences bourguignonnes et travaillèrent en toute indépendance par rapport à la Sé Velha, bien que quelques rares chapiteaux de l'*atrium* semblent inspirés par ceux de la cathédrale. A l'inverse, ces artistes pourraient bien avoir exécuté certaines œuvres dans d'autres églises, comme par exemple à São Tiago (7). L'église de Santa Cruz fut étroitement liée à la reconquête ; c'était en effet une fondation de l'Ordre des Chevaliers teutoniques et les douze membres fondateurs étaient proches compagnons d'armes du roi du Portugal. Lui-même était membre séculier (*professo secular*) de l'ordre ; il aida de son mieux à la construction de l'église et y fut enterré ainsi que son fils. Malgré le profond remaniement en style manuélin que subit la façade, la forme romane du portail et de la fenêtre à arc en plein cintre placée au-dessus de ce dernier est encore parfaitement reconnaissable. Par leur structure, ces deux ouvertures sont tout à fait semblables à celles de la façade de la Sé Velha. Le système de voûtes, qui permet au berceau de la nef de s'appuyer sur les berceaux transversaux des chapelles latérales, est antérieur à celui de la fondation cistercienne de Tarouca. L'édifice renferme la pierre tombale du prince Henri, que décore le buste d'un ange aux ailes déployées. L'ornement, composé de cœurs

renversés, tellement apprécié de l'art portugais, se trouve ici sous sa forme primitive.

5. Restes de l'église São Cristovão qui fut reconstruite à la même époque que Santa Cruz, mais dut céder la place à un théâtre au XIXe siècle. Son aspect extérieur nous est connu grâce au livre d'Auguste Filipe Simoes. La structure de sa façade, couronnée par des créneaux, offrait une grande ressemblance avec celle de la Sé Velha. Comme dans cette dernière, en effet, un avant-corps massif était creusé d'un portail et d'une fenêtre qui, il est vrai, y était plus petite et plus basse. Les trois archivoltes du portail étaient formées de tores lisses ; les fûts des colonnes sur lesquelles elles reposaient étaient torses du côté extérieur. La frise qui encadrait le portail était ornée de sarments de vigne dont le dessin — non toutefois le modelé — se rapprochait des motifs qui décorent le portail Sud de l'église de São Tiago. On y voyait une corniche sur modillons, mais sans arcature lombarde. L'église était probablement à l'époque le seul édifice de Coïmbre muni d'un tympan. Sur celui-ci était figuré l'Agnus Dei inscrit dans un cadre circulaire et entouré de deux symboles d'évangélistes.

Le musée comporte également une série de chapiteaux de haute qualité semblables à ceux de la Sé Velha (8). Ils présentent aussi certaines relations avec les chapiteaux de la cathédrale de Braga dont les moulages en plâtre sont conservés au musée de cette ville.

6. Une plaque de pierre agrémentée d'une sculpture qu'on interprète comme une représentation de l'Agnus Dei (pl. 29). La provenance de cette œuvre et sa signification iconographique ne sont pourtant pas absolument claires. On l'attribue, certes, à l'église São Miguel de Mirleus, mais en réalité elle fut découverte lors de la construction de la Faculté des Lettres qui s'élève sur l'emplacement de l'ancien collège de São Bento. Aussi est-ce avec raison que Real met en doute son origine présumée. Il est fort possible qu'il s'agisse d'un élément provenant de la bordure d'un baptistère. On peut cependant se demander si cette sculpture, qui pourrait s'être inspirée de l'Agneau de Maître Mateo à la Puerta de la Gloria de Compostelle et qui a influencé à son tour le tympan de l'église de Cedofeita à Porto (pl. 92), représente réellement l'Agnus Dei. La croix qui, selon l'iconographie habituelle, devrait accompagner l'agneau, fait en effet défaut. Real pense que cette croix est symboliquement représentée par les rinceaux disposés en calice (9). Mais si l'on suppose que cette pierre peut provenir d'une ancienne chapelle baptismale, la sculpture pourrait alors représenter cet autre agneau qui constituait l'attribut du troisième pape saint Clément de Rome. Cet emblème était très apprécié au Moyen Age et se rapporte à la légende suivante : Clément, condamné avec ses compagnons par l'empereur Trajan à des travaux forcés dans les carrières de marbre de la Chersonèse, voyait les détenus souffrir affreusement de la pénurie d'eau. Clément implora le secours de Dieu et aperçut un agneau qui grattait le sol de sa patte. Il creusa à cet endroit et une source commença à jaillir. A la vue de ce miracle un grand nombre des prisonniers païens se firent baptiser.

Le corps de l'agneau, un peu trop long, les rinceaux, dessinés avec beaucoup de fantaisie et pourvus de pommes de pin, de feuilles et de vrilles, sont de facture très réaliste. Les éléments ornementaux sont malheureusement très endommagés (10).

7. Figure en ronde-bosse représentant un ange (pl. 28). La sculpture provient de la cathédrale de Porto. Elle révèle de très nets progrès techniques par rapport aux premiers essais en ronde-bosse de Rates (effigies d'un prince (pl. 115) et d'un évêque (pl. 114)). Des influences françaises y sont indéniables ; Real les suppose issues du Languedoc (11), Almeida par contre les voit plutôt en relation avec le Limousin méridional, le Nord du Quercy, Cahors ou Pérignac (12).

8. Un chapiteau provenant du cloître de Celas à Coïmbre et représentant la Pentecôte (pl. 25). Ce cloître, dont la date de construction reste discutée par les spécialistes, fut cédé au XIe siècle à l'ancien couvent des bernardines. Selon Real, le cloître fut construit à l'époque du roi Denis entre la fin du XIIIe et le début du XIVe siècle, date à laquelle des réminiscences romanes restaient toujours vivaces. Le style des sculptures est celui d'une époque de transition. Parmi les thèmes traités on trouve des scènes de la vie du Christ en partie excellemment traitées et révélant parfois une légère note courtoise. La scène de la Pentecôte donne bien l'idée d'une foule, mais l'expression des visages humains n'est pas encore individualisée. A signaler aussi le baptême du Christ, sa descente aux enfers, sa présentation au temple. Une visite au couvent vaut indubitablement la peine (13).

9. Un calice en argent doré, datant de la moitié du XIIe siècle, compte parmi les pièces les plus parfaites et les plus intéressantes du musée (pl. 30 et pl. couleurs p. 180). Sa hauteur est de 17 cm, sa forme reprend encore celle des pièces d'orfèvrerie qui se situent dans la tradition du calice de Tassilon datant du VIIIe siècle. Ciselé par un artiste du nom de Menendis, il en constitue la seule œuvre connue. Sur le pourtour du socle on peut lire l'inscription suivante : E MCLXXXX MENENDIS ME FECIT IN ONOREM SCI MICAELI.

Ce calice fut offert par le noble Gueda Mendes au monastère Saint-Michel de Refojos de Basto, dont il était apparemment le bienfaiteur, sinon même le protecteur. C'est à la demande de ce seigneur qu'en 1131 le roi Alphonse avait attribué à ce monastère le « couto », c'est à dire l'usufruit de terres. Plus tard le calice devint la propriété du collège de São Bento de Coïmbre.

Toute la surface extérieure de la coupe est occupée par une arcature qui repose sur d'étroits piliers et par des ornements divers. Dans les niches ainsi créées sont représentés le Christ et onze apôtres dont les noms sont indiqués sur le rebord supérieur. Le nœud, de forme ovoïde , est couvert d'un décor en filigrane dont les motifs consistent en des S à extrémités enroulées opposés à leurs images inversées. Ces ornements mozarabes se retrouvent aussi sur le calice de Silos qui, de son côté, reprend le décor des croix asturiennes (14). Sur le large socle figurent, dans un dessin mouvementé, les symboles des évangélistes inscrits dans des médaillons.

Le Christ et les apôtres sont représentés de la manière traditionnelle : le Christ entouré d'un nimbe crucifère porte d'une main un livre et indique de l'autre, en même temps, un objet suspendu à sa manche ; saint Pierre tient une clef de la taille et de la forme d'un sceptre ; saint Paul est muni d'un livre, mais ne brandit pas d'épée. Les figures sont bien proportionnées et habillées d'élégants vêtements dont le drapé trahit déjà une période tardive. Les visages, relativement uniformes, sont néanmoins, assez expressifs grâce à l'accentuation de leurs yeux, au dessin triangulaire de leurs têtes et de leurs barbes. Les gestes sont mesurés, malgré la recherche apparente d'un certain mouvement qui ne s'exprime somme toute que dans les jambes croisées de l'apôtre Thomas. Un geste raide — comme celui de montrer quelque chose ou de bénir — se répète fréquemment. La pose hiératique par contre, qui prédomine aussi dans le premier art roman espagnol et subsiste un siècle plus tard dans les miniatures ornant le frontispice du *Liber Goticum (15)*, fait ici totalement défaut.

On ne connait pas d'autre pièce d'orfèvrerie comparable. Le calice que Doña Urraca offrit à l'église San Isidoro de León vers 1063, n'a pu servir de modèle à ce travail ; il s'agit en effet d'un vase sacré constitué de coupes en onyx de provenance byzantino-romaine qui furent assemblées à l'aide d'une sertissure et ornées de pierres précieuses et de perles, sans présenter de thème iconographique (16).

NOTES

(1) Real, p. 5-7 et 1, 48-52.
(2) Real, p. 113, 134 et 1, 57-61.
(3) Real, p. 120.
(4) Real, p. 142.
(5) Real, p. 125.
(6) Real, p. 31, 33, 34, 1, 71-82.
(7) Real, p. 39, 40, 156, 1, 141-148.
(8) Real 1, p. 172-175.
(9) Ral 1, p. 172-175.
(10) Real 1, p. 162 s. et 2, p. 40-54.
(11) Real 2, p. 94.
(12) Almeida 3, p. 159.
(13) Real 2, p. 73-77.
(14) *L'art mozarabe*, Zodiaque, p. 372, pl. 136, 137.
(15) *León Roman*, Zodiaque, pl. 100.
(16) *León Roman*, Zodiaque, pl. couleurs p. 133.

3 L'ÉGLISE SAO TIAGO

L'absence de dates précises et de documents sur l'histoire de cette église oblige à recourir à la tradition et aux données architecturales. On attribue communément la fondation de ce sanctuaire au roi Fernando le Grand. On se souvient qu'après maintes péripéties, la ville de Coïmbre fut reconquise pour la première fois en 878. En 987 pourtant, sous l'assaut d'Almançour, elle tomba de nouveau entre les mains des Musulmans. Puis, presque un siècle entier s'écoula avant que le roi Fernando de Castille ne réussisse à la reprendre de façon définitive. Après avoir procédé aux préparatifs nécessaires, le roi s'était rendu avec toute son armée, la cour et sa famille, en pèlerinage à Saint-Jacques-de-Compostelle, afin de prier au tombeau de l'« Apôtre des Espagnes », de lui demander son puissant concours et d'espérer de lui un second miracle de Clavijo. Après trois jours de cérémonies solennelles et de prières, l'armée du roi, à laquelle s'étaient joints les vassaux des évêques et de la noblesse, se porta devant Coïmbre, qui fut encerclé le 20 janvier 1064. Durant six mois les Musulmans résistèrent à toutes les attaques, mais le 23 juillet 1064, les Chrétiens réussirent finalement à s'emparer de la ville. Autour de cette victoire s'est tissée une légende qui peut rendre plausible la fondation de l'église. Dans le camp du roi se trouvait un évêque grec du nom d'Estiano. La nuit précédant l'attaque victorieuse, l'apôtre saint Jacques lui serait apparu dans son sommeil et lui aurait remis les clefs de la ville. En apprenant ce songe, on aurait lancé dès le lendemain un nouvel assaut et Coïmbre aurait été conquis. Auparavant le roi aurait fait le vœu, en cas de victoire, d'édifier une église en l'honneur de l'apôtre.

En tenant compte du fait que le roi mourut la même année et que ses trois fils se disputèrent l'héritage pendant sept ans, on peut penser que la construction de l'église fut achevée au plus tard vers la fin du XIe siècle (1). En 1119 les Arabes, sous le commandement d'Ali Ibn Jusuf, assiégèrent de nouveau la ville, mais ne réussirent pas à y pénétrer. Il est fort possible que l'église de São Tiago, située à l'extérieur de la ville, à l'emplacement d'où Fernando le Grand avait dirigé l'attaque, ait subi quelques dommages en dépit de la courte durée du siège. Des documents datés de 1131 permettent pourtant de penser que peu de temps après, elle put être remise en service. Les documents précisent en effet que l'église *« sancti Jacobi »* servait à cette date de paroissiale, était organisée en *« colegiada »* et dépendait du chapitre de la cathédrale de Compostelle auquel elle avait été léguée par Fernando. L'une des plus importantes personnalités de la vie spirituelle de Coïmbre assura pendant un certain temps les fonctions de curé de l'église : Honorius, troisième des douze fondateurs du monastère de Santa Cruz, que les documents caractérisent comme *« presbiter vir magne autoritatis et ecclesie sancti Jacobi de suburbio Colombrie prepositus »*.Nous ignorons dans quelle mesure les combats de 1139 et 1142 touchèrent les environs de Coïmbre et par là notre église. Pour la période qui suit 1151, par contre, nous disposons de nouveau de certaines informations. Ainsi le *Livro preto* de 1183 nous rapporte que l'archevêque de Compostelle tenta de conclure un accord avec l'évêque de Coïmbre au sujet du patronage de l'église et de la juridiction épiscopale. Une autre date importante est celle de la consécration du sanctuaire en 1206 ; cette cérémonie permet de déduire que l'édifice avait été soumis, peu de temps auparavant, à une reconstruction sur laquelle nous ne possédons aucun renseignement précis. Ces travaux pourraient cependant avoir motivé les pourparlers des deux évêques en 1183.

São Tiago de Coïmbre demeura *« colegiada »* et *« sede de freguesia »* jusqu'en 1845. C'était l'une des églises les plus populaires de la ville, dans laquelle la fête religieuse du 25 juillet fut célébrée durant des siècles. De plus, de nombreux souvenirs historiques du Portugal y sont attachés. Ainsi, en mai 1449, l'Infant Don Pedro « le Poète », le frère d'Henri le Navigateur, y communia avec son ami Alvaro Vaz avant de s'engager dans la campagne contre son neveu, le roi Alphonse V, pendant la minorité duquel il avait été Régent du Portugal. A Alforrobeira, il perdit la bataille et fut tué avec son ami.

La construction romane a subi un grand nombre de mutilations et de transformations au cours des siècles et finit par être totalement méconnaissable à la fin du XIXe siècle, comme le montre une photo prise avant la restauration et reproduite dans le *Boletim* n° 28 de la Direction Générale des Édifices et Monuments Nationaux.

Lorsqu'en 1542 la Confrérie de la Miséricorde eut installé son siège dans notre église, l'édifice fut peu à peu élargi et agrandi par des surhaussements et l'adjonction de constructions annexes. On érigea d'abord deux chapelles en 1542, puis, entre 1546 et 1549, une seconde église. Une maison destinée aux activités charitables de la Confrérie fut élevée en 1605. On construisit également des logements pour des prêtres et des dépendances. Pour sauvegarder la stabilité de « l'église basse » un certain nombre d'accords furent expressément conclus ; comme on doutait de la solidité de l'ancienne construction, certains travaux d'agrandissement furent d'abord refusés, puis fina-

40

SEPINS

IESVS REX

lement autorisés. On peut par conséquent supposer que, lors de l'édification de l'église haute, quelques anciens murs et supports furent renforcés, sinon remplacés. Diego de Castilha, l'un des plus célèbres architectes de l'époque manuéline, étant membre de la Confrérie, il est fort possible qu'il soit intervenu dans les mesures qui furent prises. En 1842, la Confrérie transféra son siège en un autre lieu. Par la suite, les bâtiments servirent en partie d'entrepôts et de bureaux. C'est à ce moment-là qu'on défigura encore un peu plus la façade occidentale par l'adjonction d'un balcon en fer, auquel on accédait par la grande fenêtre de la façade. En 1861, finalement, l'élargissement de la rue qui passait à l'Est de l'édifice détruisit presque complètement l'absidiole Sud et une partie de l'abside principale. Lorsqu'en 1908 on décida enfin de procéder à une restauration profonde de l'église, sa longue souffrance n'était pas encore achevée. Après des travaux de démolition, menés avec une incompétence flagrante, il ne subsistait qu'une partie du squelette de l'architecture. Cette mutilation inconsidérée souleva la protestation générale et entraîna une interruption de la restauration pendant une période de dix années, période durant laquelle le monument servit de « carrière » sauvage et subit des dommages considérables. Lorsque les travaux furent enfin repris sous la direction du spécialiste consciencieux qu'était Antonio Augusto Gonçalves — le restaurateur de la Sé Velha —, on se heurta, en 1921, au problème de savoir quelle avait été la forme primitive du toit. Les travaux furent arrêtés de nouveau et ne furent achevés que sur l'initiative de la Direction Générale des Édifices et Monuments Nationaux, qui venait d'être créée en 1929. La restauration fut complètement menée à bien en 1932 ; en 1935, l'église put être rendue au culte. Dans son rapport (*Boletim*, p. 19 s.) (1) l'Office pour la Protection des Monuments historiques reconnaît pourtant qu'il était impossible de reproduire la structure authentique de l'architecture ; beaucoup d'éléments, qui auraient pu fournir à cet égard des renseignements précieux, avaient en effet péri dans le « mare magnum » des démolitions de 1908. On résolut donc de terminer cette reconstruction interrompue après avoir éliminé les erreurs les plus flagrantes. Le but était d'édifier un temple modeste en souvenir de la basilique du XIIe siècle et de bâtir, à la place de l'ancien édifice, un monument semblable. L'église São Salvador, qui avait été élevée approximativement à la même époque, servit de modèle. Il faudra donc tenir compte de ces réserves lorsque nous examinerons l'église.

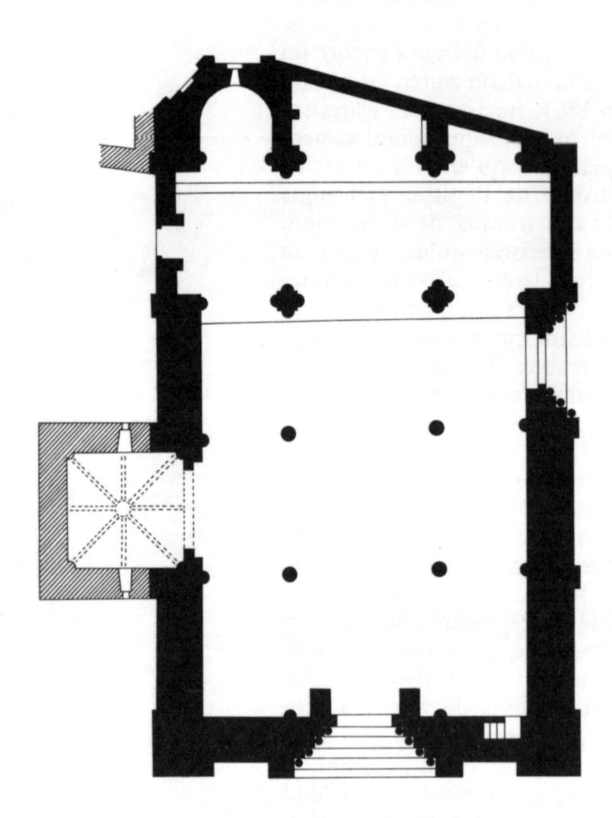

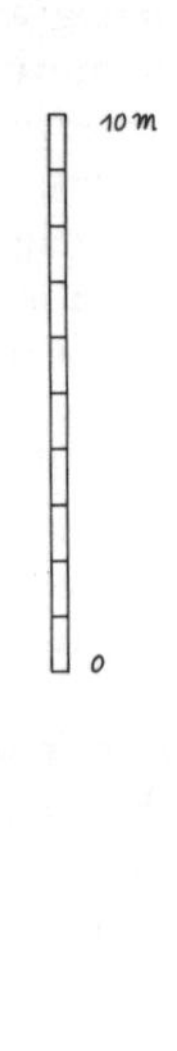

COIMBRE
SAO TIAGO

Visite

Lorsque, dans la rue principale de la ville, la Rua Ferreira Borges, on demande le chemin qui conduit à cette église, on indique un escalier qui descend vers la Praça do Comercio. L'église Saint-Jacques se trouve alors sur la droite. C'est un édifice relativement petit, pourvu d'un toit à deux versants. Les nombreuses marches qui montent vers le portail occidental et celui-ci lui-même avec sa profonde cavité, l'accentuation des archivoltes et le décor rappellent l'entrée principale de la Sé Velha (pl. 31). L'ensemble de la façade par contre déçoit par son aspect inhabituel qui n'offre que peu de parenté avec une œuvre romane. Elle est à première vue disproportionnée et d'une structure étrange car les lignes verticales dominent. La grande fenêtre ronde, vestige probablement d'une rosace tardive, s'ouvre à peu de distance du pignon et juste au-dessus de la moulure qui ceint le portail ; elle confère à la façade un caractère très ramassé. Les deux fenêtres latérales, trop grandes, ne sont certainement pas d'origine. Les murs qui descendent en ligne droite jusqu'au sol, sont creusés, depuis les arcs en plein cintre des fenêtres jusqu'au départ de l'appareil, par des sortes de renfoncements et offrent de ce fait une silhouette inhabituelle. La structure actuelle de la façade occidentale ne peut en aucun cas correspondre à celle de l'édifice originel. Comme l'a déjà fait remarquer Monteiro (2), la disposition de la fenêtre centrale et des ouvertures latérales exclut le fait qu'une corniche sur modillons ait pu couronner primitivement les murs. Or, à Coïmbre, la majorité des églises de cette époque présentent de telles corniches, ce qui permet de supposer qu'elles existaient aussi à l'église Saint-Jacques. Au portail Sud, d'ailleurs la corniche est encore conservée. Les fenêtres latérales offraient déjà, avant la reconstruction, une forme semblable à l'actuelle ; elles semblent avoir été modifiées durant une période antérieure et étaient à l'origine probablement plus petites et plus basses. La grande ouverture centrale, pour être en harmonie avec la façade, aurait nécessité une élévation nettement plus grande du mur. La transformation totale que cette façade a apparemment subie pourrait être expliquée par la longue interruption des travaux de reconstruction ; elle pourrait cependant avoir été effectuée à l'époque où l'ancien édifice fut surhaussé d'un étage et serait alors le résultat de l'installation d'un nouveau dispositif d'éclairage et du renforcement des murs. Real (3) pour sa part suppose que toutes les incohérences de style sont dues à la première de ces deux éventualités. Mais si cela était le cas, les auteurs de la reconstruction auraient suffisamment connu les aspirations architecturales gothiques pour installer le toit nettement plus haut par rapport à la rosace. C'est donc la seconde hypothèse qui semble être la plus vraisemblable : en conséquence la façade aurait été modifiée au moment de l'édification de l'église haute, d'autant plus que le pourtour de la rosace n'offre aucun indice permettant de penser que cette ouverture ait été aménagée à l'époque du premier art gothique.

Contrairement à la façade, le portail compte certainement parmi les créations les plus élégantes du roman portugais. De vastes arcs en plein cintre qui se rétrécissent vers l'intérieur, des archivoltes dont l'extrados est richement décoré de petits boutons, de pétales ou de fines palmettes rappelant les ornementations de l'époque préromane et une frise composée de tores parallèles extrêmement fins qui encadre cet ensemble en sont les caractéristiques les plus importantes. L'élégance des sculptures est en quelque sorte soulignée par les boudins qui accompagnent l'intrados des archivoltes, la ligne émoussée des arêtes des arcs et la forme incurvée des abaques des chapiteaux qui répètent la belle ornementation en feuilles d'acanthe d'une des archivoltes (pl. 32 et 33). La parenté de ces chapiteaux avec ceux de la Sé Velha est indéniable, mais d'autres influences semblent avoir joué également. Au fond du portail le chapiteau du côté gauche mérite une attention particulière. C'est avec raison que Real (4) l'a qualifié de chef d'œuvre, comparable aux meilleurs chapiteaux de la Sé Velha. Il représente, parmi des rinceaux, huit oiseaux (pigeons ?) dans des mouvements naturels et enjoués et témoigne d'un sens excellent de la distribution des figures ainsi que d'une technique très brillante. Certaines parties des pattes et têtes ont été parfaitement restaurées. La maîtrise atteinte par ce chapiteau devient encore plus évidente si on le compare avec le chapiteau situé à sa gauche (pl. 32). Deux oiseaux semblables à des dragons y sont perchés sur le dos de quadrupèdes à tête humaine qu'ils piquent de leur bec. Monteiro (5) rapproche le premier chapiteau des reliefs d'un écrin en ivoire d'Alhaquem II provenant du Xe siècle et conservé à la cathédrale de Zamora ; il relève aussi des traits communs existant entre ce chapiteau et un chapiteau de la galerie orientale du transept de la Sé Velha. Du côté droit du portail les premier et deuxième chapiteaux à partir de l'intérieur offrent des représentations assez médiocres d'animaux, parmi lesquels se trouvent des basilics et des lions (pl. 33). Les fûts des colonnes déploient une étonnante variété de formes et d'ornements : nous découvrons des colonnes munies d'anneaux en vis, ornées de coquilles évoquant le patronage de saint Jacques ou décorées de boules à l'intérieur de profondes cannelures, mais aussi des fûts couverts de rinceaux. Il est évident que les sculpteurs se sont inspirés du décor qui agrémente les fûts des colonnes encadrant les fenêtres supérieures de la façade « de las Platerias » à Compostelle. Ces fûts sont d'origine ; bien que fortement endommagés ils ont été réparés et réinstallés à leur emplacement primitif. Le penchant pour l'exubérance et la recherche d'expressivité, que nous rencontrons si fréquemment dans l'art portugais, se manifestent également ici. Certaines irrégularités du portail frappent le regard : les fûts des huit colonnes et deux des chapiteaux sont taillés dans un matériau autre que la pierre ança habituelle, dont la couleur est d'un jaune tirant sur le rouge ; ils sont en effet en pierre calcaire grisâtre qui semble provenir des carrières de la région d'Outil (6). Ces différents éléments ont été apparemment sculptés à une période plus tardive que le reste du portail : les fûts s'adaptent mal aux chapiteaux en effet et les abaques des deux chapiteaux cités sont de plus grande dimension que les autres. La qualité de la sculpture surtout est de beaucoup inférieure à celle des autres parties du portail qui,comme Real le prouve dans le menu détail, avaient été exécutées sous la direction de l'architecte Robert appelé à l'époque de Lisbonne.

Les deux fenêtres latérales de la façade ont déjà fait l'objet de notre attention. Leurs arcs en plein cintre sur d'étroites colonnes correspondent à un type d'ouvertures qui apparaît souvent dans les édifices de l'époque romane tardive. Mais ici la hauteur des supports et les profonds défoncements du mur, créés vraisemblablement à la suite d'un renforcement des contreforts latéraux, ont conféré à cet ensemble une apparence nouvelle. Celle-ci ne s'accorde plus avec le sens qu'avaient les architectes romans de l'équilibre entre les lignes horizontales et verticales.

Le portail Sud

Lorsque le visiteur se rend du côté Sud de l'édifice, il se trouve en face d'un portail plus simple, mais d'un indéniable caractère (pl. 34). Déjà la frise entourant les archivoltes capte l'attention par la représentation stylisée d'un sarment de vigne ondulé dont les ramifications sont, d'un côté, pourvues de feuilles caractéristiques, tandis que, du côté opposé, de petites pousses commencent à poindre. Selon l'avis commun des spécialistes il s'agit d'un motif musulman, et d'après Monteiro, on ne le trouve pas seulement à Coïmbre mais aussi sur des tissus et des bas-reliefs exposés dans les musées d'Alexandrie. Les trois archivoltes concentriques, ayant pour tout ornement des faisceaux de tores et des moulures munies de boules, restent simples, mais sont empreintes de l'élégance et du goût caractéristiques de la fin du XIIe siècle. Ici également le portail est creusé dans une saillie du mur, ses colonnes pourtant sont totalement différentes de celles du portail principal. Les chapiteaux sont plus petits et présentent une autre forme ; leur ornementation consiste en entrelacs et motifs végétaux de très faible relief dépassant à peine les contours de la corbeille. Elle aussi doit être considérée comme une interprétation arabe de sujets connus que des maîtres moins expérimentés ont dû copier sur des modèles exécutés avec infiniment plus de finesse à la Sé Velha, (par exemple, le décor de la frise encadrant le portail principal). Deux des supports de ce portail présentent une variante portugaise du fût prismatique ; étant donné qu'ils portent eux aussi, sur leur partie frontale, des coquillages, emblème du patron de l'église, et de plus des croix, on peut supposer qu'ils sont soit l'œuvre d'autres artistes soit une création plus tardive. Le fût prismatique du côté gauche du portail n'est authentique que dans sa partie supérieure, le reste a été restitué. Un troisième support de ce type se trouve au portail occidental d'une autre église de Coïmbre édifiée approximativement à la même époque ; nous y reviendrons plus tard. Les fûts cylindriques des autres supports offrent également une riche ornementation dont les motifs ont été empruntés à l'art arabe. Des fleurs s'inscrivent dans des entrelacs disposés avec régularité dans des losanges ou dans des cercles. C'est un thème que l'on trouve également sur deux colonnes du portail occidental de la Sé Velha. Les tores qui remplissent les espaces entre les colonnes sont d'une taille quelque peu grossière. Des contreforts et une corniche sur modillons, dont certains sont ornés de rouleaux d'inspiration musulmane, complètent cet ensemble qui est plus fortement mozarabe que le reste de l'édifice. Toute la composition de ce portail permet de penser qu'il a été réalisé par d'autres artistes que ceux qui œuvrèrent dans les autres parties de l'église. On ne pourra cependant suivre Monteiro que difficilement (7) ; selon lui les colonnes du portail Sud auraient primitivement décoré le portail occidental et auraient été mises à leur emplacement actuel au moment de la reconstruction. L'homogénéité de tous les éléments du portail Sud et le fait que des fûts prismatiques n'apparaissent au Portugal que vers la fin du XIIe siècle s'opposent à cette hypothèse.

Intérieur

Se souvenant encore du toit en bâtière qui couvre l'édifice, le visiteur, en entrant à l'intérieur, est surpris de découvrir un espace partagé en trois nefs. Les principes habituels d'une construction basilicale font pourtant défaut. Six supports disposés sur deux rangées supportent en effet, sans aucun intermédiaire, la charpente du toit. Les deux supports de l'extrémité Ouest de la nef et ceux du centre sont des colonnes couronnées d'une tablette ronde qui remplace l'abaque ; les deux supports du côté Est, par contre, sont faits d'étroits piliers entourés de demi-colonnes, bien qu'ils soutiennent la même charpente. A ces six supports correspondent, du côté intérieur des murs gouttereaux, six demi-colonnes.

Nous ignorons si cette « structure extraordinaire » (8) est d'origine. Selon le rapport de la D.G.E.M.N. en tout cas des éléments susceptibles de nous renseigner à cet égard sont introuvables. Une photo du bulletin de cet organisme montre pourtant deux piliers à colonnes adossées dans la partie orientale de l'église. Deux chapiteaux qui ressemblent à ceux de la Sé Velha sont également conservés. Des éléments d'arcades longitudinales qui auraient pu prouver la présence ancienne d'une couverture du type de celle de l'église São Salvador, n'ont apparemment pas été découverts. Il est pourtant certain que l'ancien édifice nécessita, lors de la construction d'une église supérieure à l'époque de la Renaissance, une consolidation substantielle qui entraîna sans doute une modification du système des supports. Au moment de la reconstruction de Saint-Jacques, lorsque les experts s'opposèrent entre eux durant le longues années, c'est finalement A. A. Conçalves qui put, grâce à son autorité, imposer son opinion. On se référa aux données architecturales de l'église de São Salvador de Coïmbre, dont le système des supports fut jugé semblable à celui de Saint-Jacques. En réalité ces deux églises sont bien différentes. São Salvador est en effet un édifice à trois nefs séparées par des arcades longitudinales et couvertes par un plafond tripartite en bois ; l'église Saint-Jacques, par contre, présente une nef unique, subdivisée par des supports sans arcades. Son intérieur suscite de ce fait l'illusion d'être conçu selon un plan basilical et suggère même la présence d'un transept : les supports de la partie orientale de la nef sont renforcés, le sol y est exhaussé d'une marche et les murs latéraux sont évidés. A l'entrée des absides les trois arcs à double rouleau reposent sur de hautes demi-colonnes adossées. Les absidioles sont voûtées en berceau, seule est restée intacte celle qui est située du côté de l'évangile, alors que le chœur n'a gardé que sa partie rectiligne, couverte en berceau, et a perdu son extrémité polygonale. Celle-ci, de même que toute l'absidiole du côté de l'épître, ont été détruites à l'occasion de l'élargissement de la rue que nous avons déjà signalé. En échange nous pouvons encore admirer l'élégante arcature aveugle de l'abside principale, qui est une réplique fidèle de celle de la Sé Velha (pl. 35). Comme cette dernière, elle se divise en deux étages ; l'étage inférieur repose sur des pilastres, le supérieur sur des colonnes.

D'après Monteiro (9) les chapiteaux non-figuratifs du chœur, par leur dessin et leur goût ornemental, sont étroitement apparentés au petit nombre de pièces qui subsistent encore dans l'église de Santa Cruz. Ils annoncent déjà les chapiteaux de la Sé Velha, qui témoignent de plus d'expérience et de perfection. Mais on découvre aussi des chapiteaux qui utilisent le répertoire de la Sé Velha, par exemple le thème d'une tête d'animal, de la bouche de laquelle sortent des entrelacs. Ceux-ci contournent la corbeille en quelques lacets et sont ornés de pommes de pin et de grosses feuilles (mur septentrional du chœur, chapiteau du premier arc supérieur, côté droit). Un autre chapiteau de cette catégorie présente, dans l'angle de la corbeille, deux êtres hermaphrodites affrontés attaqués par deux quadrupèdes qui ont bondi sur leur dos (chapiteau Nord de l'arc triomphal) ; un sujet semblable est traité au centre de la corbeille avec deux lions affrontés dans une attitude tout à fait paisible, alors que deux quadrupèdes, apparemment sanguinaires, s'activent sur leur dos.

Au revers de la façade occidentale un passage monte, depuis le côté Sud vers le côté Nord et passe près de la rosace ; il conduisait sans doute au clocher qui se dressait à l'angle Nord-Ouest de l'édifice. Ce passage possède les caractéristiques des galeries et couloirs anglo-normands ; il révèle de ce fait une relation avec l'atelier de la Sé Velha et prouve que la façade a été élevée à une date tardive. Une chapelle de style gothique flamboyant qui, sur le côté méridional de la façade, faisait obstacle à l'élargissement de l'escalier extérieur fut reconstruite du côté Nord lors de la restauration. On ignore à qui l'arcosolium pouvait servir de sépulture.

Dans sa présentation actuelle, l'église São Tiago est l'exemple attristant d'un monument roman profondément défiguré par l'incompréhension des générations précédentes, en sorte qu'il est devenu impossible de redécouvrir de façon certaine son aspect primitif. Ceci n'empêche pas d'attribuer aux différentes pièces authentiques encore conservées la place qui est la leur dans le roman portugais et d'admirer la beauté de certaines parties de la construction qui sont encore intactes.

Toute une série de problèmes demeure pourtant insoluble mais c'est surtout la datation de l'édifice qui s'avère difficile. La date de l'achèvement des travaux, il est vrai, n'a donné lieu à aucune divergence d'opinion entre les spécialistes, mais certains indices semblent indiquer que la construction, comme c'était fréquemment la cas à l'époque, n'était pas encore achevée au moment de la consécration de l'église en 1206. Des différences de style, particulièrement les chapiteaux et impostes des fenêtres latérales qui paraissent appartenir à la fin du premier quart du XIIIe siècle, confirment cette impression. Même la rosace, dans la mesure où il ne faut pas la tenir de prime abord pour l'œuvre d'une époque nettement plus tardive, ne peut avoir été réalisée avant 1206.

Sur la date du début des travaux, par contre, les avis des spécialistes divergent. Monteiro dans sa monographie sur l'église Saint-Jacques nous rapporte à quel point Antonio Augusto Gonçalves, qui dirigea la restauration de la Sé Velha et collabora à la reconstruction de São Tiago, avait pu hésiter. Alors qu'il se prononça d'abord pour le début du XIIIe siècle, il estima ensuite plus vraisemblable le début du troisième quart du XIIe siècle, et finalement, dans une de ses publications, data le début des travaux du milieu du XIIe siècle. Monteiro lui-même opte plutôt pour la première décennie du XIIe siècle et Real, pour sa part, en tenant compte du portail de São Salvador, se prononce en faveur du troisième quart du XIIe siècle.

Une très grande incertitude subsiste également quant aux interruptions survenues éventuellement au cours de la construction. Celles-ci semblent bien avoir eu lieu, car la durée normale qu'on peut attribuer à l'édification d'une église de ces dimensions, à l'époque, s'avère bien inférieure au long laps de temps auquel se réfèrent les différentes estimations des experts. Il est possible aussi que ces interruptions du chantier aient été parfaitement prévues et que l'intention des maîtres de l'ouvrage ait été dès le début de créer et de remplacer, selon les besoins et les possibilités financières, les différentes parties de l'édifice en faisant fi de la succession habituelle des travaux, qui commençaient par le chevet et s'achevaient par le portail occidental.

Les irrégularités que nous avons pu constater sur ce dernier proviennent en tous cas d'une interruption imprévue. C'est vraisemblablement au milieu de la construction de ce portail que Maître Robert fut remplacé par un successeur nettement moins expert. L'agrandissement des fenêtres latérales de la façade occidentale semble être imputable, lui aussi, à une initiative imprévue, et peut être daté du premier quart du XIIIe siècle.

Parmi les problèmes non-résolus, figure l'installation de l'anneau disproportionné de la baie circulaire de la façade occidentale et, au portail de l'église, la présence du fût prismatique qui ressemble étonnamment au fût de colonne refait de São Salvador. L'explication de cette énigme pourrait être la suivante : après la taille d'un fût entier et d'un demi-fût, destinés à remplacer des pièces défectueuses de São Tiago, un des fûts d'origine, en surnombre, aurait été installé à la place d'une des colonnes cylindriques primitives de São Salvador.

NOTES

(1) Pour l'histoire de cette église voir aussi Vergilio Correia, *La Igreja de São Tiago de Coimbra. Noticias topográficas e historicas, Museo*, vol. 2, Porto 1943.

(2) Manuel Monteiro, *O Românico Português, A Igreja de São Tiago de Coimbra*, Coïmbre 1951, p. 16, 17.

(3) Real 1, p. 178 ; 2, p. 16, 17.

(4) Real 2, 46.

(5) Monteiro, p. 28.

(6) Monteiro, p. 19, note 1.

(7) Monteiro, p. 18 et 19.

(8) Correia, *Museu*, vol. 2, Porto 1943, pages 21 et 22, cite A.A. Gonçalves qui attire l'attention sur le caractère exceptionnel de l'utilisation de ce type de supports dans un édifice basilical à trois absides.

(9) Monteiro, p. 26.

4 L'ÉGLISE SAO SALVADOR

Derrière le palais qui abrite aujourd'hui le Musée Machado de Castro passe une rue orientée Est-Ouest. Là, juste en face du palais, s'élève l'église São Salvador. Abstraction faite de quelques mentions historiques peu importantes, nous savons que, dans le passé, elle appartenait au monastère proche de Vacariça, mais était aussi le siège d'une des paroisses de Coïmbre. Durant la seconde moitié du XIIe siècle elle donna lieu, comme d'autres églises romanes de Coïmbre, à une reconstruction.

Dans l'histoire de l'art cet édifice est important à plusieurs égards. D'une part, des sculpteurs de différents ateliers de Coïmbre semblent y avoir collaboré, et la confrontation de leurs participations permet de mieux les distinguer. D'autre part, cette église est la seule construction romane de la ville qui soit authentiquement datée : dans le voisinage immédiat du chapiteau, sur le côté extérieur droit du portail, une pierre du mur d'encadrement porte une inscription qui, selon A. de Vasconcellos (1), doit être interprétée de la façon suivante : « + STEPHANUS / MARTINI SUA / SPONTE FECIT : HUNC / PORTALEM : LETA : FRONTE : E : M : CC : XVII : E : M. » (Étienne Martin fit faire ce portail à ses frais et de bon cœur en l'ère 1217 = 1179 de notre chronologie). A cette date l'édification de São Salvador devait par conséquent avoir été assez avancée, mais vraisemblablement pas encore achevée. Une donation testamentaire en faveur de la construction de cette église, établie par un bienfaiteur mort en 1189 et citée par Real, de même caractéristiques stylistiques de l'édifice, semblent confirmer cette datation. Quant au portail, sa construction fut financée par un haut dignitaire, un alvazir de Coïmbre.

Extérieur

Comme l'église est entourée de bâtiments, l'appréciation de son aspect extérieur se limite à celle de la façade occidentale. Les principes architecturaux qui y furent appliqués sont ceux qu'on observe aussi à la Sé Velha et dans les autres églises romanes de Coïmbre ; ils ne se distinguent de ces derniers que par une plus grande simplicité. Le portail (pl. 39) s'y trouve également creusé dans un avant-corps, dont quelques pierres sombres non couvertes de badigeon demeurent visibles. La transformation que le reste de la façade a subie ultérieurement est perceptible dans le badigeon et la forme des fenêtres latérales. Au-dessus de l'avancée du portail nous retrouvons la frise horizontale reposant sur des modillons, qui se distingue ici par des formes déjà plus évoluées. Il faut attirer l'attention du visiteur sur une tête humaine (pl. 37), des écailles et des billettes de grand format et la représentation d'une calebasse qu'on trouve aussi à l'église de São Tiago. Les autres parties de la façade ont été modifiées par la suite. L'église possédait une tour isolée dont la partie inférieure existe toujours et servait encore récemment d'atelier d'imprimerie.

Le portail présente à plusieurs égards les particularités de l'architecture romane de Coïmbre. Ainsi ses deux archivoltes en plein cintre sont faites de tores lisses suivies de scoties, les uns comme les autres dépourvus d'ornement (pl. 39). La frise par contre, qui forme encadrement, offre une décoration que l'on ne rencontre pas fréquemment : de belles feuilles d'acanthe nervées à grands lobes jaillissent de part et d'autres d'un boudin et se rejoignent, en sorte que leurs extrémités forment une ligne ondulée et continue. Real (2) donne quelques autres exemples de ce type d'ornementation unique au Portugal et qui à son avis, est attribuable à Maître Robert de Lisbonne dont nous savons qu'il fut consulté à plusieurs reprises lors de la construction de la Sé Velha. Les deux archivoltes s'appuient chacune sur deux colonnes qui présentent une irrégularité intéressante : alors que trois de ces colonnes possèdent des fûts lisses et cylindriques, le fût de la quatrième colonne du côté gauche, à l'intérieur du portail, est de forme prismatique et offre un décor de coquilles et de fleurs dans la tradition mozarabe. On trouve des motifs semblables des deux côtés du portail Sud de l'église São Tiago sur les fûts, également polygonaux, des colonnes médianes, mais, seule, la moitié supérieure de la colonne de gauche a conservé son état d'origine ; les autres parties ont été reconstituées. Même si une différence dans la forme des coquilles, dans ces deux églises, semble montrer que ces ornements ne furent pas réalisés par un seul et même artiste, on peut difficilement mettre en doute que ces créations soient issues du même atelier et datent de la même époque. On peut aussi estimer avec certains qu'il s'agit de l'atelier de l'église de Coïmbre dédiée à l'apôtre saint Jacques dont cette coquille était l'emblème (3).

Comment pourtant ce fût de colonne a-t-il pu parvenir à l'église São Salvador ? Real suppose qu'il s'agit d'une copie exécutée pour ce portail. Pour Manuel Monteiro par contre la présence de ce fût de colonne semble prouver que, lors de la reconstruction de l'église de São Tiago, les anciennes colonnes du portail occidental furent remplacées par les colonnes actuelles et remployées ensuite dans le portail Sud ; l'une des anciennes colonnes aurait été de reste et aurait été cédée pour l'édification du portail de São - Salvador. Dans la première hypothèse, on peut se demander avec Monteiro pour quelle raison on n'avait pas réalisé deux fûts de colonnes, ce qui aurait permis

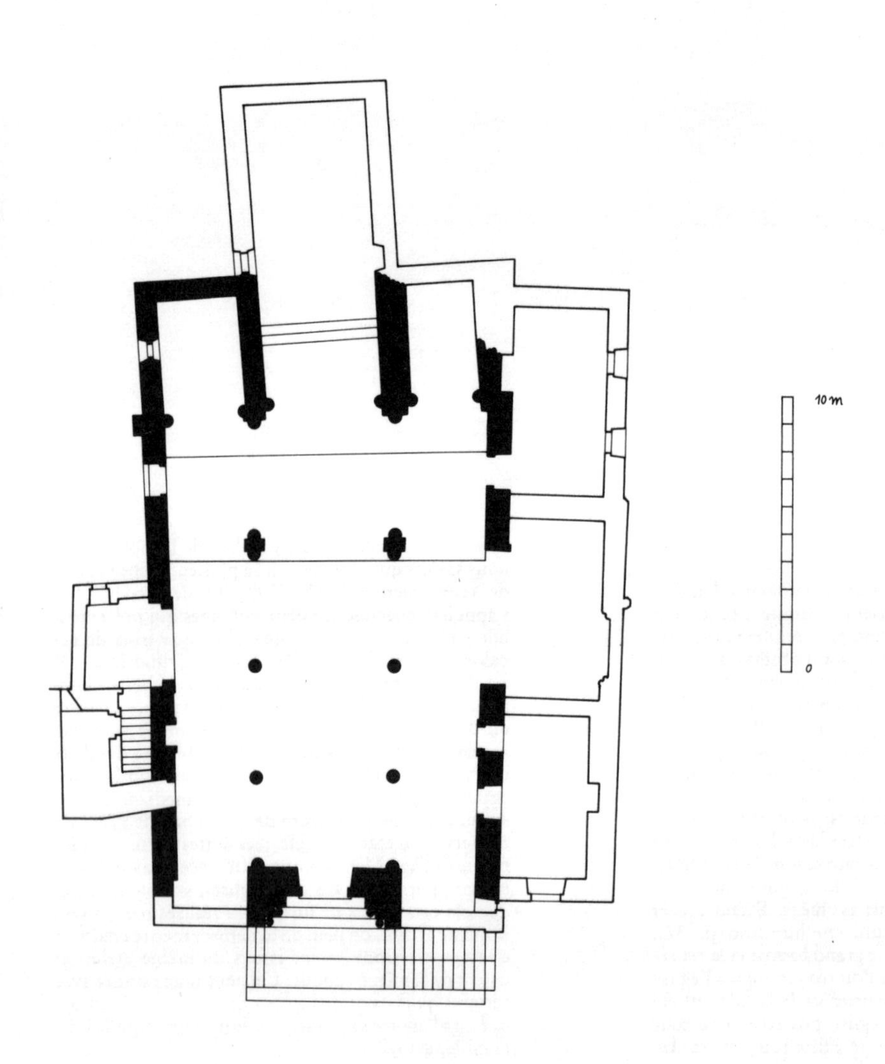

COIMBRE
SAO SALVADOR

de respecter la symétrie. Mais cette même raison en même temps que la haute dignité du donateur de ce portail rendent également indéfendable la seconde hypothèse, celle de Monteiro lui-même. En réalité le fût prismatique de São Salvador est nettement plus court que les autres, ce qui a conduit à une insertion bien précaire entre le pied de colonne et le chapiteau, et le diamètre de l'astragale lui-même est trop grand pour ce fût. Il est par conséquent difficile de penser que celui-ci avait été conçu pour l'endroit qu'il occupe aujourd'hui. Il est plus vraisemblable qu'un des fûts lisses et défectueux de São Salvador a été remplacé à un moment donné par un fût en surnombre provenant de São Tiago.

Il est difficile de comparer les chapiteaux du portail (pl. 38) avec ceux de la Sé Velha. Les feuilles charnues et stylisées qui suivent la forme de la corbeille, leurs tiges entrelacées, les cordons de perles étroitement juxtaposées, les fruits bourguignons qui pendent du feuillage et les volutes d'angle semblables à des têtes d'oiseaux rappellent plutôt les chapiteaux de l'église de Santa Cruz (4).

Intérieur

L'intérieur se présente comme une sorte d'église-halle à trois nefs, qui ne possède pas, comme l'église de São Tiago un toit à charpente apparente reposant sur des supports. L'édifice est couvert ici d'un faux voûtement en bois qui comporte une fausse-voûte centrale légèrement plus élevée que les deux fausses-voûtes latérales (pl. 36). Ce dispositif de couvrement s'appuie sur deux arcades longitudinales et sur les murs gouttereaux, comme dans l'architecture basilicale, mais il n'y a pas d'arcs diaphragmes. Comme il n'y a ni parties hautes dans la nef centrale ni galeries au-dessus des nefs latérales, on peut appeler cet édifice église-halle. Ce type de construction est inhabituel au Portugal ; Real explique sa présence par des réminiscences des petites églises préromanes de Galice et Asturies (5). Les supports des grandes arcades ne sont pas uniformes. Alors que les premiers supports orientaux sont des piliers rectangulaires, pourvus chacun de deux demi-colonnes adossées, les deux autres paires de supports sont des piliers cylindriques. Quatre travées ont été ainsi créées, dont l'occidentale, dotée plus tard d'une tribune. Les fausses-voûtes ne prennent pas directement appui sur les supports, mais reposent sur ceux-ci par l'intermédiaire de sortes d'architraves en maçonnerie, ce qui améliore substantiellement la stabilité de l'ensemble.

Les trois chapelles sont de plan rectangulaire et voûtées en berceau ; le plafond à caissons, dont on a couvert plus tard l'absidiole Nord, est probablement dû à un donateur dont on peut voir l'écusson sur l'arc d'entrée. Les arcs sont à double rouleau de façon à supporter le poids des voûtes,ou encore pour des sons esthétiques.

Les chapiteaux diffèrent assez les uns des autres. Alors que ceux des arcs d'entrée des chapelles, de l'arc triomphal et des supports orientaux des arcades longitudinales se situent, malgré la forme plus petite et trapue de leur corbeille, dans la ligne de la Sé Velha, les chapiteaux des autres supports se réclament d'autres modèles.

Regardons d'abord de plus près les chapiteaux du côté oriental. La série septentrionale des arcades commence à l'Est avec un chapiteau qui représente des animaux affrontés d'une facture caractéristique du style de Coïmbre. Ici ce sont deux dragons aux corps recouverts d'écailles qui se trouvent l'un en face de l'autre dans une attitude menaçante, les gueules grandes ouvertes découvrant leurs crocs redoutables. Entre ces deux monstres on aperçoit un récipient qui, d'après Real (6), figurerait l'arbre de vie. La forme des têtes et la position des animaux correspondent à celles que nous trouvons tant à la Sé Velha qu'à Tomar. Les arrières-trains difformes des bêtes s'étendent sur les faces latérales au-delà des angles du chapiteau et se prolongent en queues pointues, protégées par des écailles ; même les grandes feuilles d'angle pendant au-dessus du dos de ces créatures mythiques ne peuvent tempérer l'impression d'horreur qu'elles causent. Du côté gauche, l'arc triomphal s'appuie également sur un chapiteau aux figures affrontées dont la disposition constitue une réplique assez fidèle de celle du célèbre chapiteau des centaures de la Sé Velha. Il est vrai pourtant que la sculpture de São Salvador de Coïmbre est de qualité nettement inférieure. Le dessin des corps chevalins est lourd, celui des têtes sans finesse ; les visages n'ont aucune expression, et le soin méticuleux apporté aux détails, tel qu'il se manifeste à la Sé Velha dans la sculpture des cheveux, des barbes et des coiffures, fait ici complètement défaut. Sont absents encore les élégants rinceaux remplacés ici par un motif végétal indéfinissable que les centaures foulent de leurs sabots antérieurs. Du côté Sud le premier arc de l'arcade longitudinale repose sur un chapiteau orné d'un élégant décor végétal dont les motifs s'inspirent de certains modèles de la Sé Velha. Des tiges, qui se dressent avec élégance depuis l'astragale vers les angles et le dé central du chapiteau, subdivisent la corbeille en des sortes de niches cintrées, dans lesquelles jusqu'à mi-hauteur, s'épanouissent des feuilles d'acanthe, alors qu'au-dessus de ces dernières pendent des fruits aux formes schématiques. Le chapiteau Sud de l'arc triomphal, par contre, reprend le thème des animaux affrontés : ici ce sont deux paons semblables aux oiseaux se désaltérant de la Sé Velha (7) : les longues plumes de leurs queues qui envahissent les faces latérales du chapiteau et les yeux de celle-là, disposés sur trois rangées, ne laissent cependant subsister aucun doute sur la nature de ces volatiles. Le dessin du plumage et du feuillage, inscrit dans les bandeaux qui entourent ces animaux, est exécuté avec beaucoup de finesse et se situe dans la meilleure tradition de l'atelier de la Sé Velha. Les chapiteaux de l'arc d'entrée de l'absidiole Sud, bien que d'une plus grande simplicité, témoignent, eux aussi, des mêmes influences.

Les chapiteaux des deux premiers piliers à partir des absides diffèrent par contre totalement de ceux que nous venons d'examiner. Ici on constate une rupture avec la tradition, rupture d'autant plus surprenante que les chapiteaux de la travée, aisément visibles depuis la tribune, renouent avec les habitudes traditionnelles. Il est difficile d'imaginer que cette grossière simplification des formes, ces feuilles et bourgeons de dimensions excessives, cette abstraction dans les ornements qui atteint parfois à la pure géométrie aient été réalisés par les mêmes artistes. Cela relève bien plutôt de la période de transition vers l'art gothique ; en conséquence nous pouvons penser qu'ici également, après la disparition des plus anciens ateliers de Coïmbre, une nouvelle génération de sculpteurs se mit à l'œuvre. Mais malgré cela comme l'a souligné Manuel Monteiro l'église São Salvador de Coïmbre s'intègre, elle aussi, en raison de la hauteur de son espace intérieur et de ses sculptures, à ce courant architectural qui, issu de Coïmbre, a influencé le roman « national » du Portugal.

Il faut souhaiter que dans un proche avenir, ce monument fasse l'objet d'une restauration soigneuse. En attendant on doit conseiller beaucoup de prudence aux visiteurs, car les planchers et l'escalier conduisant à la tribune sont très défectueux. Il est également recommandé de se munir d'une torche électrique, afin de pourvoir ainsi à l'absence de lumière.

NOTES

(1) Real 1, p. 166.

(2) Real 1, p. 197, note 59, se réfère à la cathédrale de Mayence et à l'église Saint-Paul de Lyon, de même qu'à San Estéban de Aramil dans la région d'Oviedo. Voir aussi la description de cette dernière église dans *León Roman*, Zodiaque, p. 202, note 1.

(3) Manuel Monteiro, *O Românico Português, A Igreja de São Tiago de Coimbra*, 1951, p. 18.

(4) Real 1, p. 169 et p. 170 : influences de Maître Robert dans l'agencement de la façade de São Salvador.

(5) Real 1, p. 168.

(6) Real 2, p. 136.

(7) Real 2, p. 125.

5 LE TYMPAN DE SEPINS

Située dans le voisinage de Coïmbre, l'église de São João Baptista de Sepins conserve encore un reste intéressant de sculpture provenant d'un édifice roman. Cette pièce a été remployée dans le mur du chœur côté épître. Il s'agit d'un tympan de portail en plein cintre, subdivisé par une arcature centrale également en plein cintre et à arêtes vives, sans décor, régnant sur deux colonnes et profondément creusé (p. 40). Les deux colonnes, surmontées de chapiteaux ornementés de crochets en faible relief partent de l'astragale. Les fûts des colonnes reposent sur des bases en forme de bulbes, alors que leurs abaques sont carrés et sans le moindre ornement. Comme l'a fait remarquer Real (I, p. 349), la disposition des figures rappelle celle du tympan de l'Adoration des Mages de Fontfroide, qui n'est malheureusement conservé qu'à l'état de fragment : la scène est dominée par la figure du Christ, assis, au centre, sur un trône posé sur un piédestal. L'absence de mandorle écarte cette représentation du Christ de la tradition occidentale et la rapproche par contre de celle des tables VI A et XIV du *Commentaire de Beatus* de Lorvão, qui a pu servir de modèle (voir Anne de Egry : *O Apocalipse do Lorvão,* Fundação Calouste gulbenkion, Lisbonne 1972). Il est vrai que sur le tympan de Sepins le siège du Seigneur est beaucoup plus simple ; le piédestal, sur lequel il repose, offre par contre, dans l'une et l'autre de ces œuvres, un décor d'arcatures outrepassées qui laisse supposer une influence mozarabe. Mais le nimbe crucifère du Christ et son bras droit, levé dans un geste de bénédiction, montrent que la tradition occidentale n'est pas oubliée pour autant.

De la maladresse de l'exécution résulte une certaine raideur des corps : la position du Seigneur, qui bénit, le bras appuyé sur son genou et tient, de l'autre main, l'évangile ouvert, en est un exemple. Les vêtements sont riches : robe à bordure brodée et manteau, maintenu par un ruban ornementé. Dans un mouvement d'une réelle élégance, le manteau passe au-dessus du bras gauche ; du côté droit il se plaque contre le corps au niveau de la taille et descend au-dessus des genoux et des jambes dans un drapé, en plis presque parallèles. Ces détails apparentent cette œuvre à la figure de saint Joseph sur le tympan de Fontfroide ; le plissé de la robe par contre révèle encore la méconnaissance des effets de la retombée naturelle d'un drapé. La tête du Christ est beaucoup trop grande par rapport au corps ; cette disproportion, assez fréquente dans l'art roman, avait peut-être pour rôle de souligner l'importance du personnage. Les détails de la tête sont rendus avec minutie : la barbe, soigneusement taillée, couvre le bas des joues, contourne les lèvres et s'étend sur le menton ; les cheveux sont courts ; les pommettes saillent fortement.

A la gauche du Christ et inscrit dans l'écoinçon que délimitent la courbure du tympan et la colonne, un jeune homme est agenouillé : ses ailes et le nimbe qu'il porte indiquent qu'il s'agit d'un ange ; d'une main il tient un rouleau de parchemin ouvert qui symbolise le livre des Évangiles associé habituellement aux Évangélistes (voir Reklams : *Lexikon der Heiligen und der biblischen Gestalten*, 2e édition, Stuttgart, 1970, p. 190). L'autre main saisit un objet rond difficilement identifiable. Contrairement aux vêtements du Christ, ceux de l'ange sont travaillés de façon sommaire et à la manière d'une succession de bourrelets également employés dans le dessin des ailes. L'ange est imberbe ; l'expression de son visage est celle d'un enfant ; ses cheveux sont courts, comme ceux du Seigneur. Les espaces libres de l'écoinçon sont remplis par la seconde aile de l'ange, qui s'étend, conformément aux stylisations coutumières à la haute époque romane, en une large boucle jusqu'à l'extrémité de l'écoinçon où elle reprend sa forme naturelle. L'espace subsistant au-dessus de la tête de l'ange est occupé par une pomme de pin.

L'écoinçon situé à la droite du Seigneur présente le symbole de saint Jean ; un aigle pourvu, lui aussi, d'un nimbe et tenant un rouleau dans une de ses serres. Ici également les espaces libres sont occupés : la partie qui couvre l'aile de l'ange dans l'autre écoinçon offre ici un décor végétal fantaisiste ; une pomme de pin suspendue au-dessus de la tête de l'oiseau. On remarquera le soin apporté à la représentation du plumage de ce dernier.

A notre avis, il est indubitable qu'il s'agit d'une représentation du Christ en Majesté accompagné des symboles des évangélistes Matthieu et Jean. Mais, se demandera-t-on, où se trouvent alors les symboles des deux autres évangélistes ?

Dans certains cas assez rares, comme Real le constate avec justesse, l'iconographie se limite à la représentation de deux symboles d'évangélistes. En règle générale cependant il convient de s'interroger si l'œuvre en question a conservé son état originel ou si, par suite d'une transformation ultérieure, deux des symboles n'ont pas été perdus. Ainsi au portail Sud de Notre-Dame-du-Port par exemple, on peut voir, sous le Christ en Majesté, les symboles de saint Luc et de saint Marc ; ceux des deux autres évangélistes, par contre, figuraient plus haut, à l'extérieur du cadre qui entoure le trône mais furent bûchés au cours de la Révolution (voir *Auvergne Romane*, Zodiaque, p. 123). Malheureusement on n'a pas toujours tenu compte de telles données dans certaines descriptions. L'iconographie peut aussi être plus complexe, comme le montre Real à propos de Neuilly-en-Donjon : les deux animaux relativement grands et couchés n'y sont apparemment pas des symboles d'évangélistes mais représentent un dragon et un lion qui illustrent le psaume 90 (91), verset 13 (Bernhard Rupprecht : *Romanische Skulptur in Frankreich*, Munich 1975, n° 116 du texte et de l'illustration). Le tympan du portail Nord de Strzelno en Pologne, par contre, semble bien n'avoir comporté, dès l'origine, que deux symboles d'évangélistes ; ceux-ci sont d'autant plus intéressants qu'ils renouent avec une forme préchrétienne de la représentation, issue de la tradition égyptienne et copte : il s'agit d'êtres hybrides dont le corps humain porte celle du symbole de l'évangéliste à l'emplacement de la tête. Des peintures du Musée d'Art roman de Barcelone prouvent que cette forme de représentation était courante dans toute l'Europe occidentale à l'époque du premier art roman. A Strzelno, donc, des bustes humains sont surmontés de la tête d'un lion et de celle d'un taureau, toutes deux munies d'un nimbe. De leurs mains, ils tiennent un phylactère. Deux symboles d'évangélistes au lieu de quatre apparaissent aussi sur le tympan de la chapelle Saint-Michel d'Aiguilhe au Puy-en-Velay (Rupprecht, *op. cit.*, p. 104 du texte et de l'illustration) : la figure du Christ y est remplacée par un Agnus Dei, représenté sous un arc trilobé ; à gauche et à droite de l'Agneau, on discerne les symboles de saint Matthieu et de saint Jean, ceux-là même qui accompagnent à Sepins le Christ en Majesté. S'agit-il d'une omission volontaire, ou les deux autres signes situés dans les zones périphériques du tympan ont-ils été détruits ? Il est bien difficile de répondre aujourd'hui à cette question.

Dans les représentations des symboles des quatre évangélistes, ceux de saint Matthieu et de saint Jean figuraient habituellement au-dessus des signes de saint Marc et saint Luc (voir *Lexique des symboles*, Zodiaque, pp. 135, 139), car on les considérait, pour des raisons théologiques, comme les évangélistes les plus importants. Étant donné la distribution particulière des figures du tympan de Sepins, il est parfaitement imaginable que les symboles de saint Marc et de saint Luc, situés dans la partie inférieure du tympan, furent perdus lors de la destruction de l'ancienne église. En ce cas à Sepins se serait produit le contraire de ce qui est arrivé à Notre-Dame-du-Port, où ces deux symboles étaient également sculptés en-dessous de ceux de saint Matthieu et de saint Jean et furent sauvés de ce fait.

Le tympan de Sepins porte une indication chronologique ajoutée par une main inconnue : « PERTENCIA A ANTIGA EGREJA ESTA PEDRA COM DATA 1118 » (Cette pierre appartenait à la vieille église datant de 1118). Ce renseignement semble pourtant erroné. S'il est vrai que cette date pourrait correspondre à celle de l'ancienne église, le tympan, par contre, semble bien remonter au dernier quart du XIIe siècle, et avoir été incorporé alors à l'édifice. Les techniques de sculpture dont il témoigne sont inférieures en qualité à celles de l'atelier de la Sé Velha ; une influence de cet atelier ou de celui de São Tiago de Coïmbre n'est donc pas évidente. La volonté de remplir de sculptures les espaces libres, et en particulier les parties latérales, est une tendance qui ne se manifeste généralement plus à l'époque romane tardive ; elle montre que l'artiste était encore lié à la tradition de la haute époque de l'art roman. Malgré ce fait, des raisons importantes incitent Real à dater cette œuvre de la fin du XIIe siècle (Real I, p. 348). Peut-être s'agissait-il d'un artiste isolé, probablement mozarabe, qui avait assimilé l'art roman d'une phase légèrement antérieure, loin de Coïmbre, probablement même dans un pays étranger ? Sa connaissance de certains courants artistiques français semble en effet confirmer cette hypothèse. Mais on pourrait aussi penser à l'un des artistes qui travaillaient à Lorvão ou São João de Almedina dans le dernier quart du XIIe siècle. Dans ces régions, à en juger d'après certains vestiges récemment découverts, le haut relief semble avoir connu un développement précoce. Seule, une connaissance plus approfondie de l'histoire de cette église pourrait aider à éliminer les doutes à ce sujet.

TOMAR

TOMAR. L'ÉGLISE DES TEMPLIERS

Histoire

A l'instar des chevaliers du Saint-Sépulcre, l'Ordre des Templiers qui, fondé à Jérusalem après la première croisade, en 1118, s'était donné pour tâche de protéger les Lieux Saints et avait installé sa maison-mère dans l'ancienne mosquée omeyyade de Jérusalem, élargit bientôt son champ d'action en participant aux combats contre les Arabes dans la péninsule ibérique. L'Ordre semble avoir remporté beaucoup de succès dans ce qui était, à l'époque, le comté du Portugal, car la régente Dona Tareja lui céda en 1128 le château de Soure en remerciement des services exceptionnels qu'il lui avait rendus. En 1158, peu de temps après la prise de la ville de Santarem, le fils de la régente, premier roi de l'État portugais nouvellement créé, attribua en fief aux Templiers l'actuelle région de Tomar en récompense de leurs mérites dans cette bataille. Sous la conduite de Gualdim Pais, maître de leur ordre, les chevaliers y établirent leur quartier général en Portugal et commencèrent à y construire un château-fort dès 1160. Une inscription dans le mur du donjon précise que c'est le premier jour du mois de mars 1160 et sous le règne du roi du Portugal Alphonse que le maître de l'Ordre des Templiers Gualdim Pais entreprit la construction pour laquelle les chevaliers avaient reçu l'autorisation royale. Il semble qu'une ancienne église, antérieure à l'invasion arabe, fut sommairement restaurée afin de servir de sanctuaire provisoire.

Les chevaliers continuaient à participer aux combats des Portugais contre les Musulmans avec la plus grande énergie et d'éclatants succès, et c'est en grande partie grâce à eux qu'en territoire portugais la Reconquête fit des progrès si rapides qu'elle était pratiquement achevée vers la fin du XIIe siècle. Au préalable il lui fallut pourtant repousser les tribus des Almohades qui, venant des déserts africains, avaient franchi le détroit vers 1155 et étaient parvenus jusque dans la région de Tomar vers 1190.

Les persécutions auxquelles l'Ordre des Templiers fut exposé en France au cours du XIIIe siècle et la dissolution de cet Ordre par le pape Clément V, en 1312, devaient entraîner évidemment des répercussions sur ses établissements au Portugal. Cependant, conscient des grands services que les Templiers avaient rendus à la couronne portugaise, le roi Denis intervint auprès du pape Jean XII et réussit à faire reconnaître par celui-ci par la bulle de 1319 l'*Ordo Christi* qu'il venait de fonder et dans lequel les Templiers pouvaient entrer tout en conservant leurs possessions situées sur le territoire portugais. En 1334 Tomar fut finalement élu comme siège principal de ce nouvel ordre, qui prit rapidement un grand essor. Il est vrai que dès 1291, l'espoir initial de protéger les Lieux Saints se trouva anéanti à la suite de la prise de Jérusalem par les Turcs tandis que la Reconquête était presque entièrement achevée en ce qui concerne le Portugal, mais un nouveau domaine d'action s'offrait, dans le cadre de l'expansion portugaise au-delà des mers, dans laquelle, sous le signe de la croix, l'Ordre devint un élément moteur. Les grands maîtres de l'Ordre furent souvent choisis parmi les princes de la maison royale ; le plus célèbre fut sans nul doute Henri le Navigateur. La grande fortune de l'Ordre servit à financer les voyages de découverte dans l'océan Indien et en Amérique.

Histoire de la construction

Nous ignorons à quel moment la construction de l'église des Templiers a commencé et quel était le nom et l'origine de son architecte. Celui-ci semble pourtant avoir été familiarisé avec la construction d'églises à plan centré pour laquelle, à l'époque, au Portugal aucun exemple ne pouvait servir de modèle. Avec Almeida (I, pages 12 et 37/38) il faut considérer cet édifice comme provenant d'une conception architecturale importée, inscrite dans la tradition de l'église du Saint-Sépulcre. Il est pourtant vrai que la ressemblance avec cette dernière est assez faible, le chœur rappelant beaucoup plus la mosquée d'Omar à Jérusalem. Il s'agit d'un édifice relevant encore du style roman tardif qui, au Portugal, resta en vogue jusqu'à la fin du XIIIe siècle. Certains indices permettent de penser que la construction de cette église ne fut pas commencée avant le milieu du dernier quart du XIIe siècle, mais, comme c'est toujours le cas lorsqu'il s'agit de procéder à une datation plus précise, les opinions divergent considérablement les unes des autres. Ainsi, dans *Ars Hispaniae* (1), fixe-t-on le début des travaux à 1162 sans donner la raison de ce choix. Cette conception semble être erronée de même que celle de R. Oursel (2) qui date la construction du milieu du XIIe siècle ; il faut en revanche approuver ce dernier auteur lorsqu'il relève, dans la construction de cette église, deux campagnes distinctes séparées l'une de l'autre par un laps de temps assez important. A cet égard Élie Lambert (3) pourrait avoir raison lorsqu'il suppose qu'on édifia initialement, peut-être même peu de temps après le début de la construction du château, un petit édicule, mais contrairement à ses dires, ce dernier ne peut être le rez-de-chaussée de la rotonde actuelle. Élie Lambert oublie en effet que le « doublement des côtés extérieurs de l'édifice », dont la « gaucherie » aurait entraîner des difficultés lors de la construction des voûtes, apparaît aussi dans les églises des Templiers de Londres et de Paris et relève en conséquence d'un plan architectural préconçu. Almeida (4) par contre plaide pour situer le début des travaux à la fin du XIIe siècle en s'appuyant sur l'analyse de la sculpture des chapiteaux effectuée par Nogeiro Gonçalves, alors que Santos Simãos se prononce pour le XIIIe siècle et Arãos même pour la fin du XIIIe siècle (5). La datation la plus convaincante pourrait cependant être celle de Real (6) qui relève une ressemblance assez impressionnante entre les chapiteaux provenant de la première campagne de construction et ceux de la Sé Velha. Il estime en conséquence que les travaux furent entrepris dans le dernier quart du XIIe siècle après l'achèvement de la Sé Velha et avaient atteint le premier étage de l'octogone, lorsqu'intervint une pause.

L'examen des marques de tâcherons par Santos Simãos (7) semble apporter la preuve que les travaux s'étendirent sur plus d'une génération. Ces signes lapidaires, assez fréquents dans les parties inférieures de l'édifice, se raréfient en effet progressivement, puis disparaissent complètement pour réapparaître ensuite en nombre croissant, et prédominer finalement dans les zones supérieures des murs. Étant donné que les marques situées dans les parties les plus hautes sont identiques à celles de la tour déjà gothique de l'église Santa Maria de Olivais, dont l'histoire est également liée à l'action des Templiers, on peut penser que la rotonde fut terminée au milieu du XIIIe siècle. Simãos constate par ailleurs qu'aucune des marques de tâcherons de la rotonde ne concorde avec celles du château, ce qui confirme qu'un édicule éventuellement bâti peu de temps après le commencement de la construction de ce château ne peut, contrairement à ce qu'avait supposé Élie Lambert, être identifié avec le niveau inférieur de la rotonde. Le fait qu'une interruption des travaux soit effectivement intervenue ressort de plusieurs observations : l'étage supérieur de l'octogone diffère de l'étage inférieur aussi bien dans les matériaux employés que par la plus grande simplicité de sa composition et la parcimonie de son décor. A une époque plus tardive doivent être attribués aussi les voûtes et les chapiteaux du déambulatoire. Les causes de cette longue durée des travaux et de leur interruption sont inconnues. Dans le cas où la construction aurait débuté durant le dernier quart du XIIe siècle, ce sont peut-être les conflits armés avec les Almohades, vers 1190, qui auraient empêché pendant assez longtemps la poursuite de l'œuvre. Il est aussi possible que l'octogone ait subi une transformation à une époque plus récente. En 1508 la foudre détruisit en effet la lanterne octogonale, son couronnement pyramidal et une partie de l'étage supérieur. En comparant l'édifice actuel avec un dessin tracé avant ces ravages, en 1506, et conservé aux Archives nationales de Lisbonne on constate que des modifications importantes sont intervenues : la lanterne a été supprimée et la couverture en lauses n'existe plus de nos jours. Il n'est pas impossible que les transformations aient également atteint le premier étage, mais seul un examen approfondi de l'appareil pourrait apporter quelques éclaircissements à ce sujet.

Vers 1510 une autre transformation assez ambitieuse fut entreprise, mais elle atteignit fort heureusement moins la structure de l'édifice lui-même que l'aspect médiéval de l'intérieur. Le nombre croissant de Templiers rendit nécessaire la construction d'un chœur. On décida par conséquent d'élever une nef, comme on l'avait déjà fait à Paris et à Londres et de donner à la rotonde la fonction d'abside. L'agrandissement fut effectué avec beaucoup de précaution. Pour joindre les deux corps de bâtiment, il fallait abattre une partie du mur extérieur de la rotonde. A cette ouverture, dont les dimensions n'englobaient que deux des seize pans de murs externes, vint se greffer perpendiculairement la nouvelle construction. L'ancien portail fut désaffecté et l'entrée aménagée dans le nouveau corps de bâtiment. En conséquence la rotonde n'a qu'à peine souffert de cette intervention, mais on profita de l'occasion pour modifier l'atmosphère médiévale au dépouillement austère et recueilli de l'intérieur de l'édifice pour l'adapter au goût du jour, marqué par un besoin d'effets décoratifs, une grande joie de vivre et l'expression d'un élan vers le monde terrestre qui s'acheminait alors vers le point culminant de son évolution. Les innombrables ornements en stuc, dorures, sculptures sur bois, fresques et peintures de bonne qualité ne peuvent pourtant détruire l'impression profonde que cette construction peu ordinaire produit sur le visiteur et lui ajoutent plutôt un peu du coloris du monde des contes orientaux, ce qui fait penser davantage encore à l'époque des croisades et de la contre-offensive de la chrétienté occidentale contre l'Islam, à laquelle remonte l'érection de cet édifice.

Première impression

Lorsque, en venant de la ville située dans la vallée, on atteint le sommet de la colline, de nombreux murs de fortification et des ouvrages avancés rappellent déjà le passé militaire de l'ordre, dont le quartier général, au Portugal, était établi en ce lieu. La dernière partie du chemin, en forte pente, serrée entre des talus abrupts et munie d'un pavé cahoteux vieux de plusieurs siècles, doit être franchie à pied et conduit au mur d'enceinte hérissé de créneaux. Une porte médiévale à arc brisé introduit le visiteur dans un beau jardin, au fond duquel se dresse, non pas une église, mais une forteresse crénelée en forme de cône tronqué (pl. 41). De nombreux contreforts élancés donnent cette apparence à un corps de bâtiment à seize côtés, dont se détachent un donjon transformé en clocher et un campanile, tous deux pourvus de cloches. Du côté gauche, la construction se poursuit en un édifice étendu, dont les pointes, dentelures et tourelles pourraient évoquer l'aspect d'un monastère asiatique.

Extérieur

Les seize pans de cet édifice polygonal sont appareillés en moellons de pierre calcaire irréguliers, en partie de petite taille, ce qui donne à penser qu'un atelier assez médiocre en est l'auteur. Quelques étroites fenêtres à arc en plein cintre sans décor se serrent, à un niveau assez élevé, dans l'espace séparant les lourds contreforts. Ceux-ci s'élèvent jusqu'à l'égout du toit, souligné à des hauteurs variables par une frise qui ne comporte ni arceaux ni modillons, mais s'appuie sur des supports fixés à des distances irrégulières. Des merlons, apparaissant eux aussi à des intervalles variables, et d'autres irrégularités de l'appareil, montrent que des transformations importantes ont été effectuées dans le passé. Le soubassement qui ceint le corps de la construction est à gradins et sa partie supérieure biseautée, probablement pour rendre difficile un assaut éventuel. Le caractère défensif de l'édifice se manifeste d'ailleurs aussi dans les étroites petites meurtrières de la tour, à laquelle furent ajoutés ultérieurement le quatrième étage et les ouvertures du logement des cloches. L'ancien portail, désaffecté lors de l'agrandissement de l'édifice, est particulièrement intéressant de même que la grande fenêtre qui s'ouvre au-dessus de lui. Malgré les différentes transformations intervenues on peut toujours reconnaître distinctement que cette pseudo-façade avec ses archivoltes en plein cintre portées des deux côtés par des pilastres et des colonnettes ornées, sans tympan et surmontées de deux ouvertures, constitue une réplique simplifiée de la façade occidentale de la Sé Velha de Coïmbre. Il est vrai pourtant qu'ici cette composition architecturale, serrée entre deux des seize gigantesques contreforts au-dessus desquels se dresse le clocher, perd beaucoup de son effet.

Intérieur

Vue de la nef, la rotonde se présente comme une abside, plus vaste que de coutume, à laquelle on parvient par un arc brisé qui date de l'époque de l'agrandissement de l'édifice (pl. 44). En entrant dans ce sanctuaire, un spectacle extraordinaire s'offre au visiteur. Au milieu de la rotonde s'élève, sur des arcades au cintre légèrement brisé, une construction octogonale semblable à une tour dont l'architecture diaphane

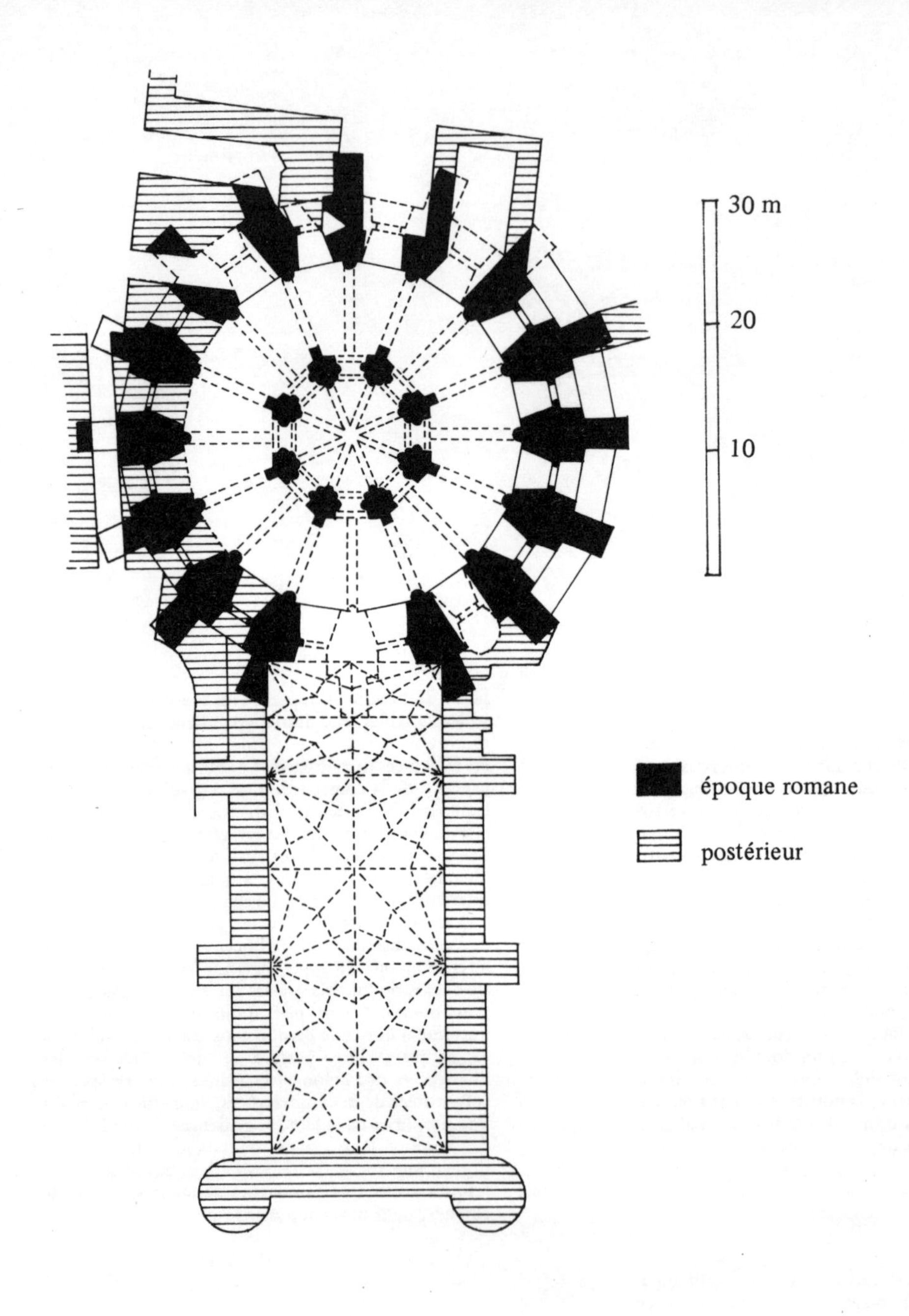

TOMAR
église des templiers

laisse voir l'autel situé à l'intérieur. Des perspectives toujours nouvelles s'offrent à partir du passage qui, couvert d'un berceau annulaire, contourne cette structure interne et ressemble à un déambulatoire dans lequel le décor des murs extérieurs remplacerait les chapelles rayonnantes (pl. 45). Une profusion d'ornements, de reliefs en stuc, de sculptures en bois et en pierre et de peintures à l'huile, tous de première qualité, sollicitent partout le regard.

Structure architecturale de l'intérieur

C'est à partir des huit pans de mur de l'octogone, pourvus de socles circulaires et de colonnes adossées, semblables donc à des piliers, qu'on arrive le mieux à se faire une idée de la structure de cette architecture intérieure. Comme dans une basilique à trois nefs, deux de ces colonnes sont destinées à recevoir la voûte, alors que les deux autres, adossées aux arêtes extérieures, servent à porter les arcs à double rouleau qui remplacent ici, dans l'octogone, les arcs longitudinaux séparant les nefs. Immédiatement au-dessus des sommets des arcs on a installé un second étage que délimite une moulure dans sa partie inférieure ; huit hautes baies couvertes d'arcs trilobés s'y ouvrent et, dans leur élévation, atteignent presque le départ de la voûte (pl. 46). L'octogone s'achève sur une coupole nervée, dont les huit larges ogives entrecroisées prennent appui sur huit demi-colonnes montant du côté intérieur des piliers. Comme nous l'avons déjà dit, cette coupole n'est pas d'origine, mais fut construite après les destructions provoquées par la foudre, en 1508. Il semble qu'elle ait reçu sa riche décoration lors de cette reconstruction, car les autres parties du second étage sont entièrement nues. Les colonnes qui, d'un pilier à l'autre, reçoivent les arcs, sont munis de chapiteaux que nous examinerons un peu plus tard. Tournons-nous plutôt d'abord vers les seize pans du mur extérieur, qui contourne l'octogone à une assez grande distance de manière à laisser un espace confortable pour la circulation des fidèles. Dans chacun des seize angles s'élèvent des colonnes soutenant à la fois la voûte du passage circulaire et les arcs doubleaux qui, du côté de l'octogone, reposent sur des colonnes situées sur la face extérieure des piliers. En raison de leur surnombre et de leur distribution huit doubleaux restent ainsi sans appui et sont reçus par des consoles fixées au milieu des huit panneaux de l'étage supérieur, légèrement au-dessus des sommets de leurs baies. Ce système de soutènement au moyen de consoles incorporées à un mur qu'affaiblit la présence d'ouvertures, s'avère suffisant pour contrebuter la poussée de la voûte ; il témoigne d'une technique de construction fort avancée qui caractérise la seconde campagne.

Le mur extérieur

Une moulure horizontale reflète sur la paroi interne du mur extérieur la division de l'architecture de l'octogone en deux étages (pl. 45). Sous cette moulure chaque panneau est occupé par un arc aveugle accueilli par des lésènes qui descendent jusqu'au sol. L'arcature ainsi formée et les peintures murales qu'elle encadre donnent au déambulatoire un habit de fête. Les fresques qui ornent les panneaux supérieurs ont malheureusement beaucoup souffert d'une restauration indiscrète. Parmi les excellentes peintures à l'huile datant de la première moitié du XVIe siècle, quatre seulement occupent leur place originelle, les autres ont été transférées dans les musées. Les trois ouvertures, dont l'une est percée dans l'axe de l'édifice, alors que les deux autres occupent une position symétrique par rapport à celui-ci, assurent un excellent éclairage, auquel l'octogone depuis la suppression de sa lanterne, ne participe plus. Par les grandes baies de ses deux étages l'intérieur de ce dernier reçoit des fenêtres extérieures une lumière diffuse, qui est peut-être plus en harmonie avec le caractère sacré du lieu et le mystère du sacrement de l'autel.

Négligeant d'examiner de plus près la décoration de style manuélin qui n'est pas l'objet de cet ouvrage, étudions sans tarder les chapiteaux romans de l'octogone, qui permettent de dater cette partie de l'édifice et par suite de supputer l'époque du commencement des travaux. La constatation de Real (8), que ces chapiteaux sont des répliques très fidèles de ceux de la Sé Velha se confirme pleinement. Nous trouvons ici non seulement une partie des thèmes traités par cet atelier, mais encore leur style et leur facture ; dans certains cas il semble même possible de reconnaître la main d'un seul et même artiste. Les motifs d'animaux affrontés, des basilics (pl. 43), des harpies et des dragons se retrouvent ici, de même que les serpents effilés, le basilic à crête de coq et ce climat pacifique qui caractérise les sculptures de Coïmbre. Nous retrouvons également les têtes d'hommes et d'animaux entourées d'entrelacs issus de leurs bouches. Les dessins purement ornementaux, tels que les volutes couvrant toute la corbeille du chapiteau, apparaissent ainsi que le motif des feuillages simples. Le chapiteau de Daniel dans la fosse aux lions mérite une attention toute particulière (pl. 42), car il dénote une évolution très nette, par rapport aux sculptures de Coïmbre : il comporte en effet, sur le plan iconographique, la première figuration de ce thème et la première bonne représentation sculptée du corps humain, qui, dans l'atlante d'un chapiteau de la galerie Sud de la Sé Velha et dans l'ange du monument funéraire du Prince Henri à Santa Cruz n'était encore qu'imparfaitement rendu. L'hypothèse selon laquelle ces chapiteaux auraient été sculptés après l'achèvement des travaux de la Sé Velha par les artistes de cet atelier ou leurs élèves semble en conséquence des plus plausibles. Ces œuvres pourraient avoir été réalisées sitôt après 1180. Le thème du feuillage prédomine parmi les autres chapiteaux de l'édifice : le plus souvent ce sont de grandes feuilles pendant des angles des chapiteaux ; elles présentent un éventail de nervures partant de la tige, sont accompagnées d'entrelacs et témoignent également d'une évolution marquée, ainsi du reste que d'une interruption des travaux intervenue après l'achèvement de l'étage inférieur de l'octogone. Avant de quitter la rotonde, il convient de signaler encore que, du côté de l'ancien portail, un escalier mène au toit du déambulatoire. De ce lieu l'amateur courageux pourra non seulement examiner la couverture de la coupole reconstruite, mais jouira encore d'une vue panoramique superbe sur tous les bâtiments monastiques et les fortifications.

En ce qui concerne l'importance qu'il faut reconnaître à cette rotonde dans l'histoire de l'architecture et la place qu'il faut lui assigner dans une classification des monuments, on peut faire les constatations suivantes : avant l'ère chrétienne s'était déjà répandue en Orient l'idée que la demeure d'un souverain et l'édifice consacré à son culte devaient avoir la forme d'une rotonde. Cette conception fut vraisemblablement adoptée par l'empereur Constantin, ce qui semble l'avoir incité à donner cet aspect à l'église de la Nativité et à la basilique du Saint-Sépulcre qu'après sa conversion il fit construire en Terre Sainte. Le baptême et la mort, ces deux pôles de l'existence humaine, restèrent ensuite longtemps iconologiquement associés à ce type d'architecture au plan centré, adopté lors de la construction de petits et de grands édifices à l'époque constantinienne déjà mais plus encore au cours des siècles suivants. L'église Santa Constanza, bâtie en souvenir de la fille défunte de Constantin à Rome, illustre cette conception architecturale aussi bien que Saint-Jean du Latran (432 — 444) et Santo Stefano Rotondo (468 — 483) auxquels la basilique du Saint-Sépulcre de Jérusalem semble avoir servi de modèle. La construction d'édifices à plan centré destinés à des fins liturgiques se répand ensuite depuis les villes impériales de Milan et de Ravenne dans de vastes régions de l'ancien empire romain et jusqu'à Byzance, et cette fonction s'est maintenue aussi bien dans les baptistères de l'Italie du Nord que dans les chapelles mortuaires appelées charniers (« Karner ») dans le Sud-Est de l'Europe, par exemple en Autriche. Un retour vers l'ancienne conception de ces édifices à plan centré s'amorce à l'époque carolingienne lorsqu'on élève, d'après le modèle de Saint Vital de Ravenne, une construction de ce type à Aix-la-Chapelle, dans le but de manifester la puissance impériale de Charlemagne en dehors de toute allusion au baptême ou à la sépulture. C'est seulement à l'époque des croisades que le sens primitif de ce type d'architecture fut redécouvert et réintroduit dans leurs patries respectives par de pieux pèlerins. Ainsi fut créée par le seigneur Eudes de Déols, après son pèlerinage d'Orient (9), la rotonde de Neuvy-Saint-Sépulcre et le souvenir de l'ancienne fonction de cette architecture semble avoir inspiré également l'érection de la rotonde d'Oxford. Dans le cas de la chapelle d'Eunate le rôle sépulcral semble avoir prédominé, encore que d'autres facteurs, comme la situation de cet édifice sur le chemin de pèlerinage entre Roncevaux et Compostelle et le voisinage de Torres del Río, pourraient expliquer également l'adoption du plan centré. Quant à l'église du Saint-Sépulcre de Torres del Río nous savons qu'elle est l'œuvre des chevaliers du Saint-Sépulcre, ce qui explique sa forme.

Il est impossible par contre de prouver que l'église de la Vera Cruz à Ségovie est une réplique de l'église du Saint-Sépulcre et fut construite par les Templiers, comme l'affirment certains. L'unique certitude est que cet édifice, proche d'un type de constructions réalisé par l'ordre des Chevaliers du Saint-Sépulcre, fut utilisé durant quelque temps par l'ordre de Saint-Jean (10). La ressemblance avec la rotonde de Tomar qu'on croyait constater et dont on fit un argument pour étayer l'hypothèse d'une édification par les Templiers, est en réalité très faible. Il est vrai que souvent, et particulièrement au XIXe siècle, on mit les constructions à plan centré en relation avec les Templiers, car on pouvait supposer en effet que ceux-ci avaient souhaité reproduire le type architectural de leur maison-mère ou de l'église du Saint-Sépulcre. Les recherches d'Elie Lambert, le meilleur connaisseur des constructions des Templiers (11), ont démontré cependant qu'en réalité les édifices de ces moines chevaliers suivirent le plus souvent d'autres modèles. Seules les églises d'établissements « d'une importance particulière » prirent, selon Lambert, pour exemple la maison-mère de l'Ordre : ce fut le cas à Paris, Londres et Tomar. Les temples de Paris et Londres n'existent plus, en sorte que l'église de Tomar est le seul édifice de ce genre qui soit parvenu jusqu'à nous presque intact, et constitue, selon Richart (12), « la plus grande et la plus importante église des Templiers de l'Occident ».

En ce qui concerne la parenté de cette église avec celle de la Vera Cruz à Ségovie, les ressemblances se limitent au fait qu'il s'agit dans l'une comme dans l'autre d'une construction à plan centré consistant en un corps extérieur et un corps intérieur. Les différences de structure par contre sont considérables, de sorte qu'on peut tout au plus présumer l'existence d'une lointaine ascendance commune. Les édicules polygonaux érigés à l'intérieur d'un corps également polygonal y présentent en effet une forme tout à fait dissemblable. Celle de la Vera Cruz apparaît massive et trapue, percée d'un petit nombre d'ouvertures, alors que l'octogone de Tomar, nettement plus haut, effilé et semblable à une tour, possède au rez-de-chaussée, dans les espaces qui séparent ses huit piliers fasciculés, huit ouvertures auxquelles s'ajoutent les huit baies de l'étage supérieur. La différence la plus importante pourtant est d'ordre structurel aussi bien que fonctionnel : à la Vera Cruz le second étage, où les reliques de la Sainte Croix pouvaient être vénérées dans une petite chapelle, était accessible aux pèlerins grâce à deux escaliers permettant un défilé en bon ordre. A Tomar par contre le deuxième niveau et la lanterne servent uniquement à éclairer le sanctuaire situé au rez-de-chaussée, alors que les fidèles se rassemblaient dans le déambulatoire. La structure des voûtes diffère, elle aussi, en ces deux édifices du fait qu'à la Vera Cruz, malgré un nombre de côtés identiques, les problèmes résolus à Tomar par la présence des arcs doubleaux retombant sur des consoles, ne se posent pas.

Etant donné que le monastère de Tomar comptait parmi les plus opulents du Portugal, on y trouve encore, en dehors de la rotonde, un grand nombre d'autre réalisations architecturales et artistiques qui méritent une visite. D'importants maîtres d'œuvre et sculpteurs y travaillèrent, en effet, à l'époque gothique et manuéline, parmi lesquels João de Castilha, Diego de Arruda et Diego de Torralva, qui était un élève d'Andrea Palladio. Il faut nommer à cet égard le cloître de Santa Barbara, dont la terrasse offre une belle vue sur la célèbre fenêtre occidentale de la salle capitulaire, véritable orgie de mofifs ornementaux et d'éléments maritimes tels que cordages, coquillages et instruments de navigation représentés de manière très réaliste, symbole aussi bien des découvertes du Portugal et de sa puissance maritime que, de façon bien involontaire, du caractère éphémère des gloires terrestres. Il faut nommer aussi le cloître gothique du cimetière et le cloître des Ablutions (*da Lavagem*), tous deux élevés au temps de l'Infant Don Henri le Navigateur. D'un intérêt particulier est la chapelle érigée par João de Castilha près des dortoirs durant la première moitié du XVIe siècle. Avant de repartir, jetons encore un regard sur le portail de « l'église du Christ », comme on appelle aujourd'hui la rotonde, œuvre parmi les plus parfaites du manuélisme, et consacrons encore quelques instants à admirer la voûte réticulée de la nef, étroitement apparentée à celle du monastère Saint-Jérôme de Lisbonne.

Dans la cité même s'élève l'église Santa Maria de Olivais qui, avant l'achèvement de la rotonde, servit de sanctuaire provisoire aux Templiers. Elle devint par la suite église paroissiale et lieu de sépulture des maîtres de l'ordre. Leurs tombeaux furent détruits ensuite et ne furent remis en état que sous le règne du roi Manuel durant le deuxième quart du XVIe siècle. De l'ancien édifice, seul le portail a pu être sauvé : son archivolte supérieure montre encore le « *signum Salomonis* », symbole de l'ordre des Templiers. De cette époque datent aussi les douze chapelles qui s'ouvrent dans le mur Sud et dont la deuxième abrite les restes des vingt-neuf tombeaux de grands-maîtres de l'ordre inhumés ici.

L'église de São João Baptista mérite également une courte visite car il s'y trouve un fragment de sculpture romane, sur lequel Almeida (13) a attiré l'attention. Il s'agit d'un linteau provenant d'un édifice antérieur et remployé dans la façade occidentale. Il représente deux lions, encadrant un arbre de vie. Almeida signale une vague ressemblance entre ces félins et ceux de Beaulieu (Corrèze) en se référant apparemment aux figures du registre inférieur du portail méridional de cette dernière église. Celui-ci évoque le jugement dernier avec des sculptures très proches de celles de Moissac et datées de 1130 — 1140. Dans une scène hautement dramatique, deux lions, venant de droite, s'élancent vers un groupe qui, du côté gauche, sort d'un masque diabolique : l'un des lions saisit par la cuisse un homme en fuite, qui dans son désespoir s'agrippe, d'une main à la patte, de l'autre à la queue de l'animal qui le précède. Le mouvement de cette sculpture contraste fortement avec le calme des lions de Tomar, qui se situent tout à fait dans la ligne des groupes d'animaux paisibles de la Sé Velha. On peut donc tenir ces sculptures de Tomar pour le travail d'un épigone de l'atelier de la Sé Velha qui, comme le fait remarquer Almeida avec justesse, témoigne en réalité d'un talent assez médiocre.

NOTES

(1) José Gudiol Ricart, y Juan Antonio Gaya Nuño : *Ars Hispaniae*, tome, 5 Madrid, *Plus Ultra*, 1948, p. 370.

(2) Raymond Oursel, *Archéologia* N° 27, Avril 1969, p. 31 et 32.

(3) Élie Lambert, *Actes du XVIe Congrès international d'histoire de l'art*, volume 2, p. 189 et 190.

(4) Almeida, p. 38.

(5) Aarao de Lacerda : *Historia de Arte em Porgugal* et Augusto Filipo Simões, cité par Real 1, p. 352 et 353.
(6) Real 1, p. 352 et 353.
(7) De même Aarao de Lacerda, *Historia del Arte em Portugal*, cité par Real 1, p. 352 et 353.
(8) Real 2, p. 48.
(9) *L'Art roman en France*, Flammarion, 1961, p. 148.
(10) *Castille Romane*, Zodiaque, p. 251 — 254.
(11) E. Lambert, *op. cit.*
(12) Gertrud Richert : *As Igrejas Românicas Portuguesas e a Arquitectura Eclesiastica Românica do Ocidente* dans *Ensayos y Estudios*. Revista Trimestrial de Cultura y Filosofia del Instituo Ibero-Americano, Berlin, 1943, p. 57.
(13) Almeida 1, p. 49.

ERMIDA DO PAIVA

ERMIDA DO PAIVA

Histoire

Nous ne possédons que peu de documents sur l'origine et l'histoire de cette église. Nous savons seulement qu'elle faisait partie d'un monastère de Prémontrés. Cet ordre clérical, fondé près de Laon en 1120, n'eut que peu de filiales au Portugal. Un certain Gualter, abbé de cet ordre, était venu dans le pays en même temps que les croisés et avait participé au siège de Lisbonne avec quelques religieux. Après la prise de cette ville, les Prémontrés s'étaient établis à São Vicente que le roi céda pourtant plus tard aux chevaliers. Lacerda (1) cite à cet égard le chroniqueur Nicolau de Santa Maria et la tradition à laquelle celui-ci se réfère, tradition selon laquelle deux compagnons de l'abbé seraient restés au Portugal et auraient fondé un monastère près de Heriz dans l'évêché de Lamego. D'après les annales de l'ordre ce monastère aurait été appelé *Santa Maria de Emeritorio filia caritatis* et aurait été créé par le moine Robert en 1178. Pourtant, s'il faut en croire une inscription placée à l'intérieur de l'église, Robert était mort dès 1160 (1198 selon la vieille chronologie ibérique), en sorte que subsiste l'incertitude sur l'année de la fondation du monastère et sur la date de la construction de l'église. Le nom du monastère pourrait permettre de déduire qu'au début les deux compagnons de l'abbé ne disposaient que d'un ermitage et d'un petit sanctuaire que l'on transforma plus tard en un monastère pourvu d'une église. La date « era 1178 », c'est-à-dire 1140 après Jésus-Christ, qui, d'après

Real, est gravée dans une pierre du mur Nord de l'église, pourrait se référer à la construction de ce premier édifice.

Les avis de tous les auteurs concordent sur le fait que l'église actuelle est une construction datant de l'époque romane tardive déjà engagée dans la phase de transition vers le gothique. Les tentatives de datation divergent pourtant considérablement, car les dates avancées vont de 1160 au milieu du XIIIe siècle. Quant aux bâtisseurs eux-mêmes, nous sommes dans l'ignorance totale à leur sujet. Lacerda (2) tient pour très vraisemblables des influences issues du Nord de la France. L'origine de l'ordre rend cette éventualité d'ailleurs fort plausible. Un atelier d'artistes expérimentés semble n'avoir pourtant réalisé qu'une partie de l'édifice, car le reste de la construction paraît avoir été exécuté, comme le remarque également Lacerda, par une main-d'œuvre locale, qui pourrait avoir travaillé sous la direction d'un expert, peut-être le moine Robert ou son compagnon et successeur Alphonse.

La première impression s'accorde avec une telle hypothèse : on se trouve en face d'un vaisseau haut et long qui se termine par un chevet relativement exigu (pl. 50). La construction est en granit et d'une grande robustesse. La majeure partie de l'appareil est irrégulière et sans jointoiement précis. Les différents contreforts, de forme rectangulaire, s'élèvent jusqu'au toit à des distances variables et témoignent, par cette distribution irrégulière, de l'incertitude de l'architecte quant à la stabilité de l'ensemble. D'autres irrégularités apparaissent dans la disposition des ouvertures, aussi bien du côté Nord que du côté Sud. En ce qui concerne la façade occidentale, sa sobriété et sa hauteur rappellent les constructions des ordres mendiants du XIIIe siècle. Seul le portail se distingue de ce type d'édifices. En effet il n'est pas aménagé dans un de ces avant-corps qui, à l'époque, ont été habituellement joints aux façades des églises portugaises. L'absence de cet élément stabilisateur est compensée par l'épaisseur du mur occidental ; elle est nettement plus importante que celle des murs gouttereaux et renforcée encore par des contreforts qui montent de chaque côté du portail jusqu'aux rampants du toit. D'autres dispositifs de consolidation occupent les angles de la façade tout en se prolongeant sur les murs latéraux. Le renforcement de l'angle Sud sert en même temps à porter le clocher-arcade sans doute plus tardif.

Le portail occidental est creusé dans l'épaisseur du mur. Ses trois archivoltes en arc brisé présentent des ressauts de faible profondeur. Elles sont accompagnées de tores — éléments très appréciés dans l'architecture romane tardive du Portugal — qui remplissent les angles. Les archivoltes prennent appui sur de sveltes colonnes, dont les chapiteaux sont menus et sans abaques, en sorte que l'élégant mouvement des lignes courbes demeure ininterrompu.

Les chapiteaux sont des exemples de cette grande simplification des formes qui caractérise la phase terminale de l'art roman. Elle se manifeste immédiatement de part et d'autre du portail dans le motif des volutes, disposées de façon monotone en rangs superposés et faiblement inclinées d'un côté comme de l'autre. On trouve ainsi des chapiteaux ornés d'oiseaux de proie, qui, de leur poitrail large et bombé, de leurs pattes écartées et de leurs ailes déployées, couvrent presque toute la surface de la corbeille. L'un de ces chapiteaux, du côté droit à l'extrémité extérieure de l'embrasure, est fortement endommagé ; son pendant sert aujourd'hui de base à la colonne médiane du côté gauche du portail. Comme dernier thème on trouve des atlantes, appuyés sur de larges feuilles qui leur arrivent à la taille. Une large frise en damier constitue l'encadrement extérieur du portail. Quant au tympan, il est composé de deux dalles de pierre et porte, comme souvent au Portugal, l'emblème de la croix. Contrairement aux habitudes pourtant, celle-ci n'est pas creusée dans la pierre et entourée d'entrelacs ; elle est sculptée en très faible relief, munie d'une hampe et de bras étroits, ce qui lui donne l'aspect d'une croix processionnelle (Lacerda). L'élévation de la façade n'est interrompue que par un simple oculus. La croix du pignon présente la même forme potencée que celle de Cedofeita. L'ornementation parcimonieuse de cet édifice et l'emploi de tores nous incite à nous ranger à l'avis d'Almeida (3) qui situe cette église parmi les réalisations architecturales soumises à l'influence de Porto.

Les fenêtres de la *façade septentrionale* rappellent par leur dimensions, leur structure et leur décor un peu plus riche, la fenêtre axiale Ouest de Cedofeita : archivoltes lisses en plein cintre reposant sur des piédroits aux arêtes vives ; tores sur colonnes aux chapiteaux à décor végétal ; forts ébrasements du mur

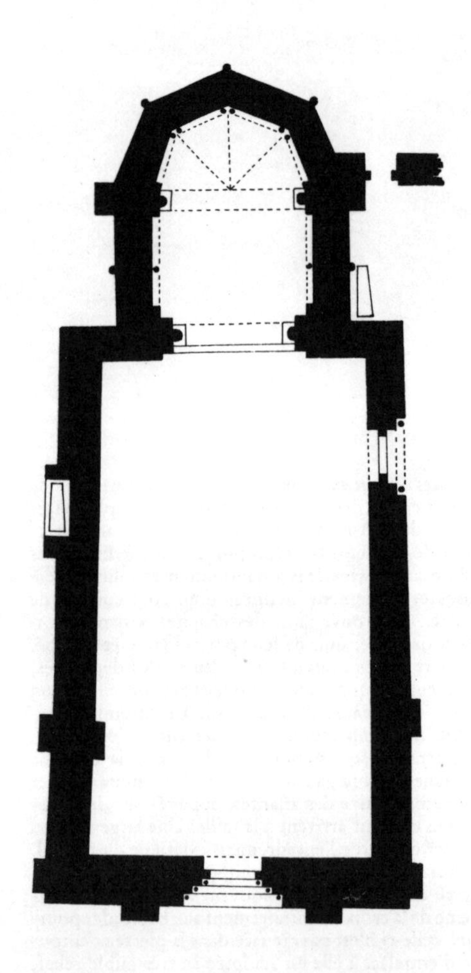

5 m

1

ERMIDA DO PAIVA

donnant sur d'étroites ouvertures allongées. Parmi ces trois fenêtres, la plus orientale surprend par son emplacement inattendu et semble confirmer qu'un atelier de qualité secondaire était ici à l'œuvre. Au-dessous de cette fenêtre, près du contrefort oriental, se trouve un arcosolium ogival qui abrite, à en croire Lacerda, le tombeau d'un des fondateurs.

Plusieurs irrégularités apparaissent également dans *la façade Sud*. Celle-ci ne présente en effet que deux contreforts, dont le second se situe au même emplacement que son pendant septentrional, et deux fenêtres, plus rapprochées l'une de l'autre que celles de la façade Nord. Au niveau de l'arcosolium s'ouvre un portail qui reproduit de manière simplifiée la structure du portail occidental. Le chapiteau de droite reprend le motif de l'oiseau de proie aux ailes déployées. Le chapiteau de gauche présente trois grandes feuilles saillantes, occupant toute la hauteur de la corbeille et se rétrécissant vers le bas ; elles sont munies de tiges hélicoïdales. On retrouve ce motif dans les premières églises cisterciennes. Une inscription est gravée sur le tympan.

A droite du portail se trouve un sarcophage qui contenait vraisemblablement la dépouille du moine Robert.

Le chevet se distingue avantageusement de la nef. Certes, seule sa partie polygonale, l'abside, offre un appareil dont la qualité surpasse celle du vaisseau ; mais la partie rectiligne du chevet possède, elle aussi, à côté du contrefort prismatique qui la délimite, des éléments d'une exécution nettement plus soignée, comme par exemple des demi-colonnes adossées et des chapiteaux. Du côté Nord un de ces chapiteaux montre deux hommes en train de lutter semble-t-il ou de s'embrasser : la sculpture est en haut relief, les proportions des corps et les mouvements excellemment rendus, le dessin brillamment enlevé. La même qualité se retrouve du côté Sud ; l'artiste y a repris le motif des volutes du portail principal mais l'a traité avec une grande maîtrise.

L'attention du visiteur doit également se porter sur les chapiteaux des supports de l'abside, non seulement en raison de leurs dimensions, plus importantes que celles des autres chapiteaux de l'édifice, mais à cause aussi des scènes qui y figurent, des groupes d'hommes et d'animaux qu'ils représentent. Une partie des sujets est travaillée en haut-relief. Malheureusement ces chapiteaux sont fortement rongés par le temps, en sorte que les détails y sont à peine décelables. Sur l'un de ces chapiteaux on croit reconnaître un groupe de musiciens auquel s'est jointe une danseuse, et sur un autre deux bêtes sauvages en train d'en attaquer une troisième. L'excellente composition de ces différentes scènes, la sûreté du trait, la maîtrise dont témoigne le dessin des corps des hommes et des animaux ainsi que le mouvement de chaque ensemble restent aisément perceptibles. Lacerda a attiré l'attention sur une autre particularité du chevet : alors qu'en général, les absides polygonales comportent trois ou cinq pans de murs, ici il y en a seulement quatre, ce qui rend impossible la distribution habituelle des fenêtres. A la place de la fenêtre axiale normale se trouve la ligne d'intersection de deux pans, dont chacun est percé d'une ouverture située de part et d'autre de l'axe de l'édifice. C'est un type de construction absidiale que nous n'avons pas rencontré ailleurs. Peut-être ce plan exceptionnel est-il dû à une certaine inexpérience du chef des travaux dans l'édification d'absides polygonales. Les fenêtres du chevet diffèrent quelque peu de celles de la nef. L'ébrasement du mur est remplacé ici par une embrasure en angle droit entourant une baie allongée. Les chapiteaux ne témoignent d'aucun soin particulier. Les données architecturales permettent de supposer que le chevet n'a été doté que tardivement de sa voûte actuelle. La partie de l'abside située à l'Est du contrefort rectangulaire a peut-être été alors remplacée par la construction polygonale actuelle. C'est par un souci de sécurité que l'on semble avoir renforcé la partie rectiligne du chœur à l'aide de demi-colonnes.

La corniche repose sur de nombreux modillons, dont une bonne partie est encore bien conservée. La plupart d'entre eux sont décorés de motifs géométriques ou végétaux. Des figures n'y apparaissent qu'exceptionnellement ; elles constituent alors des illustrations de la misère humaine ou fixent des attitudes dont le réalisme est d'une rudesse sans nuance.

A *l'intérieur* de l'édifice c'est le chevet qui, conformément aux observations effectuées à l'extérieur, suscite principalement l'intérêt (pl. 49). Sa partie rectiligne est couverte d'une voûte en berceau brisé, sa partie polygonale de quatre voûtains incurvés qui, légèrement irréguliers, s'inscrivent dans un plan semi-circulaire. L'appareillage en est réalisé en pierres de petite taille. Les arêtes formées par la jonction des différentes portions de voûte ne sont pas strictement rectilignes mais s'adaptent aux pierres incorporées à l'appareil. Afin d'assurer la stabilité de ce voûtement, tout l'espace intérieur du chevet est habillé d'arcatures aveugles, l'arc triomphal est à triple rouleau et le passage de la partie droite du chœur à la partie polygonale est renforcé par un puissant doubleau. Quatre ouvertures, dont deux seulement se trouvent, pour des raisons déjà évoquées, dans la partie polygonale et les deux autres dans la partie droite du chœur, assurent l'éclairage du chevet. Les arcs des fenêtres reposent sur des colonnes, tout comme ceux de l'acature aveugle, et même les arcs de la partie polygonale retombent sur des colonnes doubles. Tous ces éléments de consolidation et leur association avec l'arc brisé confèrent à ce chœur une certaine élégance et importance, qui contrastent fortement avec le reste de l'édifice.

Ce contraste est encore accru par la qualité des chapiteaux utilisés, meilleure que celle des chapiteaux des portails et des fenêtres que nous avons rencontrés jusqu'ici. Les chapiteaux qui surmontent les doubles colonnes des arcades de la partie polygonale sont de la même facture que ceux situés à l'extérieur de l'abside. Ils pourraient donc être l'œuvre du même atelier qualifié et offrent l'avantage d'être en meilleur état de conservation (pl. 47 et 48). Ils confirment pleinement le jugement que nous avons porté sur les chapiteaux situés à l'extérieur. Les êtres si singuliers et étranges qui figurent sur ces chapiteaux rappellent des sculptures similaires de l'église Santa María de Cambre en Galice, datées, elles, de 1194 (4). Mais les autres chapiteaux du chevet témoignent aussi d'une plus grande maîtrise technique dans l'élaboration des formes (5).

La grande différence de qualité qui distingue les sculptures des deux corps de l'édifice confirme l'hypothèse selon laquelle l'abside aurait pu être rectangulaire à l'origine et aurait été voûtée par la suite, en même temps qu'augmentée d'une terminaison polygonale. A en juger par les données architecturales, ces travaux peuvent être datés des premières décennies du XIIIe siècle. Ils furent exécutés par une équipe qui comportait de bons sculpteurs. Quant à la construction de la nef, on peut penser, en tenant compte de son ornementation, qu'elle remonte au début de la seconde moitié du XIIe siècle. Les contreforts extérieurs et les renforcement des façades Nord et Sud donnent à penser qu'on aurait eu le projet de monter une voûte sur ce vaisseau.

L'attention du visiteur doit encore se porter sur le sol de la nef, fait de robustes pierres de taille, et sur un dessin rudimentaire de l'Agneau portant la croix, incisé dans une pierre près du portail Sud. Lacerda (6) a fait remarquer par ailleurs que l'axe du chevet est légèrement dévié par rapport à celui de la nef ce qui pourrait symboliser la position du Christ mort sur la croix. Le visiteur sera sans doute aussi frappé par le grand nombre de marques de tâcherons, ce qui a fait appeler cette église *o templo das siglas*. Ces marques, comme le rappelle Almeida (7), n'apparaissent au Portugal, en règle générale, que vers la fin du XIIe siècle et produisent souvent par leurs dimensions, leur fréquence et la netteté du trait, de surprenants effets pleins de beauté. Certaines marques ressemblent à celles de Beaulieu (8).

Les vestiges d'une suite d'arcades d'un ancien cloître sont encore visibles du côté Sud de l'église. Ce cloître ne s'apparente pas aux grands modèles de la période de transition tel que le cloître de la Sé Velha. Les arcs doubleaux en plein cintre, reposant sur des piédroits, et les impostes peu saillantes et semblables à de fines plaques de pierre ne suffisent malheureusement pas pour permettre d'avancer une datation. D'après Lacerda (9) d'autres éléments de ce cloître tels que des chapiteaux simples et doubles, des claveaux et des fûts de colonnes avaient été trouvés au moment de la publication de sa monographie (1919), mais on ne connaît pas leur sort. Une enquête ou de nouvelles fouilles permettront peut-être de tirer des conclusions définitives sur l'histoire de la construction de l'église et du cloître qui reste encore actuellement pour le moins énigmatique.

NOTES

(1) Aaro de Lacerda, *História de Portugal*, Barcelos 1929, p. 652 et 653.

(2) Lacerda, *O Templo das Siglas, A Igreja da Ermida do Paiva*, Porto 1919.

(3) Almeida 1, p. 31 et 32, note 9.

(4) Voir *Galice romane*, Zodiaque, pl. 164, et texte p. 386.

(5) Pour les détails, voir Real, p. 70, 104-107, 110, 123 et 136.

(6) Lacerda, *op. cit.*, p. 58 et 59.

(7) Almeida, 3 t. 2, p. 48 — 50.

(8) Voir *Limousin roman*, Zodiaque, pl. 4.

(9) Lacerda, *op. cit.*, p. 60.

SAO PEDRO DE AGUIAS

SAO PEDRO DE AGUIAS

Pour parvenir à cette église il faut emprunter la route qui va de Regua à Pinhão. On la quitte à l'intérieur de l'agglomération de Granjinha en direction d'Aguias.

L'histoire de l'édifice est encore obscure. Les documents dont nous disposons ne fournissent en effet que peu de renseignements à son sujet et les rapports des chroniqueurs des siècles ultérieurs, qui appartenaient à des ordres religieux différents, s'avèrent des plus contradictoires. Il est toutefois presque certain que l'église s'élève sur l'emplacement d'un ancien ermitage musulman. En témoignent non seulement des restes de grottes et d'habitations primitives, mais aussi les légendes qui entourent le château-fort voisin de Cabriz. Selon celles-ci un ermitage arabe situé dans les environs du château et réutilisé par le culte chrétien, aurait été élargi et transformé en église durant la première moitié du XIe siècle. Cette initiative aurait été prise en vue d'honorer la mémoire du chevalier Tedon, descendant de la famille du roi Ramiro II de León qui, après de nombreux actes de bravoure, était tombé au cours des combats de la Reconquête. Les travaux auraient eu lieu sous l'instigation du frère de ce chevalier. La nouvelle église, dédiée à saint Pierre, fut confiée à la garde des moines du monastère bénédictin de Guimarães. Plus tard, un des membres de la famille du fondateur, un certain Garcia Rodrigues, semble avoir repris en sa possession église et monastère. Un

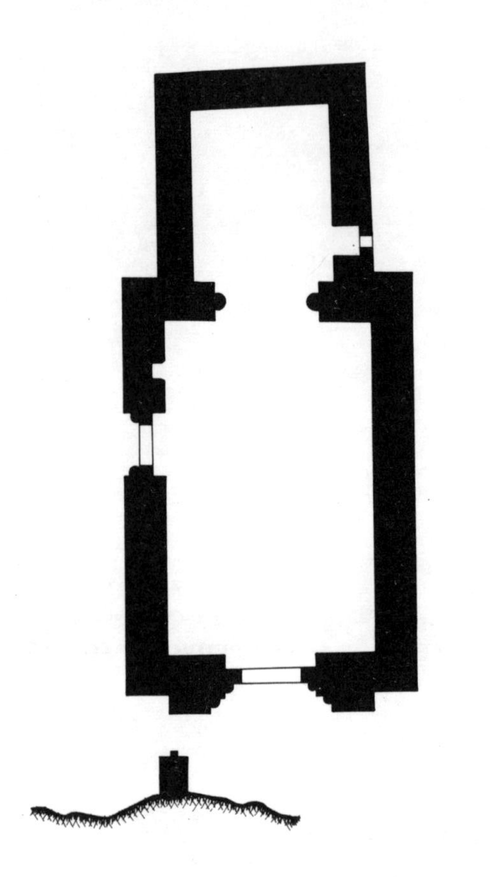

SAO PEDRO DE AGUIAS

document de l'an 1170, le premier écrit à prouver l'existence de cet établissement monastique, précise en effet que les héritiers de Garcia Rodrigues rendirent cette propriété aux moines « qui vivaient selon la règle de saint Benoît ». Les chroniques affirment toutefois que ceux-ci étaient cisterciens. Gusmão a rappelé qu'à cette époque la dénomination des ordres était encore confuse. On aurait d'ailleurs peine à comprendre que l'église actuelle qui, d'après les caractéristiques de son style, date du dernier quart du XIIe siècle et a donc été élevée après la restitution de l'établissement aux moines, puisse constituer un aussi brillant exemple du roman bénédictin, si elle s'était trouvée sous tutelle cistercienne. L'influence bénédictine, si contraire aux prescriptions architecturales des cisterciens, prédominait apparemment dans la région, comme le prouve l'église voisine de Tarouca, construite dans le même style par un atelier différent. Toutefois à une époque plus tardive un monastère cistercien semble avoir existé à Granjinha.

Le rapport sur la restauration de São Pedro de Águias (1) précise qu'au commencement des travaux une grande partie de l'édifice était certes effondrée, mais que la structure romane de celui-ci n'avait subi au cours des siècles aucune des transformations qui ont si souvent affecté les autres monuments romans du Portugal, dont on n'a même pas pu retrouver les éléments les plus importants. La majorité des sculptures étaient encore en place et en partie endommagées seulement. Un grand nombre des pierres des murs par contre avaient disparu, car l'église avait servi de carrière. On put les remplacer par d'autres que l'on préleva sur un ancien bâtiment monastique, à l'intérieur d'un cimetière voisin. Ainsi le visiteur trouve-t-il l'occasion assez rare de pouvoir examiner une église romane de la fin du XIIe siècle quasiment parvenue dans son état d'origine.

TABLE DES PLANCHES

42

43

45

47

ERMIDA DO PAIVA

48

SÃO PEDRO DE ÁGUIAS ▶

55

57

58

59

Première impression

Cet édifice de dimensions modestes est situé dans un vallon romantique au milieu de montagnes crevassées, tout près du fleuve Tavora et à une assez grande distance de la petite agglomération de Granjinha. La construction ressemble plus à une chapelle qu'à une église (pl. couleurs p. 246). Sa façade occidentale jouxte une avancée rocheuse de la montagne, tandis que son abside, très basse, construite sur la déclivité du terrain, est proche de la rive du fleuve. A la grande simplicité de la structure de ses deux corps rectangulaires, constitués par la nef et l'abside, s'oppose la surprenante richesse ornementale des portails Ouest et Nord. Les toits reposent sur une frise soutenue par des modillons que décorent les motifs bien connus des rouleaux, des figures animales et humaines déjà bien effritées et d'autres sculptures. Trois croix agrémentent les pignons. Celle de l'abside adopte la forme d'une croix tréflée, peu fréquente au Portugal (pl. 58). Elle s'élève au-dessus d'un quadrupède allongé, probablement un agneau. Une croix de Malte aux bords sertis d'une moulure se dresse au-dessus d'une étroite fenêtre perçant le mur de l'arc triomphal. Celle-ci s'achève sur un arc monolithe en plein cintre et sans ornements qui rappelle les fenêtres des absidioles de Travanca et est surmonté d'une frise de demi-billes disposées en rangs serrés entre deux baguettes. Une autre croix de Malte se dresse au-dessus du pignon occidental. Elles s'inscrit dans un cercle, élément décoratif que l'on rencontre fréquemment au Portugal.

Les murs extérieurs de l'abside sont ceints d'une frise d'une grande sobriété qu'agrémentent des moulures creuses dépourvues d'ornements (pl. 59). Ce décor si simple contraste avec les façades Ouest et Nord et plus particulièrement encore avec leurs deux portails.

La façade occidentale s'élève malheureusement si près du rocher qui la surplombe qu'il est difficile de l'apprécier pleinement (pl. 53). Sa conception est d'une grande simplicité. Le portail se creuse dans une faible avancée centrale du mur. Celle-ci est de forme rectangulaire et s'arrête juste au-dessus de l'extrémité supérieure du portail sans aucune délimitation ornementale telle qu' aurait pu le constituer par exemple une corniche sur modillons. A peu de distance de ce rebord de l'avant-corps du portail s'ouvre une étroite fenêtre sans ornements qu'achève un arc en plein cintre. On n'avait apparemment pas ressenti le besoin d'aménager en cet endroit une rose ou une ouverture pourvue d'un riche décor. La place disponible était, au vrai, assez limitée. La croix de Malte du pignon, que nous avons déjà mentionnée, termine cette élévation.

Cette austérité de la façade occidentale est rompue par le *portail principal* qui frappe autant par le grand nombre de ses figures d'animaux et de ses autres éléments de décoration que par sa conception ingénieuse. Les voussures de ses deux archivoltes diffèrent des formes habituelles car elles sont constituées par des lions, sur les dos desquels les arcs prennent leur départ (pl. 54). Une solution ornementale tout à fait comparable se retrouve à Rates, où les symboles des quatre évangélistes assument une fonction identique. Ici à São Pedro de Águias l'artiste a inséré les figures de ces animaux dans des scènes diverses. Ainsi du côté septentrional du portail satisfait-il l'attrait des Portugais pour des spectacles calmes et pacifiques en représentant, à la naissance de l'archivolte intérieure, une lionne accompagnée de lionceaux dont l'un d'eux lui mord le flanc en un geste enjoué, tandis qu'un autre, assis à califourchon sur son dos, admire le monde environnant dont le sépare une distance rassurante. Un autre membre de cette famille de félins apparaît au premier plan et manifeste son intérêt pour le spectateur en inclinant la tête. De la sculpture du lion lui-même qui, vu la position latérale où il se trouvait, assurait la sécurité du groupe, il ne subsiste que le tronc et les pattes. Mais le caractère sauvage et dangereux de l'animal ne disparaît pas pour autant : du côté Sud du portail un fauve écrase un homme dont le corps, peut-être déjà à moitié dévoré, s'arcboute encore, tel un atlante, contre celui de l'animal. Bien que ces sculptures soient très endommagées, elles permettent d'apprécier la grande qualité de leur exécution et le sens très développé du modelé dont elles témoignent et qui s'exprime en un vigoureux relief. Les membres puissants des animaux sont excellemment rendus. Le pelage des lions à l'extrémité septentrionale de l'archivolte intérieure est dessiné avec minutie, alors que celui des fauves du côté Sud du portail est traduit de façon plus abstraite sous forme de représentations intermittentes de parcelles de peau d'un aspect dur et coriace. Ce lion est pourvu d'une queue qui se termine en fleuron, élément ornemental qui semble s'être répandu depuis l'Italie du Sud à travers toute l'Europe.

L'archivolte extérieure est encadrée d'une frise. Celle-ci, composée de deux boudins parallèles séparés par une moulure concave, est agrémentée de motifs géométriques relativement homogènes (2) ; elle souligne, par opposition au mouvement des scènes décrites, la rigueur de la composition du portail. Plusieurs rainures et ornements en forme de bourgeon animent les boudins de la frise en favorisant des jeux d'ombre et de lumière. La recherche de tels effets fut souvent abandonnée pendant la phase finale de l'art roman, ici pourtant elle se manifeste jusque sur l'intrados de l'arc qu'accompagnent de petites fleurs à quatre pétales et un boudin torse. D'un intérêt nettement plus grand encore est l'archivolte intérieure car elle présente une variante d'une figure très appréciée du roman bénédictin : un alignement de couples d'animaux sur le bord des voussoirs. Comme à Travanca, ce sont des rapaces qui peuplent l'archivolte. Leur plumage y est d'ailleurs traité d'une manière tout à fait identique, par des stries transversales et des petites cavités semblables à des trous, la queue s'achevant de façon rectiligne comme si on l'avait coupée. Contrairement à Travanca pourtant, ces couples d'oiseaux ne présentent pas de têtes communes et ne déchirent pas de proie animale ou humaine, mais se désaltèrent paisiblement dans un vase en forme de double cône (pl. 54). Leurs pattes, posées de part et d'autre du bord de l'archivolte auquel ils s'agrippent de leurs serres, évoquent plutôt celles de quadrupèdes. C'étaient en effet des quadrupèdes qui semblent avoir été initialement utilisés dans ce motif dont la signification primitive s'était estompée à la fin de l'époque romane, comme cela s'est produit si souvent en d'autres cas. Deux couples de rapaces occupent chacun des voussoirs. Ces oiseaux, dont les poses diffèrent légèrement, sont si lourds qu'ils en perdent un peu le caractère terrifiant de leur espèce.

Les supports du portail sont surmontés de doubles abaques qui s'inspirent de modèles byzantins et n'ont été employés que très exceptionnellement en Europe centrale et occidentale. L'artiste les a sans doute utilisés pour mieux supporter le poids des sculptures des sommiers tout en produisant un effet esthétique inaccoutumé. Du côté Nord du portail les abaques supérieurs sont arrondis, décorés de feuilles d'acanthe et couverts de plusieurs plaques qu'agrémentent des cannelures ; ils se prolongent latéralement par des impostes ornées de billettes. Du côté Sud du portail, les sculptures sont très effacées, mais des pampres de vigne semblent y remplacer les feuilles d'acanthe.

Les chapiteaux reprennent des motifs connus. Du côté Nord le chapiteau extérieur présente deux séries de pointes de lance au-dessus desquelles s'étendent des volutes. Celles-ci ne partent pas de l'astragale, mais du centre du chapiteau, et courent en direction horizontale jusqu'aux angles de la corbeille où elles forment des ornements semblables à des têtes d'oiseaux. Tout cela révèle l'évolution qu'ont pu subir ces formes ornementales traditionnelles. L'angle septentrional de ce chapiteau semble être décoré d'un petit masque, ce qui constituerait une autre concession au goût de l'époque. Le chapiteau interne est très effrité. Il semble être sculpté à plusieurs reprises d'un motif composé de quelques feuilles de taille moyenne et à fortes nervures, se déployant en-dessous des pointes proéminentes d'autres feuilles et portant des boules ou des pommes de pin. Du côté Sud du portail le chapiteau externe est également fort endommagé. Deux quadrupèdes dressés sur l'astragale semblent s'épier. Celui de gauche, plus grand que celui de droite, porte sur son dos un objet qui n'est plus identifiable (oiseau ?). Au-dessous de l'abaque, que semble parcourir un serpent, on voyait peut-être à l'origine un atlante, semblable à celui du portail occidental de Travanca. Les sculptures du chapiteau interne sont mieux conservées et semblent traiter le thème connu des deux quadrupèdes entre lesquels une proie est suspendue. Les abaques diffèrent de ceux du côté Nord du portail, vraisemblablement à la suite de détériorations qui ne permettaient plus d'envisager une restauration adéquate. Une telle réfection un peu trop accusée pourrait s'être exercée sur la base de l'une des colonnes. Elle présente en effet deux tores sans scotie de séparation mais un zigzag suivi d'un boudin de grand diamètre, tandis que le socle, décoré d'une griffe, est parcouru par une ligne ondulée aux sinuosités serrées.

Le tympan, lui aussi, nous est bien familier (pl. 57). Marqué par l'influence de Braga, il ressemble en effet à celui de nombreuses églises romanes portugaises. Le triple ruban qui entoure la croix en ondulations compliquées n'aboutit cependant pas ici dans des bouches de masques ou des gueules d'animaux. Il est sans fin, enveloppe complètement la croix et, malgré son faible relief, produit le plus bel effet décoratif. Sur le plan iconographique ses enlacements interminables symbolisent l'éternité. Par son exécution le tympan s'avère très proche de ceux d'Arnoso et d'Unhão. Percé de creux plus nombreux que ne le nécessitait la taille de la croix, ce tympan constitue, selon Almeida, une œuvre typique du roman finissant. L'ensemble du portail pourtant ne traduit pas seulement l'esthétique de cette période finale de l'art roman, mais manifeste également la rigoureuse tendance expressionniste qui se donna souvent libre cours, même durant la haute époque de cet art.

En se dirigeant vers le portail septentrional, on découvre, entre l'angle Nord-Ouest de l'église et le rocher, un arc en plein cintre, tendu au-dessus d'un passage et reposant, sans intermédiaire, sur un pilier et une console du mur (pl. 53). Avec son tympan prenant appui sur deux autres consoles, il ressemble à une petite porte et conduisait peut-être jadis vers les bâtiments conventuels. Le tympan est pourvu d'une croix de Malte, qui n'est cependant pas creusée dans la pierre, mais modelée en faible relief et inscrite dans un cercle (pl. 55). Aucun élément ornemental n'établit de lien entre cette croix, simplement décorée, et la partie inférieure du tympan que parcourt un entrelacement de motifs en forme de losanges qui se regroupe en une figure de serpent à tête canine. La teneur iconographique de cette représentation semble différer de celle des serpents de Rates qui, bien que presque identiques, y figurent par paires.

Le portail Nord offre la même structure que le portail occidental, ses dimensions sont pourtant plus restreintes. Une frise en plein cintre encadre ici une archivolte unique (pl. 56). Celle-ci est plus complexe que celles du portail occidental, mais s'appuie également sur des sommiers sculptés d'animaux, malheureusement très endommagés. Les abaques ne sont pas doubles, mais renforcés. La frise, que sa structure incite à considérer comme une première archivolte, constitue à plusieurs égards une œuvre exceptionnelle : les entrelacs qui la composent présentent en effet des motifs faits d'une feuille à trois lobes fortement stylisée, dont les prolongements latéraux sont maintenus par un ruban. Malgré quelques ressemblances indéniables avec les ornements des abaques de São Pedro de Ferreira, il s'agit d'une création unique au Portugal. Unique également est l'inscription de la clef de l'arc qui, selon Almeida, fut rédigée au XIIe siècle et dit : « DNS EXERCITUM : CUSTODI / AT HUIUS TEMPLI INTROIT / UM ET EXITUM » (Que Dieu des armées protège l'entrée et la sortie de ce temple). Sans doute ce texte se réfère-t-il aux combats menés contre les musulmans et soulève-t-il de ce fait un certain nombre de questions : se rapporte-t-il à un ordre de chevaliers qui se serait établi en ce lieu ou aux actes héroïques des fondateurs, ou reflète-t-il les préoccupations de l'époque durant laquelle se poursuivaient les efforts de la Reconquête ?

L'archivolte elle aussi est couverte de sculptures très intéressantes qualifiées généralement de « beak heads » et représentant des têtes d'animaux mordant un tore. Ici ce sont des têtes de chats qui bordent l'archivolte (pl. 52). Malgré une certaine déformation de leur museau, due à leur attitude agressive, elles sont tout à fait identifiables. Leur fonction est apotropaïque. Elles furent en effet fréquemment fixées aux portails, aux fenêtres et à l'entrée du chœur, en vue d'en chasser les mauvais esprits. Le tore dans lequel mordent ces têtes de chats, n'est décoré ici que de lignes parallèles incisées. A l'arrière-plan cependant, sur les claveaux se déploie une riche ornementation de feuilles stylisées très proches de celles du portail Sud de Braga (3). Les deux monstres, de la gueule desquels jaillit le tore, illustrent eux aussi le vaste rayonnement de l'art bénédictin de Braga. On note également une certaine ressemblance entre les têtes de ces monstres et celles de certains animaux de Rates. L'intrados porte un motif ornemental simple qui, d'après Gusmão, remonte à des modèles préhistoriques.

Parmi les deux lions endommagés qui servent de sommiers, celui du côté occidental permet de reconnaître, en raison de sa position assise et du traitement de son pelage, la main du maître du portail occidental.

Quant à l'Agneau qui décore le tympan (pl. 52), on le trouve fréquemment au Portugal. Ici sa particularité vient de la pose du corps de l'animal, allongé vers la droite, mais se retournant vers la gauche pour regarder la croix. L'agneau, qui fut le plus souvent sculpté à l'origine en position dressée, fut représenté à différentes reprises par la suite agenouillé, pour symboliser son offrande en sacrifice. Étendu comme ici, il témoigne de sa soumission complète à la volonté divine, tout en continuant de symboliser la victoire sur la mort. Cette sculpture est, elle aussi, entourée d'une décoration en forme de feuilles.

Avant de poursuivre notre visite, jetons encore un regard sur les supports de ce portail. Le chapiteau oriental reprend à nouveau un thème tiré du répertoire de la sculpture animalière bénédictine : il traite du combat d'un serpent contre un dragon. Ce dernier présente un type très répandu au Nord du Douro et qui inspira les sculptures de quelques églises de la région méridionale, parmi lesquelles Aguias (4). L'ornementation du chapiteau occidental, composée d'épaisses feuilles à fortes nervures dont les extrémités saillantes sont surmontées de volutes, nous est déjà familière.

A l'intérieur de l'église la déclivité du terrain exige qu'on descende quatre marches pour atteindre le chœur. De ce fait l'édifice paraît beaucoup plus haut qu'on ne le supposait. L'étroitesse des fenêtres et leur petit nombre ne permettent qu'une faible luminosité (pl. 51). L'attention se porte surtout sur l'arc triomphal qui est en plein cintre et à double rouleau. L'arc intérieur, biseauté des deux côtés, est décoré de billes. L'arc s'appuie sur deux demi-colonnes vigoureuses et pourvues de bases solides qu'agrémentent deux tores séparés par une scotie. Le socle est de dimensions importantes. Les chapiteaux sont de qualité médiocre. Leur ornementation végétale sort quelque peu du cadre habituel et présente non seulement de grandes feuilles d'angle fortement entaillées, dont les pointes saillent, mais aussi des billes, une tête humaine à la place du dé central et des volutes. Des billes décorent aussi l'arc extérieur des deux côtés. Il repose sur une frise de billettes qui s'étend d'un mur à l'autre. Les billettes sont placées sur la face inférieure de la frise, anomalie qui provient peut-être d'une restauration. L'abside, qui n'est pas voûtée, abrite un autel simple qui date de l'époque de la construction, et les fonts baptismaux.

On constate donc que São Pedro de Águias préservé de transformations tardives, conserve dans son architecture et sa sculpture le caractère authentique d'une église romane bénédictine. Certains décors se réclament pourtant de formes empruntées à Braga et à sa zone d'influence. Mais on peut aussi y déceler des influences issues du Portugal méridional et de São Pedro de Coïmbre ; elles se sont toutefois fondues à celles de Braga en ne bousculant pas le catalogue de ses modèles. Sur le plan technique les réalisations ne sont pas de qualité égale et les chapiteaux offrent bien moins d'originalité que ceux de Travanca. Le sens du modelé est pourtant ici très développé et tend parfois à des exagérations qui semblent répondre au goût national. Mattoso a certainement raison lorsqu'il estime que ces sculptures, réalisée avec correction et chaleur, sont tantôt barbares, tantôt empreintes de tendresse, mais toujours d'une beauté admirable. Tout compte fait, l'église est un bijou dont la visite apporte au spécialiste lui-même de nouvelles lumières.

NOTES

(1) *Boletim* n° 75, mars 1954.

(2) Vasconcellos n° 14 et, du côté Sud, Vasconcellos n° 25, 31 et 22.

(3) Vasconcellos n° 39.

(4) Voir Real, p. 137.

TAROUQUELA

TAROUQUELA

Tarouquela est situé sur la route n° 222 qui, d'Entre-os-Rios, longe la rive Sud du Douro jusqu'à Resende et Lamego en traversant une région qui, au XIIe siècle, était encore exposée aux combats entre Arabes et chrétiens.

Histoire

Des documents nomment ce lieu dès le XIe siècle et il est certain qu'un couvent dédié à Santa Maria Maior y existait en 1154. Des religieuses y vivaient selon la règle de saint Augustin. Plus tard cet établissement monastique fut occupé par des bénédictines, jusqu'à ce que, en 1517, le pape Léon X permit qu'on le réunisse à quatre autres couvents en une seule maison religieuse dirigée par l'ordre de sainte Claire de Porto. Par contre sur les étapes de la construction, on ne dispose d'aucun renseignement. D'après ses caractéristiques l'édifice actuel semble dater, pour l'essentiel, du dernier tiers du XIIe siècle. En raison de ses particularités stylistiques il appartient au groupe des constructions romanes de tendance « bénédictine ». Des transformations ultérieures sont sûrement intervenues, dont un certain nombre furent vraisemblablement réalisées au cours d'une seconde campagne durant le XIIIe ou le XIVe siècle ; parmi celle-ci il faut noter l'adjonction d'une chapelle funéraire de style gothique et celle d'une sacristie. Au XVIIIe siècle on dota l'église d'un clocher qui fut supprimé lors d'une restauration. La chapelle funéraire subit de son côté quelques modifications. Des travaux de réfection étaient encore en cours il y a quelques années.

TABLE DES PLANCHES

61

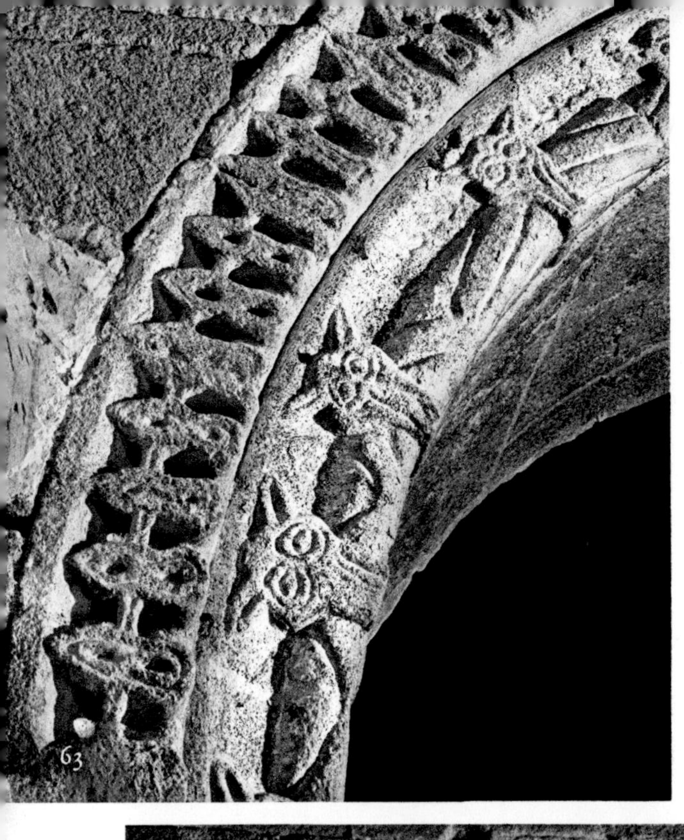
63

64

PAÇO DE SOUSA

66

67

68

69

70

74

75

76

77

78

79

Extérieur

L'église présente une nef unique suivie d'un long chœur rectangulaire. Son appareil est irrégulier, mais soigneusement taillé. La façade occidentale a été transformée. Elle diffère des façades romanes portugaises habituelles en ce que trois frises saillantes y font prédominer les lignes horizontales. La première frise s'étend au niveau du départ des archivoltes du portail, la seconde passe juste au-dessus du rebord de l'arc extérieur de ce dernier et la troisième délimite le pignon, tout en laissant subsister la partie supérieure d'une ancienne rose. A noter aussi la présence de deux piliers d'angle à ressauts, encadrant la façade et munis de boules à leurs extrémités, dispositif ornemental qui rappelle celui du toit de Roriz. On remarquera aussi les traces d'un avant-corps qui, asymétriquement, précédait la façade.

Il est difficile d'établir si le *portail occidental* lui-même a été modifié (pl. 60). Il présente des archivoltes légèrement brisées et faites de claveaux nus à arêtes vives, telles qu'on les rencontre fréquemment dans les églises romanes sans qu'on puisse toujours savoir avec certitude si elles sont d'origine. Dans certains cas, en effet, elles possédaient initialement des arcs richement décorés et pourvus de moulures, qui furent remplacés par la suite. Il est pratiquement certain que de telles modifications sont intervenues lorsque — et c'est ici le cas — on constate que la façade elle-même a été transformée ou lorsque sa sobriété constraste avec l'exubérance ornementale de l'intérieur qui, selon Almeida, exprime la « tendance baroque, toujours latente, de l'art portugais ». Or, on relève ce penchant ici également dans les arcades et les fenêtres du chœur (pl. 62 à 64) et, du côté extérieur, dans ces deux lions extraordinaires, accroupis sur une moulure, au départ du premier arc du portail (pl. 60). Semblables, selon Goddard King, aux lions de Pistoia, ils tiennent dans leurs gueules les jambes de deux victimes humaines tout en immobilisant ces dernières de leurs pattes antérieures. Nous connaissons les lions apotropaïques du portail Sud de Compostelle ainsi que ceux du portail Sud et du musée de Rates, nous nous souvenons également des lions pacifiques du portail occidentail de São Pedro, de Aguias (pl. 53), mais ni les uns ni les autres ne peuvent rivaliser avec les fauves majestueux de Tarouquela qui, sculptés d'après nature et impressionnants, rappellent aux pécheurs, du haut de leur emplacement, les terribles punitions qui les attendent. Les habits des victimes, maintenus par une ceinture qui entoure leurs hanches, évoquent ceux de l'ancien Iran. A en croire Vitorino, un chien, représenté à l'une des fenêtres de l'église de Moradillo de Sedano, s'apparenterait à ces sculptures de lions. Les habitants de Tarouquela appellent ces fauves de leur église *« caões »* (chiens) en atténuant ainsi leur valeur symbolique et en leur supprimant leur côté mythologique, conformément aux tendances actuelles. Les *chapiteaux* du portail, aux multiples voussures, présentent des corbeilles différant un peu des normes usuelles : elles sont plus petites, ont des angles et des reliefs fortement accusés et ne présentent, dans l'exécution de leurs volutes et la composition de leurs motifs, que peu de points communs avec les corbeilles des chapiteaux de Rates et de Braga. Mais ce sont surtout les figures humaines et même les scènes qui déterminent le caractère de ce portail beaucoup plus que les sujets de l'art roman « bénédictin » que l'on relèvera en d'autres endroits de l'église. Dans la mesure où l'état d'effritement avancé des sculptures permet encore d'en discerner les détails, le chapiteau externe Nord présente à l'angle un personnage tenant une croix en vue de refouler un animal

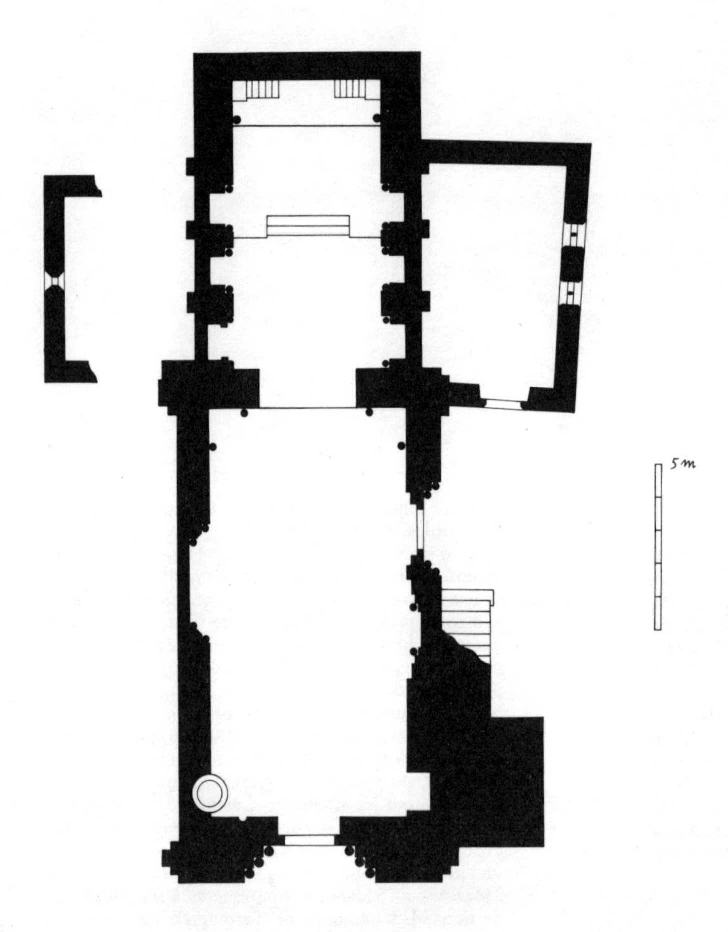

TAROUQUELA

qui le menace. Le chapiteau du centre montre un reptile, de la même espèce que ceux de Braga et Travanca, agressant de paisibles oiseaux (?). Le chapiteau interne par contre est orné d'un homme barbu, dont le long habit laisse entrevoir les pieds nus. Ce personnage se penche en avant à la façon d'un atlante et s'agrippe aux volutes, pose qui rappelle certaines scènes des chapiteaux de Braga, bien que leur structure soit très différente. Le côté Sud du portail comporte d'autres éléments figurés. Le chapiteau interne montre un acrobate qui, de ses mains, prend appui sur l'astragale et pose la plante de ses pieds sur sa nuque, scène rarement représentée sur des chapiteaux. Le chapiteau du centre est très endommagé, mais on y reconnaît encore deux personnages aux extrémités inférieures de la corbeille. Le chapiteau externe par contre reprend le motif bien connu de la sirène qui, d'une main, soulève sa queue et de l'autre, saisit une volute. Les justes proportions des corps, la fidélité avec laquelle sont rendus leurs mouvements et la distribution bien équilibrée des figures révèlent en ces sculptures des œuvres d'une qualité exceptionnelle dues à la main d'un grand maître. Cette appréciation vaut également pour les figures des consoles du tympan qui représentent, du côté Nord, un atlante et, du côté Sud, un lion (?) ouvrant la gueule. Ces sculptures rappellent celles du portail « *del perdón* » de León. Quant au tympan, le motif végétal qui le décore est inhabituel. A première vue on est tenté de l'attribuer à une époque plus tardive, un examen plus approfondi révèle cependant qu'il est taillé dans la même pierre que les deux consoles et les chapiteaux, et qu'il présente le même degré d'effritement. Contrairement à l'avis d'A. de Mattos, il convient par conséquent de le dater, lui aussi, de la fin du XIIe siècle. Selon certains auteurs, il représenterait l'arbre de vie que l'on trouve à plusieurs reprises dans l'art roman portugais, par exemple à Rio Mau, à Constance et Orada. Étant donnée pourtant qu'à Tarouquela nous sommes en présence d'un couvent consacré à Santa Maria Maior, il est plus vraisemblable que ce motif représente un lys (pl. 60). Dès le XIIe siècle en effet dans l'iconographie chrétienne cette fleur symbolisa l'élection et la pureté et fut utilisée comme emblème de la Vierge Marie, comme le fait également remarquer Vitorino. Quant aux abaques qui couvrent les chapiteaux de ce portail, ils présentent un double tailloir, comme à São Pedro de Águias. La plaque supérieure est de dimensions plus grandes que l'inférieure et en est séparée par une couche intermédiaire. Un ruban décoré de nombreux boutons juxtaposés en rangs serrés orne la plaque inférieure (comme à Braga), tandis que les bords de la plaque supérieure sont agrémentés de grands bourgeons ronds qui, sculptés en profondeur et encadrés de deux baguettes, se déploient de part et d'autre du portail jusqu'au départ de la frise horizontale.

Le *portail Sud* offre, pour l'essentiel, la même structure, mais ne possède que deux archivoltes également nues, de tracé brisé et à arêtes vives. Abrités des intempéries, les chapiteaux sont mieux conservés. Leur forme correspond à celle des chapiteaux du portail occidental, leur exécution est excellente. Les motifs traités sont pourtant simplifiés et se limitent à la reproduction d'animaux extraits du répertoire de l'art roman bénédictin. Eux aussi sont l'œuvre d'un artiste expert. Du côté Ouest nous retrouvons, à l'extérieur, les deux oiseaux bien connus buvant dans un vase, tandis que, sur le chapiteau interne, on voit deux serpents enroulés. Du côté Est du portail, le chapiteau interne montre des quadrupèdes luttant avec un serpent et le chapiteau externe un oiseau (aigle ?) aux ailes déployées qui réapparaît sous une forme identique sur l'un des modillons du mur méridional. Les consoles portant le tympan nu poursuivent ce thème : celle de l'Ouest figure un oiseau nocturne (hibou ?), dont on trouve un pendant à Rates, celle de l'Est un pélican (?) affrontant, dans une posture vigilante et menaçante, un autre oiseau qui lui fait face. On trouve un motif comparable dans l'église de l'agglomération voisine de Tabuado. Les abaques diffèrent de ceux du portail occidental en ce qu'ils sont décorés d'un ruban double plusieurs fois enlacé que parcourent des ondulations en sens contraire (Vasconcellos n° 6, Joappis Benis n° 29). Ce motif n'appartient pas au répertoire de Braga, qui inspire pourtant bien d'autres sculptures de ce portail. En conséquence on peut penser qu'un artiste ou un atelier au répertoire très varié a travaillé ici.

La *chapelle funéraire*, qui, à l'origine, s'élevait plus à l'Est, a été jointe à l'édifice au début de l'époque gothique. Elle montre comment les formes romanes furent lentement relayées par une architecture nouvelle. Les baies se sont allongées, elles sont divisées en deux parties par une colonne médiane surmontée d'un tympan, disposition qui évoluera vers les fenêtres gothiques à meneaux. Néanmoins les arcs gardent leur tracé en plein cintre, témoin de l'hésitation qui caractérise si souvent les ruptures de style. Les arcs du petit portail conservent, eux aussi, quelques caractéristiques de l'architecture romane tardive, ainsi les boudins assumant en même temps la fonction de piédroits, tandis que les archivoltes sont déjà légèrement brisées. Cette recherche tâtonnante d'une nouvelle esthétique se manifeste mieux encore par la variété des entrelacs étranges et irréguliers, composés de lignes interrompues et de nœuds, que l'on trouve ici. Cet ornement apparaît au Portugal durant cette époque de transition et on le trouve à diverses reprises, ainsi sur les chapiteaux d'Arões ; peut-être faut-il y voir la réminiscence d'un motif arabe que l'on trouve encore dans le Sud du pays. Vitorino considère avec raison cette chapelle comme datant du XIVe siècle. Mais sa visite est à recommander encore pour un autre motif : une partie du mur extérieur du chœur primitif et sa fenêtre y ont été préservées lorsqu'on mutila ce côté de l'église de façon barbare, en vue de donner plus de lumière à l'intérieur. Ces vestiges de l'ancienne structure extérieure de l'édifice nous permettent de mesurer combien de détails, si importants pour l'histoire de l'art roman du Portugal, ont été vraisemblablement perdus par suite d'interventions menées sans aucun discernement, au cours des siècles. C'est apparemment un artiste d'un talent très original, d'une imagination féconde et fort attaché à la tradition mozarabe qui a œuvré ici ; toutefois ses moyens techniques n'étaient pas au niveau de ses idées. Ainsi certains motifs, déjà connus, paraissent-ils dénaturés et hybrides, impression qu'accentue encore leur grand format. Comme souvent au Portugal ils évoluent vers des formes baroques. En raison de leur force de suggestion, on doit considérer ses travaux comme extraordinaires, bien qu'il leur manque une certaine retenue et mesure.

A en juger par la fenêtre subsistante, la richesse décorative des anciennes fenêtres devait être vraiment surprenante, si l'on tient compte du fait que Tarouquela n'était, somme toute, qu'une simple abbatiale. Du côté extérieur, une étroite ouverture, aménagée selon le principe dit « du mur fendu », est encadrée par deux archivoltes couvertes d'une profusion d'ornements : l'archivolte externe présente, outre une fleur stylisée, des entrelacs et l'archivolte interne un zigzag. Une partie des colonnes qui les soutiennent possèdent des fûts torses et des bases décorées. La corbeille des chapiteaux est allongée, peu saillante, semblable à une lanterne. Du côté gauche de la fenêtre le chapiteau externe offre un motif végétal, le chapiteau interne la scène bien connue de deux quadrupèdes debout et affrontés. Du côté droit plusieurs figures, difficilement identifiables, semblent se déplacer sur le chapiteau interne, tandis qu'un ange (chérubin ?) suivi de deux personnages apparaît sur le chapiteau externe. Trois modillons, provenant de la corniche de l'édifice originel, ont été remployés dans la corniche de la chapelle, lorsque celle-ci fut déplacée : l'un montre une tête d'animal (un loup ?) pourvue de dents acérées et chacun des deux autres modillons un homme nu accroupi, l'un d'entre eux est un acrobate. Ces modillons, parfaitement intacts, ont été sculptés par le maître qui travailla à la corniche de l'église primitive, dont les modillons durent être renouvelés en grande partie. Les entrelacs de la frise qui servait initialement de base aux fenêtres et s'étendait sur tout le mur extérieur, témoignent de l'influence de Braga. L'exécution de ce motifs révèle pourtant une évolution. Il alterne avec un autre ornement, que l'on retrouve aussi sur la frise de l'intérieur de l'église. Ce changement de décor pourrait être dû à des interventions ultérieures que nous évoquerons plus loin.

En contournant l'édifice, on découvrira, du côté Nord, d'autres modillons représentant de façon très réaliste quelques faiblesses humaines.

Des contreforts plus robustes que de coutume, des fissures et des anomalies de l'appareil ainsi que des dispositifs de renforcement des murs du chœur ont fait supposer que le voûtement de l'église avait été projeté, réalisé en partie ou en totalité et par la suite supprimé. De tels revirements étaient en effet fréquents à l'époque romane où la connaissance des exigences statiques d'une construction était encore embryonnaire. Aujourd'hui le chœur est couvert d'une voûte en bois (pl. 61), alors que le vaisseau a conservé sa charpente apparente.

La structure du portail Nord, encore en cours de restauration lors de notre visite, correspond à celle du portail méridional. Les sculptures des chapiteaux sont pourtant quelque peu différentes, bien qu'elles se conforment, elles aussi, aux modèles du répertoire des motifs romans « bénédictins » et semblent être l'œuvre du même atelier. Seuls les abaques et les impostes portent des décors révélant une autre source d'inspiration. Le tympan est nu, mais ses consoles sont agrémentées d'ornements très expressifs. L'une des fenêtres de la façade Nord conserve encore quelques restes d'une frise à billettes. Tous les autres éléments de la décoration ont disparu, lorsqu'on a élargi les fenêtres.

A l'*intérieur* l'arc triomphal frappe d'abord le regard car il diffère des formes habituelles et retombe sur les appuis d'un mur extraordinairement épais séparant le vaisseau du chœur (pl. 61). Ce mur est percé d'une ouverture que l'arc triomphal précède avec ses ressauts. Du côté extérieur l'arc est décoré du motif de pointes de lances (Vasconcellos n° 26 ou 38 ; Benis n° 65 ou 66) qui nous est déjà familier. Du côté intérieur, par contre, il présente des « beak heads », ornement qui s'est répandu au Portugal au cours de la seconde moitié du XIIe siècle (pl. 63). Les têtes d'oiseaux, dont il se composait primitivement, sont remplacées ici par des têtes de tigres ou de loups. Nulle part ailleurs on ne trouve un tel motif sur un arc triomphal. Étant donné que l'arc du mur de séparation existait avant la réalisation de ce décor, on a cherché à arrondir ses arêtes vives puis à leur adjoindre ces sculptures réalisées en très faible relief, par simple incision des contours. Au-dessus de l'arc triomphal deux fenêtres juxtaposées occupent la place de la rose ou de l'oculus habituels et constituent une source d'éclairement fort rare au Portugal en cet endroit.

La nef n'offre que peu d'éléments intéressants. Près de l'arc triomphal, le mur gouttereau Nord montre les traces d'une ancienne arcature aveugle, aussi en vint-on à se demander si toute la nef n'avait pas été ornée d'arcatures semblables à celles du chœur. En réalité il est possible que ces traces s'expliquent par la présence primitive d'éléments de décor au voisinage des autels latéraux et du portail Nord, dont la suppression avait été envisagée, mais qui, heureusement, n'eut pas lieu. D'autres traces d'interventions montrent que la frise nue, soulignant la base des deux fenêtres à arcs en plein cintre dans les parties supérieures du mur, remplaça une ancienne frise à dessin lancéolé, tel qu'on la voit encore sur l'arc triomphal et dans la chapelle funéraire.

Contrairement à la nef, l'*intérieur du chœur* a gardé la plus grande partie de son ancien décor et nous donne une idée de l'état originel de l'édifice, qu'Almeida rapproche avec raison de celui de l'église de Boitaca. La structure irrégulière de l'appareil de même que la présence de sculptures appartenant à des époques différentes donnent à penser que la construction actuelle est le résultat de l'agrandissement et peut-être de la surélévation d'une église primitive plus petite. Il est à souhaiter qu'après l'achèvement des travaux de restauration en cours, on dispose d'autres indices susceptibles de nous renseigner un peu mieux sur le passé de cette église.

En entrant dans le chœur on est d'abord frappé par les arcatures qui se déploient sur les deux murs latéraux juste au-dessous des deux fenêtres qui s'ouvrent de part et d'autre dans les parties hautes. Chacune de ces deux arcatures comporte trois arcs, l'arc le plus oriental de l'arcature de droite s'avérant plus court que les autres. Ils s'appuient sur des colonnes puissantes, insérées dans les angles de piliers rectangulaires, et sont décorés d'une riche ornementation en forme d'entrelacs, de cordelières, de billes, de perles et de motifs géométriques. Les décors qui agrémentent les chapiteaux rappellent certains dessins du portail principal, leur exécution pourtant est plus grossière et leur technique diffère. Des stries parallèles remplacent en effet le relief comme à Bravães ou à Nogueira. L'un des chapiteaux est orné d'une palmette aux tiges liées, quelque peu apparentée au motif du tympan occidental. Un autre chapiteau représente une tête humaine schématisée, très proche de la copie d'une tête aujourd'hui détruite qui se trouvait à l'entrée de la sacristie de Rio Mau. Les bases des colonnes elles-mêmes sont couvertes d'éléments décoratifs tels que des animaux et des volutes et rappellent des bases semblables de Travanca. Lorsque nous avons visité l'église, les travaux en cours, visant à surélever l'autel de quatre marches et à restaurer la sacristie, nous ont empêché d'étudier de façon détaillée cette partie de l'édifice. Menenzes rapporte pourtant qu'on y peut voir encore une sculpture représentant, comme à Travanca, des animaux et des serpents affrontés.

L'une des particularités des arcatures est qu'elles sont à claire-voie et s'élèvent à une petite distance des murs extérieurs. Ceux-ci, du côté Sud, comme on peut le constater à l'intérieur de la chapelle funéraire, présentent une infrastructure très irrégulière. On peut en conclure que ce mur a connu par la suite des transformations assez considérables, ce que nous faisaient déjà pressentir les modifications observées dans la frise. Immédiatement au-dessus des arcatures de l'abside une moulure parcourt les murs. Elle se compose de trois cordons formant des arcs surbaissés successifs, suivant un dessin qui a été relevé par Maheute (motif n° 67 du catalogue de Joappis Benis).

Les deux fenêtres qui s'ouvrent au-dessus de la frise, du côté Nord et du côté Sud, méritent de retenir notre attention. Elles sont en effet l'œuvre de l'artiste dont nous avons déjà admiré le talent dans la fenêtre située au fond de la chapelle funéraire. Leur exécution est pourtant plus simple. Du côté Nord elles ont subi des altérations : leurs arcs ont été maintenus, il est vrai, mais les ouvertures en ont été élargies et leurs décorations externes supprimées (pl. 64). Elles sont fermées aujourd'hui par une grille de fer.

Ainsi Tarouquela présente-t-il beaucoup de caractéristiques de l'art roman dit « bénédictin ». Certains vestiges permettent cependant de discerner la présence d'une structure particulière provenant d'un édifice antérieur et révèlent, sur le plan de la sculpture, un goût très marqué pour la tradition mozarabe. On relève les travaux d'au moins trois ateliers ou maîtres d'œuvre : le premier réalisa les trois portails, le second les fenêtres et l'intérieur du chœur, le troisième les arcatures.

PAÇO DE SOUSA

PAÇO DE SOUSA

Histoire

Les recherches effectuées en vue de découvrir les origines de cette église n'ont abouti jusqu'à présent à aucun résultat sûr. Les indications des chroniqueurs, parfois contradictoires par suite de confusions de noms propres, permettent cependant de considérer comme assuré qu'un certain Tructesindo Galindiz et son épouse Animia fondèrent un monastère à l'emplacement de l'ancienne villa romaine de Palacioli, vers la fin du Xe siècle, peut-être même vers 956. Il s'agissait vraisemblablement d'un monastère familial *(mosteiro de herderos)* richement doté, qui fut transformé plus tard en monastère double de moines et de moniales. C'est du moins la conclusion à laquelle, après étude des documents, est arrivé Manuel Monteiro dans son excellente monographie sur São Salvador de Paço de Sousa (1). Les sources datant de la période postérieure à l'an 994 font état d'importantes donations testamentaires qui pourraient avoir conduit, avant même la fin de ce siècle, à une reconstruction de l'église. Celle-ci s'acheva avec la consécration de l'édifice par l'archevêque Don Pedro de Braga en 1088, date que nous transmet le testament d'Egas Ermenegildus, autre bienfaiteur du sanctuaire. Parmi les noms des témoins figure en première place celui d'Egas Moniz, le tuteur et l'ami du premier roi du Portugal. Il devint plus tard lui-même l'un des bienfaiteurs et protecteurs du monastère, auquel il légua, en 1106, la moitié de sa fortune en demandant d'y être enterré à sa mort. C'est entre

1088 et 1166 que, selon Monteiro (2), des moines bénédictins de Cluny prirent en charge cette maison.

A en juger par ses caractéristiques architecturales, l'édifice que nous voyons aujourd'hui, n'est certainement pas celui qui fut consacré en 1088. Des documents sur la construction de l'église actuelle font encore défaut ; les traits les plus marquants de son architecture permettent pourtant de l'attribuer à l'époque romane tardive qui s'étendit, au Portugal, sur les premières décennies du XIIIe siècle. En comparant cette architecture avec celle d'autres églises semblables et datées, Monteiro (3) suppose qu'elle fut érigée vers le milieu du XIIIe siècle ; la construction de ce sanctuaire aurait été motivée par la forte affluence de moines attirés par les nombreuses donations de pieux bienfaiteurs. Un datation plus précoce — première moitié du XIIIe siècle — serait peut-être plus en harmonie avec certaines parties de l'édifice. Comme dans la plupart des autres églises, les siècles suivants ont apporté des transformations, qui n'altèrent pourtant pas les traits essentiels de ce monument roman. Les détails de ces interventions, comme du reste l'histoire ultérieure du monastère, sont évoqués dans le rapport dressé au moment de la restauration (4).

Les événements, parfois violents, qu'avaient déclenchés les idées libérales en 1834 n'entraînèrent aucun dommage pour l'église non plus que pour le monastère. Les bâtiments conventuels furent cependant vendus aux enchères et l'église devint paroissiale. En 1927, un incendie se déclara dans les dépendances du monastère, détruisant également le toit de l'église et détériorant son mobilier. C'est ce sinistre qui motiva la restauration de l'édifice ; elle fut exécutée de façon consciencieuse et avec grand soin, ce qui permit à ce monument de retrouver son état originel.

Premières impressions

São Salvador de Paço de Sousa est situé dans une région fertile, à proximité de la rivière Sousa. Les dimensions de cette église sont plus importantes que celles de beaucoup d'autres églises romanes du pays, telles que Rates ou Travanca. La façade occidentale est élancée et de belles proportions. Elle permet de discerner au premier abord la conception basilicale de cet édifice, étant donné que l'élévation et la largeur des nefs présentent à peine quelque différence. Deux grandes ouvertures, le portail et la rosace, la dominent. Depuis le cimetière, au Nord de l'église, le visiteur bénéficie d'une vue excellente sur l'architecture rythmée de l'ensemble (pl. 65) : le transept, saillant, est précédé d'un avant-corps en forme de chapelle ; une lanterne, élément très rare dans l'art roman portugais, s'élève au-dessus de la croisée du transept ; à cette partie de l'édifice, d'une structure à la fois variée et claire, se joint, à l'Est, une absidiole semi-circulaire et un chœur très allongé, qui atteint presque la longueur de la nef centrale. L'appareil est taillé dans du granit gris sombre sans grandes exigences de choix.

Paço de Sousa peut être considéré comme l'exemple parfait d'un groupe d'églises romanes qui, érigées entre les rivières Ave et Tamega, prirent la relève de l'architecture dite bénédictine, sans toutefois donner une orientation radicalement nouvelle. Elles accueillirent déjà, certes, des influences gothiques, en particulier dans leur élévation, mais demeurèrent fidèles, pour l'essentiel, aux formes du style roman tardif. Elles empruntèrent en effet aux différentes sources d'inspiration du pays, selon des critères de choix très divers, des éléments qu'elles fondirent en un ensemble harmonieux. L'importance de ces édifices réside par conséquent dans cette synthèse nouvelle, nullement réfractaire à des apports d'origine étrangère, non plus que des réminiscences de modèles autochtones. C'est d'ailleurs la raison pour laquelle l'éminent érudit Monteiro a qualifié cette nouvelle architecture de « românico nacionalizado » « roman national ». On lui objecta cependant que les particularités les plus marquantes de ce groupe d'églises consistaient plutôt dans le modelé très plat, presque gravé des sculptures, ainsi que dans la technique de la coupe biseautée ; le jeu des reliefs et des ombres qui anime les formes vigoureuses et les volumes robustes de Braga et de Coïmbre s'y trouvent, estima-t-on (5), complètement neutralisé. Contrairement à cet avis, pourtant, l'amour des effets de masse peut très bien être ressenti ici aussi, tout spécialement dans les ornements ; quant aux particularités qui distinguent ce petit nombre d'églises des constructions romanes traditionnelles, elles s'avèrent en réalité beaucoup plus nombreuses qu'on ne le pensait (6). Ceci n'est pas dû exclusivement à un changement du goût intervenu au cours du XIIIe siècle et affectant quelque peu cette architecture d'apport gothique ; le sentiment national s'était consolidé également et suscita une grande affection pour les éléments de décor autochtones ; l'essor économique du pays enfin entraîna une amélioration de la qualité des productions des ateliers, une plus grande homogénéité des œuvres et, à partir du milieu du XIIe siècle, un vif élan de construction. Quelques-unes des caractéristiques de ce groupe d'églises résident dans la facture très particulière du modelé, la grande réticence à l'égard de thèmes figuratifs et la réutilisation de certains motifs de décoration qui, à partir de Coïmbre et de Porto, avaient conquis le Nord du pays et y furent alors redécouverts (7).

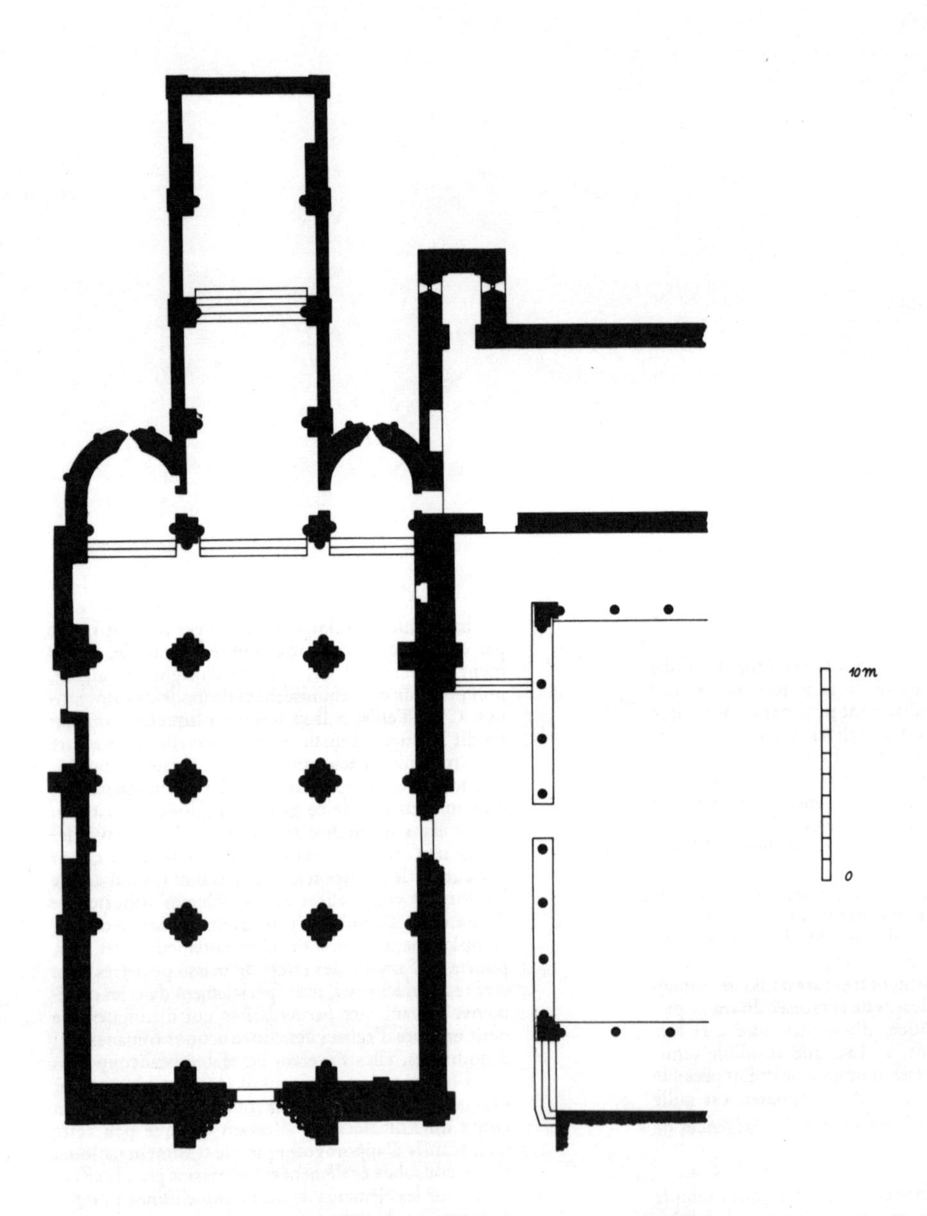

PAÇO DE SOUSA

La façade occidentale

Sa structure est équilibrée et demeure fidèle aux formes traditionnelles. Les contreforts qui délimitent latéralement l'avancée centrale habituelle du portail prolongée par les parties hautes donnent un certain élan vertical à la façade. Y font contrepoids l'horizontalité de la rangée continue des abaques du portail ainsi que la moulure sur modillons qui accompagne le rebord supérieur de l'avancée et une seconde frise ceignant entièrement la construction. Les façades des nefs latérales ne présentent ni fenêtres ni autres éléments de décor. Leur monotonie n'est interrompue que par un modillon solitaire situé du côté Nord et par un oculus inséré du côté Sud. Complètement asymétrique et placé sous le rampant du toit comme par l'effet d'un hasard, cet oculus présente la figure inattendue d'un homme qui, s'agrippant des deux mains, donne l'impression de vouloir s'extraire de cette ouverture (pl. 67). Devant une telle austérité, l'attention du visiteur se porte aussitôt sur la partie médiane où s'ouvrent le portail et la rosace.

Le portail occidental

Celui-ci se présente sous la forme élégante d'un portail de style roman tardif (pl. 68). Les cinq archivoltes concentriques offrent un tracé brisé ; chacune est pourvue d'un tore médian encadré de deux scoties ornées de boules à intervalles réguliers. Un tel décor favorise à merveille le jeu d'ombres et de lumière et s'inspire d'un principe déjà appliqué à la Sé Velha. Monteiro (8) a découvert l'origine de ce type d'ornementation. L'alternance de supports ronds et polygonaux est due elle aussi à l'influence de l'école de Coïmbre et plus précisément au modèle fourni par le portail Sud de l'église São Tiago de cette ville. Le décor lui-même de fleurs quadrilobes et de coquillages, symbole des pèlerins de Compostelle, qui couvre les facettes, en provient apparemment. Une certaine évolution peut être toutefois observée : ici les arêtes vives n'ont pas seulement été arrondies, mais remplacées par des fûts de colonnes semi-circulaires qui s'élèvent jusqu'aux chapiteaux et remplissent complètement l'espace libre ; il s'agit d'une solution intermédiaire qui mènera plus tard, à l'époque gothique, à l'emploi de rangées serrées de colonnettes telles qu'on peut les voir au portail occidental de Braga.

Les chapiteaux

Les chapiteaux présentent une particularité caractéristique de l'art roman « national » du Portugal. Il s'agit de la coupe en biseau utilisée dans l'élaboration d'une partie du décor. Cette technique était très répandue pendant la domination wisigothique et fut adoptée par les Arabes pendant un certain temps, puis abandonnée par la suite. En raison de l'afflux des populations mozarabes dans les régions reconquises de la péninsule, la coupe en biseau retrouva la faveur des sculpteurs et fut appliquée dans des réalisations telles que les deux célèbres chapiteaux de l'église de Cedofeita à Porto (pl. 90). Après une longue éclipse, cette technique fut réutilisée au début du XIIIe siècle, lorsqu'on chercha à redonner vie à l'art autochtone. Sur les chapiteaux du portail de Paço de Sousa pourtant, c'est le modelé très plat, presque gravé, des ornements qui prédomine ; en opposition avec les sculptures de l'intérieur de l'église, la coupe en biseau n'y est que peu employée. La prédilection pour des motifs végétaux et géométriques, autre particularité de l'art roman portugais, réapparaît ici après l'abandon des thèmes animaliers du répertoire bénédictin. Les chapiteaux sont le plus souvent de forme pyramidale ou conique. Un seul chapiteau du portail est figuratif. Il présente un petit personnage debout, entouré de feuillage, sujet que l'on découvre également à Rates, Rio Mau et Bravães. Du côté septentrional du portail le chapiteau le plus au fond semble avoir été exécuté par une main différente et serait, selon Gaillard (9), la copie fidèle d'un chapiteau de San Isidoro de León qui, nous le verrons, inspira également d'autres œuvres. Du côté Sud, le chapiteau externe est décoré d'écailles, élément ornemental très caractéristique de la Sé Velha où il apparaît au portail occidental sur la plinthe du piédroit septentrional et sur l'un des chapiteaux de la galerie Nord. Ce sont également les bases des piédroits de ce portail et leurs griffes en forme de feuilles striées de nervures qui ont inspiré le décor du chapiteau suivant et de son pendant du côté opposé de notre portail. Les griffes en forme de larges feuilles entourées d'entrelacs semblent finalement avoir eu pour modèle les ornements des chapiteaux du portail Sud de SãoTiago de Coïmbre dont les sculpteurs de Paço de Sousa paraissent s'être inspirés également dans l'exécution des palmettes des abaques qui, pourtant, ne se prolongent pas ici en impostes. Les bases des colonnes du portail ne présentent plus la forme de bulbes, si fréquente à l'époque de l'influence bénédictine ; les plinthes, désormais en forme de caissons, sont couvertes d'un riche décor géométrique. La frise de claveaux en plein cintre qui encadre les archivoltes est devenue plus complexe ; son décor n'est plus formé d'entrelacs, mais se compose de plusieurs zigzags disposés de façon à créer un motif losangé. Celui-ci figure dans la liste des éléments ornementaux de Vasconcellos sous le n° 31 et ne se rencontre, à notre connaissance, nulle part ailleurs dans l'architecture romane du Portugal.

Le tympan

Conformément au goût de cette époque tardive de l'art roman et selon les normes évoquées dans le catalogue de Monteiro, ce tympan devrait être lisse, mais en réalité il constitue une exception à la règle : deux bustes humains y sont creusés et soutiennent le soleil et la lune (pl. 68). Quelques auteurs estiment qu'ils furent ajoutés plus tard. Ce problème aurait pu éventuellement être éclairci grâce au texte inscrit dans un cercle entre ces deux figures, malheureusement cette inscription est devenue illisible. La ressemblance de la pose de ces personnages avec celle des deux figures de Rio Mau, elle non plus, n'explique pas leur présence. Il semble pourtant qu'il s'agisse là d'une résurgence du symbolisme paléochrétien, qui avait été encore très vif à l'époque wisigothique et représentait le Christ par le soleil et l'Église par la lune (10). Monteiro (11) suppose que ces symboles remontent à une représentation syrienne de la crucifixion et furent adoptés officiellement par l'Église au VIIe siècle ; Almeida (12), qui se réfère à Lerclercq, en signale la trace jusqu'à l'époque du Bas-Empire romain, ce qui n'implique pas nécessairement une contradiction avec l'explication de Monteiro. Peut-être est-il possible de mettre ces différentes thèses en harmonie grâce à l'hypothèse avancée par Real : selon lui le cercle central aurait renfermé une croix qui aurait été supprimée à la suite d'une dégradation. Le fait que les trois cercles en présence aient été sculptés rend cette supposition assez vraisemblable. Cette représentation aurait eu pour but de rappeler la mort du Rédempteur.

Les deux consoles du tympan ont été exécutées en ronde-bosse, technique qui jouissait, à l'époque, d'une grande faveur. L'une représente une tête de bœuf, motif dont le modèle se trouve, comme l'a noté Gaillard (13), à San Isidoro de León et que, avec l'aplatissement si caractéristique du mufle, l'on retrouve en plusieurs autres églises du Portugal. L'autre console a pour thème une tête d'homme dont les traits s'inspirent de ceux des atlantes : d'une main ce personnage lisse sa barbe, l'autre est posée sur sa poitrine. Des figures comparables décorent fréquemment des modillons ; en accord avec Real on peut interpréter ces gestes comme l'expression du vice de la luxure, de l'orgueil ou de la vanité.

La frise-larmier qui délimite le haut du portail repose sur des modillons sculptés décorés de sujets figuratifs remarquables. Au moment où la façade avait été pourvue d'un décor baroque, ils avaient été enlevés et entreposés dans une véranda ; ils ne purent réintégrer leur place d'origine que quelques siècles plus tard, lors de la restauration de l'église. Les sculptures ne présentent pas la rudesse propre aux scènes populaires, pas même dans le cas où elles représentent des personnages qui portent des fûts sur leurs ventres, en signe de leur ivrognerie et de la punition encourue par ce vice. Des animaux tels qu'un bélier, un loup et un lion sont dessinés d'après nature et exempts de toute stylisation. Un pélican trône au sommet de la bordure externe de la rosace ; un masque, tel qu'on en découvre fréquemment dans la décoration des façades de l'époque, orne l'archivolte externe, dont le tracé est en plein cintre. Tous ces travaux montrent que cet art roman « national » ne néglige nullement les représentations figurées, à l'exception peut-être de celle en ronde-bosse ; elles révèlent aussi qu'il maîtrise pleinement les techniques indispensables pour cela, mais qu'il a aussi perdu le goût du « programme bénédictin ».

La rosace

Comme l'a constaté Monteiro, les rosaces plus ou moins grandes et décorées font partie de ce type d'architecture. La rosace de Paço de Sousa est un bel exemple des réalisations de cette époque prégothique qui aspire à un riche décor et de larges ouvertures. Elles est d'une grande élégance et offre une profusion d'éléments ornementaux que l'on retrouve dans ses répliques de Roriz et Pombeiro. La rosace est presque trop grande pour l'espace disponible. Une moulure, suivie d'un cercle de boules disposées en rang serré, est complétée par deux archivoltes en saillies faites de larges bandes. Celles-ci sont couvertes de motifs végétaux, à l'intérieur il s'agit de palmettes stylisées, à l'extérieur, de fleurs à huit pétales. Les contours des pétales sont très soignés et accentués à l'aide d'une coupe en biseau ; les interstices sont creusés en profondeur de manière à évoquer un travail en filigrane. La rosace se termine par un anneau central divisé en deux parties par un motif en forme de cordelière. Huit cercles plus petits, reliés les uns aux autres, accompagnent cet anneau. Des ornements plus simples apparaissent du côté intérieur de la rosace vers la nef et aux rosaces du transept, qui sont de dimensions plus modestes. Des sections importantes de la rosace occidentale ont dû être reconstituées lors de la restauration de l'édifice à l'aide des restes subsistants.

A un niveau situé légèrement au-dessus de la mi-hauteur des murs extérieurs latéraux s'étend une frise en saillie dont la surface supérieure est biseautée et ornée de billes. Le décor se compose de triples lacets circulaires se déroulant de façon continue (relevé n° 1 de Vasconcellos) (pl. 69). Grâce à leur tracé plat, comme l'a fait remarquer Gusmão (11), ces arcs développent un dynamisme tout à fait particulier. On n'a trouvé nulle part ailleurs des ornements comparables, en sorte qu'il pourrait s'agir ici encore d'une création originale de l'art lusitanien. Des imitations de ce motif peuvent être relevés à Tarouquela et Abragão. Il peut être significatif qu'à la place de ce décor la partie orientale de la façade Sud présente une frise à billettes accompagnées de cordelières telle qu'on la trouve aussi dans la partie la plus ancienne de l'absidiole septentrionale de Travanca. Cette ornementation, plus ancienne, provient sans doute de l'église précédente ou du début de la construction de l'édifice actuel.

La façade septentrionale, accessible seulement depuis le cimetière, surprend, comme l'a déjà fait observer Monteiro, par le mouvement que lui confèrent les différents corps de la construction (pl. 65). Du bas-côté à la nef centrale, du transept à la tour-lanterne, dont l'élévation est encore soulignée aujourd'hui par l'adjonction d'une chapelle plus basse, de l'absidiole au chœur, c'est un rythme varié et impressionnant qui anime cet ensemble. L'extension longitudinale, que soulignent encore les longues séries des arcades des toits est avantageusement interrompue par le corps central qui culmine sur la tour-lanterne. Les contreforts suffisamment puissants, sans l'être trop cependant, qui s'élèvent à des distances régulières, et les ouvertures des fenêtres contribuent à l'harmonie de cette architecture. Les arcades du toit et leur décor de billes révèlent à nouveau l'influence de l'école de Coïmbre. Depuis leur première apparition au Portugal à la Sé Velha, elles n'avaient subi que peu de modifications. Les arcades présentent toujours la même lourdeur et la même profondeur ; leur décoration en forme de moulures plates, elles aussi en arc-de-cercle, est demeurée la même (15). Les surfaces concaves des consoles, dont les dimensions ont été diminuées, ne portent ici que peu d'éléments ornementaux dont les motifs reprennent les modèles traditionnels. Bon nombre de ces consoles ont dû être refaites sans que leur décor primitif ait pu être restitué. Ces supports du toit diffèrent curieusement de ceux du transept et de la tour-lanterne qui adoptent la forme simple de modillons. Peut-être ce fait est-il dû à la présence de plusieurs ateliers ou à la succession de plusieurs périodes de construction au sujet desquelles on peut relever d'autres indices. A l'aplomb de l'arc triomphal, la face orientale de la tour-lanterne présente une rosace semblable à celles des croisillons. La chapelle funéraire de la façade septentrionale a peut-être remplacé le caveau familial des fondateurs du monastère, démoli au XVIIe siècle. L'important monument funéraire que recouvrait ce caveau est conservé à présent à l'intérieur de l'église.

La chapelle est suivie par l'absidiole primitive qui occupe toute la longueur du croisillon Nord. Ses trois demi-colonnes pourvues de chapiteaux à feuillage et à décor de billes, la frise du toit et ses arcades ainsi que la fenêtre en plein cintre avec son ravissant encadrement floral, auquel correspond, à l'intérieur, un décor de billes, nous laissent deviner combien impressionnante devait être l'abside principale qui fut remplacée au XVIIIe siècle par le chœur actuel.

La *façade méridionale* n'a été dégagée qu'au moment de la restauration de l'édifice dans les années 1927-1930. Au XVIIIe siècle en effet, dans sa majeure partie, elle était masquée par le mur de soutènement d'une galerie haute du cloître, qui avait été édifiée alors, et par un clocher monté entre l'église et les bâtiments monastiques à l'extrémité Ouest (Voir fig. 13 et 15 du *Boletim*). Comme on peut le constater la construction de ce mur de soutènement a entraîné un endommagement considérable de la façade ; une photo prise immédiatement après le dégagement de celle-ci (fig. 27 du *Boletim*) prouve cependant qu'une transformation avait dû être effectuée de ce côté de l'édifice avant que ce mur ne fût érigé. Ainsi la transition menant de la frise à billettes au bandeau a-t-elle existé dès avant le commencement des travaux du XVIIIe siècle (pl. 69). On ignore pourtant s'il existe une relation entre la transformation de cette frise et le pignon de la façade du transept qui est, lui aussi, l'œuvre d'une période précédente. Demeure inexpliquée également la différence entre les supports du toit du transept et de la tour-lanterne d'une part, et ceux du reste de l'édifice d'autre part. Même le portail Sud pose certains problèmes : son piédroit gauche a été dégagé et diffère nettement de ceux du portail occidental. Il est vrai que les archivoltes, lisses et pourvues d'arêtes vives, l'absence de tympan et les piédroits entre les fûts des colonnes n'autorisent pas des conclusions totalement sûres quant au style originel de ce portail ; il s'agit en effet d'éléments qui pourraient être le résultat de transformations et de détériorations intervenues lors du transfert possible et même probable du portail du transept en ce lieu. Mais il existe néanmoins encore assez d'indices prouvant que le portail occidental et le portail Sud ne peuvent être l'œuvre d'un seul et même atelier. L'alternance de fûts ronds et polygonaux ferait certes attribuer ce portail méridional, lui aussi, à une époque plus tardive, mais la forme des colonnes et des chapiteaux, la technique d'exécution de ces derniers et leurs thèmes le différencient du portail Ouest. Contrairement à celui du reste de l'église, le modelé des sculptures est ici riche en contrastes. Les chapiteaux sont sculptés en profondeur (pl. 70) les fûts des colonnes et les corbeilles sont trapus, et aux motifs variés et traditionnels du portail principal s'opposent ici de lourds ornements en forme de bandeaux. Le fait que la décoration du portail occidental a été sculptée à une époque plus tardive ressort d'ailleurs clairement d'une comparaison entre le motif qui orne, du côté Nord, la moitié droite de son chapiteau central, et un autre motif présentant avec lui une ressemblance assez lointaine sur le chapiteau central du portail Sud. Celui-ci devrait avoir été réalisé par un atelier à une période antérieure, ce qui correspondrait aussi au déroulement normal de la construction de l'édifice (16). Mais une étude plus approfondie de cette église s'avère nécessaire pour que l'on puisse tirer d'autres conclusions sur son histoire.

Ne quittons pas la façade Sud sans attirer l'attention sur la croix particulièrement intéressante qui décore le pignon de l'extrémité Sud du transept (pl. 66). C'est une croix que l'on pourrait qualifier d'unique au Portugal : on y voit la figure d'un ange qui, debout, les ailes déployées et les bras étendus, s'inscrit dans un cercle et de façon adroite remplit le tracé d'une croix grecque tout en laissant suffisamment d'espace pour laisser place à des détails sculptés dans la tradition préromane.

L'intérieur

L'intérieur de l'église se conforme au plan des autres églises à trois nefs que l'on trouve dans l'architecture romane portugaise. Trois travées composent la nef centrale (pl. 72) à laquelle se joignent un transept non saillant et un chœur qui comporte trois chapelles communiquant entre elles par des passages. Seules, les chapelles latérales sont intactes ; à l'origine leur forme était sans doute semblable à celle de l'abside principale, mais celle-ci fut remplacée au XVIIIe siècle par un long corps rectangulaire. Les absidioles comportent une courte partie rectiligne sur laquelle s'emboîte l'extrémité semi-circulaire.

L'élévation intérieure suit, elle aussi, des modèles autochtones. De puissants piliers cruciformes se dressent sur de hauts piédestals circulaires richement décorés ; ils sont pourvus de demi-colonnes adossées et de fines colonnettes entourant les arêtes (pl. 72). Ces supports qui reçoivent les arcs sont tellement monumentaux qu'ils auraient pu accueillir une voûte sans aucun danger. Les arcs s'étendent sur deux niveaux en une position relativement élevée, les uns portant le toit dans les parties hautes, les autres assumant la fonction d'arcs longitudinaux et transversaux pour les collatéraux. Constituant de véritables arcs diaphragmes, les arcs transversaux sont surmontés de murs qui s'adaptent à l'inclinaison du toit et assurent la stabilité de la toiture dont la charpente est apparente. La faible hauteur des murs gouttereaux et le niveau élevé des points de départ des arcs diminuent l'effet de la séparation de l'espace en travées isolées, et accroissent au contraire l'impression d'élan vertical, qui annonce déjà l'esprit de l'art gothique. Les arcs sont légèrement brisés et à double rouleau ; les arêtes des rouleaux extérieurs sont accompagnées de tores portés par les colonnettes qui ont aussi pour rôle d'arrondir les piliers et de contribuer à l'élégance de cette église. La croisée du transept mérite une attention spéciale : à l'exception de sa clef de voûte, elle suit très fidèlement le modèle de la Sé Velha. Des arcs-diaphragmes sont également jetés à travers les croisillons ; les murs montés au-dessus de ces arcs sont perçés de baies à allèges horizontales (pl. 73) ; la lumière des rosaces situées dans les façades du transept peut ainsi pénétrer à l'intérieur. Par son excellente distribution des charges la croisée du transept témoigne d'une admirable connaissance des lois de la pesanteur, fait que Monteiro (17) a souligné tout particulièrement. L'éclairage, direct, y est assuré par les rosaces de la façade occidentale et du transept, par la lanterne et les fenêtres hautes. Les baies des collatéraux avaient été agrandies, mais on leur a rendu leurs dimensions originelles lors de la restauration de l'édifice. Leur ébrasement intérieur et extérieur prouve, lui aussi, qu'il s'agit bien d'une construction datant de l'époque romane tardive.

L'élégance de l'intérieur est due aussi bien aux formes arrondies de l'architecture qu'au décor, dans lequel les chapiteaux occupent une place privilégiée. Tous ceux de l'intérieur reprennent des thèmes qui se réclament d'antécédents arabes ou wisigothiques ; ils utilisent des éléments ornementaux et symétriques du règne végétal dont l'effet est encore accentué par leur profonde coupe biseautée et la sûreté de leurs traits (pl. 71). Pascale Gervaise (18) dit avec raison : « C'est un dessin de lignes lumineuses sur un fond d'ombre ». Le chapiteau du côté Sud du doubleau tendu entre la première et la seconde baie, offre une ornementation d'entrelacs et constitue la réplique d'un chapiteau situé dans l'aile septentrionale de la tribune de la Sé Velha, dont le caractère mozarabe est bien connu. La comparaison entre ces deux œuvres montre le progrès réalisé par la sculpture portugaise au milieu du XIIIe siècle. Des rapports existent également avec Travanca : au chapiteau situé du côté Sud de l'arc d'entrée de l'absidiole méridionale de cette dernière église correspond ici un chapiteau placé dans l'absidiole Nord ; il montre clairement le lien de cet atelier du XIIIe siècle avec la tradition. La seule représentation figurative que l'on trouve à l'intérieur de l'édifice est celle d'un chapiteau situé du côté Nord au revers de la façade occidentale : elle montre le combat de deux rapaces avec un animal de proie, mais s'éloigne notablement des thèmes bénédictins où prédominent souvent des thèmes de lutte. Il est vrai que les scènes de combat entre serpents et oiseaux semblent avoir servi de modèle, mais les figures sont désormais stylisées. Le dessin du plumage a gagné en netteté grâce au maniement différencié du ciseau et, en opposition avec les surfaces lisses du reste de la corbeille, l'aspect dramatique de la scène s'en trouve accentué. Comme, aussi bien par son thème que par sa facture, ce chapiteau diffère des autres, on peut penser qu'il est l'œuvre d'un sculpteur différent. Celui-ci était certainement familiarisé avec les modèles de la Sé Velha, tout en s'éloignant d'eux ; et pourtant il ne saurait davantage être relié, selon Real, à l'école de Braga.

Des sculptures figuratives apparaissent également aux consoles du doubleau de l'absidiole Sud : on voit un effet, du côté Nord, une tête de bœuf au museau si typiquement aplati (pl. 71), du côté Sud un atlante sous forme d'un moine barbu et tonsuré qui soutient sa charge moins avec ses bras qu'avec sa nuque. Le doubleau lui-même est richement décoré. Ses trois surfaces concaves, créées par les tores qui accompagnent ses deux arêtes, ont permis le déploiement de trois rangées d'ornements : celles du côté externe présentent des billes, alors que la rangée médiane contient des fleurs cruciformes suivant le modèle que nous avons déjà rencontré. Les frises montrent une alternance de motifs, parmi lesquels figurent des feuilles d'acanthe, des palmettes et des sarments de vigne. Les éléments ornementaux alternent également sur les socles des colonnes : on y découvre des grecques et des ondes étroitement juxtaposées, des réseaux losangés, mais aussi des masques sculptés entre tores et bases, caractéristiques de la phase terminale de la période romane.

Avant de nous tourner vers l'œuvre la plus importante de Paço de Sousa, le monument funéraire d'Egas Moniz, jetons encore un regard sur des restes de sculptures qui ne se trouvent plus à leurs places d'origine. La partie concave d'un modillon, sur laquelle on peut voir une tête d'agneau, est posée sur le stylobate qui parcourt le périmètre de l'église ; la moulure concave de cette pièce, inhabituellement étroite, est caractéristique des modillons de date plus récente. Juste à côté de cette sculpture se trouve le fragment d'un fût de colonne rond et svelte décoré de fleurs qui, serrées les unes contre les autres, s'inscrivent dans des cercles et se composent chacune de huit pétales. Elles rappellent l'ornementation des colonnes de fenêtres d'Aguas Santas et montrent qu'à Paço de Sousa les constructions antérieures, et très probablement celle de l'église consacrée en 1088, avaient été fortement marquées par des influences mozarabes. Mais les sculptures animalières de la Galice du XIIe siècle semblent avoir servi aussi de modèles comme en témoigne un important fragment de chapiteau sur lequel s'affrontent deux lions liés l'un à l'autre par un collier (19). La sculpture d'une tête de loup, découverte voici peu, prouve que même Braga, où ce thème apparaît volontiers, a exercé ici son influence.

Près du monument funéraire d'Egas Moniz se trouve la dalle du tombeau d'un abbé, représenté dans ses vêtements liturgiques (20) (pl. 74). Le dessin rappelle de manière frappante des modèles de l'époque wisigothique et de l'antiquité tardive ; la figure impressionne par son attitude solennelle et sa majesté dépourvue de raideur. C'est avec raison que Dos Santos (21) parle d'une œuvre plutôt gravée et dessinée que sculptée, byzantine par son style, ses proportions, son hiératisme. Ce qui frappe, c'est l'absence de perspective dans la représentation des pieds, qui correspond à celle des statues de l'ancienne Égypte, mais est étrangère à la tradition européenne ; celle-ci demeura en effet, en règle générale, toujours fidèle à la représentation perspective de la personne humaine, même si cette dernière fut réalisée avec plus ou moins de bonheur (22).

La qualité de cette œuvre devient encore plus évidente lorsqu'on la compare avec la statue de saint Pierre. Cette figure, adossée et en demi-bosse, présente une tête anormalement grande, un corps trapu et des vêtements simples d'un mauvais drapé ; dépassant légèrement un mètre en hauteur, elle pourrait, selon Almeida (23), avoir servi de support à un autel roman et date peut-être de l'époque de la construction de l'église. C'est l'œuvre d'un artiste de moindre talent. La similitude de l'expression de ce visage avec celle de quelques têtes sculptées des modillons des façades permet de supposer que l'ensemble est l'œuvre d'un modeste tailleur de pierre du chantier (24).

Le tombeau d'Egas Moniz

En ce qui concerne le tombeau d'Egas Moniz, l'auteur de l'étude sur la sculpture romane figurative au Portugal (p. 33 à 75), M. Luis Real en a donné la description suivante :

Si l'art funéraire au Portugal est, en général, fruste, on y trouve cependant quelques œuvres d'artistes experts, spécialement les tombeaux de la famille royale, des hauts représentants de la noblesse et des dignitaires ecclésiastiques. Le premier d'entre eux en constitue l'un des plus beaux exemples : le monument funéraire d'Egas Moniz, précepteur du roi D. Afonso Henriques. Ses restes mortels reposaient à l'origine dans le panthéon de la famille à Paço de Sousa. Connu plus tard sous le nom de « Capela do Corporal » il était situé au croisillon Nord du transept de l'église. Le monastère bénédictin fut reconstruit au XIIIe siècle mais le « Corporal », dont les origines remontaient au XIe siècle, fut maintenu dans sa forme primitive jusqu'à la fin du Moyen-Age, période durant laquelle il commença de tomber en ruine. Cette situation s'aggrava au XVIIIe siècle si bien que l'on ordonna les translations des restes mortels à l'intérieur du sanctuaire et que l'on procéda à la destruction du « Corporal ». Le transfert peu soigneux des parties qui composaient le monument funéraire, le désordre et les mutilations qu'il subit en 1741 quand on rebâtit le sanctuaire et, enfin, son déplacement dans les nefs latérales en 1784, condamnèrent de façon irrémédiable l'une des œuvres les plus importantes de notre art roman portugais. Quand on effectua la restauration de l'église, la direction générale des Édifices et Monuments nationaux procéda à la tâche méritoire de rassembler les parties qui avaient survécu au carnage, essayant de réaliser une reconstitution qui fût de nature à conférer une certaine dignité au monument. Cependant, dans le bulletin officiel de la restauration, il est reconnu qu'on n'a jamais prétendu atteindre, par cette initiative, à une reconstitution savante, étant donné la complexité et la pauvreté des éléments qui subsistaient.

Ce problème est, à la vérité, terriblement délicat. Il soulève des questions variées d'ordre chronologique, typologique et iconographique. En premier lieu, il convient de rappeler qu'Egas Moniz ne fut pas placé dans un sarcophage mais bien enterré dans une tombe « de pierre fine, et bien travaillée... de la hauteur d'un homme bien proportionné » (25).

A ses côtés furent découvertes, en outre, deux sépultures qui furent attribuées, mais sans fondement assuré, à ses fils et à son frère. En tout, il semble qu'il existait dans le mausolée quatorze tombeaux, dont certains étaient décorés et portaient des inscriptions. Se détachant de l'ensemble, sur la pierre plate du précepteur d'Afonso Henriques s'érigeait un monument décoré de scènes qui donnaient du lustre au lieu dans lequel reposaient les restes mortels du personnage célèbre. Il s'agissait par conséquent d'un simple cénotaphe et non d'un tombeau à proprement parler. La référence la plus ancienne que nous ayions sur cette chapelle familiale se trouve dans la *Chronique des sept premiers rois de Portugal* (1419), par elle nous savons encore qu'à côté du monument principal, entre celui-ci et les murs de l'église, s'en trouvait un autre plus bas. Significative également est la description qu'en donne Frai Martinho Golias dans l'*Acte de translation* au sanctuaire (1613). Son importance ne réside pas seulement dans son objectivité et dans la multitude des détails qu'il contient, mais encore en ce qu'il constitue le témoignage d'un homme qui ordonna de détruire la « Capela do Corporal » et qui, par conséquent, a connu ces monuments dans leur état originel. Cet acte fut copié par Frai Antonio da Soledade dans son *Diatario* et nous apprend que le monument élevé « était massif et réparti sur trois pièces, soit deux sur lesquelles étaient sculptés son histoire et sa mort, et une pierre en guise de couvercle, qui était celle sur laquelle il était mort » ; à son tour un autre cénotaphe était « d'un seul bloc de pierre massif, décoré et sculpté de la même histoire » (26). Frai Leão de S. Tomas, qui avait vu les sépulcres « dans le dit Corporal une et plusieurs fois », confirme qu'il y avait un couvercle, avec l'épitaphe d'Egas Moniz, qui se trouvait au sommet du monument le plus élevé. Ce fait est irrécusable, mais il mérite d'être analysé plus en détail. Une observation attentive des pierres existantes révèle, sans l'ombre d'un doute, qu'elles appartiennent pour le moins à deux monuments, construits à des époques différentes. Les sculptures les plus archaïsantes font partie du monument bas dont les faces longitudinales étaient constituées d'« une seule pierre massive ». Le surprenant est que tout porte à croire qu'il avait constitué le cénotaphe primitif d'Egas Moniz. Le couvercle, avec la légende funéraire correspondante, ne peut indiquer s'il a été fait pour ce tombeau bas. A la vérité, les mesures du tombeau (2 m 07 en tout) s'ajustent parfaitement au couvercle (2 m 20) et la même chose peut être dite de la qualité de la pierre, de porphyre dans les deux cas, au grain grossier et comportant beaucoup d'accidents de surface. Elles contrastent évidemment avec les pierres du monument haut qui, lui, est en granit de couleur claire, au grain fin et aux surfaces polies. De même, du point de vue du style, le travail du couvercle se rapproche davantage du décor des pierres basses et longues que des sculptures du second monument. Le faible relief, la maladresse du modelé et l'horreur des surfaces nues sont les marques évidentes d'archaïsme de ces pièces. Bien qu'elles aient été sculptées vers 1146, nous ne devons pas nous étonner de reliefs si maladroits pour cette époque car celle-ci correspond encore, au Portugal, aux premiers balbutiements de l'art roman. A notre avis, il n'y a pas de raisons, comme le font certains auteurs, pour douter de l'authenticité de l'épigraphe. Celui-ci se déploie sur deux registres opposés, le long de l'arête supérieure du couvercle. Les espaces ont été mal calculés par l'artisan, aussi a-t-il été obligé d'élargir les lettres du second registre. L'apparition de mots en toutes lettres dans le texte est un argument faux pour considérer comme apocryphe cette partie de l'inscription. Bien que rares, il en existe plusieurs exemples, même au XIIe siècle. Quant à la disposition de l'épitaphe, sur deux lignes opposées jointes au sommet du couvercle, elle prouve que le monument a été fait pour être vu de tous les côtés et par suite on ne peut accepter que sa situation ait toujours été celle que nous font connaître les chroniqueurs à partir du XVe siècle. Les cénotaphes devaient être placés, initialement, en position d'évidence et libres de tout contact alentour. On rappelle cependant que le premier cénotaphe n'était décoré que sur deux de ses faces. Une de celles-ci était lisse et l'autre côté entièrement décoré de rinceaux. Si les pierres des grands côtés étaient placées dans leur position normale, nous verrions que sur les deux petites faces s'ajusteraient deux scènes comportant le même nombre de personnages sur chacune d'elles. Sur la première, ces deux personnages semblent s'embrasser alors que, sur la suivante, l'un deux doit être assis ou en train de s'agenouiller, étendant la main vers un autre individu qui, debout, le reçoit et lève le bras droit comme pour le bénir. Il s'agirait des ultimes scènes entièrement narratives du tombeau car le déroulement a lieu de droite à gauche. Sur l'autre face, et en suivant le même sens, l'histoire commence par un groupe de trois personnages debout se présentant à demi, les mains sur la poitrine, tandis que les autres semblent porter des objets. Du côté gauche par rapport au spectateur, on voit sûrement un homme barbu. Suivent diverses figures couchées sur leurs lits, veillées par un homme assis à la tête de ces derniers. Celui-ci a de longs cheveux et un ample manteau qui lui tombe sur l'épaule droite. L'ultime scène de cette face occupe toute l'autre moitié de la pierre et représente un cortège auquel participent de nombreux personnages. Nous voyons d'abord marcher un homme qui, un bâton à la main, tourne la tête en arrière. Devant lui avance une cavalière, accompagnée dans sa marche par un serviteur (?) debout, que l'on entrevoit derrière la monture. Un autre homme, à pied, suit, à côté d'un second cheval, sur la croupe duquel sont assis trois enfants (?) (pl. 77). Il est difficile d'interpréter correctement la signification de ces scènes, quoique la plupart des commentateurs les relient à un épisode de la vie du précepteur d'Afonso Henriques. Accompagné de sa femme et de deux fils, selon la légende, il se présenta, la corde au cou, à Tolède, devant le roi Alphonse VII, parce qu'il n'avait pas tenu les promesses qu'il avait faites lorsqu'il avait intercédé pour que fut levé le siège de Guimarães.

Quelle que puisse être la signification de ces scènes, nous croyons qu'elles furent copiées librement, un peu plus d'un siècle plus tard, sur le second cénotaphe. Là, nous voyons aussi plusieurs personnages à cheval, un homme à pied avec sa lance dressée à hauteur de l'épaule (pl. 76 et 79), un homme assis et une scène funèbre (pl. 75). Il est fort probable qu'au XIIIe siècle, après les grands travaux, on ait voulu remplacer le cénotaphe de l'illustre défunt par un autre plus grandiose. Si bien que Kingsley Porter a établi un parallèle entre lui et quelques sarcophages espagnols datant du début du XIIe siècle (27). Nous ne croyons pas qu'une date si reculée soit possible pour Paço de Sousa. Le relief exagéré des figures, quasi en ronde-bosse, l'absence de cadre architectural, les grandes surfaces lisses du fond et la figure qui, à deux angles, passe d'une face à l'autre, regroupant ainsi deux scènes en une seule, sont de clairs indices de la facture tardive de ces pierres. En outre la qualité du granit rappelle, comme les deux couvercles décorés de rinceaux, celle des chapiteaux de l'église.

Ces couvercles ont échappé miraculeusement à la rage destructrice des siècles. L'un se trouve intégré dans la reconstitution réalisée par la direction des Monuments nationaux, tandis que le second gît, à demi-abandonné, à l'extérieur. Les dimensions des deux varient ; ils correspondent donc à des tombeaux différents. Il ne nous répugne nullement d'accepter que l'un d'eux ait été conçu pour un nouveau cénotaphe. Dans ce cas, plus tard seulement il aurait été substitué au couvercle précédent avec son épigraphe par quelqu'un qui répugnait de devoir abandonner les pierres originelles, notamment celle sur laquelle apparaissait le nom du précepteur d'Afonso Henriques. Cela est d'autant plus probable qu'on relève une certaine affinité typologique entre le couvercle du premier cénotaphe et l'un des deux autres et que le décor des rinceaux du second est directement inspiré des faces latérales du monument de 1146.

En ce qui concerne la partie inférieure du cénotaphe, alors que le monument originel se composait tout juste de deux pierres, le tombeau du XIIIe siècle était formé de plusieurs blocs juxtaposés et décorés de sculptures. Il est difficile, sinon impossible de reconstituer de façon certaine la disposition primitive de ces pièces. Quelques-unes doivent manquer et nous ne pouvons pas même accepter la séquence imaginée par le Professeur Soledade, eu égard à la compression qui en résulterait. Il y a diverses alternatives possibles, mais ce que nous jugeons hors de doute c'est que la petite pierre d'angle, avec une pleureuse et un curieux, était liée à la scène de l'enterrement. Non seulement cela est confirmé par le geste typique du personnage qui porte une main à sa tête (pl. 76), mais encore par la hauteur et l'épaisseur des pièces. Quelque soit l'ordre correct des scènes restantes, il nous semble que le monument devait être long et étroit. Ce qui milite en faveur de cette hypothèse, ce ne sont pas les dimensions de certains des couvercles à rinceaux, mais surtout le fait que Frai Martinho Golias ait écrit qu'il était « *massif* et réparti en 3 pièces » (il ne faut pas interpréter à la lettre cette ultime affirmation sur le nombre des éléments qui constituaient le cénotaphe) et que Frai Antonio de Soledade, décrivant les pierres qu'il vit dans le sanctuaire, dit que la « *base ou le socle* de ce monument était dans son intégralité d'une longueur de 10 pieds, d'une largeur de 3, de l'épaisseur d'un ».

Outre les petites différences dans les mesures de certains panneaux, on doit noter la présence de plusieurs artistes. Il est probable que le maître le plus doué était un étranger. La sûreté dans la taille de la pièce, le réalisme des attitudes et l'exagération des volumes isolent ces sculptures de tout ce qui se réalisait alors dans l'atelier de Paço de Sousa. Le contraste est éloquent avec la statue adossée de saint Pierre, elle-même, déjà, ambitieuse initiative d'un artiste local. Les figures qui se détachent le mieux dans le cénotaphe, en raison de leurs qualités plastiques, sont celles du panneau sur lequel nous voyons un homme debout marcher avec une lance sur l'épaule (pl. 79), précédé par un cavalier dont malheureusement la partie supérieure du corps n'est pas d'origine. L'assurance de la marche du guerrier et le port superbe du coursier placent ces sculptures au rang des meilleures de tout l'art funéraire de l'époque romane. Au même auteur on doit attribuer la scène de la mort et la montée au ciel de l'âme du défunt (pl. 75). Le travail du ciseau s'y avère beaucoup plus habile que, par exemple, dans la scène de l'enterrement, œuvre d'un artiste moins expérimenté (pl. 78). D'une autre main, sans doute, est le panneau des deux cavaliers, dont la gaucherie dans le modelé des animaux est fort éloignée, à l'évidence, du cheval dont on a parlé plus haut.

Un autre problème qui se pose est celui de l'interprétation de la cavalcade solennelle qui se déroule sur l'une des faces du monument. Elle est vulgairement donnée comme le voyage d'Egas Moniz à Tolède. On doit noter toutefois que cette interprétation est d'une authenticité fort douteuse. Tous les auteurs s'accordent sur l'intervention du précepteur dans la levée du siège de Guimarães, mais celui-ci déjà n'est pas en relation avec le voyage à la cour d'Alphonse VII. Il n'est pas mentionné dans le *Livro velho de Linhagens*, ni dans le *IV Cronico breve de Santa Cruz de Coimbra*, remontant tous deux, probablement seulement à la seconde moitié du XIIIe siècle. Un peu plus tard, la IIIe chronique du monastère de Santa Cruz est le premier texte à parler de la comparution d'Egas Moniz au palais du roi leonais, la corde au cou, avec sa femme et ses fils, parce qu'il n'avait pas tenu les promesses de vasselage faites par lui durant le siège de Guimarães. En trois intéressants articles sur cette question, Narciso de Azevedo a attiré l'attention en vue d'une plus grande exactitude des informations du *Livro velho de Linhagens*, parce que, d'une certaine manière, « cette omission concourt à nier l'existence de l'exploit, puisque, à s'en tenir au fait, il devrait être nommé spécialement dans le passage au cours duquel on rappelle les actions les plus fameuses du précepteur de D. Afonso Henriques » (28). Il est fort probable que la légende est postérieure et qu'elle est née au moment du second cénotaphe.

Dans une de ces figures, du moins, le précepteur apparaît la corde au cou. Nous avons déjà relevé qu'il y a quelques points communs entre les reliefs de 1146 et ceux du XIIIe siècle et que cela pourrait être survenu au travers d'une réinterprétation, faite plus d'un siècle plus tard, d'une autre histoire racontée sur le monument primitif. A la vérité, on pourrait se référer à diverses légendes qui entourèrent rapidement certains passages de la vie de quelques-unes des principales figures du royaume. Et, dans le cas concret d'Egas Moniz, il n'aurait pas été étrange qu'il y ait eu une assimilation entre la scène de la cavalcade et le thème de la loyauté, telle qu'elle apparaît en Tite-Live au sujet du consul Spurius Postumus. Ce passage de l'historien romain obtint une audience particulière auprès de la noblesse de l'époque, comme le prouvent divers passages cités par les chroniqueurs, notamment celui de Pedro Ansures qui aurait eu le même geste durant les luttes entre D. Urraca et son mari le roi Alphonse Ier d'Aragon. En ce qui concerne la signification exacte de l'histoire narrée sur le monument le plus bas, il faut noter la tentative faite par José Mattoso de la relier à la Chanson de Renaut de Montauban, et plus particulièrement au passage dans lequel les quatre fils Aymon montent le cheval Bayard (29). Cependant cet auteur reconnaît qu'une telle interprétation ne laisse pas de soulever des difficultés. De notre côté, nous préférons nous abstenir de quelque tentative d'interprétation que ce soit, compte tenu du côté aventureux d'une initiative de ce genre. Ce qu'il importe de faire ressortir, c'est que, en ce qui concerne les pierres actuellement existantes, on doit considérer qu'elles appartiennent, non à un, mais à deux monuments, réalisés à un peu moins d'un siècle de distance, et dont le plus bas serait celui qui aurait été élevé au moment de la mort d'Egas Moniz. Cela n'a rien d'étonnant et ne fait que confirmer ce que l'on a déjà dit au sujet du retard relatif aux œuvres romanes portugaises par rapport à leurs congénères espagnoles et françaises.

En conclusion de cette étude de M. Real, et pour situer cette œuvre dans l'ensemble des sculptures romanes européennes, on peut ajouter ceci :

L'un des auteurs (30) aborde le problème du style des reliefs du second sarcophage, qui est plus tardif. Ce sarcophage présenterait un mélange d'influences issues tout à fois du León et de la Bourgogne : le León aurait fourni des modèles pour des têtes joufflues aux yeux protubérants (« puffy cheeks and poppy eyes »), la Bourgogne pour les drapés et le dessin un peu maladroit des pieds (« clumsy feet ») disposés parallèlement comme, par exemple, à Avenas. Si l'on peut mettre en doute qu'une quelconque ressemblance existe entre ce tombeau et des œuvres bourguignonnes, particulièrement avec l'autel d'Avenas, d'ailleurs daté du 3e quart du XIIe siècle, par contre des indices certains d'influences du León sont indéniables. Il suffit de penser aux sculptures des signes du zodiaque du portail de l'Agneau à San Isidoro de León (31) ou à la forme des visages et à la position des pieds des saintes femmes au tombeau du tympan de cette même église (32). Sur le plan iconographique aussi, la représentation de l'âme, saisie par la main de Dieu et transportée au ciel par des anges (33), est identique aux scènes de Paço de Sousa. La forme particulière des visages dans la sculpture de León se retrouve nettement dans deux chapiteaux d'un doubleau du déambulatoire de Saint-Jacques de Compostelle : le roi Alphonse et l'évêque Péléas y sont représentés, entourés de différents personnages et d'anges nimbés ; beaucoup de visages y sont aussi larges et joufflus que ceux des pleureuses de Paço de Sousa. D'une tradition identique semble provenir également la représentation pleine de vie de scènes mouvementées où voisinent hommes et animaux telles qu'on peut les voir sur la cuve baptismale de San Isidoro de León datée du XIe siècle (34) ; la composition des scènes ainsi que l'exécution primitive des vêtements et des pieds des figures offrent une grande ressemblance avec les sculptures du monument funéraire d'Egas Moniz. En tenant compte de l'évolution que ces formes ont subie au cours du XIIe siècle et du retard que celle-ci a connu, selon Kingsley Porter, pour atteindre le Portugal, on peut penser que ce monument a été sculpté par un artiste familiarisé avec les traditions de León et connaissant d'autres monuments funéraires de l'époque. Lacerda évoque une autre source d'inspiration possible (35). Il relève la ressemblance existant entre les reliefs de ce monument et ceux d'un sarcophage de Ripoll, sculpté pour Berenger III, l'avant-dernier comte de Barcelone, qui mourut en 1131, et plus encore la similitude des scènes illustrant la mort de l'homme et l'ascension de son âme (pl. 75). Certaines parentés iconographiques existent sans doute, mais aussi des différences : les deux petits bas-reliefs, qui, à Ripoll, parmi six autres, traitent ce sujet sur la paroi frontale du sarcophage, présentent ainsi l'âme sous la forme d'une colombe que des anges enlèvent vers le ciel dans un linge ; à Paço de Sousa par contre l'âme adopte l'apparence d'une figure humaine qui reçoit une bénédiction sous une grande croix. La composition des scènes est également légèrement différente. Sur le plan typologique pourtant les divergences se révèlent plus considérables. Néanmoins une certaine influence de l'œuvre de Ripoll sur l'artiste de Paço de Sousa, durant la seconde moitié du XIIe siècle, n'est pas à exclure totalement. Un autre modèle pourrait avoir été le sarcophage de Doña Sancha, fille du roi Ramiro d'Aragon ; ce sarcophage se trouve aujourd'hui dans le couvent des Bénédictines de Jaca et est daté du début du XIIe siècle (36). La comparaison des figures, des attitudes, de l'iconographie permet de penser que l'œuvre de Paço de Sousa est une réalisation plus mûre et plus évoluée. A Jaca la partie droite du sarcophage montre les défunts encore entourés de deux compagnes, un livre en mains ; dans la partie centrale l'âme, représentée par un être asexué et pourvu d'une mandorle, dit son ultime adieu au spectateur, tandis que des anges se préparent à l'enlever au ciel ; dans la scène de gauche des représentants du clergé s'approchent en hâte, pour bénir ce départ. A Paço de Sousa par contre nous sommes confrontés au drame lui-même. Nous assistons à l'instant où l'âme, sous l'apparence d'un petit enfant, quitte le corps, alors que des anges surviennent pour l'accueillir (pl. 75) (37). Nous participons également au deuil et au désespoir des proches, auxquels se joignent des pleureuses, et devenons les témoins des adieux faits au mort, alors qu'un prêtre prononce les dernières prières (pl. 78). La fraîcheur et la vivacité des scènes, les mouvements si naturels et les proportions justes des personnages approchent de la perfection, si l'on fait abstraction de certaines faiblesses dues à la contribution d'un second artiste. On ne peut qu'admirer aussi la scène dans laquelle un jeune noble en gage d'honneur, remet sa vie entre les mains du roi. L'originalité de ces scènes n'a pas été surpassée au Portugal durant l'époque romane. Correia relève des ressemblances d'ordre purement stylistique, avec le portail de Vilar de Frades (pl. 196 à 198) (38), resté inimité. Les chapiteaux du cloître de Celas offrent également, il est vrai, une très grande originalité dans certaines de leurs scènes, mais n'atteignent pas cependant à la fraîcheur et à la vivacité des sculptures de Paço de Sousa et se ressentent de l'idéal courtois et de l'évolution stylistique du temps. Comme le constate *Ars Hispaniae* (39), la grâce et l'élégance qui ont éclos ici, ne se sont jamais retrouvées par la suite.

NOTES

(1) Manuel Monteiro : *Paço de Sousa — O Românico nacionalizado*, Boletim da Academia Nacional de Belas Artes 12, Lisbonne 1943, p. 6.

(2) Monteiro, *loc. cit.*, p. 7, note 2.

(3) Monteiro, *loc. cit.*, p. 16 et 17.

(4) *Boletim da Direccão Geral dos Edificios e Monumentos Nacionais,* n° 17, pp. 10-24.

(5) Reinaldo Dos Santos : *O Românico em Portugal,* Lisbonne 1956, p.80.

(6) *Loc. cit.*, p. 81.

(7) Almeida 3, 2, p. 244.

(8) Monteiro, *op. cit.*, p. 12, note 3.

(9) Georges Gaillard : *Aspects de l'art roman portugais, Bracara Augusta* n° 16, 17, Braga 1964, p. 129.

(10) Voir, *L'art préroman hispanique,* Zodiaque, p. 208, pl. 86, 87.

(11) Monteiro, *op. cit.*, p. 17, note 1.

(12) Almeida, *op. cit.*, p. 142.

(13) Gaillard, *op. cit.*, p. 129.

(14) Artur Nobre de Gusmão : *Românico português do Noroeste. Alguns motivos geometricos na escultura decorativa,* Lisbonne 1961, pp. 44, 45.

(15) Pour la généalogie de ce type d'arcades voir Monteiro, *op. cit.* p. 20.

(16) Une autre opinion est émise par Almeida, 3, p. 243.

(17) Monteiro, *op. cit.*, p. 9.

(18) Pascale Gervaise : *Eglises Romanes du Nord*

du Portugal, L'information d'Histoire de l'Art, vol. 11, Paris 1966, pp. 79-83.

(19) A ce propos, voir Real, p. 13-15.

(20) A ce propos, voir Real, p. 155.

(21) Reinaldo Dos Santos, *A Escultura em Portugal,* vol. 1. *A Escultura Medieval,* p. 16.

(22) A titre de comparaison, par exemple, la dalle funéraire du comte Garcia à San Isidoro de León, qui date de la seconde moitié du XIIe siècle. Voir *León Roman,* Zodiaque, p. 86, pl. 12.

(23) Almeida 3, 2, p. 153.

(24) Voir aussi Real, p. 15 et 96.

(25) Frai Leão de São Tomás, *Benedictina Lusitana,* Coïmbre, 1651, t. 2, p. 275.

(26) Ce texte a été révélé par António de Almeida, dans *Memória polémica àcerca da verdade da jornada de Egas Moniz a Toledo, Memórias da Academia das Ciências de Lisbog,* t. 2, Lisbonne 1831, p. 127-190.

(27) *La escultura románica en España,* Florence-Barcelone, Pantheon-Gustavo Gili, 1928, t. 2 ; p. 38.

(28) *O feito de Egas Moniz, o Primero de Janeiro,* Porto, 3, 10 et 17 novembre 1954.

(29) *Le monachisme ibérique et Cluny,* Louvain 1968, p. 325-326.

(30) J. Monteiro Aguiar : « *The Tombs at Paço de Sousa* », *Art Studies,* Cambridge 1926, p. 152.

(31) *León Roman,* Zodiaque, pl. 30, série supérieure.

(32) *Op. cit.,* pl. 33.

(33) *Op. cit.,* pl. 50.

(34) *Op. cit.,* p. 13 et 14.

(35) Aaro de Lacerda : *Historia de Portugal,* Barcelone 1929, p. 681.

(36) Voir *Aragon Roman,* Zodiaque, p. 238, pl. 82.

(37) D'après Vergilio Correia, *Obras,* vol. 3, p. 19. Il s'agit, à sa connaissance, de la première représentation de cette iconographie.

(38) Correia, *op. cit.,* p. 18.

(39) José Gudiol Ricart et Juan Antonio Nuño, *Ars Hispaniae,* t. 5, p. 362.

ANCIAES

SAO SALVADOR DE ANCIAES

Dans la région de Tras-Os-Montes, à une grande distance des centres ecclésiastiques, s'élèvent, à une distance d'environ 5 km du chef-lieu Carrazeda des Anciães, les ruines de l'ancienne agglomération d'Anciães, dont l'église romane São Salvador fut dynamitée durant les années 1920-1924. Déjà Monteiro (1) avait attiré l'attention sur les restes de ce sanctuaire qui furent finalement déclarés « Monumento Nacional » et partiellement restaurés.

A en juger par certaines découvertes archéologiques, dès l'époque préchrétienne Anciães semble avoir assumé un rôle de place fortifiée auquel l'avait prédestiné sa situation stratégique au sommet d'une montagne dominant un affluent navigable du Douro. Selon d'anciens auteurs cités dans la monographie de Ferreira (2), une double enceinte munie de tours et de quatre portes protégeait un habitat enclos dans un périmètre de 624 m. Il s'y joignait, à l'Ouest un château-fort impressionnant, de 282 m de pourtour, près de l'entrée duquel s'élevait l'église São Salvador. L'importance de cet établissement ressort du fait que, vers 1160, le premier roi du Portugal lui concéda le « foro », c'est-à-dire le statut juridique de ville, accompagné, pour les habitants, d'un certain nombre de privilèges que renouvelèrent les souverains ultérieurs. Les armoiries qui lui furent accordées portent l'inscription *Anciães leal no Reino do Portugal* qui se réfère au rôle important que la ville avait joué au cours des combats livrés pour l'indépendance du pays. Un grand nombre de familles portugaises, dont sont issus des personnages célèbres, avaient vécu à Anciães jusqu'au XVIe siècle. Puis intervint une lente et persistante émigration des habitants qui aboutit finalement, en 1734, au transfert des instances administratives les plus importantes à Carrazeda de Anciães et vers le milieu du XIXe siècle au dépeuplement presque total du lieu. L'église São Salvador avait été délaissée déjà au XVIIIe siècle, mais selon certains rapports se présentait encore, au milieu du XIXe siècle, comme une ruine en bon état de conservation. C'est seulement au début de notre siècle que la population encore sur place, à la recherche de trésors cachés, procéda à un dynamitage qui causa des dommages substantiels à l'édifice et éventra également les constructions voisines qui avaient déjà servi de carrière. Deux photos prises en 1934 (3) donnent une idée de l'étendue des dommages subis par l'église.

Sur l'histoire architecturale de São Salvador, nous ne disposons d'informations sûres qu'à partir du XVe siècle. D'après un document de 1442, évoqué par Vitorino (4) qui se réfère à un passage cité par Alves (5), l'édifice se trouvait déjà dans un état de ruine en 1431, en sorte que le roi Alphonse Ier mit à la disposition des habitants les matériaux nécessaires à sa réfection. Étant donné que, dans son état actuel, la structure de l'édifice de même que les restes de son ornementation sont de conception romane, on peut penser que cette restauration du XVe siècle respecta fidèlement le style du monument, bien qu'en général à cette époque le style gothique se fût déjà imposé un peu partout au Portugal. Il est possible que les anciens éléments architecturaux encore en place aient motivé ce conservatisme surprenant ou que l'isolement de la région y ait empêché assez longtemps une évolution sensible presque partout ailleurs. L'appartenance à l'archevêché de Braga, dont l'influence conservatrice a pu être constatée à différentes reprises, semble avoir favorisé, elle aussi, cette absence d'innovation. Quant à la datation de l'édifice primitif, les avis des auteurs divergent, hésitant entre le milieu du XIIe et le milieu du XIIIe siècle. Tous s'accordent pourtant à dire que cet édifice est roman. Avant d'émettre une opinion personnelle à ce sujet, il convient d'abord de visiter l'église.

Dès *le premier abord* on constate qu'il s'agit d'une construction modeste à nef unique composée, selon le modèle des édifices préromans, de deux corps rectangulaires joints l'un à l'autre (pl. 80). A l'intérieur, sa largeur est de 4 m 65 et sa longueur de 16 m 70, abside comprise. L'appareil se compose de pierres irrégulières taillées dans du granit et si bien assemblées que l'adjonction de contreforts s'est avérée superflue.

La *façade occidentale* offre une forme inhabituelle (pl. 82). Sa partie centrale, qui n'est pas mise particulièrement en évidence, s'achève, à son extrémité supérieure, sur une longue ligne horizontale qui cache le pignon du toit et domine la faible inclinaison des rampants. Cet aspect surprenant est le résultat des dynamitages qui ont détruit les deux tours d'angle occidentales. D'après des témoignages, elles existaient encore à la fin du XIXe siècle et étaient pourvues d'ouvertures à l'étage campanaire. Faute de structuration, la façade donne une impression de monotonie. Le seul jour qui la perce est une étroite fente, semblable à une archère, qui occupe la place de la rose habituelle. Cet aspect étrange de la façade est peut-être dû au fait que le sanctuaire assumait, au sein des dispositifs de fortification, une fonction défensive.

A l'opposé, le *portail occidental* appartient au nombre des réalisations les plus intéressantes de l'art roman portugais. Ses sculptures sont malheureusement effritées ou complètement détruites, mais leur message iconographique est encore à peu près déchiffrable. Le portail présente plusieurs voussures. Aucun avant-corps ne le précède et la frise horizontale habituelle fait défaut.

Avec son alignement de feuilles, particulièrement grandes ici et parcourues d'une nervure centrale, la frise qui accompagne l'arc extérieur rappelle le modèle du portail Sud de Braga (pl. 81). Sur les quatre archivoltes légèrement exhaussées la plus externe a été fortement rongée par le temps. Il est difficile d'en discerner les détails. Elle se compose d'un épais boudin intérieur qu'encadre un étroit tore extérieur. De grandes figures, différant les unes des autres et conservées seulement sous forme de quelques vestiges, se dressent vers la partie supérieure de l'arc dont leurs dos et leurs têtes, dirigées vers l'intérieur du portail, épousent la courbe. L'élan qui semble emporter ces figures vers le haut ressemble à celui qui anime les sculptures de l'archivolte extérieure du portail occidental de Bravães, ce qui a sans doute incité *Ars Hispaniae* (6) à parler de l'identité de ces créations. Avec quelque imagination on croit pouvoir reconnaître dans ces figures des macaques, voire dans certains cas, des hommes. La première figure côté Sud par exemple pourrait représenter un saltimbanque cambré, motif qui décore d'habitude les modillons des corniches. La sculpture située en vis-à-vis semble avoir été celle d'un quadrupède à longues pattes. A droite du sommier on découvre une tête humaine à belle coiffure. Les traits du visage sont si individualisés et élaborés avec un tel soin que Vitorino (7) a été tenté d'y voir l'autoportrait d'un des sculpteurs. Toutes ces figures surprennent par l'irrégularité de leur état de conservation. A certains égards leur modelé ressemble à celui des sculptures de la région du Minho.

La seconde archivolte est ornée de grosses têtes de chats qui envahissent aussi l'arc voisin en forme de boudin. Des particularités morphologiques permet-

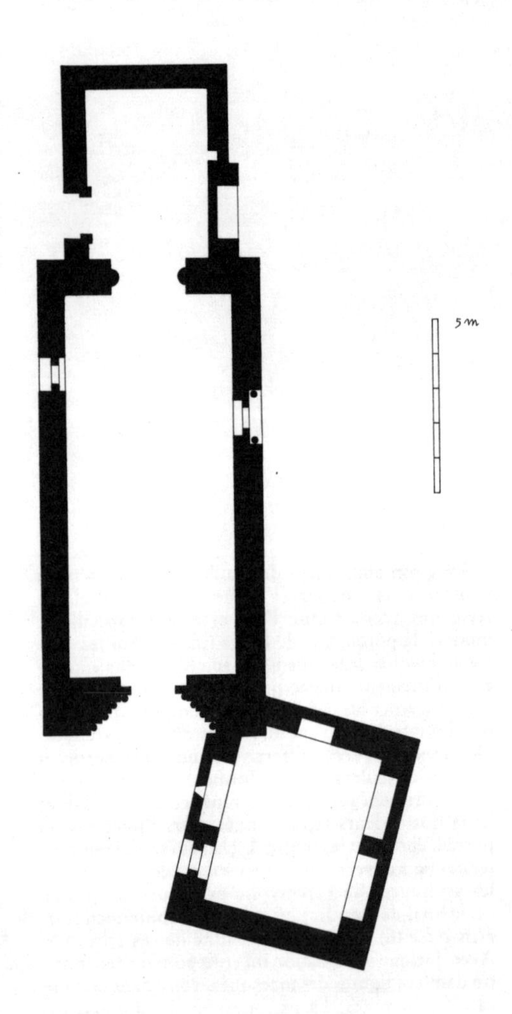

SAO SALVADOR DE ANCIAES

tent de rapprocher ces têtes de celles des lions que nous rencontrerons à l'intérieur du portail. La fonction de ces sculptures ne semble pas être apotropaïque ; elles paraissent symboliser plutôt le règne et la puissance du Christ. Certaines têtes ressemblant à des masques sont sans doute dues aux interventions du XVe siècle et témoignent d'une légère influence gothique. Sur les rebords de cette archivolte aussi bien que sur ceux de l'archivolte suivante on note la présence d'un ornement en forme de feuillage, élément décoratif très caractéristique de Braga.

Tout comme l'une des archivoltes de Rates, l'archivolte suivante représente des apôtres et des figures illustrant la doctrine de la grâce. On y dénombre neuf personnages. Grâce à leurs attributs, les apôtres Pierre et Paul sont facilement identifiables. La présence d'anges ailés, que croyait reconnaître Goddard King (8), semble illusoire. Plusieurs personnes portent des livres devant leurs poitrines, ce qui donne à entendre qu'il s'agit de prêtres ou d'apôtres. Les figures qui occupent, de part et d'autre, la surface inférieure de l'archivolte, se distinguent des autres personnages par certaines particularités : côté Nord une figure assise est enlacée par un animal (ou un diable ?) qui vient de sauter sur ses genoux. Vitorino (9) estime qu'il s'agit de Judas, mais cette interprétation paraît douteuse. A cette sculpture correspond, côté Sud, une figure plus grande que nature, tenant un livre sur ses genoux : l'expression de son visage diffère de celle des autres. S'agit-il d'un Père de l'Église, de saint Pélage, primitivement patron de cette chapelle, ou d'un autre ? La question est difficile à trancher. Les têtes des figures sont le plus souvent situées les unes contre les autres. Les corps sont lourds, mal proportionnés et raides, rappelant les sculptures du portail occidental de Rates, ressemblance qui peut aider à préciser la date de cet ensemble.

L'archivolte intérieure est lisse. Elle comporte un épais boudin surmonté d'une moulure au profil rectangulaire.

Les chapiteaux des archivoltes ne possèdent ni abaques ni supports. Avec raison Vitorino (10) fait remarquer que, dans certaines constructions romanes, on renonça à l'utilisation d'éléments intermédiaires entre le chapiteau et la naissance de l'arc. En ce qui concerne le Portugal, c'est le cas à Cedofeita, Gandara et Arnoso. A Anciães pourtant l'usage d'abaques semble avoir été admis par les artistes qui y ont œuvré. Des abaques apparaissent en effet aussi bien sur les portails latéraux que sur l'arc triomphal et leur absence au portail occidental ne peut s'expliquer que par leur suppression au cours de réfections postérieures. Les chapiteaux furent alors placés juste au-dessous du départ des arcs. Leurs supports, qui ont disparu, avaient, selon Ferreira (11), la forme de colonnes torses décorées de feuillage. Cet auteur rapporte par ailleurs qu'elle avait trouvé le reste d'une sculpture correspondante lors d'une de ses visites à Anciães, mais elle ne précise pas si elle avait fait cette découverte en avril 1920 ou en octobre 1924. Elle avait constaté aussi à cette occasion qu'une maison du village voisin de Selores, ornée d'armoiries, comportait des fûts de colonnes torses qui pouvaient fort bien provenir du portail occidental d'Anciães. En ce cas ces supports auraient ressemblé à ceux de l'église de São Tiago de Coïmbre et à ceux de Compostelle dont ils pourraient s'être inspirés. Leurs bases d'origine, dont on voit encore un exemplaire, semblent remonter au dernier quart du XIIe siècle.

Les chapiteaux eux-mêmes sont malheureusement tellement détériorés que leur iconographie n'est plus lisible. Quelques-uns parmi eux permettent de reconnaître certains motifs traditionnels, enrichis et complétés par des scènes dont l'animation apparente fait regretter particulièrement leur mauvais état de conservation. On y discerne des rapaces dressés (pl. 81) et des lions, occupés les uns et les autres à dévorer d'autres animaux ou des êtres humains et on réalise qu'on est en présence d'une variation intéressante de ce thème connu. Du côté Nord du portail le chapiteau situé le plus à l'intérieur semble être orné d'un dragon couvert d'écailles ; sa tête tournée vers le bas, laisse voir sa langue. Derrière ce reptile apparaît une tête humaine au-dessus de laquelle on distingue une main. Le chapiteau situé à sa gauche montre clairement un lion debout, posant l'une de ses pattes de devant sur la tête d'un homme ; au-dessous de celui-ci apparaît une seconde tête humaine posée sur le fût d'une colonne torse descendant jusqu'à l'astragale. On trouve des têtes superposées dans des motifs du même genre à São Romão de Arões. Du côté Sud du portail le chapiteau situé le plus à l'intérieur représente un torse féminin, à côté duquel un animal accroupi s'accroche à une branche d'arbre. Le chapiteau placé à sa droite comporte apparemment le combat d'un homme, debout, et d'un quadrupède.

L'adjonction de ces scènes aux motifs habituels et le fait que la technique de sculpture diffère de celle des autres éléments du portail semblent indiquer, selon Goddard King (12), que ces chapiteaux sont l'œuvre d'un artiste qui s'écartait des sentiers battus.

Les modillons du tympan, de dimensions relativement importantes, offrent eux aussi des représentations inhabituelles dont le sens n'a pas encore pu être éclairci. A gauche un homme barbu porte deux personnages plus petits, accompagnés d'un quadrupède. Goddard King y voit Abraham en compagnie de deux âmes sauvées, mais la présence de l'animal autorise à douter du bien-fondé d'une telle interprétation, d'autant que ce thème est habituellement traité de façon différente. A droite on aperçoit un grand oiseau nocturne près d'un personnage assis portant un globe. Vitorino (13) soutient qu'il s'agit d'une représentation du Christ. Cette explication est pourtant peu vraisemblable car, conformément aux principes de préséance pratiqués au Moyen Age, c'était toujours le milieu du tympan qui était attribué à la figure centrale du Pantocrator.

Le tympan lui-même est sculpté d'un Christ en majesté dont la composition répond pleinement à l'iconographie traditionnelle : le Christ y est représenté assis, à l'intérieur d'une mandorle portée par les symboles des quatre évangélistes (pl. 84). Leur emplacement tient compte du rang donné à chacun d'eux par les Pères de l'Église : à droite du Seigneur l'ange de saint Matthieu, à sa gauche l'aigle de saint Jean ; à ses pieds, du côté droit, le taureau de saint

Luc et, du côté gauche, le lion de saint Marc. Une interprétation complètement différente et erronée de l'iconographie de ce tympan a été donnée par Feirreira (14), qui cependant la révisa un peu plus tard en citant Richert (15). Il est vrai toutefois que ces symboles des évangélistes sont représentés de façon fort libre. L'ange de saint Matthieu, suspendu en l'air et coiffé d'un bonnet phrygien, évoque une représentation similaire à Saint-Sernin, les trois animaux par contre sont dotés d'un corps dont la forme est bien éloignée de celle de leur espèce. L'aigle possède bien un bec, mais son corps, terminé par une queue, est couvert d'écailles et ressemble à celui d'un dragon. Le lion est ailé mais ni sa tête ni son cou ne sont ceux du fauve qui aurait dû lui servir de modèle. Quant au taureau, il subit un sort tout à fait semblable. Le Christ, dont la tête est entourée d'un nimbe crucifère, lève la main droite dans un geste de bénédiction, la gauche tient le Livre ; son corps est lourd et volumineux, ses pieds, épais, reposent sur la mandorle. Les sculptures du tympan réalisées en bas-relief, sont qualifiées — et dans une certaine mesure non sans raison —, de rigides, grossières et maladroites (16). Néanmoins, malgré ces défauts et peut-être même à cause d'eux, l'œuvre n'est pas entièrement dépourvue d'un certain charme et d'une indéniable originalité à laquelle Richert était sensible lui aussi. Il faut noter la recherche d'effets décoratifs, comme par exemple la frise de feuilles frisées et disposées en rangs serrés qui entoure le cadre arrondi du tympan et pourrait avoir été conçue à partir d'un modèle de Braga. Quoiqu'il en soit, Goddard King (17) a indéniablement raison de tenir cette œuvre pour l'une des meilleures parmi les cinq tympans à figures de l'art roman portugais. De plus la profusion de ses sculptures fait de ce tympan et de ce portail l'une des plus riches réalisations romanes du pays. Deux plaques de granit superposées, de texture légèrement différente, semblent constituer ce tympan. Certains détails stylistiques paraissent indiquer qu'il est l'œuvre d'un sculpteur très personnel.

Parmi les deux étroits portails latéraux, dont les arcs en plein cintre reposent sur des colonnes, le *portail Sud* (pl. 85) est particulièrement intéressant et mérite d'être vu avant celui du Nord. Composé avec soin et faisant montre de beaucoup de goût, il regroupe bon nombre de motifs ornementaux déjà connus en un harmonieux ensemble. Ainsi l'archivolte présente une série de « beak-heads » qui adoptent ici la forme de têtes de taureaux presque triangulaires et fortement stylisées. Les naseaux des bêtes reposent sur le boudin intérieur de l'archivolte, variant ainsi le motif initial qui montrait des oiseaux saisissant ce boudin de leurs becs. Les oreilles et les yeux des bovins sont incisés dans la pierre, tantôt avec soin, tantôt hâtivement. Ce motif, que l'on retrouve d'ailleurs sous une forme presque identique à la cathédrale de Iffley, St. Mary the Virgin (voir *l'Art roman en Grande-Bretagne*, Paris 1966, pl. 85) s'apparente à certaines décorations d'arcs romains et, étant donné sa fréquente présence en Angleterre, on est tenté de supposer que, d'origine antique, il fut réintroduit sur le continent durant la seconde moitié du XIIe siècle.

On pourrait pourtant aussi penser que les auteurs de la première construction de São Salvador d'Anciães, perdue dans cette région isolée, s'inspirèrent directement de quelques restes d'arcs romains encore subsistant à cette époque. On découvre des motifs semblables en d'autres lieux du Portugal, les divergences qu'ils présentent par rapport à ceux d'Anciães pourraient cependant leur faire supposer d'autres origines sur lesquelles nous ne disposons pas encore d'indications précises.

L'archivolte du portail Sud repose sur des abaques qui se prolongent en impostes décorés des mêmes ornements que ceux du portail occidental. Les chapiteaux pourtant en diffèrent. Le chapiteau Ouest semble inspiré de ceux de la fenêtre haute de Bravães et le chapiteau Est a pris pour modèles ceux de Rates. Leurs supports sont constitués par des fûts étroits. Leurs bases, ornées de griffes, présentent une forme que l'on trouve souvent à la fin du XIIIe siècle. Les tympans des deux portails latéraux se ressemblent : l'un et l'autre sont ornés d'une croix, dont la technique de taille est celle de Braga ; toutefois ici, la forme est celle d'une croix de Malte, bien qu'à Anciães ne se soient jamais établis que des Templiers et des Chevaliers de l'ordre du Christ. Les deux croix constituent une variation de celle du tympan de São Tomé de Corelha ; elles n'en diffèrent que par la présence, sur le tympan du portail Sud, d'un cercle entourant la croix en guise de protection apotropaïque. Le linteau, reposant sur les deux piédroits du mur, présente dans sa partie inférieure la forme d'un arc surbaissé et suit un tracé polylobé, sans atteindre toutefois la perfection de son pendant de Rates. C'est néanmoins cet élément qui confère au portail une élégante beauté.

On remarquera aussi la position relativement élevée des fenêtres latérales qui, contrairement à l'ouverture en forme d'archère de la façade occidentale, avaient été conçues initialement avec une certaine somptuosité, on peut encore le voir à la fenêtre orientale de la façade Nord (pl. 83) : des colonnes y supportent un grand arc qui semble exagéré par rapport à l'étroite ouverture intérieure conforme au principe dit « du mur fendu ». C'est lors de la première campagne de la restauration que cette fenêtre a pu être restituée dans son état originel. Ses deux chapiteaux sont intéressants : celui du côté Ouest montre une sirène masculine à double queue qui, garnie d'autres éléments ornementaux, révèle des influences issues de centres aussi éloignés que Rates et Travanca. Le chapiteau oriental, par contre, est peuplé de macaques se balançant sur l'astragale, preuve que l'artiste était familiarisé avec les œuvres de la région du Minho. Les chapiteaux de la fenêtre occidentale de la façade Nord comportent, eux aussi, des sujets appartenant au répertoire des sculpteurs portugais de l'époque ; on les retrouve à Braga et à Rates.

Parmi les modillons, un petit nombre seulement est orné de figures. On y retrouve la figure opulente de la « pécheresse », prisonnière, selon Real, du poids de la corniche dont elle tente de se libérer.

Une chapelle funéraire, dédiée à Nossa Senhora de Graça et déjà marquée par des caractéristiques gothiques, a été postérieurement jointe à l'extrémité Sud de la façade occidentale (pl. 82). Elle a servi de lieu de sépulture à la famille Vasco Pirez qui détenait les droits seigneuriaux sur la ville. Lorsque celle-ci se dépeupla, cette famille fit transférer les ossements à un autre endroit. Beaucoup de sarcophages trapézoïdaux ainsi que leurs couvercles restèrent sur place.

A l'*intérieur de l'église* on est frappé immédiatement par les deux lions puissants qui, en l'air, à gauche et à droite de l'entrée soutiennent l'arc du portail tout en assumant, sur le plan iconographique, la fonction de gardiens apotropaïques du sanctuaire (18). Entre leurs pattes on distingue les anciens points de fixation des gonds de la porte. La grande taille des corps de ces animaux, leur attitude vigilante et leurs yeux énormes devaient donner à l'homme médiéval la sécurité d'une protection à l'intérieur des murs de cette maison de Dieu. La force expressive de ces animaux impressionne le visiteur même de nos jours. Leur auteur anonyme a réussi, en atteignant une perfection rare, à associer l'impression de puissance et de férocité qui se dégage de ces fauves à celle de la confiance qu'on peut avoir en eux, en leur protection que semblent assurer leur aspect spécifique et les traits presque humains de leurs visages. En exprimant merveilleusement ce double rôle qui leur incombe, les lions d'Anciães surpassent en qualité bon nombre de sculptures de lions réalisées à l'époque romane dans la scène de Daniel dans la fosse. Leur alliance de calme et de vigilance les fait également l'emporter sur les lions des portails lombards, dont Goddard King (19) croit pouvoir relever ici l'influence. Contrairement aux lions de Rates, ces lions d'Anciães semblent plutôt révéler des influences qui pourraient remonter à une origine copte. Ces influences auraient été transmises à la péninsule ibérique par l'intermédiaire d'œuvres d'art arabes (20). Le traitement du pelage au moyen de rainures incisées, par contre, se situe dans la tradition de la région du Minho et se retrouve également chez les sculpteurs de Braga. En résumant ces observations, on peut dire que les lions d'Anciães sont des créations extraordinaires dont la qualité mérite de retenir l'attention.

L'arc triomphal à double rouleau, resté intact, est conçu selon les normes traditionnelles de l'architecture romane portugaise. L'archivolte extérieure, délimitée par un boudin étroit, comporte une décoration en pointes de lances telle qu'on la rencontre très fréquemment au Portugal. Elle repose sur des abaques prolongés en impostes qui servent d'ornement mural et répètent le motif agrémentant le portail Ouest et le mur occidental. L'arc intérieur est lisse. Il s'appuie sur des demi-colonnes dont les chapiteaux offrent un décor géométrique bien connu : le chapiteau Nord est ceint d'un large ruban lisse en son milieu. Il s'associe à deux rubans de forme identique qui, traversant la corbeille en diagonale, selon un tracé courbe, forment aux angles des volutes et laissent nues de grandes parties du chapiteau. On trouve dans le musée de la cathédrale de Braga le moulage en plâtre d'un chapiteau identique qui dut être supprimé, lors de la restauration de l'édifice. Le chapiteau Sud présente également des rubans qui décorent toute la corbeille suivant des lignes angulaires ou courbes mais en laissant toutefois subsister beaucoup d'espace libre. L'arc triomphal de Nogueira possède un chapiteau tout à fait semblable au même emplacement.

Ainsi Anciães a-t-il été étroitement lié aux centres de l'art roman portugais, malgré les grandes distances qui l'en séparaient. Ces relations ne l'inféodèrent cependant pas à l'un ou l'autre des courants artistiques en vigueur, mais l'amenèrent à accueillir des influences diverses parmi lesquelles, selon toute vraisemblance, certaines étaient issues de la Galice. Le vaste répertoire des thèmes utilisés par les sculpteurs indique par ailleurs qu'on avait fait appel à des maîtres qui avaient travaillé dans les différents centres artistiques du Portugal ou qui, du moins, connaissaient ces derniers, tout en étant peut-être originaires de la région du Minho. Cependant ces artistes ne semblent pas avoir été touchés par des influences issues du bassin du Sousa qui, au milieu du XIIIe siècle, connut un essor architectural tardif. De ce fait, le début de la construction de cet édifice pourrait se situer à l'époque où le premier « foro » fut attribué à Anciães tandis que l'achèvement daterait de la fin du XIIe siècle, peut-être même du premier quart du XIIIe siècle.

NOTES

(1) Manuel Monteiro, *San Pedro de Rates,* Porto 1908 (dans ce livre l'église est nommée Lavandeira).

(2) Candida Florinda Ferreira, *Carrazeda d'Anciães,* Lisbonne, 1933.

(3) Francisco Manuel Alves : *Memoria arqueologico-historicas do Districto de Bragança,* Porto 1934, t. 10, p. 44.

(4) Pedro Vitorino : *O portal românica de Anciães*, Editorial du autor, Porto 1925, p. 10-11.

(5) Francisco Manuel Alves, *op. cit.*, Coïmbre 1911-18, t. 4, p. 216.

(6) *Ars Hispaniae*, pp. 365-366.

(7) Vitorino, *op. cit.*, p. 9.

(8) Goddard King, *Little romanesque Churches in Portugal*, p. 287.

(9) Vitorino, *op. cit.*, p. 10.

(10) Vitorino, *op. cit.*, p. 9.

(11) Candida Florina Ferreira, *op. cit.*, p. 23.

(12) Goddard King, *op. cit.*, p. 285.

(13) Vitorino, *op. cit.*, p. 10.

(14) Ferreira, *op. cit.*, p. 23.

(15) Gertrud Richert, *Investigación y Progreso*, Madrid 1931, 5 (2) : *La ornementación de los timpanos en las iglesias romànicas de Portugal*, p. 23.

(16) Enciclopédia Portuguesa e Brasileira, p. 1004.

(17) Goddard King, *op. cit.*, p. 287.

(18) Ferreira, *op. cit.*, p. 18.

(19) Georgiana Goddard King, *Medieval Studies in memory A. Kingsley Portes*, Cambridge 1939, v. 1, p. 280.

(20) *Almeida*, *op. cit.* I, p. 30, note 6.

SAO MARTI

NHO DOS MOUROS

SAO MARTINHO DOS MOUROS

Histoire

Comme l'indique son nom, cette église peu banale est étroitement liée à l'histoire de la Reconquête. C'est en 1057 que le roi Fernando « el Mayor » de Castille reprit aux envahisseurs arabes cette région, située sur la rive gauche du Douro. Il accorda aux habitants de cette agglomération, peuplée, d'après son nom, au moins partiellement sinon totalement, par des Arabes, le « foral », promesse de protection juridique qui fixait par écrit leurs droits et leurs obligations. Dona Teresa, épouse du comte Henri, père du premier roi du Portugal, renouvela cet acte en 1111. A cette époque apparemment l'installation de nouveaux colons chrétiens avait déjà commencé. Des transferts de propriétés eurent lieu, comme l'indiquent par exemple les ventes de terres auxquelles se livrèrent, d'après l'étude de Goddard King (1), Egas Moniz, homme d'armes portugais bien connu, et son épouse entre 1099 et 1105. La mosquée semble avoir été transformée en église chrétienne, comme ce fut souvent le cas. Certains indices permettent de penser que les architectes chrétiens auraient pu avoir achevé ces travaux d'adaptation vers le milieu du XIIe siècle en ajoutant un chœur au corps de la construction existante. Au cours d'une campagne ultérieure, lancée durant la première moitié du XIIIe siècle l'édifice fut doté de son avant-corps occidental et de son portail Ouest. Ces travaux pourraient avoir été effectués à l'occasion de la prise en charge de l'église par l'ordre des hospitaliers.

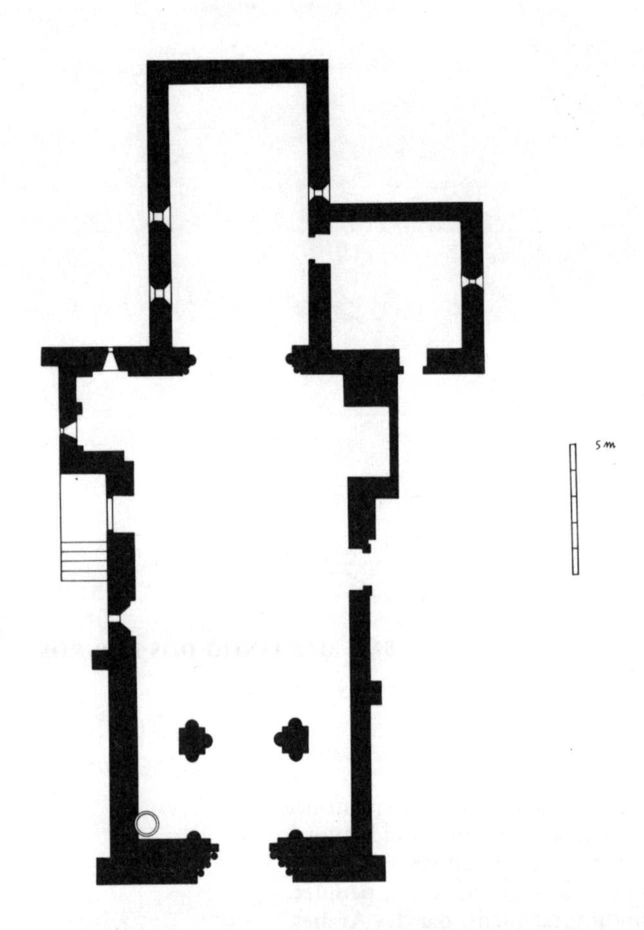

SAO MARTINHO DOS MOUROS

L'extérieur

Déjà lorsqu'on approche de la façade occidentale, on est frappé par le caractère peu ordinaire de cette construction. Cette élévation ressemble davantage à celle des tours-porches des architectures religieuses de la Basse-Allemagne ou des Flandres ou à la souche de l'une des tours de San Gimigniano en Toscane qu'à la façade occidentale d'une simple église de campagne du Portugal. La raison de cet aspect surprenant réside dans le fait que cette façade, édifiée de façon massive, n'est surmontée d'aucun pignon et ne présente, en dehors du portail, qu'une seule ouverture sous forme d'une fenêtre qui, haute et sans décor, s'ouvre à un niveau très élevé. Au-dessus d'elle s'étend horizontalement, sur toute la largeur du mur, une arcature semblable à celles qui, ainsi que l'a fait remarquer Monteiro, dans les églises des chanoines augustiniens, durant la période tardive du roman portugais, servaient à soutenir les corniches. On retrouve ce type d'arcatures par exemple à São Pedro de Ferreira, à São Salvador de Souto (pl. 144-145) ou à Paderne (pl. 192). Ici pourtant le mur se poursuit au-delà de l'arcature, ce qui confère à cette dernière soit la fonction d'arcs de décharge soit le simple rôle d'élément décoratif, à moins que cette élévation supérieure ne résulte d'une modification du plan initial de la construction. Les arcs s'appuient sur de petites têtes d'animaux ressemblant à des bovins.

En reculant de quelques mètres, tout en se dirigeant vers le côté, on s'aperçoit qu'on est en présence d'un avant-corps de plan rectangulaire qui couvre toute la largeur du vaisseau. Derrière cette construction s'étend, à un niveau inférieur, le toit en bâtière de l'église qui vient buter sur elle. A une époque plus récente cet avant-corps a été doté d'un petit clocher carré dont chaque côté est percé de deux ouvertures à l'étage des cloches. Pour bénéficier d'une vue sur l'ensemble de cet édifice, il faut s'engager sur le chemin qui longe la façade Nord de l'église et monte jusqu'au village. On remarque alors deux contreforts venant renforcer les murs et la présence d'un petit appendice septentrional trop étroit pour constituer un croisillon ou une sacristie.

Le portail occidental

Entouré d'une frise à cinq rangées de billettes et d'un arc de décharge lisse, ce portail présente les traits d'une construction réalisée à l'époque de transition vers le gothique. L'évolution stylistique des différents éléments romans que l'on y trouve est plus ou moins marquée, et le fait ressembler aux réalisations portugaises du milieu du XIIIe siècle. Les colonnes deviennent plus élancées et les fûts adoptent une forme prismatique ; les trois archivoltes, d'un tracé légèrement brisé, sont taillées en boudin et les arcs présentent une alternance de profils concave et convexe. Ce processus d'évolution a également touché les chapiteaux : les corbeilles sont étroites et allongées et leur décor s'inspire essentiellement de motifs végétaux, parmi lesquels prédominent des bourgeons qui, à l'extrémité de longues tiges, se penchent en un mouvement élégant. Parmi ces ornements on découvre souvent des réminiscences romanes par exemple sous forme de têtes ressemblant à des masques. Le chapiteau situé du côté Nord, au milieu de l'embrasure du portail, est particulièrement intéressant : il montre comment un chapiteau, conçu selon les normes du style roman « bénédictin », a pu s'adapter à l'esthétique du milieu du XIIIe siècle. Une telle concession au goût d'une époque nouvelle est également sensible dans les chapiteaux d'Abade de Neiva et au portail Ouest de l'église paroissiale de Barcelos. On retrouve des motifs ornementaux comparables à ceux du portail sur les chapiteaux de l'arc triomphal, à l'intérieur de l'église. Notons aussi que l'église Santa Maria de Almacave, située dans l'agglomération voisine de Lamego, possède un portail qui, dans cette évolution des formes, se situe à un stade intermédiaire. Plusieurs ressemblances le rapprochent de celui de São - Martinho dos Mouros (frise d'encadrement identique, motifs de bourgeons comparables) ce qui incite à penser qu'il a été réalisé par le même atelier, à une date légèrement antérieure.

Intérieur de l'avant-corps-tour

En entrant dans l'église on est surpris par la présence inattendue d'une travée voûtée. L'espace est divisé en trois nefs. La nef centrale est couverte d'une haute voûte en berceau que flanquent deux collatéraux nettement plus bas, munis de berceaux brisés (pl. 86). Les voûtes sont appareillées en pierres longues, un peu trop grandes et trop grosses. Deux piliers rectangulaires, pourvus de colonnes adossées, s'élancent d'un jet. Trois arcs doubleaux très épais soutiennent cette travée, ce qui révèle les hésitations de l'architecte, cherchant à conférer la stabilité indispensable à cette structure. Deux d'entre eux, irrégulièrement distants l'un de l'autre, reposent sur des consoles à plusieurs retraites, système de support fort apprécié dans les constructions cisterciennes. Les motifs végétaux simples qui décorent les chapiteaux de l'arc, à l'extrémité de la travée, révèlent, eux aussi, des influences issues de Citeaux.

Les arcs longitudinaux séparant la nef centrale des bas-côtés s'appuient sur des chapiteaux intéressants. L'un d'eux est décoré d'un groupe de macaques ; deux d'entre eux, de grandeur nature, se dressent sur l'astragale dans une attitude que l'on retrouve souvent dans la région du Minho. Un autre chapiteau représente des atlantes. Ces personnages, les genoux repliés, sont assis sur de grandes feuilles à ondulation concave placés à l'angle du chapiteau ; de leurs bras ils prennent appui sur l'astragale et soutiennent leur fardeau de leurs épaules. Un autre chapiteau reprend le thème des animaux à tête commune située à l'angle de la corbeille. Toutes ces sculptures, que n'accompagne aucun élément ornemental, témoignent d'une maîtrise absolue aussi bien dans l'élaboration des formes que dans la représentation des mouvements. Elles sont vraisemblablement l'œuvre d'un excellent artiste familiarisé non seulement avec les sculptures de la Galice, mais aussi avec celles de la région du Minho. Les thèmes choisis ne font pas partie du répertoire des sujets dits « bénédictins », dont nous découvrirons pourtant un peu plus tard quelques très bons exemples sur l'arc triomphal de l'église.

Mais avant de continuer notre visite, jetons encore une fois un regard sur les trois nefs de cet avant-corps en forme de tour. Il a été ajouté au reste de l'édifice préexistant d'une manière si parfaite qu'aucune faille n'apparaît entre ses voûtes et le couvrement en bois des parties primitives. Des contreforts confèrent en effet une solidité à toute épreuve à ces travaux si soigneusement exécutés. La nouvelle construction a été élevée dans le prolongement des murs latéraux de l'ancien édifice, dont la façade occidentale, déplacée vers l'Ouest, a été surélevée. Le nouveau toit a été monté sur des piliers et des arcs intérieurs. Vergilio Correia (2) tient cet avant-corps de São Martinho dos Mouros pour l'une des réalisations les plus remarquables de l'art roman portugais. On n'est pourtant pas en mesure d'établir si l'architecte avait envisagé de couvrir de voûtes toute l'église ou si son projet se limitait à l'édification de cette tour fortifiée et était motivé exclusivement par des considérations d'ordre défensif (3). On ignore également l'usage auquel était destinée la petite construction additionnelle située du côté Sud du vaisseau.

L'arc triomphal

Des questions se posent également ici au sujet des chapiteaux dont le style d'exécution diffère de celui de l'arc lui-même. Ils pourraient très bien appartenir encore à la seconde moitié du XIIe siècle et révèlent même certaines affinités avec les œuvres d'un des plus célèbres ateliers de l'art roman « bénédictin ». L'arc par contre, qui est légèrement brisé et « entame nettement », selon *Ars Hispaniae* (4), « un tracé en fer-à-cheval », s'apparente à celui du portail occidental, qui date du début de l'époque gothique. Non seulement il en adopte la forme, mais il utilise aussi le même matériau. Il est possible que, lors de la construction du portail occidental, l'arc triomphal ait été maintenu mais néanmoins remodelé. Il conserve en tout cas une ornementation en forme de losanges incisés qui est apparemment d'origine et très proche d'un motif décorant l'un des arcs de l'église de Rates. L'oculus du mur, lui aussi, pourrait avoir été transformé à cette occasion.

Les chapiteaux de l'arc triomphal semblent sortis d'un atelier qui travaillait à Braga et à Rates. De nombreuses caractéristiques les en rapprochent. Ainsi les corbeilles présentent ici aussi la forme d'une pyramide tronquée et des abaques fortement saillants, décorés d'une série de feuilles d'acanthe sculptées avec soin et régulièrement distribuées (pl. 88). Comme sur les chapiteaux dus à cet atelier, l'extrémité supérieure des corbeilles est délimitée par une suite de petites feuilles aux extrémités arrondies. Des rapaces (ou des quadrupèdes) occupés à dévorer des hommes, se dressent, deux par deux, aux angles du chapiteau, tandis que leurs victimes sont suspendues entre eux, la tête en bas (pl. 87). Les visages humains ou masques qui remplacent le dé central du chapiteau de même que la présence d'une seconde tête, qui les avoisine dans la partie inférieure de la corbeille et sert d'appui à l'une des griffes des rapaces, rappellent certains procédés strictement identiques de Rates. Rates a servi également de modèle aux chapiteaux décorés de motifs végétaux et géométriques situés au départ méridional de l'arc triomphal. Toutes ces particularités permettent de supposer qu'un des artistes de Rates a travaillé ici pendant la première moitié du XIIe siècle et nous a laissé des traces de son passage.

Le *chœur* est, pour des raisons topographiques, surélevé d'environ 1 m 50 par rapport au niveau de la nef. Certaines particularités s'expliquent par des concessions architecturales faites lorsque l'ancienne mosquée fut transformée en église. Goddard King estime pour sa part que le choeur actuel a été ajouté à la construction musulmane préexistante. Cela expliquerait en effet la présence d'un corps de bâtiment semblable à une nef latérale qui donne sur le chœur par un vaste arc décoré d'une série de billes. Cette partie du chœur pourrait avoir eu pour rôle d'abriter les membres de l'ordre lors de la célébration des offices ; il est sans utilisation aujourd'hui. Une porte aménagée au niveau de la nef conduit à la sacristie. Le plafond à caissons Renaissance, qui couvre le chœur, et quelques bonnes peintures murales, parmi lesquelles on remarque la scène du saint patron de l'église en train de partager son manteau, datent du XVe siècle et méritent d'être mentionnés. On doit aussi attirer l'attention sur les tombeaux creusés dans le sol de la nef jusqu'au départ des murs de l'avant-corps de l'église. Comme à São Francisco de Porto ces lieux de sépulture sont séparés les uns des autres par des encadrement en pierre et couverts de planches.

NOTES

(1) Goddard King, p. 278.

(2) Vergilio Correia, *Monumentos e Esculturas*, Lisbonne 1919.

(3) Hypothèse que semble envisager Almeida 1, p. 9.

(4) *Ars Hispaniae* 5, p. 368.

T A B L E D E S P L A N C H E S

SAO SALVADOR DE ANCIAES

SAO MARTINHO DOS MOUROS

CEDOFEITA

AGUAS SANTAS

80

81

83

84

86

SÃO MARTINHO DOS MOUROS

87

CEDOFEITA ▶

88

90

91

93

95

AGUAS SANTAS

96

CEDOFEITA

PORTO. SAO MARTINHO DE CEDOFEITA

Histoire

Peu d'indices peuvent laisser entendre que l'un des plus anciens sanctuaires chrétiens de la péninsule ibérique s'élevait en ce lieu. Cette ancienne église aurait été fondée par la dynastie aryenne des Suèves, après sa conversion au christianisme. L'inscription apposée au tympan du portail occidental en 1767 se réfère à cet événement, mais ne constitue, dit-on, que la copie d'un parchemin de l'an 1557 qui se serait, quant à elle, appuyée sur une autre inscription « en caractères gothiques » découverte sur une pierre aujourd'hui disparue. Le texte du tympan, suspecté d'être apocryphe, suscita de vives controverses dont nous n'évoquons pas ici les détails. Selon le récit de saint Grégoire de Tours cependant (1) un souverain suève se serait adressé à lui pour que, en sa qualité d'évêque de Tours, il implore saint Martin en faveur de son fils, dont la vie était menacée par une grave maladie. Lorsque le prince guérit, le roi suève adhéra à la foi chrétienne avec toute sa cour et fit construire, en ex-voto, une église, dont la construction fut achevée « comme par miracle » dans un délai extrêmement court. Ce fait même aurait valu à l'édifice le nom de *Cedofeita (cito facta)*. Toutefois la question de savoir si ce roi était Teodomiro, comme le prétend l'inscription du tympan, ou Recario II, comme l'indique le texte de saint Grégoire, demeure aussi indécise que restent obscures les raisons pour lesquelles cette église fut bâtie à Porto, alors que la résidence des souverains suèves se trouvait à Braga.

On peut penser cependant qu'un sanctuaire chrétien s'élevait en ce lieu dès l'époque préarabe. Après la Reconquête cet édifice primitif aurait pu avoir été réparé tant bien que mal et aurait finalement cédé la place, comme ce fut souvent le cas, à une construction plus robuste qui réunissait en elle les traditions architecturales du temps préarabe, celles des régions non occupées par les musulmans et certaines influences de la culture islamique.

Le premier document à prouver l'existence de l'église est celui d'une donation faite par le roi Alphonse II (1211-1223), qui se réfère en même temps à la bulle *Officiis meis* du pape Calixte II, rédigée le 8 mars 1220. Le texte dit également que déjà le grand-père du roi, Alphonse Ier, appelé Afonso Henriques, aurait fait restaurer cet édifice. On peut en déduire qu'un sanctuaire existait ici au moins à partir de 1120, que sa restauration s'effectua après 1128, l'année où Alphonse Ier accéda au pouvoir, et sous le règne d'Alphonse II une nouvelle réfection s'imposa et motiva la donation royale. Étant donné que l'édifice actuel révèle des influences issues de la cathédrale de Porto et de la Sé Velha, cette reconstruction pourrait avoir débuté au plus tôt durant le dernier quart du XIIe siècle, mais plus vraisemblablement au cours du premier quart du XIIIe siècle. Ainsi les experts la datent-ils d'entre 1175 et le milieu du XIIIe siècle. Cette divergence des avis semble être due à une appréciation différente des deux campagnes de restauration, celle d'Alphonse Ier pouvant avoir été effectuée après l'achèvement du portail occidental de la Sé Velha, qui servit de modèle, alors que celle d'Alphonse II remplaça ou transforma les deux portails latéraux. Des transformations ultérieures ne tardèrent pas à intervenir ; on réussit pourtant apparemment, lors de la dernière restauration de 1935 (2), à rétablir largement l'aspect originel de cet édifice de style roman tardif.

Première impression

L'église, située au centre d'une des places les plus fréquentées de Porto, est de dimensions modestes (pl. 89). La nef présente une longueur de 15 m80 seulement et une largeur de 5 m80 ; la longueur de l'abside est de 6 m et sa largeur n'atteint que 4 m60. Par rapport à ce plan l'édifice lui-même, couvert d'un toit en bâtière, paraît haut, élancé et déjà en conformité avec un sens esthétique éloigné de la mentalité romane. L'appareil n'est pas très soigné et fait de pierres irrégulières ébauchées dans un granit grisâtre ; il trahit un atelier de compétence technique médiocre. La nef et l'abside forment deux corps rectangulaires joints l'un à l'autre, fait qui révèle la permanence de traditions architecturales préromanes et se retrouve souvent dans les constructions romanes portugaises. Même l'élévation réduite de l'abside qu'Almeida (3), dans son étude de l'appareil, voudrait attribuer à un changement rétrospectif de plan, pourrait bien être due à de telles influences. On est surpris également devant les renforcements aux deux angles de la façade occidentale qui, a l'opposé de la structure observée à la Sé Velha, se prolongent le long des murs latéraux sur une étendue telle qu'ils auraient pu servir de souche à une tour. L'élévation de deux tours occidentales, fait inhabituel dans une construction ne comportant qu'une seule nef, avait été en effet apparemment projetée. De ces deux tours celle de l'angle septentrional au moins fut réalisée, comme le démontre un dessin de 1906 (4) sur lequel elle figure. Ses vestiges furent incorporés au clocher-mur actuel. Les murs latéraux de la nef ainsi que ceux de l'abside sont contrebutés par une série de contreforts qui, de l'extérieur déjà, permettent de préjuger de la présence d'un voûtement couvrant la totalité de l'édifice : c'est en effet, comme nous pourrons le constater un peu plus tard, au sein de l'architecture romane entre Mihno et Douro, la seule église à nef unique complètement voûtée qui soit parvenue jusqu'à nous.

Mais avant d'entrer à l'intérieur de l'édifice, faisons-en le tour en partant de la façade occidentale. Celle-ci est légèrement surélevée et constitue, pour l'essentiel, un élément purement fonctionnel à ornementation parcimonieuse. Il s'avère difficile de voir en cette façade, comme l'a fait *Ars Hispaniae* (5), une imitation de la façade occidentale de la Sé Velha ou du moins de sa fenêtre. Ses archivoltes n'ont ni l'élan ni la profondeur de celles de Coïmbre, et sa fenêtre ne soutient pas la comparaison avec celle de cette cathédrale, qui est large et conçue comme un portail. Même la subdivision des façades diffère dans ces deux églises. Monteiro suppose, il est vrai, qu'au-dessus du portail de Cedofeita s'étendait à l'origine un larmier en forme de boudin ou une corniche, mais aucune trace n'en subsiste et la distance entre le sommet du portail et la fenêtre est si réduite qu'elle aurait été à peine suffisante pour y faire tenir de tels éléments. L'étroite fenêtre haute est ébrasée et comporte des sortes de piédroits supportant un arc en plein cintre ; celui-ci est surmonté d'une archivolte en forme de boudin, qui, par l'intermédiaire de simples chapiteaux, repose sur des colonnes. Dans sa modestie cette fenêtre correspond à celle d'un mur latéral, mais ne peut être comparée aux fenêtres jumelées et décorées ou aux rosaces qui ornaient à l'époque les façades des églises romanes. On constate ici un penchant marqué pour une simplification du programme architectural, voire même une certaine austérité, qui se manifestera encore à maintes reprises dans d'autres détails. Almeida (6) relève à cet égard de semblables

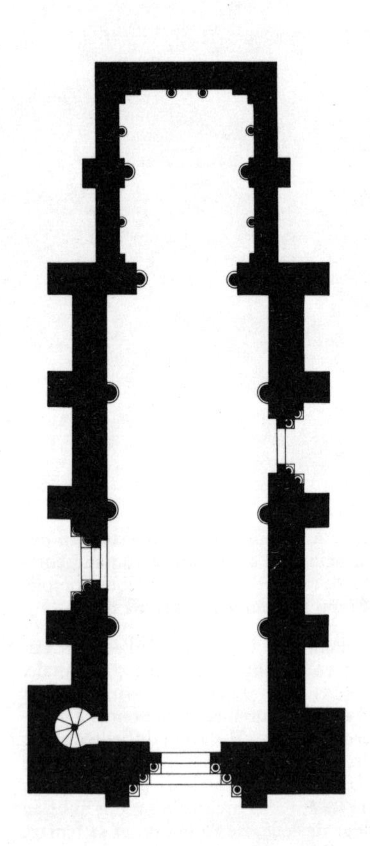

CEDOFEITA

tendances en différentes régions du Midi de la France qui auraient été également notées par d'autres auteurs. Les particularités de ce parti-pris pour la simplification auraient été adoptées dans la région de Porto peu avant la fin du XIIe siècle et au moment où furent entrepris les travaux de la construction de la Sé de Porto, mais celle-ci n'aurait pas été touchée par cette tendance pourtant également sensible à Aguas Santas, Travanca, Cabeça Santa et Quires.

Une décoration un peu plus copieuse agrémente *le portail* creusé dans la façade. Il est encadré par un arc aux arêtes vives, qui s'incorpore au mur et repose sur des piédroits. Suivent trois archivoltes qui, selon les habitudes architecturales de l'art roman portugais tardif à partir de l'édification du portail occidental de la Sé Velha, présentent la forme de tores lisses séparés par des scoties. Elles s'appuient sur des colonnes pourvues de chapiteaux dont les abaques annoncent déjà un changement de style, qui se manifeste également sur les bases ornées de griffes et de motifs ornementaux simples. Toutes les voussures cependant sont encore en plein cintre. Les pierres de taille qui, lors de la restauration, ont été insérées dans l'embrasure du portail au niveau des abaques, démontrent, par leur format, qu'elles ont remplacé des impostes d'origine. Des deux côtés du portail les chapiteaux traitent les mêmes thèmes. Tous les auteurs s'accordent à reconnaître que les sujets dérivent nettement de la Sé Velha, tout en usant cependant d'une simplification dans le dessin (pl. 90). Ce fait pourrait être dû à l'utilisation du granit au lieu du calcaire, mais aussi à l'évolution que subit la sculpture à la fin du XIIe siècle et au début du XIIIe siècle. Cette simplication du dessin qui vise à ne représenter que les formes et les mouvements les plus caractéristiques des animaux apparaît aussi dans d'autres églises bâties durant cette période avancée de l'art roman. Quant au répertoire des thèmes utilisés, c'est bien celui de la Sé Velha (7) ; les *colunelos intercalados penetrados* qui s'élèvent entre les fûts des colonnes constituent une autre caractéristique de l'art roman de Coïmbre. L'inscription du tympan, que nous avons déjà mentionnée, a vraisemblablement remplacé, au XVIIIe siècle, une sculpture dont on peut regretter l'absence.

Du côté Nord de l'édifice s'ouvre le plus intéressant des trois portails. Ses ressemblances avec la fenêtre de la façade occidentale, où l'on a relevé l'influence du style limousin, permettent de penser qu'il fut réalisé pendant la même période que celle-ci (8). Les chapiteaux de ses deux archivoltes légèrement brisées présentent un relief plus marqué que ceux du portail principal. Le tympan compte parmi les plus remarquables du roman portugais (pl. 92) ; il est orné de l'Agneau de l'apocalypse, thème qui, malgré l'opposition de l'Église (9), jouissait d'une grande faveur au Portugal. G. Richert (10) considère cette œuvre comme la plus accomplie réalisée sur ce thème en ce pays. Sa conception et l'attitude de l'agneau rappelle la plaque sculptée de Mirleus, conservée au musée Machado de Castro à Coïmbre (pl. 29). La sculpture présente un relief assez faible, il est vrai, mais de nombreux détails creusés en profondeur dans la pierre lui confèrent néanmoins un beau modelé non sans nuire toutefois à la perception globale du corps de l'animal. Cet inconvénient n'est que partiellement neutralisé par le dessin très minutieux de son pelage. La décoration polylobée du rebord extérieur manifeste des influences mozarabes ; elle encadre deux cercles, dessinant légèrement une spirale, dans lesquels est inscrit l'agneau. Debout, tourné vers la droite, celui-ci ne regarde pas la croix qu'il maintient de l'une de ses pattes antérieures. Cette pose, qualifiée comme de « gloire apocalyptique » (11) est mise en relation avec la fonction rédemptrice de l'agneau (12). L'objet placé sous la croix pose des problèmes d'interprétation demeurés jusqu'à présent sans réponse satisfaisante. L'un des auteurs estime que la croix repose sur un calice couvert d'un linge, alors qu'un autre y voit une coupe dans laquelle se désaltèrent deux pigeons aux ailes déployées.

Un des chapiteaux ne dérive pas de Coïmbre et mérite, de ce fait, une attention spéciale. Il s'agit du chapiteau extérieur du côté droit du portail (pl. 91). Son sujet est étrange et, à notre connaissance, unique au Portugal. Une figure humaine, étendue horizontalement, à mi-hauteur de la corbeille, replie ses bras levés dans un geste qui rappelle celui des orants des premières représentations chrétiennes. Un bœuf ou un taureau, dont la tête et les cornes apparaissent audessus de cette figure, saisit celle-ci dans sa gueule. La signification de cette sculpture peu courante demeure obscure. Les représentations de bovins dans l'art roman n'impliquent en général que peu de valeur symbolique : le bœuf est associé aux scènes de la naissance du Christ (13), il est le symbole de l'Évangéliste Luc qui souligna le sacrifice du Sauveur et, sur les consoles des portails, la tête d'un bœuf, accompagnée de têtes de lions, évoque la résurrection du Christ et le pouvoir de l'Église (14). Dans d'autres contextes l'image de cette bête n'est jamais utilisée en un sens favorable (15) : elle symbolise la nuit, la mort ou le paganisme. Conformément à cette constatation, elle rappelle peut-être ici la menace que l'Islam faisait peser sur le christianisme. Sousa Oliveira (16), quant à lui, estime qu'il s'agit d'une représentation de l'âme tentant de se libérer du péché.

Les étroites ouvertures des fenêtres du mur Nord sont sans décor et se conforment, elles aussi, à une même recherche de simplicité. La majeure partie des modillons soutenant la corniche en grand nombre ont dû être remplacés lors de la restauration de l'église. On doit encore mentionner la croix du pignon absidial portée par deux lions, ce qui est inhabituel (pl. 93). La croix du pignon oriental de la nef par contre épouse une forme déjà gothique proche de la croix tréflée.

Le *portail Sud,* auquel on parvient ensuite, est le plus simple des trois portails. Le tracé de ses archivoltes est également légèrement brisé. Sa composition se distingue de celle des deux autres en ce que les arêtes vives de ses piédroits, sur lesquels retombent deux des archivoltes, ne sont pas décorées de tores intercalés. Les chapiteaux s'inspirent directement, selon Almeida (17), de ceux de l'église São Tiago de Coïmbre. Ce qui frappe, c'est leur tendance à réduire les thèmes figurés à un rôle héraldique ou purement ornemental. Monteiro (18) signale tout particulièrement un chapiteau qui représente des oiseaux aux cous entrelacés ; il s'agit selon lui d'une « copie de qualité inférieure d'un des plus beaux chapiteaux de la nef de la Sé Velha, dont le thème a acquis droit de cité au Portugal, puisqu'il est repris dans beaucoup d'autres églises, comme à Rio Mau, Travanca, Ferreira et la Matriz de Barcelos ». Le tympan de ce portail a été gravement endommagé au XVIIIe siècle à l'occasion de travaux effectués dans le cloître et a dû être remplacé lors de la restauration de l'édifice.

L'ébrasement des quatre fenêtres étroites de la nef et des fenêtres du chœur, dont deux sont latérales et une axiale, confère à l'*intérieur* de l'église un éclairage bien meilleur que l'on aurait pu supposer (pl. 94). Un oculus quadrilobé situé au-dessus de l'arc triomphal indique de nouveau la date tardive de cette construction et révèle en même temps que des influences mozarabes ont joué ici.

Les deux corps de la construction sont voûtés en berceau. La voûte du chœur est faite de petites pierres taillées dans du granit, celle de la nef de pierres plus grandes. Les deux voûtes sont renforcés par des arcs doubleaux dont la distribution correspond à celle des contreforts extérieurs. Ils prennent appui sur des demi-colonnes à bases en forme de bulbes et reposent sur un stylobate ceignant tout l'intérieur de l'église. Monteiro présume que ces voûtes furent réalisées dès la restauration de l'édifice entreprise par Alphonse Ier. Celui-ci passait en effet pour le grand bienfaiteur de l'ordre des chanoines augustiniens, propriétaires du monastère de São Martinho, et de ce fait, n'aurait certainement pas reculé devant les énormes dépenses occasionnées par des travaux de cette ampleur.

Tant par leur forme que par la technique utilisée, les chapiteaux de l'intérieur de l'église se distinguent nettement de ceux des portails et semblent l'œuvre d'autres artistes. Les deux d'entre eux qui reçoivent l'arc triomphal à double rouleau, sont taillés dans un matériau différent, un calcaire de couleur sombre. Leur motif ornemental est repris, selon certaines variantes et dans un relief moindre, sur un autre chapiteau qui est de nouveau en granit.

La datation de ces deux chapiteaux de l'arc triomphal a suscité des divergences d'appréciation. La plupart des experts estiment qu'il s'agit d'éléments remployés provenant d'un édifice préroman qui aurait précédé l'actuel. Cependant Almeida (19) met en doute cette hypothèse : comme le même motif ornemental se retrouve dans plusieurs églises érigées à l'époque romane tardive dans la région de Porto et très particulièrement dans la cuvette du Sousa, il en déduit que le modèle était préroman. Ce motif aurait été adopté par l'atelier qui reconstruisit l'église de Cedofeita à l'issue de la période romane et se serait répandu ensuite dans les régions voisines. Une telle influence exercée par Cedofeita est tout à fait possible ; il ne subsiste en tout cas plus aucun doute sur le fait que cette église ait servi de modèle à celle de Cabeça Santa et, en tant qu'exemple unique d'une construction entièrement voûtée, elle pourrait avoir suscité à l'époque l'intérêt des architectes tout autant que celui des artistes et sculpteurs. Cette hypothèse d'une origine préromane de ces chapiteaux n'exclut pourtant pas la première qui veut les voir provenir du sanctuaire qui s'élevait ici en 1120. Bien des facteurs plaident même en sa faveur. On doit d'abord admettre que ces chapiteaux ne peuvent pas avoir été sculptés au moment de la reconstruction de l'édifice à l'époque romane tardive. Comme toutes les parties de l'église et comme tous les autres chapiteaux ils auraient été en effet exécutés alors en granit, matériau utilisé d'ailleurs également pour le chapiteau qui, s'inspirant de leur décor, fut taillé pour soutenir la voûte. Sa technique de coupe diffère de celle de ses modèles, son relief est moins accusé, le motif en cordelière du tailloir, si caractéristique des chapiteaux préromans, lui fait défaut et il comprend un abaque, contrairement aux chapiteaux de l'arc triomphal. Par ailleurs, l'utilisation de calcaire pour la taille des deux chapiteaux de l'arc triomphal constitue en elle-même une certaine indication en faveur de leur origine préromane. L'étude des vestiges d'églises construites à cette époque nous révèle en effet que, dans les régions où le granit abonde, on eut souvent recours à des matériaux, calcaires ou au marbre, apportés au besoin de très loin. De plus, en dehors de cette région de Porto, le dessin de ces deux chapiteaux est resté un élément étranger au sein du Portugal roman, fait également susceptible de confirmer son origine préromane. Monteiro (20) pense que quelques sculptures mozarabes de San Miguel de Escalada appartenant à la clôture du chœur auraient pu servir de modèles (21). Ce dessin semble être issu de la forme du palmier et constitue un ornement semblable à celui qui décorait antérieurement les commentaires de Beatus (22).

Parmi les autres chapiteaux que l'on trouve à l'intérieur de l'église, certains ont été dotés de corbeilles identiques, mais révèlent, tout comme les chapiteaux inspirés de modèles mozarabes, que leurs auteurs étaient peu familiarisés avec les problèmes posés par le travail dans du granit. Le dessin des thèmes est de ce fait médiocre. Néanmoins ces œuvres laissent voir qu'elles se situent dans la ligne des sculptures de la Sé Velha, ce que d'ailleurs a constaté également Monteiro. Certaines d'entre elles peuvent même être considérées comme des précurseurs de chapiteaux de la cathédrale de Porto. On y trouve des représentations de feuilles de vigne enroulées, avec ou sans tiges, et d'oiseaux sculptés dans la tradition de Coïmbre. Des feuilles ou des palmettes décorent les abaques.

On doit aussi remarquer les arcatures aveugles qui couvrent le mur oriental de l'abside (pl. 94) et ses murs latéraux respectivement avec trois et quatre arcs. Ces derniers, aux arêtes vives, reposent en alternance sur des piliers et des colonnes aux chapiteaux cubiques, aux parties inférieures fortement émoussées, et suscitent, du fait de l'absence de tout élément décoratif, une impression d'austérité. Carlos de Passos (23) en déduit que le chœur actuel constitue l'église primitive. Mais un tel dispositif destiné à soutenir les voûtes et à assurer leur stabilité se rencontre fréquemment, ainsi dans l'abside de l'église voisine de Rio Mau, dont les chapiteaux se distinguent par l'excellence de leur facture et pourraient avoir été créés cinquante ans environ auparavant.

Pour conclure nous pouvons dire que cette église, qui jouit déjà d'un certain renom en raison de son histoire et de son voûtement, soulève une série de problèmes qui n'ont pas encore reçu de solution ; ainsi la question de la datation précise de chacune des phases de sa construction, celle des influences du Languedoc et du Limousin, éventuellement aussi celle de l'église de Ferreira, celle encore d'un éventuel voûtement en briques et des constructions qui l'ont précédée.

NOTES

(1) Voir : *De miraculis Sancti Martini*, l. 1, c. 2.

(2) *Boletim* n° 2 de la *Direccão Geral de Edificios e Monumentos Nacionais.*

(3) Almeida 3, t. 2, p. 208 et 209.

(4) Dessin publié par José Julio Gonçalves Coelho dans le périodique *O Tripeiro*, n° 23 du 10-2-1909, Porto.

(5) *Ars Hispaniae*, p. 357.

(6) Alemeida, *op. cit.*, p. 288.

(7) Real, *op. cit.*, p. 53.

(8) Almeida, *op. cit.*, p. 210.

(9) Voir : *Lexique des symboles*, Zodiaque, p. 32.

(10) Gertrud Richert : *La ornementación de los tímpanos en las iglesias románicas de Portugal*, dans le périodique *Investigación y progreso*, n° 5(2), Madrid 1931, p. 23.

(11) A cause du texte d'Isaïe, 1er chap., 3. Voir à ce propos K. Lipffert, *Symbolfibel*, 3e édition, Kassel 1961, pp. 37, 39, 43.

(12) K. Lipffert, *op. cit.*

(13) O. Beigbeder, *Symbolisme du bœuf*, n° 70 de *Zodiaque*, pp. 2, 9, 14 et 15.

(14) Sousa Oliveira, *Temas psicomáquicas*, p. 13.

(15) Almeida, *op. cit.*, p. 210.

(16) Sousa Oliveira, *Temas psicomáquicas*, p. 13.

(17) Almeida, *op. cit.*, p. 210.

(18) Manuel Monteiro, dans *O Primeiro de Janeiro*, en date du 17 juin 1938.

(19) Almeida, *op. cit.*, p. 209.

(20) Manuel Monteiro, *op. cit.* du 20 mai 1938.

(21) *L'art mozarabe*, Zodiaque, p. 24, 25, 26.

(22) *Op. cit.*, Zodiaque, p. 240 et 241.

(23) Carlos de Passos : *Guia historica e artistica de Porto*, Porto 1935.

AGUAS SANTAS

SANTA MARIA DE AGUAS SANTAS

Histoire

En 1874, le curé de cette église fit installer sur le mur du bas-côté Sud une plaque commémorative ainsi conçue : « Le souvenir de la date de la première fondation de cette église, au passé si glorieux, se perd dans la nuit des temps. Au moment de sa reconstruction, en l'an 1097, il ne subsistait que la nef septentrionale avec deux arcs d'ogives. En 1874, alors que moi, Antonio da Asenção et Oliveira, j'assumais les fonctions de curé, on convertit les deux arcs en un arc unique en supprimant leur colonne grossière et on édifia cette nef méridionale. » La présence de quelques remplois d'origine très ancienne permet de penser en effet qu'un lieu de culte chrétien existait déjà ici sous la domination wisigothique et fut détruit lors de la conquête du pays par les Arabes. Aucun indice cependant ne confirme la reconstruction de l'édifice en 1097, dont fait état cette inscription. En tout cas il s'agissait très vraisemblablement d'une reconstruction bien modeste telle que pouvait l'envisager la petite communauté monastique établie en ce lieu. L'absence de documents, les rapports peu précis et souvent contradictoires de chroniqueurs appartenant à des époques postérieures et à des ordres religieux différents ainsi que l'existence d'un monastère portugais portant le même nom compliquent singulièrement tout travail de recherche. Cependant les points suivants semblent acquis : en 1120, à l'occasion d'une donation faite par Dona Teresa, régente du comté du Portugal, au bénéfice de l'évêque de

Porto et confirmée trois ans plus tard par le pape Callixte II, l'église fut attribuée à l'évêché de Porto. Par ailleurs, les récits des chroniqueurs, malgré leurs contradictions au sujet de l'évolution ultérieure et de l'identité exacte du monastère d'Aguas Santas, s'accordent sur le fait qu'en 1130 les Chevaliers du Saint-Sépulcre auraient bâti une nouvelle église. Initialement celle-ci aurait desservi un monastère qui, selon la tradition de l'époque préarabe, aurait été double et aurait accueilli des chevaliers, des moines et des religieuses. En 1258 une enquête du roi Alphonse III confirma les possessions du monastère et les déclara légales, mais en 1300 on nomma un abbé commendataire auquel fut attribuée une partie des revenus. Pourtant l'ancienne situation juridique du monastère fut rétablie apparemment en 1340. Les Chevaliers du Saint-Sépulcre fondèrent ensuite un hôpital, qui devint célèbre, et rétablirent le monastère double précédemment supprimé. Selon une décision royale, approuvée en 1483 par le pape Innocent III, ce monastère fut finalement transféré à l'ordre de Malte. Celui-ci en fit une commanderie qui fut maintenue jusqu'à la dissolution de la maison au XIXe siècle. Plusieurs dates inscrites sur les murs témoignent des différentes transformations de l'édifice, mais ne permettent qu'une reconstitution approximative des phases de sa construction. La dernière transformation subie fut celle à laquelle fait allusion la plaque commémorative.

La première impression, qui est celle d'une église fortifiée à trois nefs pourvue en façade de deux tours, se révèle fallacieuse. La tour Sud, couronnée de créneaux, est en réalité une construction factice faite de deux murs élevés au XIXe siècle a l'angle de la façade. L'appareil de cette dernière elle-même est bien taillé et le portail présente les caractéristiques d'une réalisation romane tardive.

Extérieur

La façade est d'une grande simplicité. La partie de son élévation qui correspond à la nef centrale comporte, outre le portail, une grande fenêtre ouverte par la suite ; une sinuosité du boudin horizontal prouve que cette baie a remplacé une rosace. Au-dessus du pignon se dresse la croix ; sa forme est celle, habituelle, de l'ordre du Christ. Le collatéral Nord est précédé de la puissante tour septentrionale composée de deux étages. A l'origine, des corbeaux et des créneaux devaient probablement couronner cet ouvrage de défense au niveau de la frise, celle du moins conservée ; les abat-son et la couverture conique en brique résulte de transformations tardives auxquelles on procéda vraisemblablement lors de la restauration de l'église, après le séïsme de 1755.

Le portail occidental témoigne, par sa sobriété non exempte d'élégance, de la tendance à la simplification propre à l'architecture romane de Porto. On n'a pas pour autant négligé les effets de reliefs et d'ombres réalisés grâce à une alternance de gros tores et de scoties sur les archivoltes, suivant le type apparu au Portugal à la Sé Velha d'abord et répandu ensuite à travers le pays (1). Le portail à voussures, sans avant-corps, est creusé profondément dans l'épaisseur du mur, tandis que ses arcs adoptent progressivement un tracé de plus en plus brisé. L'impressionnante épaisseur du mur de la façade est peut-être due à son renforcement ultérieur lorsqu'on intégra à l'édifice la puissante tour septentrionale, initialement isolée, ce qui obligea à avancer le portail. Cela semble ressortir du fait que les marches du portail cachent en majeure partie les bases des colonnes, visibles uniquement du côté droit. La facture de ces bases ainsi que les chapiteaux à crochets, très simplifiés et décorés de feuilles d'acanthe et de lotus, révèlent le caractère tardif de cette partie de la construction qu'il faut dater de la période de transition. Le portail présente, tant par sa composition que par ses proportions, une grande ressemblance avec celui de l'église de São Tiago de Antas sur laquelle plusieurs auteurs ont attiré l'attention. D'autres points communs, que nous évoquerons plus loin, rapprochent ces deux églises et permettent de supposer que des relations personnelles liaient les membres de ces deux ateliers. Il est vrai cependant que le portail d'Antas est pourvu d'un tympan qui fait défaut aussi bien à Aguas Santas qu'au portail Ouest de la Sé Velha qui servit pourtant de modèle.

Vu du *côté Nord* le corps de la nef centrale se détache nettement de celui du collatéral, beaucoup plus bas. Le toit de ce dernier repose sur une corniche prenant appui sur des modillons, dont certains sont ornés de figures. L'un des motifs se retrouve en d'autres églises du Portugal : il s'agit d'un homme assis lissant sa barbe. Selon Real cet homme, que les autochtones qualifient de « Maure » (la tradition attribue la création du premier sanctuaire aux Musulmans), illustrerait une attitude opposée à celle de la luxure. On relèvera la différence existant entre ce type de supports du toit et celui de la nef centrale qui, composé d'arcatures, a une origine lombarde et ne

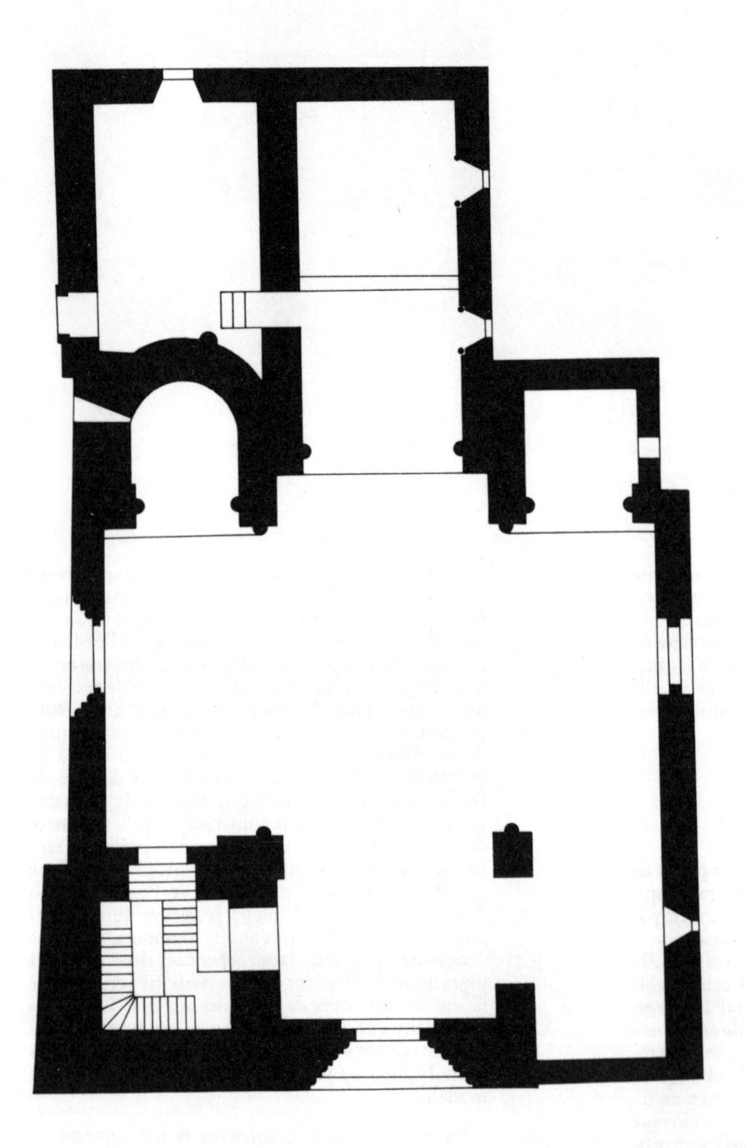

AGUAS SANTAS

s'est répandu que tardivement au Portugal. Sa présence permet de penser que la nef centrale a bien été élevée plus tardivement que le collatéral, ou bien transformée par la suite, ou bien encore seulement surélevée. Nous aurons l'occasion de revenir sur ce fait inhabituel.

En atteignant presque la hauteur de la frise du toit le *portail Nord*, disproportionné, se conforme cependant, lui aussi, eu égard à la simplicité de sa conception, au courant issu de Porto. Son tympan, sans consoles et légèrement en retrait, est décoré de la croix de Malte incisée dans la pierre et inscrite dans un cercle. Sa datation pose un certain nombre de problèmes. Il est en effet possible qu'elle n'y ait été sculptée qu'au moment où les chevaliers de Malte prirent possession du monastère. La présence de deux consoles actuellement privées de raison d'être, mais qui devaient à l'origine soutenir un auvent abritant ce portail et que dépasse largement à présent l'élévation du portail actuel (2), semble attester en tout cas qu'à l'époque cette entrée de l'édifice fut agrandie et reconstruite. Une porte moderne marque le départ des murs extérieurs de la sacristie qui prolonge le bas-côté Nord vers l'Est.

A la vue des *parties orientales* de l'église (pl. 93) on devine que l'abside est rectangulaire, car son mur prolonge celui de la sacristie du côté de l'Est. Cette paroi n'est percée que d'une seule ouverture dont la position asymétrique permet de penser qu'elle se situe au niveau de la sacristie et que l'abside est aveugle. Le mur du pignon absidial est décoré d'une frise au niveau du toit dont le motif, sculpté en faible relief, consiste en une ondulation continue d'entrelacs végétaux que nous retrouverons à l'intérieur. La croix qui surmonte le pignon est d'une forme très rare : qualifiée de « patriarcale » elle est utilisée par les chevaliers du Saint-Sépulcre.

En passant ensuite du *côté Sud de l'abside* on découvre deux fenêtres à arc en plein cintre (pl. 93). Leur particularité réside moins dans leur structure que dans la richesse et le caractère inhabituel de leur décor. Leur conception est en effet très proche de celle des fenêtres de Cedofeita : l'arc en plein cintre, incorporé au mur, est souligné par une épaisse archivolte en forme de boudin qui s'appuie sur des chapiteaux cubiques sans abaques et des fûts de colonnes trapus dont les bases présentent la forme de bulbe et sont ornées de fins tores. La décoration de ces fenêtres par contre est exceptionnelle : sur celle qui se situe à l'Est, les ornements couvrent non seulement les chapiteaux, où ils revêtent l'apparence d'un filet d'entrelacs, mais se répandent aussi sur les fûts des colonnes où ils adoptent la forme de rosaces inscrites dans des cercles irréguliers que l'on pourrait qualifier de répliques grossières des motifs mozarabes qui agrément les colonnes du portail Sud de São Tiago de Coïmbre. Le même type d'ornement apparaît sur une sorte de petit tympan aménagé dans la voussure extérieure. La fenêtre située du côté Ouest offre une décoration plus parcimonieuse. Le petit tympan fait défaut et les fûts des colonnes sont lisses. Seuls, les chapiteaux sont décorés de fines rosaces entourées de cercles irréguliers. C'est avec raison que Gaillard (3) qualifie l'ornementation de ces deux fenêtres d'« exubérante » et « d'un effet baroque qui annonce déjà la période manuéline ». Elle constitue pourtant en même temps une preuve supplémentaire et certaine de la pénétration de motifs ornementaux provenant de Coïmbre dans la région de Porto, ce que Real avait déjà fait remarquer (4). La différence du décor de ces deux fenêtres est frappante, mais difficilement expliquable. Par contre l'interruption de la frise qui, avec ses larges billettes, s'étend sur le mur méridional de l'abside et son emplacement illogique indiquent que les fenêtres méridionales furent agrandies par la suite (5) ; à cette occasion la ligne de leurs appuis fut abaissée. Il est toutefois impossible de préciser avec certitude la date de cette intervention et la période de construction de l'abside. Une pierre de taille, sous la fenêtre occidentale de l'absidiole Sud, porte une date, il est vrai. Nous ignorons cependant à quel événement elle se réfère et, de plus, elle se révèle difficilement déchiffrable, car elle peut être lue aussi bien « era 1206 » (1168 de notre chronologie) que « era 1256 » (1218) (6). Toutefois, en tenant compte de la facture des modillons (têtes, animaux, mère portant son enfant, rouleaux), on partagera volontiers l'avis de Monteiro (7) qui donne 1168 pour date approximative de l'achèvement de l'abside originelle, qui était également rectangulaire, mais vraisemblablement plus courte ; quant à la transformation des fenêtres méridionales, il estime qu'elle fut effectuée au milieu ou à la fin du XIIIe siècle. Vitorino (8) a tenté d'apporter plus de précisions à cette datation en comparant les fenêtres avec celles de l'église Santa María la Antigua d'Arroyo de la Encomienda (Valladolid), mais la solution définitive de ce problème me semble dépendre d'une étude comparative plus approfondie des styles de ces œuvres diverses.

L'observation, à une certaine distance, de l'angle Sud-Est de l'édifice donne quelques indications sur certaines phases de sa construction. La gracieuse rosace située sous le pignon oriental de la nef centrale est entourée d'une grande frise en plein cintre. Celle-ci coupe un boudin horizontal qui semble, à l'origine, avoir ceint la nef sur tout son pourtour. La frise aussi bien que la rosace doivent en conséquence représenter un embellissement ultérieur. Comme la frise est interrompue à son tour par le toit de l'abside, celle-ci fut sans doute surélevée à une date plus tardive encore. Finalement les arcatures de la frise qui, du côté Sud, longent le toit de la nef centrale, sont en grande partie couvertes par le toit du bas-côté Sud qui, nous le savons déjà, est l'œuvre de la toute dernière campagne du XIXe siècle. Celle-ci a aussi à son actif la fausse tour Sud de la façade dont nous apercevons à présent, après avoir achevé le tour de l'édifice, la partie arrière béante.

Le *portail Sud* se présente comme une réplique du portail Nord, mais n'est, malgré les *« arcos ogivantes des arestas vivas con toros nas dietros »*, qu'une imitation néo-romane du XIXe siècle, dans laquelle on inséra quelques restes romans récupérés lors de la démolition de la partie de l'édifice remplacée par le bas-côté Sud actuel (9).

Intérieur

Commençons la *visite de l'intérieur de l'église* autant que possible par la sacristie, dans laquelle on parvient soit directement de l'extérieur, soit à partir de l'abside. On est surpris d'y découvrir le mur semi-circulaire d'une abside qui constitue apparemment la partie la plus ancienne de l'édifice et qui est englobé maintenant dans cette sacristie (pl.98). Le matériau utilisé dans cette absidiole, tout comme dans le bas-côté attenant, diffère de celui du reste de l'église. Une étroite ouverture semblable à une meurtrière et située dans l'axe Est-Ouest, deux demi-colonnes adossées sur de hautes bases de pur style attique, des chapiteaux qui atteignent le niveau d'une corniche reposant sur des modillons et embellie d'une moulure faiblement concave aussi bien que des cannelures évoquant des plaques de pierres superposées, les sculptures des modillons en bon état de conservation, parmi lesquelles une tête de bœuf à la facture primitive et sans relief, un quadrupède représenté de dos, la tête en bas (on trouve imitation néo-romane de ce motif sur un modillon du bas-côté Sud), un motif géométrique fait de deux boules, une figure humaine, un homme assis dans une position sans gêne, exécuté de manière primitive mais bien proportionné, tous ces éléments concourent, malgré leur modestie, à donner une impression de grande force et à créer un sentiment d'harmonie et d'équilibre qu'accentue encore la taille soignée de l'appareil. Les petits chapiteaux, vu leurs différences de format, ne sont pas tout à fait appropriés aux fûts des colonnes. Mais ce sont justement leurs dimensions modestes ainsi que leur facture et leur décoration faite de trois rangées serrées de petites feuilles d'acanthe, de volutes orientées presque horizontalement et de dés centraux, dont l'un a reçu quelques trous de trépan assez malencontreux, qui revèlent en ces chapiteaux des œuvres préromanes et même de façon plus précise, wisigothiques (10). Leur présence prouve que, avant même la période de domination arabe, un sanctuaire chrétien s'élevait en ce lieu.

Monteiro (11) suppose que cette partie de la construction ne remonte pas à la première campagne de l'époque romane, mais constitue plutôt un élargissement de l'édifice originel, qui aurait subi, en 1168, un premier agrandissement au niveau de l'abside actuelle. Cet élargissement ne pouvait être effectué, à son avis qu'en direction septentrionale, parce que l'abside confinait aux bâtiments conventuels du côté Sud. Nous ne disposons cependant d'aucune indication quant à la situation des bâtiments monastiques à cette époque. L'examen critique des styles et le fait que des remplois provenant de la construction préarabe sont discernables dans la partie septentrionale de l'édifice permettent de penser que nous sommes bel et bien en présence de la première reconstruction et que celle-ci fut réalisée avant la seconde moitié du XIIIe siècle. D'après ses caractéristiques, la nef centrale actuelle, par contre, fut élevée en plusieurs étapes consécutives, au cours de la seconde moitié du XIIe siècle et engloba peut-être certaines parties de constructions antérieures. Certains travaux ont pu s'étendre jusqu'au milieu du XIIIe siècle, mais le but principal de l'entreprise, la réalisation d'une deuxième nef, était certainement atteint au cours de la seconde moitié du XIIe siècle.

La datation du bas-côté Nord, entièrement roman et dépourvu de toute tendance stylistique tardive, peut se baser sur la tradition qui rapporte qu'une église fut bâtie en 1130, mais aussi sur les particularités techniques de son appareil. A cette époque l'architecture avait déjà réalisé des progrès importants dans les régions voisines : à Compostelle, la cathédrale était achevée en grande partie dès 1122 et à León, dont l'église San Isidoro avait été appareillée en pierres de taille et terminée en 1067, l'architecte Diostamben avait entrepris de l'agrandir et de la couvrir de voûtes dès la première moitié du XIIe siècle. Par conséquent la construction du bas-côté Nord de Santa Maria de Aguas Santas, d'ailleurs d'une plus grande simplicité, ne présentait en ce temps aucune difficulté. L'exemple de l'abside de Rio Mau, datée par bonheur, confirme que, dans le voisinage même de Porto, on pouvait, avec le concours de bons ouvriers et d'artistes venus du Nord, ériger un édifice à la structure savante et témoignant d'une expérience statique avancée vers le milieu du XIIe siècle. Au moment où les travaux touchaient à leur fin à Compostelle et à León, d'autres artistes auraient très bien pu gagner le Sud du pays, pour y poursuivre leur activité. Ainsi pourraient avoir été réalisé, en même temps qu'à Rio Mau et peut-être même auparavant, des constructions d'une structure un peu plus simple dans la région devenue le Portugal actuel. S'il ne subsiste aujourd'hui, en dehors de Rio Mau et, à notre avis, de la partie septentrionale d'Aguas Santas, pratiquement plus aucun témoignage de cette évolution de l'architecture datant de la première moitié du XIIe siècle, cela est vraisemblablement dû au fait qu'après le refoulement progressif des Arabes, la densité démographique s'accrut et que le développement économique s'accéléra, ce qui entraîna et favorisa l'agrandissement des églises, leurs transformations , l'adjonction de constructions et des réédifications. Il en est résulté la disparition des sanctuaires précédents. Mattoso (12), qui a examiné cette évolution dans le diocèse de Porto durant la période de 1000 et 1200, donne un aperçu des vestiges subsistants actuellement encore de telles églises romanes, qui permet de deviner combien a pu être grande, au Portugal, la perte en constructions de ce style. Par un heureux hasard, un tel édifice semble partiellement conservé à Aguas Santas dans les parties septentrionales de son église ; nous estimons, quant à nous, pouvoir les dater de la première moitié du XIIe siècle.

La présence de marques de tâcherons sur le mur Nord de l'abside actuelle, contigu au côté Sud de la sacristie, est aussi d'un intérêt certain pour la reconstitution des différentes phases de la construction. Avant l'édification de la sacristie, ce mur constituait le mur extérieur Nord de l'abside. La fenêtre située au-dessus de la porte de communication (pl. 98) présente apparemment la forme originelle des fenêtres absidiales qui, du côté Sud, furent transformées par la suite de la façon que nous avons dite. La facture de l'arc avec son tore épais est identique ; les fûts cependant diffèrent : ils sont ici en forme de vis et d'une exécution plus lourde. Sont à noter également les restes d'une frise de billettes à gauche et à droite de la fenêtre, qui correspond à celle du côté Sud de l'abside. Ces données permettent de conclure que les fenêtres méridionales furent agrandies ultérieurement. Cette modification pourrait avoir eu lieu lorsqu'on prolongea l'abside vers l'Est, alors la fenêtre axiale aurait été déplacée du côté Sud où elle figurerait désormais comme deuxième fenêtre. En même temps la sacristie aurait été adjointe à l'édifice du côté Nord ce qui comme à Tarouquela rendait superflue une transformation de la fenêtre septentrionale de l'abside.

Revenons à présent à l'intérieur de l'église. Les deux arcs fortement surbaissés qui séparent la nef centrale des bas-côtés surprennent par la largeur de leur ouverture qui atteint 7 m40. Il s'agit, comme l'explique l'inscription citée au début de ce chapitre, de créations récentes. Le texte de cette inscription prête cependant à équivoque : au moment de l'adjonction du bas côté- Sud, le bas-côté Nord et la nef centrale existaient déjà naturellement, sinon l'information sur la suppression d'une colonne située entre deux arcs n'aurait pas de sens. Il devait donc exister en ce lieu un des rares exemples d'une église à deux nefs, type de construction qui accompagnait assez fréquemment la fondation d'un monastère double. Cette supposition est en effet confirmée par un témoin oculaire qui connaissait l'église avant cette transformation. Il rapporte que la « *torca coluna* » était un épais pilier pourvu de deux colonnes adossées, sur lesquelles prenaient appui deux arcs légèrement brisés, tendus au-dessus de deux passages d'une largeur de 3 m environ qui permettaient la communication entre les deux nefs contiguës. En face de cette double arcade se dressait le mur gouttereau Sud, percé d'une porte qui donnait accès aux bâtiments monastiques attenants. Ceux-ci furent démolis après la suppression du monastère sans qu'il en subsiste la moindre trace (13).

Le bas-côté Nord consiste en une partie rectiligne très courte suivie du secteur semi-cylindrique de l'absidiole, érigée, conformément à la tradition mozarabe, sur un plan légèrement outrepassé, et couverte d'une voûte parfaitement appareillée en pierres de taille de dimension relativement importante et contrebutée par l'arc d'entrée. Celui-ci possède des chapiteaux qui pourraient avoir été sculptés lorsqu'on édifia l'absidiole. Bien qu'ils soient endommagés, ils permettent de constater, comme l'a fait d'ailleurs remarquer très justement Almeida (14), qu'ils se sont inspirés des chapiteaux préromans utilisés comme remplois dans le mur extérieur de l'absidiole. L'un de ces chapiteaux est particulièrement remarquable : trois rangées de grandes feuilles d'acanthe s'y superposent, tandis qu'au-dessus d'elles des volutes rejoignent les angles en une longue ondulation. Les abaques de ces deux chapiteaux sont ornés d'un motif semblable à celui de la frise du pignon oriental, qui se prolonge et parcourt toute la face intérieure de l'abside. L'autre chapiteau a servi de modèle à un chapiteau néo-roman qui décore l'absidiole du XIXe siècle. La profondeur relativement grande de cette absidiole Nord permet de penser, selon Almeida (15), qu'elle a été conçue initialement comme l'abside d'un édifice à nef unique, fait qui souligne encore l'intérêt de cette partie de l'église.

L'arc triomphal à double rouleau ne présente aucune particularité. Pourvu d'arêtes vives et d'un tracé en plein cintre il repose sur de fortes demi-colonnes par l'intermédiaire de chapiteaux. Certains auteurs déduisent de quelques irrégularités du décor entre la rosace et la frise que la nef centrale aurait été surélevée par la suite, ce qui aurait entraîné également la surélévation du chœur et l'exhaussement de l'arc triomphal (16). Dans le chœur c'est d'abord la forme intérieure des deux fenêtres méridionales qui attire l'attention. Leur ébrasement témoigne du désir d'accroître la luminosité du lieu, désir qui a aussi motivé leur agrandissement. Les chapiteaux de la fenêtre orientale révèlent leur élaboration tardive : ils sont décorés aux angles de grandes feuilles pendantes. Leurs fûts présentent la même ornementation mudéjare que nous avons relevée sur les fûts situés du côté extérieur de cette fenêtre. De la même manière la fenêtre occidentale, avec ses deux fûts lisses, réitère les données extérieures. Ses chapiteaux sont décorés de masques de la bouche desquels jaillissent des rinceaux. Du côté septentrional du chœur, les fenêtres possèdent une structure semblable, mais, comme l'a fait remarquer Monteiro (17), les irrégularités de leur ornementation semblent prouver qu'elles avaient été complétées à l'aide d'éléments réemployés. Parmi ces fenêtres, celle située à l'Est possède une colonne plus mince que l'autre et faite d'un matériau différent. Elle est surmontée d'un chapiteau qui semble représenter une tête d'animal de la gueule duquel sortent des feuillages. La fenêtre à l'Ouest, par contre, a des colonnes à ornementation réticulée, décor qui nous est familier. Les chapiteaux sont à la fois trop hauts, trop larges et trop plats ; les animaux qui les décorent ressemblent à des oiseaux affrontés. Le fait que cette fenêtre se présente à l'extérieur sous une forme totalement différente des autres et la présence d'une seconde fenêtre, du côté Nord de l'abside, soulèvent, quant au déroulement et à la succession des travaux de transformation, des questions nouvelles qui n'ont pas encore trouvé de réponses satisfaisantes.

A l'intérieur du bas-côté Nord nous apercevons, en nous dirigeant vers le portail principal, les deux corbeaux déjà mentionnés incorporés au mur de la tour septentrionale et sans aucune fonction actuellement. Il ne peut s'agir que des restes d'un ancien galilée ou des vestiges d'un auvent qui, à l'extérieur de l'édifice, offrait aux fidèles quelque protection contre les intempéries. Par leur existence même ces deux corbeaux attestent que la tour était à l'origine isolée de l'église et qu'elle lui fut adjointe lorsque l'on prolongea les parties occidentales de la nef. La tour abrite des fonts baptismaux romans d'une grande simplicité. Dans le bas-côté Sud on découvre un sarcophage décoré en forme de croix grecque ; son couvercle porte une inscription en caractères typiques du XIVe siècle : IOANNES(S) DEPARADA ESTA SEPULTURA E PER (PETIA).

Avant d'achever la visite de cette église, examinons quelques chapiteaux que nous n'avons pas encore mentionnés, mais qui méritent une attention spéciale.

Les chapiteaux de l'arc longitudinal Nord semblent dater de l'époque pendant laquelle les deux nefs de l'édifice furent réunies. Celui du côté Est, avec ses épaisses feuilles d'angle surmontées de besants, date sans doute de la période de transition ; celui du côté Ouest se trouve près de la chaire et figure des poissons, symbole du Christ, entourés d'entrelacs et sculptés, selon Real (18), par un atelier qui a travaillé également à Quires, Antes et Boelhe. D'après les constatations de Real, l'encadrement ornemental de cette sculpture répond à la tendance typiquement portugaise de mettre particulièrement en relief le symbolisme christologique. En ce qui concerne les chapiteaux de l'arc triomphal, ils seraient, selon Monteiro (19), les plus anciens de l'église, ce qui répond à la datation précoce donnée par cet auteur pour la construction de la nef centrale. Le chapiteau méridional de l'arc est figuratif ; ses animaux rappellent les premières représentations animalières de la région du Minho et celles de Rio Mau, mais également les chapiteaux plus tardifs de la Matriz de Barcelos. On y remarque la tendance à ne pas remplir les espaces libres qui, d'après Monteiro, s'est maintenue longtemps dans l'architecture romane ; une origine tardive du chapiteau n'est donc pas à exclure. La composition des sculptures révèle une recherche d'effets et le thème traité est inhabituel, même extravagant : deux groupes de quadrupèdes que, vu leurs queues et leurs pattes, on pourrait qualifier de chiens, semblent planer dans l'air (pl. 95). Leurs corps sont dirigés vers le bas, leurs têtes sont placées aux angles du chapiteau, leur regard est fixé sur le spectateur, et leurs pattes s'appuient soit sur la corbeille, soit sur l'astragale. Le modelé confère aux corps un relief puissant, proche même de la ronde-bosse dans les têtes à l'expression presque humaine. Un des auteurs (20) qui décrivent ce chapiteau tient cette représentation pour obscène en la rapprochant de l'Apocalypse de saint Jean, chap. 22, verset 15 ; l'étude du chapiteau faite par le chanoine Aguiar Barreiros (21) y voit par contre une exhortation invitant le chrétien à résister au péché.

Les observations faites à propos des chapiteaux de l'arc longitudinal Nord valent aussi pour leurs pendants de l'arc longitudinal Sud. Le chapiteau oriental de celui-ci (pl. 96) serait, selon Vitorino (22), une imitation néo-romane ou du moins moderne, il pourrait cependant aussi constituer un remploi provenant éventuellement de la *« coluna torpe »*. Son sujet a été considéré par plusieurs auteurs et — ce qui étonne — par Monteiro lui-même, comme une figuration de sirènes, bien que ce dernier auteur ait constaté ici des divergences à l'égard de l'iconographie habituelle de ce thème et ait parlé, en raison de la figure d'éléments végétaux qu'on y relève, d'une « conception silvicole » de la scène. En réalité le sujet des sculptures de ce chapiteau semble bien différent : ils représente deux bustes humains, dont l'un est faiblement marqué de quelques caractéristiques féminines, et deux serpents qui, engagés dans un mouvement horizontal, se dressent brusquement dans une attitude menaçante et rapprochent leurs gueules grandes ouvertes des oreilles de ces deux personnages. Ceux-ci, tout en tentant de repousser les reptiles d'une main dans un geste qui trahit leur effroi, saisissent de l'autre une plante qui s'élève au centre. Cette illustration est vraisemblablement le résultat d'une conjonction de deux iconographies apparentées, celle du péché originel et celle de la punition d'hommes impudiques par des serpents, telle que nous la trouvons dans certaines représentations réalistes de Compostelle et du Portugal même. La fusion inhabituelle de ces deux thèmes, ces figures dépourvues de vie et de force expressive, exécutées dans un style presque académique, comme aussi l'absence de tout élément démoniaque ou tragique susceptible d'animer la scène, suscite dans l'esprit du spectacle quelques doutes sur l'authenticité de ces sculptures qui semblent fort éloignées de la sensibilité romane. Il existe dans l'art roman du Portugal des sirènes empreintes d'une grâce de danseuses, par exemple à Paço de Sousa et à Vila Boa de Quires, ou remplies d'une énergie démoniaque, comme à Travanca ; aucune de ces réalisations cependant ne souffre la comparaison avec les figures inexpressives de ce chapiteau. Certains auteurs (23) interprètent l'attitude des deux figures de ce chapiteau comme celle de personnes plongées dans la prière et correspondant aux représentations d'orants du premier art chrétien. Cette interprétation paraît cependant peu crédible car, en ce cas, la présence des serpents serait inexplicable et de plus il n'existe pas de modèles comparables. Une remarque de la spécialiste nord-américaine Georgina Goddard King est à cet égard d'un réel intérêt. Dans son étude sur l'église d'Aguas Santas (24) elle rapporte, sans donner toutefois ses sources, que cet édifice comptait au nombre des sept églises portugaises célèbres en raison de l'indécence de leurs sculptures ; lors de sa visite de l'église, après l'achèvement des travaux de restauration, elle n'aurait cependant découvert qu'un seul chapiteau qui aurait pu motiver un tel jugement, le chapiteau dit « des sirènes ». Certains chapiteaux auraient-ils été changés au cours du XVIIIe siècle, connu pour sa pruderie, ou à l'occasion des travaux d'agrandissement du XIXe siècle durant lesquels d'autres chapiteaux furent copiés ? On doit penser en tout cas que les observations suivantes du savant archéologue Vitorino gardent toute leur valeur : « *Com oacrêscimo realizado foram feitos capitéis imitativos, fáceis de distinguir, vendo-se nos velhos, figuras imaginativas, tal a sereia, simbolo da sedução, e outras reais, como o consagrado peixe, atributo de Cristo* » (25). « Lors de l'agrandissement de l'église on exécuta des chapiteaux qui copient — on les distingue facilement — des anciens chapiteaux originaux. Ils comptent des thèmes imaginaires, comme la sirène, symbole de la séduction, et des figures réalistes, tel le poisson, symbole du Christ ». Par contre les chapiteaux de l'arc d'entrée de l'absidiole Sud sont indéniablement néo-romans, contrairement à l'avis de Monteiro (26) qui les prenait pour ceux de l'ancienne colonne médiane détruite.

Conclusion. Essai de datation

La question de savoir quelles ont été les campagnes de construction dont Aguas Santas a fait l'objet, dans quel ordre celles-ci ont été exécutées et à quelle date elles ont eu lieu reste toujours sans réponse satisfaisante. Les tentatives d'explication données par Monteiro comportent de nombreuses contradictions et suscitent bien des doutes. La datation d'Almeida, quant à elle, semble à certains égards trop tardive ; l'an 1168 sur lequel il fonde ses estimations correspond à la seconde campagne de construction. Aussi nous contenterons-nous des constations suivantes :

a) Le collatéral Nord actuel remonte vraisemblablement à la fin du premier quart du XIIe siècle et constitue le premier agrandissement de l'édifice provisoire qui avait remplacé un sanctuaire préroman ou préarabe.

b) Le prolongement de la courte nef centrale primitive et de son abside qui aboutit à l'érection de la nef centrale actuelle fut probablement réalisée vers la fin du XIIe siècle et s'accompagna sans doute de l'élévation d'une tour de guet isolée, située au Nord de l'édifice.

c) Vers le milieu du XIIIe siècle on a dû procéder à un nouvel agrandissement de l'église, au cours duquel l'abside fut prolongée et transformée, jusque dans la structure de ses fenêtres et son ornementation, le vaisseau surélevé et prolongé vers l'Ouest, la tour au Nord incorporée à la construction, le sol à l'intérieur rehaussé et les deux portails modifiés.

d) C'est à une époque ultérieure que la tour pourrait avoir été munie d'étages supplémentaires. Mais seule, une restauration très approfondie de ce monument pourrait permettre de découvrir d'autres éléments susceptibles de fournir des compléments d'information et par suite, de permettre une connaissance plus assurée et plus précise de son histoire.

NOTES

(1) Voir aussi à ce propos Manuel Monteiro, *Igrejas medievais do Porto,* Porto 1954, p. 51.

(2) Fait noté par Monteiro, *op. cit.,* p. 56, note 3.

(3) Georges Gaillard, *Aspects de l'art roman portugais* dans *Bracara Augusta,* n° 16-17, Braga 1964, p. 129.

(4) Real 1, p. 359.

(5) Monteiro, *op. cit.,* p. 59, note 2.

(6) Voir à ce propos J. Fronteira, *Monumentos Românicos. A Igreja de Aguas Santas no conselho de Maia,* dans O *Tripeiro,* n° 2, juin 1945, p. 37.

(7) *Op. cit.,* p. 53.

(8) Pedro Vitorino, *Igreja de Aguas Santas,* dans *Illustração Moderna,* vol. 2, p. 354.

(9) Manuel de Aguiar Barreiros : *A Igreja românica de Santa Maria de Aguas Santas. Illustração Moderna,* Porto 1929, p. 11

(10) Voir à ce propos, à titre d'exemples, les illustrations de *L'art préroman hispanique I,* Zodiaque, pl. 14, 47, 48, 52, 54 et la figure 63, p. 159.

(11) *Op. cit.,* pl. 55 et 56.

(12) José Mattoso, *Le monachisme ibérique et Cluny. Les monastères du diocèse de Porto de l'an 1000 à 1200,* Louvain 1968, pp. 316 à 327.

(13) Voir Vitorino, *op. cit.*, p. 358.
(14) Carlos Alberto Ferreira de Almeida, *Arquitectura Românica de Entre Douro-e-Minho*, Porto, vol. 2, p. 178.
(15) *Op. cit.*, p. 178.
(16) Vitorino, *op. cit.*, p. 358 ; Monteiro, *op. cit.*, p. 56.
(17) Monteiro, *op. cit.*, p. 58.
(18) Real, p. 67.
(19) Monteiro, *op. cit.*, p. 58.
(20) Aarão de Lacerda, cité par J. Fronteira, *op. cit.*, p. 37.
(21) *Op. cit.*, p. 16.
(22) *Op. cit.*, p. 358.
(23) Aguiar Barreiros, *op. cit.*, p. 16 ; Armando de Mattos : *Dois capitéis da igreja românica de Aguas Santas*, Douro-Litoral, octobre 1951, p. 93 et 94.
(24) Georgina Goddard King : *Little Romanesque Churches in Portugal*, dans *Medieval Studies in Memory of A. Kingsley Porter*, Cambridge 1939, vol. 1, p. 275.
(25) *Op. cit.*, p. 358.
(26) *Op. cit.*, p. 58.

INDEX DES NOMS DES ÉDIFICES ÉTUDIÉS DANS CE VOLUME

Abréviations employées : p. *signifie la page ou les pages du texte ;* pl. *le numéro des planches hélio ;* pl. coul. p. *renvoie à la page où se trouve une planche en quadrichromie ;* plan p. *signale celle où figure le plan d'un édifice.*

l'édition espagnole de cet ouvrage a été réalisée par les
EDICIONES ENCUENTRO à MADRID

CE VOLUME
SOIXANTE-SIXIÈME DE LA
COLLECTION "la nuit des temps"
CONSTITUE
LE NUMÉRO SPÉCIAL DE NOËL POUR
L'ANNÉE DE GRACE 1986 DE LA REVUE
D'ART TRIMESTRIELLE "ZODIAQUE",
CAHIERS DE L'ATELIER DU CŒUR-
MEURTRY, ÉDITÉE A L'ABBAYE SAINTE-
MARIE DE LA PIERRE-QUI-VIRE (YONNE)

LES PHOTOS
TANT EN NOIR QU'EN COULEURS SONT DE ZODIAQUE

LES FIGURES
ONT ÉTÉ DESSINÉES PAR PAULA TINOCO ET MARIA JOSÉ TAVORA, LES CARTES ET PLANS PAR DOM NOËL DENEY A PARTIR DE DOCUMENTS FOURNIS PAR L'AUTEUR.

IMPRESSION
DU TEXTE PAR TARDY-QUERCY A CAHORS, DES PLANCHES COULEURS (CLICHÉS BUSSIÈRE ARTS GRAPHIQUES A PARIS) PAR LES ATELIERS DE LA PIERRE-QUI-VIRE (YONNE). PLANCHES HÉLIO PAR HAUTES-VOSGES IMPRESSIONS A SAINT-DIÉ.

RELIURE
PAR LA NOUVELLE RELIURE INDUSTRIELLE A AUXERRE. MAQUETTE DE L'ATELIER DU CŒUR-MEURTRY, ATELIER MONASTIQUE DE L'ABBAYE SAINTE-MARIE DE LA PIERRE-QUI-VIRE (YONNE).

ISSN 0768-0937
ISBN 2-7369-0025-1 (édition complète)
ISBN 2-7369-0026-X (vol. 1)
N° d'impression : 6463

Directeur-Gérant : José Surchamp

Dépôt légal : 1364-10-86

la nuit des temps

Les arts

16 L'ART CISTERCIEN 1 (3e éd.).
34 L'ART CISTERCIEN 2.
4 L'ART GAULOIS (2e éd.).
18 L'ART IRLANDAIS 1.
19 L'ART IRLANDAIS 2.
20 L'ART IRLANDAIS 3.
38 L'ART PRÉROMAN HISPANIQUE 1.
47 L'ART PRÉROMAN HISPANIQUE 2.
28 L'ART SCANDINAVE 1.
29 L'ART SCANDINAVE 2.

France romane

54 ALPES ROMANES.
22 ALSACE ROMANE (3e éd.).
14 ANGOUMOIS ROMAN.
9 ANJOU ROMAN (épuisé).
4 AUVERGNE ROMANE (5e éd.).
32 BERRY ROMAN (2e éd.).
1 BOURGOGNE ROMANE (7e éd.)
58 BRETAGNE ROMANE.
55 CHAMPAGNE ROMANE.
37 CORSE ROMANE.
15 FOREZ-VELAY ROMAN (2e éd.).
52 FRANCHE-COMTÉ ROMANE.
50 GASCOGNE ROMANE.
31 GUYENNE ROMANE.
49 HAUT-LANGUEDOC ROMAN.
42 HAUT-POITOU ROMAN (2e éd.).
60 ILE-DE-FRANCE ROMANE.
43 LANGUEDOC ROMAN (2e éd.).
11 LIMOUSIN ROMAN (2e éd.).
61 LORRAINE ROMANE.
64 MAINE ROMAN.
45 NIVERNAIS-BOURBONNAIS ROMAN.
25 NORMANDIE ROMANE 1 (2e éd.).
41 NORMANDIE ROMANE 2 (2e éd.).
27 PÉRIGORD ROMAN (2e éd.).
5 POITOU ROMAN (épuisé).
40 PROVENCE ROMANE 1 (2e éd.).
46 PROVENCE ROMANE 2 (2e éd.).
30 PYRÉNÉES ROMANES (2e éd.).
10 QUERCY ROMAN (3e éd.).
17 ROUERGUE ROMAN (2e éd.).
7 ROUSSILLON ROMAN (4e éd.).
33 SAINTONGE ROMANE (2e éd.).
6 TOURAINE ROMANE (3e éd.).
3 VAL DE LOIRE ROMAN (3e éd.).
44 VENDÉE ROMANE.

Espagne romane

35 ARAGON ROMAN.
23 CASTILLE ROMANE 1.
24 CASTILLE ROMANE 2.
12 CATALOGNE ROMANE 1 (2e éd.).
13 CATALOGNE ROMANE 2 (2e éd.).
39 GALICE ROMANE.
36 LEÓN ROMAN.
26 NAVARRE ROMANE.

Italie romane

56 CAMPANIE ROMANE.
62 ÉMILIE ROMANE.

Autres pays

les points cardinaux

introductions à la nuit des temps